LES BASES DE LA COMMUNICATION HUMAINE

UNE APPROCHE THÉORIQUE ET PRATIQUE

2e édition

GAIL E. MYERS

Temple University

MICHELE TOLELA MYERS

Byrn Mawr College

Traduction et adaptation française par:

NICOLE GERMAIN, M. Ps.

DENIS MONAGHAN, M. A.

PIERRE RACINE, M. Ps.

Cégep de Sainte-Foy
Département de psychologie

McGraw-Hill, Éditeurs

Montréal   Toronto   New York
Auckland   Bogotá   Caracas   Hambourg   Lisbonne
Londres   Madrid   Mexico   Milan   New Delhi   Paris
San Juan   São Paulo   Singapour   Sydney   Tokyo

The Dynamics of Human Communication
A Laboratory Approach, Fifth Edition
© 1988, 1985, 1980, 1976, 1973, McGraw-Hill, Inc.

Les bases de la communication interpersonnelle
Une approche théorique et pratique
© 1984, McGraw-Hill, Éditeurs

Typographie et montage : Croquitexte inc.
Couverture : Denis Hunter

Les bases de la communication humaine
Une approche théorique et pratique, 2ᵉ édition
© 1990, McGraw-Hill, Éditeurs
Montréal (Québec). Tous droits réservés.

Dépôt légal: 2ᵉ trimestre 1990
Bibliothèque nationale du Québec
Bibliothèque nationale du Canada
ISBN 0-07-549753-0

Imprimé et relié au Canada
456789   IG93   9876543

TABLE DES MATIÈRES

AVANT-PROPOS

Depuis 1972, Michele et Gail Myers, deux professeurs émérites des États-Unis, ont publié trois livres traitant de communication humaine. La deuxième édition française du présent manuel est issue de leur cinquième édition de *Dynamics of Human Communication*. Les recherches constantes que ces auteurs ont menées pour présenter les théories et suggérer de nouvelles pratiques de communication nous ont motivés à continuer notre travail de traduction et d'adaptation.

La première édition de ce manuel provenait du besoin d'allier à la fois les connaissances théoriques sur la communication à la pratique même de cette communication. Cette méthode était plutôt nouvelle dans le domaine parce qu'elle tentait d'inclure les notions et les théories se rapportant à la communication tout en suggérant les habiletés nécessaires pour les appliquer à l'interaction humaine. Ce manuel était donc assez unique. En effet, une telle approche était différente de celles proposées dans les autres livres portant sur la communication et elle permettait aux étudiants d'apprendre à communiquer plus efficacement, tout en privilégiant l'acquisition de notions importantes en communication.

Le succès de cette formule, mariant connaissance et action, comme le besoin de ce type d'apprentissage dans le cadre des cours de communication interpersonnelle, répondent toujours aux besoins actuels des étudiants des niveaux collégial et universitaire.

Cette deuxième édition française a subi une importante révision et adaptation de la part de notre équipe québécoise. D'abord, les commentaires des étudiants et des professeurs qui ont utilisé ce manuel depuis quelques années ont grandement influencé la révision; le contenu, le style d'écriture, les exemples, les exercices et l'organisation des chapitres théoriques ont été travaillés. De nouveaux postulats théoriques, de nouvelles façons de voir les relations humaines, un nouvel accent mis sur les discours et les transactions apportent des changements substantiels au contenu de ce manuel. Les nouvelles façons d'envisager et de conceptualiser la communication humaine ont donné lieu à l'intérieur des disciplines de communication, à de nouvelles recherches, à l'utilisation d'un nouveau lexique, qui se reflètent au sein du texte. On trouvera donc une bonne mise à jour de la documentation pertinente dans le domaine de la communication. Toutefois, on a conservé plusieurs références à des recherches et des théories datant de plusieurs années; ces références devaient être incluses, croyons-nous, pour transmettre la perspective historique des études sur la communication et aussi pour rendre hommage aux premiers chercheurs et théoriciens ayant contribué à l'élargissement et à la connaissance du champ de la communication interpersonnelle. Tout cela, le tandem Myers l'a très bien effectué, et c'est leur travail, nous l'avons déjà dit, qui a servi de fondement à cette deuxième édition destinée au milieu francophone.

L'acceptation, non seulement de ce volume, mais du principe de l'apprentissage en laboratoire, a signifié un changement important dans la façon dont les cours de communication et de relations interpersonnelles sont donnés. Personne n'a jamais mis en doute la nécessité d'expérimenter les principes de chimie dans un laboratoire, comme quiconque n'a jamais contesté le fait que les notions d'énergie et de mouvement se comprenaient mieux à partir d'expériences faites dans un laboratoire de physique. Il y a une vingtaine d'années, l'expérimentation, l'appropriation de la démarche cognitive, dans l'enseignement des sciences humaines et sociales, et des théories de la communication, pouvaient sembler révolutionnaires.

L'ORGANISATION DU LIVRE

Puisque c'est l'aspect pratique de ce manuel qui en fait l'originalité, c'est-à-dire son laboratoire d'apprentissage, commençons par présenter la deuxième section du livre. La cinquième partie, en effet, contient le matériel nécessaire pour approfondir et faire les liens avec les chapitres théoriques. On y propose plusieurs expériences directes de participation et on y suggère plusieurs tâches et exercices; certains de ces exercices sont des discussions de cas ou des problèmes de communication à résoudre, d'autres sont des expériences de jeux de rôles, des projets de groupe, etc. Vous ne parviendrez certainement pas à réaliser tous les exercices ou à répondre à toutes les suggestions de tâches proposées; toutefois, si vous êtes curieux, vous pouvez quand même lire et expérimenter vous-même les exercices que vous ne faites pas en laboratoire. Vous découvrirez de cette façon les dimensions intéressantes de votre communication.

Retournons maintenant au début et voyons la structure des 11 chapitres composant les quatre premières parties. Le chapitre premier formant la première partie, renferme les théories les plus populaires, les plus intéressantes et les plus utiles touchant la communication humaine et ses effets. Cette première partie constitue donc une description des fondements de la communication humaine en même temps qu'un bref survol historique qui vous aidera à situer la communication dans différentes perspectives. La deuxième partie, avec ses chapitres 2, 3 et 4, inclut les théories de la perception, les notions de concept de soi, de valeurs et de croyances, et montre comment ces principes de perception et ces notions ont un effet sur nos transactions avec les autres.

Dans la troisième partie, vous explorerez les liens entre la communication et le langage verbal, les significations et les systèmes parfois mystérieux des langages non verbaux. Puisque le langage a le pouvoir de construire ou de détruire nos relations interpersonnelles, nous proposons quelques façons de voir l'utilisation du langage pour vous-même et les autres autour de vous. Ces façons peuvent vous aider, croyons-nous, à déceler les utilisations malsaines du langage lorsque vous en rencontrez ou encore à faire une meilleure utilisation du langage pour vous-même.

La quatrième partie consiste à voir comment, à partir de nous-mêmes, des autres et des significations, les rôles que nous jouons sont déterminés et comment nous construisons et modifions ainsi nos relations interpersonnelles. Vous trouverez ici que *interpersonnel n'est pas synonyme d'intimité*. En effet, quoique nous étudiions les relations interpersonnelles, notre étude des relations va plus loin; elle englobe nos relations familiales, nos relations de travail et nos relations dans les groupes. Cette étude inclut aussi les relations interculturelles ou internationales que plusieurs d'entre nous entretenons. Dans ce contexte, nous verrons que les conflits et la négociation avec les autres sont traités comme des occasions pour apprendre à mieux interagir plutôt que comme des guerres à gagner ou des désastres à éviter. Vous verrez également qu'il y a des styles de communication différents, et notre capacité de choisir parmi ceux-ci est un indice de notre degré de liberté pour communiquer. Les façons que nous avons d'aborder nos problèmes de communication font donc partie de cette section et, nous affirmons que vous êtes la seule personne responsable de votre communication. Vous choisissez vos comportements à partir des options que vous avez développées et que vous avez à votre disposition. Ce manuel est une manière de voir comment votre communication s'adapte à vos relations interpersonnelles et au flux incessant des communications qui vous entourent.

Enfin, cette édition conserve son chapitre sur les groupes. En effet, nous avons choisi de maintenir et même d'approfondir davantage plusieurs notions fort utiles à la compréhension et à l'observation des interactions dans les petits groupes ainsi qu'à l'amélioration de notre fonctionnement à l'intérieur de ces groupes. Dans notre contexte d'enseignement et de formation, il était essentiel d'avoir un bon chapitre sur les groupes tel qu'à la première édition.

En résumé, ce manuel a donc tout ce qu'il vous faut, croyons-nous, pour être apprécié: un style direct et informel, un contenu renouvelé, une approche pratique où l'on a choisi des activités stimulantes et bien adaptées, et une organisation théorique plus claire et mieux structurée qu'à la première édition. Nous espérons qu'il répondra à vos besoins et continuera d'être un outil pédagogique utile.

Collège de Sainte-Foy

Nicole Germain
Denis Monaghan
Pierre Racine

PREMIÈRE PARTIE

UN COUP D'OEIL SUR LA COMMUNICATION HUMAINE

CHAPITRE

1

NOUS ET NOTRE COMMUNICATION

OBJECTIFS

Après avoir étudié ce chapitre, vous devriez être en mesure de:

1. Donner cinq raisons pour lesquelles nous communiquons, et fournir des exemples à partir de votre propre expérience.

2. Comparer la communication intrapersonnelle avec la communication interpersonnelle, ainsi que la communication de groupe avec la communication de masse.

3. Expliquer l'utilité d'avoir différents modèles théoriques par rapport à l'intérêt, la clarification, la simplification et l'expression d'un point de vue.

4. Schématiser un modèle de communication humaine et en nommer les principaux facteurs.

5. Expliquer le modèle de la «cible» et celui du «ping-pong» de la communication et dire pourquoi ces modèles sont inadéquats pour décrire la dynamique des communications interpersonnelles.

6. Définir deux principes majeurs de l'approche transactionnelle de la communication.

7. Défendre et exemplifier concrètement le principe selon lequel nous ne pouvons pas ne pas communiquer.

8. Discuter la notion de «prévisibilité» par rapport à la communication humaine.

9. Distinguer entre le niveau du contenu et le niveau relationnel de la communication, et montrer l'utilité d'accorder de l'attention à chacun de ces niveaux.

10. Définir les relations complémentaires et symétriques, en donner des exemples et montrer comment ces relations sont significatives dans notre communication.

INTRODUCTION

Nous vivons dans un monde de communication. Une foule de situations peuvent servir d'exemples. Nous causons avec l'étudiant ou l'étudiante assis à côté de nous en classe. Nous téléphonons à l'un de nos parents. Nous regardons une émission de variétés ou un bulletin d'informations à la télévision. Nous assistons à un service religieux, un rassemblement politique ou une conférence. Nous lisons dans une revue un article faisant état de la violence au Moyen-Orient. Nous discutons avec un ami d'un film que nous avons vu ensemble. Nous participons à une réunion de notre club où nous devons nommer des représentants. Assis avec des amis à la table d'un café, nous observons les passants. Nous écoutons à la radio notre station préférée. Nous saluons une amie qui passe au volant de son automobile.

Chacune de ces activités implique une communication, et pour chacune nous effectuons des choix sur la manière de nous comporter. Ces choix ne se font pas au hasard, même si nous ne sommes pas conscient des raisons qui nous font agir de telle ou telle manière. Ce que nous disons ici, c'est que notre communication a toujours une intention, elle est toujours dirigée vers un but. La question qui se pose alors est la suivante: quelles sont les intentions ou les buts de la communication?

POURQUOI COMMUNIQUER?

Premier but: nous communiquons pour découvrir qui nous sommes et apprendre à nous connaître davantage. Nous communiquons pour essayer de savoir comment nous devrions être en relation avec les autres. Plusieurs auteurs ont exprimé, au sujet de la communication, l'idée que nous sommes au départ la personne la plus importante de notre communication interpersonnelle. L'auteur américain Wendell Johnson a bien traduit cette idée lorsqu'il a intitulé un de ses livres *Your Most Enchanted Listener* [1]. Au fond, le premier message ici est que nous sommes – et devons l'être sans gêne – la première personne sur qui concentrer notre communication.

Deuxième but: nous communiquons pour connaître le monde qui nous entoure. Si nous pouvons découvrir le monde tel qu'il est maintenant, tel qu'il a été et tel qu'il peut devenir, c'est parce que, comme humain, nous possédons l'habileté d'utiliser des symboles, principalement le langage, pour communiquer. La communication nous sert non seulement pour maîtriser les événements et les idées (événement aussi banal que de demander un verre d'eau au restaurant, ou discussion complexe portant sur le terrorisme international), mais elle nous permet également de connaître des événements et des modes de pensée qui remontent à l'Antiquité ou qui ont cours à l'autre bout de la planète. Lors d'un voyage, lorsque nous réalisons un travail académique ou lorsque nous discutons de mode vestimentaire avec des amis, nous apprenons à découvrir le monde.

---

1. Wendell Johnson, *Your Most Enchanted Listener*, New York, Harper & Brothers, 1956.
   N. d. T. Nous pourrions traduire ce titre par *Votre meilleur auditoire*.

Troisième but: nous communiquons pour partager ce monde avec celui des autres. Lorsque nous avons dit précédemment que nous sommes la personne la plus importante de notre communication, cela impliquait que nous recevons de l'information sur nous de la part des autres. Lorsque nous établissons un lien avec notre famille, avec des amis ou avec un groupe de personnes, nous cherchons à établir et maintenir un contact avec les autres, nous désirons donc être reconnu, aimer et être aimé. Ces relations humaines deviennent très importantes lorsque nous montrons aux autres de l'intérêt, de l'affection, et que nous leur permettons de nous parler d'eux-mêmes. Plusieurs métiers et professions visent d'ailleurs un partage avec les autres. Professeurs, infirmiers, avocats, travailleurs sociaux, toutes ces personnes et tant d'autres se vouent à la création de meilleures communications avec leurs clients, leurs patients, leurs étudiants, tout en se penchant sur leurs propres besoins.

Quatrième but: nous communiquons pour persuader ou influencer les autres. Lorsque nous essayons de convaincre un ami de nous accompagner au cinéma alors qu'il doit étudier, lorsqu'un ministre fait la promotion d'un nouvel accord politique avec un autre pays, la communication est, bien sûr, au coeur de ces démarches. Voici un autre exemple. Votre enfance a peut-être été caractérisée dans un premier temps par un certain nombre d'ordres que vous avez reçus («fais ceci, ne fais pas ça»), et ce n'est que graduellement que ce mode de communication autoritaire, basé sur le pouvoir, a fait place à la persuasion et l'influence. En fait, que ce soit un patron ou un père ou une mère, en tant qu'autorité, ceux-ci non seulement ont le pouvoir de diriger les autres, mais ils obtiennent et maintiennent cette autorité en communiquant aux autres ce qui se passera s'ils ne se comportent pas de la façon demandée. La communication concernant les récompenses et les sanctions peut donc être un des éléments majeurs qui accompagnent le pouvoir, et l'indispensable outil pour diriger les gens dans une voie précise. Professeurs, administrateurs, parents, politiciens, vendeurs et chefs religieux sont en quelque sorte ceux et celles dont, régulièrement, la communication a pour but d'influencer et de changer nos comportements et nos croyances.

Cinquième but: nous communiquons pour nous amuser, pour nous détendre et pour nous distraire des autres formes de communication énumérées ci-dessus. Plusieurs de nos échanges, comme plusieurs de nos conversations, bien qu'ils aient le pouvoir de nous influencer et d'influencer les autres, ont avant tout pour but de nous divertir et de nous détendre. Les concerts, spectacles et films auxquels nous assistons peuvent poursuivre différents buts, mais souvent ils sont là pour nous éloigner de nos préoccupations quotidiennes. «Que faites-vous pour vous détendre?» demande-t-on souvent aux gens très occupés. Leurs réponses vont des activités physiques («Je joue au tennis», «Je fais de la natation», «Je fais du jogging») aux activités intellectuelles («Je lis», «Je voyage», «Je vais à des concerts») et impliquent la plupart du temps une dimension communicative. Assister à un événement sportif ou entrer en compétition avec d'autres, avoir un passe-temps seul ou en groupe, voilà autant d'activités de plaisir basées sur une certaine forme d'interaction et de communication.

L'ÉTUDE DE LA COMMUNICATION

Il est courant d'envisager la communication (1) selon le lieu où elle se situe (par rapport à un dialogue intérieur, interpersonnel, ou dans une émission de radio ou de télévision) et (2) selon le nombre de personnes engagées dans la communication à un moment donné (seulement avec soi ou un autre, un petit groupe, ou un très grand nombre de personnes).

Communication intrapersonnelle

Dans plusieurs livres, comme d'ailleurs dans celui-ci , vous trouverez une description et une certaine explication de ce qui se passe à l'intérieur des gens lorsqu'ils pensent, ressentent des émotions, conçoivent leurs idées, réagissent à certaines situations, imaginent ou rêvent. Cette dimension, dite «intrapersonnelle», a fait l'objet d'un grand nombre d'études psychologiques et cognitives essayant de comprendre comment les gens répondent aux symboles, prennent des décisions et conservent de l'information dans leur cerveau. Comment les gens, dans leurs interactions avec les autres, sont-ils affectés par les préjugés, les sympathies, les antipathies et même les apathies qu'ils ressentent? En fait, le traitement de nos perceptions du monde s'effectue dans notre cerveau, mais les effets de ce processus se traduisent ouvertement dans nos comportements.

Dans leur théorie des significations, Cronen et ses collaborateurs parlent de ce qu'ils appellent «une gestion coordonnée des significations», qui commence nécessairement dans les centres de symbolisation de chaque individu, c'est-à-dire de façon *intra*personnelle. «Le lieu des significations est intrapersonnel alors que le lieu de l'action est interpersonnel [2].»

Il est impossible d'étudier l'un sans étudier l'autre. Même si, dans cet ouvrage, aucun chapitre n'est intitulé «Intrapersonnel», l'influence de la communication qui se déroule à l'intérieur de chaque personne est nettement reconnue dans les parties traitant la perception, les valeurs, le concept de soi, les styles de communication, la sémantique générale, le langage, les significations, etc.

Communication interpersonnelle

Un peu plus loin dans ce chapitre, nous vous présenterons des définitions et des modèles de la communication. Vous constaterez toutefois que nous mettons l'accent sur une définition de la communication interpersonnelle en tant que transaction entre les gens et leur environnement, celle-ci incluant bien sûr les autres personnes telles que les amis, la famille, les enfants, les collègues de travail et même les étrangers.

---

2. Vernon E. Cronen, W. Barnett Pearce et Linda Harris, «The Coordinated Management of Meaning; A Theory of Communication» *dans* Frank E. X. Dance (dir.), *Human Communication Theory,* New York, Harper & Row, 1982, p. 71.

Comme nous l'avons déjà dit, les comportements constituent l'aspect le plus évident de la communication interpersonnelle. Nous devons porter attention aux façons qu'ont les gens d'entrer en relation les uns avec les autres, tout aussi bien qu'aux mots qu'ils utilisent. Les gens ont tendance à se construire une réalité les uns par rapport aux autres; ils entrent ensuite en relation à partir de cette perception intérieure [3].

Communication de groupe

Définir la communication par rapport à un petit groupe n'est pas chose facile. Les théoriciens, d'ailleurs, ne s'entendent pas sur le nombre de personnes qu'il faut pour constituer un groupe, sur les différences qui existent dans une communication entre deux personnes et dans une communication entre plusieurs personnes, etc. Le champ de la dynamique des groupes traite ce problème et représente plusieurs aspects intéressants et spéciaux de la communication. Ce champ inclut généralement les théories de l'échange en groupe, celles du leadership, de la gestion et de la prise de décision.

Notez que plusieurs exemples dans cet ouvrage ainsi que plusieurs exercices et activités impliquent un groupe ou même des groupes en interaction. Il n'est pas possible d'éviter les groupes, et on ne peut ignorer les principes de l'interaction de groupe au fur et à mesure que l'on progresse dans l'analyse et l'apprentissage de la communication.

Communication de masse

Aujourd'hui, un domaine des plus populaires est sans doute l'étude des *mass media*. Nous ne référerons cependant qu'indirectement aux systèmes de communication de masse dans notre société, bien qu'un grand nombre de nos connaissances de l'environnement et de nos réactions face aux autres soient influencées par les mass media. Les communications faites par les media, qu'elles soient issues de la radio, de la télévision ou des journaux, ont beaucoup d'effets sur la majorité des gens.

Il y a plusieurs liens entre la communication interpersonnelle et la communication de masse. Par exemple, quoique les limites technologiques de la communication soient de plus en plus repoussées, les limites humaines, elles, ne disparaissent pas. Ainsi, on doit continuer de tenir compte du fait que les communications sont toujours constituées de significations distinctes chez des personnes distinctes, lesquelles ont souvent, nous le savons, des besoins, des désirs et des niveaux de compréhension distincts. Les micro-ordinateurs reliés par modem, les systèmes d'informations par babillard électronique, les nouvelles transmises par satellite, les systèmes d'achats par catalogue télévisé, les accès publics à des banques de renseignements informatisées sont, à l'heure actuelle, autant de façons qu'ont les gens d'entrer en contact et même de «dialoguer» avec la source de ces systèmes de communication

---

3. On peut ici référer à deux études concernant les effets de la communication intime dans les relations, d'abord d'Alan Sillars et Michael D. Scott, «Interpersonal Perception between Intimates», *Human Communication research,* vol. 10, n°1, 1983, p.153-176; et Stella Ting-Toomey, «An analysis of Verbal Communication Patterns in High and Low Marital Adjustement Groups», *Human Communication Research,* vol. 9, n° 4, été 1983, p. 306-319.

Même les moyens de communication de masse dépendent de l'interaction humaine pour exercer leur influence et produire leur effet. (© Hazel Hankin/Stock, Boston)

de masse. Dans les mass media, la transmission à sens unique, désormais, n'est plus la seule façon d'envisager l'information, les messages ou même les spectacles. À mesure que la communication «interactive» augmente dans les communications de masse, les personnes travaillant avec ces systèmes doivent tenir compte des théories et des principes de la communication interpersonnelle. Comme les mass media continuent de développer des types d'analyse «séquentielle» du comportement humain, il y aura continuellement une fusion entre le domaine des communications de masse et celui des connaissances acquises du côté des études sur la communication interpersonnelle.

MODÈLES ET DÉFINITIONS

Académiciens et chercheurs, depuis le début de leurs études sur la communication humaine, ont offert des définitions et ont construit des modèles théoriques de la communication. Si nous regardons les diverses définitions données à la «communication» dans le passé, nous en arrivons presque à dire que chacun définit la communication selon l'aspect qu'il a décidé d'observer. En fait, les modèles et les définitions font savoir aux autres ce que nous voulons mettre en relief ou ce sur quoi nous portons notre attention. Les modèles et les définitions aident à clarifier et à simplifier des idées et à expliquer le point de vue à partir duquel nous approchons un sujet ou un objet.

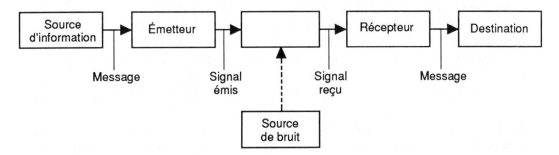

Figure 1.1   Le modèle de Shannon et Weaver est centré sur la théorie du traitement de l'information. Ce système plutôt mécanique reflétait les besoins des laboratoires Bell à cette époque, de manière à déterminer comment une source d'information peut amener un *message* à une *destination*, cela avec un minimum de distorsion en dépit des interférences pouvant provenir du *bruit* de la source et en considérant que les éléments internes ou intrapersonnels de cette source peuvent être différents de ceux du récepteur ou de la destination à atteindre.

Les modèles et les définitions focalisent l'attention

Ainsi, des chercheurs en communication de masse définiront la communication soit selon les progrès technologiques, soit selon l'influence de la presse sur différents publics. Dans cette veine, une façon classique de parler de la communication a été et est encore d'employer les termes de «source», «canal», «message», «transmetteur», «récepteur». Ces termes, issus du modèle mathématique de Shannon et Weaver dans les années 40, ont servi par exemple au développement de l'industrie du téléphone et ont été les précurseurs de modèles et de technologies. Dans les sciences sociales, d'autre part, les intentions des personnes qui envoient les messages et l'impact de ces messages sur celles qui les reçoivent sont un objet d'étude et font naturellement partie de la définition de la communication. Les messages dans ce domaine, on le sait, peuvent se produire entre deux personnes ou s'adresser à de larges groupes parmi la population. Les théoriciens de la gestion de personnel, eux, veillent à ce qu'on élabore et envoie des messages clairs aux employés, afin que le travail se réalise bien. Un thérapeute, lui, centrera sa définition sur l'efficacité de ses messages verbaux selon la réception auprès du patient ou du client. L'approche scientifique de la communication a une mission très spéciale et très claire:

> *La science de la communication doit s'occuper de la transmission physique de l'information, et cela parfois sur des milliers de milles, mais l'information aboutit dans le cerveau humain et il y a toujours cette étape biologique finale à considérer, à savoir la transmission entre les organes sensoriels à la surface du corps et le cerveau à l'intérieur de la tête* [4].

---

4. E.H. Adrian, «The Human Receiving System» *dans* Grenada Lectures of the British Association for the Advancement of Science, *The Languages of Science,* New York, Basic Books,1963, chap. 6.

Les psychologues s'occupant de communication interpersonnelle ont tendance à porter leur attention à la fois sur les complexités internes et externes des relations, c'est-à-dire sur les personnalités, les motivations et les besoins des gens qui communiquent. D'autres étudient les origines et les significations des mots. McLuhan, par exemple, croyait que l'étude de la communication était biaisée par l'importance accordée au modèle émetteur-message-récepteur. Pour lui, un tel modèle exclut l'essentiel, à savoir le *medium*, et c'est cette idée qu'il a défendue dans son fameux livre *The Medium is the Message*[5].

Katz et Lazarsfeld[6] ont remis en question l'idée selon laquelle le public était directement influencé par les messages des media. Selon eux, les contacts interpersonnels ont davantage d'influence sur les attitudes que les messages mécaniques des media. Leur thèse est que l'«aller-retour» de l'information est aussi important pour les personnes qui étudient les communications de masse que pour celles qui s'intéressent à la communication interpersonnelle.

Les modèles et les définitions simplifient ce qui est complexe

Lorsque nous voulons comprendre quelque chose de complexe ou en parler, il est souvent utile de regarder les parties avant d'essayer de saisir le tout. En fait, simplifier une activité compliquée en observant d'abord une à une ses diverses parties est une des fonctions des modèles et des définitions. Il est toutefois très important, ici, de réaliser que la somme des parties, considérée dans son ensemble, peut être plus grande que celle des parties additionnées séparément; ce principe s'appelle *synergie*. Par exemple, si on considère chaque joueur d'une équipe de soccer, ses habiletés et la fiche statistique de son rendement, cela ne nous indique pas, sinon de façon générale, comment l'*équipe* se comportera lors de son prochain match. Voici un autre exemple. Lorsque vous avez appris à jouer aux échecs, vous avez d'abord appris comment se déplaçait chaque pièce. Vous n'avez jamais cru qu'il était possible de jouer à partir d'une seule pièce, car vous saviez que le jeu impliquait l'interaction totale des différentes pièces et leur force respective créée par leurs positions et leurs mouvements sur l'échiquier. Avant de comprendre les différentes parties une à une, l'action du jeu n'avait que peu de sens pour vous.

Il en va de même dans un processus tel que la communication; il est utile de pouvoir l'*arrêter* pour saisir ce qui se passe à un moment donné. Lorsque quelqu'un nous présente un modèle de communication sous la forme d'un schéma avec des boîtes reliées par des flèches, il s'agit là d'une représentation statique de ce qui se passe pourtant de façon dynamique entre des gens qui communiquent. Soulignons-le, de tels schémas ou diagrammes traduisent mal le mouvement et l'aspect cinétique des forces et des comportements en jeu dans les communications de la vie réelle.

5. Marshall McLuhan, *Pour comprendre les médias; les prolongements technologiques de l'homme*, Montréal, Éditions HMH, 1968.
6. Elihu Katz et Paul F. Lazarsfeld, *Personal Influence*, New York, Free Press, 1960.

Les modèles et les définitions représentent notre point de vue

Depuis Aristote, professeurs, académiciens, théoriciens et autres professionnels ont toujours vu dans la communication un processus composé d'au moins (1) une personne émettrice, (2) une personne réceptrice et (3) un message entre les deux. Ainsi, si votre intention est d'étudier la communication uniquement à partir de l'émetteur, du message et du récepteur, ce modèle est suffisant pour vous. Rappelons qu'un tel modèle pour McLuhan était inadéquat et qu'il a mis l'accent sur le *medium*. Historiquement, sans aller jusqu'à parler de «théories», plusieurs modèles ont tenté de cerner et définir cette activité complexe qu'est la communication. Nous décrirons ici le modèle de la «cible» et celui du «ping-pong». Nous indiquerons leurs limites et les raisons pour lesquelles, selon nous, ils n'arrivent pas à rendre compte de la dynamique complexe des communications humaines.

Le modèle de la cible

Certaines traditions rhétoriques ainsi que les premières théories de l'information ont décrit la communication comme un acte à sens unique, semblable à celui de décocher une flèche vers une cible. L'archer atteint le milieu, le bord ou manque carrément la cible. Ainsi, toute l'activité de communication doit, selon cette analogie, se centrer sur ce que l'*émetteur* doit faire, la chose qu'il doit dire, c'est-à-dire son habileté à bien coder ses messages. Ici, la façon de construire, d'organiser et de livrer le message équivaut à aiguiser sa flèche, vérifier ses plumes, bien tenir et bien tendre son arc pour viser le centre de la cible. Dans cette perspective, la question importante est de savoir ce que l'émetteur doit faire pour persuader, aider une autre personne, ou lui vendre quelque chose, échanger avec elle. Mais que se passe-t-il si le receveur ne comprend pas?

En effet, ce modèle comporte plusieurs problèmes. La première erreur consiste à penser qu'une personne peut avoir le contrôle total d'une situation de communication, à savoir qu'avec une bonne flèche et une bonne coordination physique elle devrait toujours atteindre le centre de la cible. Ce point de vue, malheureusement, ne définit nullement le receveur et implique que la personne-cible est tout à fait passive.

La deuxième erreur consiste à regarder uniquement l'émetteur pour comprendre ce qui ne va pas. Si le locuteur est suffisamment habile, nous l'avons dit, il devrait atteindre la cible. Nous constatons ce point de vue encore très souvent de nos jours et l'idée qui le sous-tend est même fort bien exploitée par un marché de vendeurs consommateurs qui porte sur l'«art de convaincre» et l'«art de vendre». Une multitude de systèmes promettent le «succès instantané» avec des approches et des techniques miracles pour influencer rapidement les personnes qui nous entourent (atteindre la cible).

Enfin, paradoxalement, cette vision de la communication donne lieu, lorsque la communication a échoué, à une attitude où la faute est rejetée sur le receveur. Toujours par rapport à l'analogie de l'archer, ce serait ici la cible qui a bougé! Cela se produit, par exemple, lorsque quelqu'un fait un reproche: «Pourquoi ne comprends-tu pas lorsque je te parle?», «Pourquoi ne faites-vous pas exactement ce que je vous ai demandé?» Ou le patron qui dit: «Pourquoi ne savent-ils pas ce que je veux, je le leur ai expliqué.» Ou encore le conférencier qui se plaint: «Mon message est tellement clair, je ne comprends pas qu'ils n'aient pas saisi.»

En somme, ce point de vue, qu'on trouve encore aujourd'hui, est basé sur le principe suivant lequel les mots ont des significations univoques; alors, si l'émetteur connaît la signification juste de ces mots, il ne devrait pas y avoir de malentendu. Il est considéré que si la communication n'est pas réussie, c'est que, quelque part en cours de route, la performance du locuteur n'a pas été adéquate; les mots choisis n'étaient pas les bons, le message n'était pas organisé de façon claire, ou l'inverse, le receveur-cible n'était pas suffisamment ouvert ou stable.

Le modèle du ping-pong

Une autre façon courante, mais également incomplète, de considérer la communication est de la comparer à un match de tennis de table. Vous dites quelque chose: je réponds. Vous en dites plus: je réplique. Vous faites le service: je réagis. Selon cette façon de voir, nous sommes tour à tour émetteur et receveur. Certes, ce point de vue traduit déjà mieux la complexité de la communication humaine. Il inclut notamment la personne qui reçoit le message et ajoute l'idée d'une rétroaction qui permet à l'émetteur d'exercer un meilleur contrôle sur sa communication. Toutefois, le processus de la communication est encore ici trop simplifié, car il est abordé uniquement comme un processus linéaire de cause à effet: je parle, quelqu'un me répond.

La faiblesse de ce modèle, en rapport avec la communication entre humains, consiste à diviser la communication en «ping» et «pong», en stimulus et réponse, en tir et retour du tir, en action et réaction. Or, les gens qui émettent une communication et ceux qui la reçoivent ne font pas qu'échanger leurs rôles d'émetteur et de récepteur. Ce modèle interactif simple ne réussit donc pas à expliquer les complexités de la communication.

Développons un meilleur modèle

En certaines occasions, même s'il décrit mal le processus de communication entre humains, le modèle émetteur-message-récepteur peut être adéquat. Au fur et à mesure que nous comprenons mieux ce qui se passe entre personnes qui communiquent, nous pouvons cependant modifier nos définitions, transformer nos anciens modèles et même en créer de nouveaux. En fait, lorsque nous commençons à porter attention à de nouvelles activités ou de nouveaux comportements, il est nécessaire de modifier les modèles qui nous ont servi dans les circonstances traditionnelles.

Le modèle de Laswell[7] (voir encadré 1.1), dans la veine du modèle de la cible et de celui du ping-pong, bien qu'il ne soit pas tout à fait une vue «transactionnelle» de la communication, inclut un *canal* et, surtout, tient compte de l'*effet* de la communication.

---

7. Harold D. Laswell, «The Structure and Function of Communication in Society» *dans* Wilbur Schramm (dir.), *Mass Communication*, Urbana, University of Illinois Press, 1960, p. 117.

Encadré 1.1   Modèle de Laswell

Qui
dit Quoi
à Qui
à travers Quel Canal
avec Quel Effet*

_____

* Tiré de Harold D. Laswell, «The Structure and Function of Communication in Society» dans Lyman Bryson (dir.) *The Communication of Ideas,* New York, Harper & Brothers, 1948, p. 37-51.

Schutz, également, lorsqu'il a présenté sa «théorie tridimensionnelle du comportement interpersonnel», laquelle exclut spécifiquement ordinateurs et autres systèmes technologiques, a mis l'accent sur les *besoins* interpersonnels et souligné l'importance de l'attention que les gens portent les uns aux autres:

> *Le terme «interpersonnel» réfère aux relations ayant lieu entre les personnes par opposition aux relations où l'un des deux participants est inanimé... Une situation interpersonnelle est celle qui implique deux personnes ou plus, et dans laquelle ces personnes tiennent compte l'une de l'autre avec un but ou une intention quelconque* [8]*...*

Le modèle transactionnel

Le point de vue transactionnel en communication est issu de plusieurs recherches et il est substantiellement développé dans les écrits scientifiques. Une des premières affirmations s'appuyant sur ce modèle de Barnlund:

> *... la communication n'est ni une réaction, ni une interaction avec quelque chose, mais elle est une transaction où les personnes inventent et attribuent des significations dans le but de réaliser certaines de leurs intentions* [9]*...*

_____

8. William C. Schutz, *The Interpersonal Underworld,* Palo Alto, Calif., Science and Behavior Books,1966, p. 14
9. Dean C. Barnlund, «A transactional Model of Communication», sous la direction de J. Akin, A Goldberg, G. Myers et J. Stewart, *Language Behavior*, The Hague, Mouton Press, 1970, p. 47.

Une transaction implique donc une relation intentionnelle beaucoup plus complexe que ce que nous avons trouvé dans les modèles antérieurs. Nous pouvons aussi prédire que les modèles se complexifieront davantage dans l'avenir alors que certains découvriront d'autres aspects de l'interaction humaine. Comme vous pouvez le constater dans la présentation que nous avons faite jusqu'à maintenant, il y a plusieurs façons d'aborder la communication; au fur et à mesure que nous apprenons à découvrir ce qu'est un dialogue verbal, un système non verbal, un système culturel, ou comment fonctionne la persuasion, comment agissent les effets individuels et les effets de masse sur le processus de la communication entre deux ou plusieurs personnes, il devient de plus en plus difficile de couvrir tout le champ de la communication. De plus, ce que nous disons aujourd'hui peut être modifié demain à la lumière de nouvelles données de recherche.

Miller et Sunnafrank, affirmèrent que les premières définitions «situationnelles» n'étaient pas suffisamment élaborées pour décrire la dynamique de la communication. Ils ont alors proposé un modèle «développemental». Leur modèle est basé sur les deux postulats de l'approche transactionnelle privilégiée dans ce volume[10]:

> *Notre premier postulat est que la fonction fondamentale de toute communication est de contrôler l'environnement de façon à en obtenir certains gains physiques, économiques ou sociaux* [11]*... Le deuxième postulat fondamental découle directement du rôle central que joue le contrôle dans notre perspective conceptuelle... Nous croyons que lorsque les gens communiquent, ils font des prédictions sur les conséquences, les résultats ou les effets de leurs messages* [12].

Wilbur Schramm, un des pionniers dans le domaine des études sur la communication, a récemment présenté sa vision de la définition transactionnelle:

> *La communication peut être maintenant considérée comme une transaction dans laquelle les deux partis sont actifs. Les deux partis ne sont pas nécessairement actifs également, ce qui varie par exemple selon qu'on envisage la communication interpersonnelle ou les mass media et leur auditoire, mais, d'une certaine façon, la transaction est fonctionnelle pour les deux partis. Elle répond à un besoin ou amène une gratification. Dans une mesure plus ou moins grande, l'information circule dans les deux sens* [13].

---

10. Gerald R. Miller et Michael J. Sunnafrank, «All Is for One but One Is Not for All: A Conceptual Perspective of Interpersonal Communication» *dans* Dance (dir.), *op. cit.*

11. *Ibid.*, p. 223.

12. *Ibid.*, pp. 224, 225.

13. Wilbur Schramm, «The Unique Perspective of Communication: A Retrospective View», *Journal of Communication*, vol. 33, n°3, été 1983, p. 14.

UNE DÉFINITION DE LA COMMUNICATION INTERPERSONNELLE

Vous remarquerez que cette section s'intitule «Une définition» et non «La définition». L'article indéfini indique que vous risquez de rencontrer d'autres définitions dans vos études sur la communication.

Figure 1.2

Modèle transactionnel intrapersonnel: le modèle intrapersonnel montre le processus de traitement interne des données qui vient de l'environnement et va à l'organisme (nous-mêmes). Nous sélectionnons certains indices auxquels nous accordons ensuite notre attention. Nous les comparons ensuite avec d'autres choses déjà dans notre mémoire. Nous organisons ces nouvelles données à l'aide d'un système personnel quelconque. Nous commençons ensuite à formuler une réponse ou à émettre quelque chose à l'aide d'un système de symbolisation, le plus souvent le langage. Dans cette figure, nous utilisons un modèle de réverbération des ondes parce que la plupart des gens sont fami-liers avec l'image d'une pierre jetée à l'eau qui crée des vagues circulaires. Ces vagues présentent une analogie intéressante avec les effets que nous produisons, comme lorsque nous parlons et que nos paroles ont une faible portée, ou une grande portée, ou encore avec certaines vagues qui reviennent vers nous après avoir frappé plus loin.

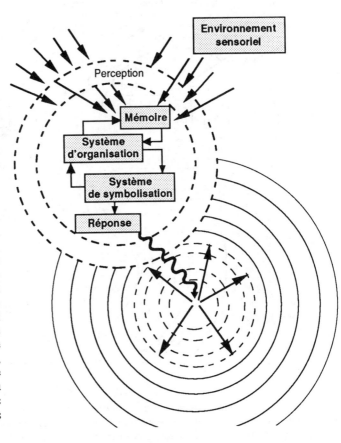

Il y a plusieurs façons de diviser le gâteau, incluant la manière dont nous définissons les termes. Cela indique également que cette définition, comme toute autre, risque d'être dépassée lorsque nous aurons une meilleure compréhension de la communication interpersonnelle. La définition qui suit résume donc ce que nous avons choisi quant à l'observation et à la pratique de la communication, et constitue un type de «contrat» entre nous lorsque nous utiliserons le terme:

> *La communication interpersonnelle est un partage continuel et dynamique de significations toujours présentes, qui se fait avec prévisibilité et à plusieurs niveaux de significations, avec le but de gérer nos vies plus efficacement.*

Pour élaborer cette définition des modèles transactionnels et des théories, il faut maintenant énumérer et discuter un certain nombre de principes. Ces principes, parfois appelés axiomes, postulats ou règles, sont liés à la définition que nous venons de proposer et sont sujets aux mêmes difficultés de significations posées par les mots que nous venons d'utiliser dans notre définition, et que nous tenterons d'expliciter.

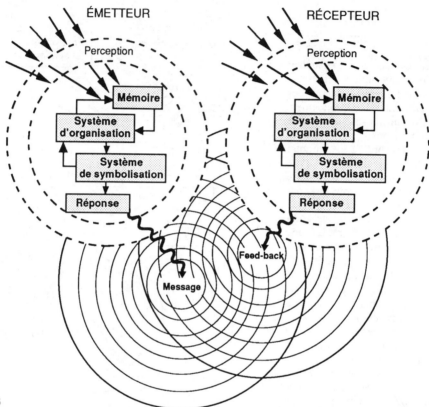

Figure 1.3

Le modèle interpersonnel transactionnel: cette combinaison de deux systèmes interactifs montre deux personnes en communication. Le modèle représente un bref moment et il fige momentanément l'action. Un émetteur identifié (ou une source) passe par un processus intrapersonnel pour émettre un message à un récepteur. La personne réceptrice deviendra émettrice si nous commençons de l'autre côté. Nous devons nous rappeler qu'aussi longtemps qu'il y a une autre personne en plus de nous dans notre environnement, nous pouvons alors agir à la fois comme émetteur et comme récepteur, et aucun de nous deux ne peut éviter la communication. Si nous ne voulons être ni émetteur ni récepteur, il vaut mieux sortir de l'environnement des autres afin de ne pas attirer l'attention. Enfin, la question de savoir qui envoie et qui reçoit est déterminée en grande partie par l'endroit où nous centrerons notre attention et par la façon dont nous ponctuons cette transaction complexe.

UN ENSEMBLE DE PRINCIPES TRANSACTIONNELS

L'approche transactionnelle insiste sur le fait qu'en communication, nous sommes tous liés les uns aux autres, nous tentons de réaliser quelque chose, nous essayons de prévoir les effets de notre communication, dans une certaine mesure nous cherchons à savoir et même prédire comment les choses se passeront pour nous. Comme nous l'avons déjà énoncé, les modèles les définitions simplifient les idées complexes, nous aident à centrer notre attention et font part aux autres du point de vue où l'on se place. Nous pouvons maintenant proposer une série de principes liés au point de vue transactionnel et nous en servir dans cet ouvrage comme définition de base de la communication humaine.

Premier principe: nous ne pouvons pas ne pas communiquer

La communication n'a pas de contraire. En effet, un être humain ne peut pas ne pas agir, et toutes les actions ont potentiellement une valeur communicative. Verbalement ou silencieusement, par le geste ou l'immobilité, d'une manière ou d'une autre nous atteignons toujours les autres, qui en retour répondent inévitablement à nos actions et comportements. Par exemple, lorsque vous avez le nez plongé dans un livre à la bibliothèque, vous communiquez habituellement que vous ne voulez ni parler ni être dérangé. Normalement, les autres comprennent le message et vous laissent tranquille. Un autre exemple. Avez-vous déjà attendu que l'on vous réponde au comptoir d'un magasin alors que le commis était occupé à sa caisse? Après quelques instants en silence, communiquant par là que vous aviez reçu le message d'attendre un peu, vous avez sans doute émis un message visant à montrer que vous désiriez de l'aide. Dans un tel cas, le commis ne pouvait pas ne pas «répondre», si ce n'est en vous ignorant encore, mais cela pouvait aussi vous rendre plus impatient.

Beaucoup de gens ne pensent pas que le silence soit une forme de communication. Ils croient que s'il n'y a pas de parole, il n'y a pas de communication. La communication, cependant, n'existe pas uniquement lorsqu'elle est planifiée, consciente et réussie. Vous communiquez beaucoup même lorsque vous n'avez pas l'intention ouverte de communiquer. Peut-être dans plusieurs cas n'êtes-vous pas tout à fait conscients que vous communiquez, ni tout à fait certains que ce que vous avez communiqué a été entendu et compris. Néanmoins, il y a toujours communication.

La communication ne se fait pas au hasard

Au cours d'une journée ordinaire, nous devons souvent parler, lire, écrire, écouter certaines personnes qui nous adressent la parole, et nous réagissons à une multitude de signaux de communication. Nous pouvons aussi être en contact avec plusieurs personnes qui essaient de nous dire quelque chose, qui nous demandent de nous rappeler quelque chose, ou encore qui nous exhortent à adopter un comportement particulier. Alors que nous marchons pour nous rendre en classe ou au travail, nous devons également côtoyer des gens et éviter de les bousculer. En fait, dans ce dernier cas, nous utilisons une sorte de système radar de communication qui nous dit ce qu'il faut faire pour éviter d'entrer en collision avec une autre personne. Ces mouvements, comme le reste de nos communications, ne s'effectuent pas au hasard. Dans ces situations et gestes, comme dans tous les autres, nous donnons des indices de nos intentions. Même lorsque nous ne sommes pas complètement conscients de nos motivations ou de nos actions, ceux-ci envoient des messages aux autres.

Lorsque nous tentons d'interpréter les actions des autres, nous «attribuons» des significations à leurs actions et comportements. Un très vaste domaine en communication interpersonnelle est l'étude de l'«attribution» des motivations et des intentions et de la façon dont les gens font ces attributions. Il apparaît clairement que, lorsque nous essayons de concevoir les raisons pour lesquelles les gens agissent d'une certaine manière, cela peut avoir un effet majeur dans nos relations avec eux. Ainsi, nous observons et écoutons ce que les autres disent, et recevons alors des messages qui sont ou ne sont pas intentionnels. Étant donné que nous choisissons quoi et comment communiquer, et parce que nous choisissons de voir et d'interpréter les comportements des autres, nous disons que la communication ne se fait pas au hasard, mais elle est orientée vers un but.

La communication est partout et elle est inévitable

Penchons-nous encore une fois sur une de nos journées ordinaires. D'abord, nous disons peut-être que cette journée est satisfaisante selon la qualité ou l'efficacité que nous avons retirée de notre communication: avons-nous, par exemple, ignoré quelqu'un à qui nous aurions voulu adresser la parole, avons-nous manqué l'occasion d'aller voir une amie ou avons-nous reçu l'appel téléphonique que nous attendions? Sommes-nous devenus confus face à certaines explications données en classe par notre professeur? Avec toutes les possibilités de communication au cours d'une journée, nous sélectionnons certaines choses à faire et à ne pas faire. En effet, de la même manière que nous syntonisons une station de radio, nous sélectionnons et syntonisons certaines parties de notre environnement et en ignorons d'autres. Nous faisons des choix, parce que nous ne pouvons porter attention en même temps à toute la communication qui nous entoure.

Avons-nous écouté la radio, regardé la télévision ou conversé au téléphone? Ces gestes sont encore des choix et des extensions de nos contacts personnels avec les gens et l'environnement. Un annonceur publicitaire à la radio dit à des milliers de personnes à quel endroit elles peuvent obtenir un prêt bancaire au meilleur taux sur le marché; cet annonceur a lui aussi effectué des choix quant à la manière de faire et il espère que les personnes qui l'entendent ont besoin d'argent, car il a payé une somme importante au diffuseur de cette publicité (son extension) en croyant que cette communication allait nous atteindre personnellement.

D'autres media comme les journaux et revues fournissent quotidiennement quantité d'informations sur ce qui se passe à Washington, Moscou, Londres, Montréal, Paris, Manille.... De nombreux journalistes font des efforts pour nous communiquer les événements importants et nous parler des agissements de certaines personnes, même s'il arrive souvent que nous ne connaissions pas ces personnes et que ces événements soient lointains.

Les moyens de communication électroniques se sont développés à un point tel que nous ne pouvons porter attention qu'à une fraction de ce que ces moyens ont la capacité de nous transmettre. Nous n'écoutons qu'une seule station de radio à la fois, même si notre appareil peut en capter des dizaines. En général, selon nos intérêts, nous ne lisons que deux ou trois journaux et magazines parmi les centaines de publications disponibles. Si nous habitons une grande ville où une multitude de chaînes de télévision sont accessibles jour et nuit, nous ne pouvons cependant qu'en regarder une à la fois. Enfin, le téléphone nous permettra d'obtenir un renseignement, de causer avec un ami ou avec un de nos parents qui vit loin de nous. Dans toutes ces situations, nous baignons en pleine communication.

Ainsi, dès la sonnerie du réveille-matin, commence la communication. Se brosser les dents, prendre une douche sont aussi le fruit de communications antérieures avec notre environnement. S'habiller, prendre un petit déjeuner et ensuite sortir en suivant un certain trajet ne sont pas des comportements innés; ils font partie de nos habitudes parce qu'ils nous ont été transmis et que nous les avons appris à travers un système de communication appelé «éducation de l'enfant».

Deuxième principe: la communication cherche à être prévisible

Nous avons déjà insisté sur le fait que la communication ne se fait pas au hasard. Pourquoi, alors, certains actes de communication n'ont aucune signification pour nous? Le problème n'est pas la quantité ou le contenu de ce qui est communiqué; c'est la façon dont nous organisons la communication. Dans l'extrait de Miller et Sunnafrank cité plus haut, ceux-ci disaient qu'en observant notre communication, nous essayons de prévoir le comportement des autres, et nous devenons très attentifs lorsque nos prédictions ne coïncident pas avec ce qui se passe. En effet, la communication continuelle avec les autres vise souvent à nous permettre d'obtenir de meilleures prédictions. Plus nous parlons avec les gens, plus nous pouvons deviner facilement quels seront leurs comportements.

Dans un livre sur la communication familiale, Galvin et Brommel démontrent bien comment les *patterns* de communication sont prévisibles, comment nous pouvons apprendre à améliorer nos prévisions et comment nous dépendons de la communication transactionnelle pour partager la signification des choses:

> *Quand nous parlons de la communication, nous parlons d'actes symboliques auxquels nous assignons des significations grâce à nos transactions. Les significations émergent de l'utilisation de gestes symboliques au fur à mesure que nos interactions nous apportent les informations pour interpréter les symboles. Après chaque rencontre avec une personne ou un objet, nous devenons plus aptes à transiger dans des situations similaires, et notre comportement adopte alors certains patterns. Plus il y aura de répétitions, plus grande sera la probabilité des significations assignées*[14].

Dans ce volume, nous essaierons de vous fournir des moyens de mieux comprendre votre communication et, dans ce sens, de vous aider à mieux prédire les résultats de votre communication. Plusieurs années de recherche ont amené des spécialistes à croire que les résultats peuvent être généralement prévisibles lorsque nous connaissons le type du message, la source particulière dont il émane et le type d'auditoire auquel il s'adresse[15].

Malgré toutes les incertitudes inhérentes aux associations faites entre humains, certaines faites accidentellement, d'autres faites dans un but conscient[16], nous pouvons toujours améliorer l'envoi et la réception des messages selon nos connaissances du processus de la

---

14. Kathleen M. Galvin et Bernard J. Brommel, *Family Communication,* 2ᵉ éd., Glenview, Ill., Scott, Foresman et Cie., 1986, p. 12.
15. Voir Carl I. Hovland, Irving Janis et Harold Kelly, *Communication and Persuasion,* Westport, Conn., Greenwood Press, 1982. Voir également Erwin Bettinghaus, *Persuasive Communication,* New York, Holt, Rinehart et Winston, 1980.
16. Pour une discussion plus approfondie des messages «stratégiquement ambigus» et de la possibilité que la *clarté* ne soit pas toujours ce qu'il y a de plus efficace, on référera au chapitre 6 et aux écrits d'Eric Eisenberg.

communication. Répétons que la communication ne se fait pas au hasard, elle semble être le fruit du hasard lorsque nous ne comprenons pas les parties du processus et la façon dont ces parties s'organisent et se relient les unes aux autres.

Les politiciens utilisent les sondages d'opinion pour guider leurs campagnes électorales; ils recherchent les réactions des gens pour tester certaines de leurs idées et modifient ensuite leur approche auprès des électeurs selon les réponses obtenues à leurs sondages. Nous effectuons quasiment, nous aussi, des «sondages» lorsque nous parlons aux autres et nous surveillons attentivement leurs réactions, ou lorsque nous essayons de nous rappeler comment les autres ont réagi à nos comportements dans le passé. C'est à partir de l'évaluation que nous faisons de nos comportements antérieurs que nous réajustons nos comportements et nos communications dans l'intention de faire mieux.

Nous pouvons devenir plus efficaces au fur et à mesure que nous apprenons à connaître ce qui se passe dans notre communication interpersonnelle. S'adapter pour réduire les incertitudes de nos communications devient un défi constant. Nous cherchons à ce que les choses fonctionnent bien pour nous, et pour cela nous faisons généralement beaucoup d'efforts. À ce propos, un aspect intéressant de notre comportement adulte nous vient de l'observation des enfants, chez lesquels la communication interpersonnelle est habituellement très prévisible:

> *Au fur et à mesure que les enfants communiquent avec plus de compétence, ils apprennent... comment réconforter un ami, comment refuser à quelqu' un de prendre leur bicyclette et comment se joindre à une partie de ballon. Les enfants apprennent à adapter leur stratégie de communication aux différentes situations qui se présentent à eux... Ce n' est pas parce que les enfants sont petits qu' ils sont démunis entre eux ou face aux adultes. Comme les adultes assument des rôles d' autorité ou de soumission lorsqu' ils communiquent, les enfants communiquent entre eux avec un statut d' égalité ou d' inégalité... Les enfants doivent acquérir suffisamment de flexibilité pour passer d' une position d' autorité à une position d' égalité ou de soumission. Au fil des années et des expériences accumulées avec les membres de leur famille et avec leurs pairs, les enfants acquièrent des habiletés pour communiquer efficacement selon les contextes[17].*

Troisième principe: la communication est un processus continu

Nous avons été habitués à voir les phénomènes en fonction de cause et d'effet, de stimulus et de réponse, d'action et de réaction, d'émetteur et de récepteur, de début et de fin. Nous croyons tous, d'une certaine façon, que l'histoire commence au moment où nous sommes nés, et nous avons généralement développé ce que l'on pourrait appeler une vision «linéaire» du monde. Cela signifie que nous avons tendance à considérer que nos expériences et nos interactions comportent clairement un début et une fin, ou ont une séquence avec un point de départ et un

---

17. Barbara S. Wood et Royce Gardner, «How Children Get Their Way: Directives in Communication», *Communication Education,* vol. 29, Juillet 1980, p. 264, 265.

point d'arrivée précis. On peut dire que nous effectuons un genre de «ramassage» de nos communications, c'est-à-dire que nous regroupons constamment les incidents et nos comportements pour en dégager un sens, ou nous fractionnons nos expériences pour les comprendre plus facilement.

Envisager la communication de façon linéaire peut nous induire en erreur. En réalité, la communication vient d'un moment dans notre passé, et c'est nous qui décidons de son commencement. En fait, c'est un peu comme lorsque nous commençons des phrases avec une majuscule; on appelle d'ailleurs «ponctuation» cette pratique qui consiste à trouver un début et une fin aux séquences de notre communication. Ainsi, le professeur qui dit qu'il surveille le travail de ses étudiants pour que ceux-ci ne fassent pas de fautes ponctue peut-être l'interaction d'une façon différente de ses étudiants. Ceux-ci peuvent très bien penser qu'ils font des fautes parce que le contrôle exercé par le professeur leur impose un stress trop grand. Ou encore, vous pouvez dire, lors d'un rendez-vous avec un ami, que vous êtes en retard parce qu'il n'est jamais ponctuel; en retour, celui-ci peut vous répondre que s'il n'est pas ponctuel, c'est justement parce que vous êtes toujours en retard. Ces différences de perception dépendent donc du point où vous pensez que le processus a commencé, c'est-à-dire de la façon dont vous ponctuez l'interaction.

Encadré 1.2   Ponctuation

Une poule n'est qu'une façon pour un oeuf de produire un autre oeuf.

---

* Samuel Butler

La communication humaine, comme processus dynamique, est mieux comprise lorsqu'elle est envisagée comme un système où les émetteurs sont simultanément des récepteurs et où les récepteurs sont simultanément des émetteurs. Savoir qui a commencé n'est pas une question pertinente car les processus n'ont ni début ni fin comme tels, si ce n'est lorsque nous voulons examiner certaines de leurs composantes[18]. Du point de vue de la communication transactionnelle, nous sommes à la fois cause et effet, stimulus et réponse, émetteur et récepteur. Isoler un geste de communication, c'est fixer arbitrairement un début et une fin à ce qui est essentiellement un processus continu. Même si vous «ramassez», votre amie et vous, l'expérience que vous avez ensemble, vous ne le faites sans doute pas de la même façon. Par exemple, est-ce votre jalousie qui a conduit votre amie à flirter avec un autre, ou est-ce son flirt avec un autre qui vous a rendu jaloux?

---

18. Pour une discussion de la spirale transactionnelle comme modèle de communication, on consultera Frank E.K. Dance (dir.) *Human Communication Theory: Original essays,* New York, Holt, Rinehart and Winston, 1976, p. 293-303.

Notre vie quotidienne est un flot dynamique de communication; ce flot change comme notre environnement, comme nous-mêmes nous changeons et comme les autres aussi changent constamment. Nos besoins de communication ne sont jamais statiques, ils doivent se réajuster en fonction de nos expériences et de la prévisibilité du futur. Il n'y a aucun moyen d'éviter les différences de ponctuation, mais nous pouvons toujours prendre davantage conscience de ce danger inhérent à toutes les communications interpersonnelles. En somme, nous devons essayer de mieux anticiper la façon dont les autres et nous-mêmes, avons tendance à ponctuer nos relations, c'est-à-dire la façon dont chacun détermine si la poule est venue avant l'oeuf.

Quatrième principe: la communication se fait à deux niveaux

Selon Watzlawick et ses collaborateurs, «la communication ne fait pas que véhiculer de l'information, elle impose aussi un comportement[19]». D'abord, une communication véhicule un *contenu* d'information, et à ce niveau on réfère habituellement à ce qui est dit concrètement dans la communication. Toutefois, en plus de véhiculer un contenu, une communication implique toujours une définition de la relation entre les personnes qui communiquent, et inclut la plupart du temps des indications sur la manière d'interpréter son contenu.

Le *niveau relationnel* réfère donc à la manière dont le message ou le contenu doit être compris, et à la manière dont est définie la relation entre les personnes concernées. Des phrases comme: «Je voulais seulement te taquiner», «Je suis très sérieux» ou «C'est un ordre» illustrent des niveaux différents de relations et, en plus du message lui-même, nous disons ici verbalement à l'autre comment interpréter notre message.

Le niveau relationnel n'a toutefois pas toujours besoin d'être exprimé en mots; en fait, la plupart du temps il est exprimé non verbalement. Par des indices contextuels et non verbaux, nous pouvons très bien communiquer s'il s'agit d'un échange sérieux, d'une conversation amicale, d'une réprimande, d'une critique, d'une plaisanterie ou d'un sarcasme. En même temps que le contenu, nous donnons des indices sur la façon dont nous nous attendons que l'autre réponde et sur le type de relation en cours.

Il se peut que vous soyez agacés par la manière dont vos parents ou vos professeurs vous demandent certaines choses. Galvin et Brommel réfèrent à ces verbalisations comme étant des «commandements» et des «impératifs»[20], qui, en plus de vous sommer de répondre au contenu d'un message («Fais la vaisselle», «Remettez votre travail au plus tard mardi»), vous communique clairement la relation établie («Je suis en position d'autorité et je peux te dire quoi faire»). Lorsque ces messages de parents ou de professeurs apparaissent trop autoritaires, on peut se sentir comme de petits enfants et un certain ressentiment risque d'apparaître si on perçoit que cette relation devrait être différente.

La confusion peut aussi être le résultat de certains messages relationnels (1) lorsque ceux-ci ne sont pas clairs ou (2) lorsqu'ils ne correspondent pas au contenu des messages. Lors d'un magasinage, par exemple, avez-vous déjà demandé des informations à quelqu'un qui avait

---

19. Paul Watzlawick, Janet Beavin et Don Jackson, *Une logique de la communication,* Paris, Seuil, 1972.
20. Kathleen M. Galvin et Bernard J. Brommel, *op.cit.,* p. 128.

l'air d'un commis mais qui en fait était un client comme vous? Quelque chose dans le comportement de cette personne vous avait sûrement amené à penser qu'elle travaillait à cet endroit. D'autre part, lorsque vous cherchez de l'aide dans un magasin, généralement vous trouvez la personne qui pourra vous répondre, non parce que les commis passent leur temps à offrir leurs services mais parce que vous êtes à l'affût des indices qui montrent leur rôle et leur disponibilité. Lorsque vous avez besoin d'aide et que quelqu'un peut vous fournir cette aide, il y a alors établissement d'une relation.

Cinquième Principe: la communication se fait d'égal à égal ou à la verticale

Comme nous venons de le dire – nous en reparlerons plus longuement au chapitre 8 –, nous pouvons être en relation d'égal à égal ou en relation d'inégalité avec les autres. Prenons la relation mère-enfant; elle est dans un sens une relation inégale. De prime abord, en effet, c'est la mère qui prend soin de l'enfant et c'est l'enfant qui reçoit les soins. Cependant, l'un ne peut exister sans l'autre; ce n'est pas là simplement un truisme biologique mais il s'agit d'un commentaire sur la relation comme telle. Comme nous ne pouvons applaudir que d'une main, il ne peut y avoir *quelqu'un qui prend soin* s'il n'y a *quelqu'un qui se laisse soigner*. Les relations inégales impliquent deux positions différentes. Une des personnes qui communiquent est dans une position *au-dessus* et l'autre est dans une position *en-dessous*.

Gardez-vous toutefois d'associer les mots «au-dessus» et «en dessous», à des termes qui posent un jugement tels que «mauvais», «fort» ou «faible». Les relations inégales sont souvent créées par des facteurs culturels et sociaux qui, comme dans le cas de la relation médecin-patient, professeur-étudiant ou parent-enfant, entraînent un type de transactions particulières. Il est habituel dans ces transactions que la personne placée au-dessus définisse la relation et que la personne placée en-dessous s'y adapte, ou y résiste.

Watzlawick et quelques autres qualifient de «complémentaire» ce type de relation où une personne sert les besoins d'une autre [21]. Ils réfèrent aux transactions entre personnes égales ou entre pairs comme étant «symétriques», car le comportement ou la communication de l'une des personnes a tendance à susciter un comportement ou une communication similaire chez l'autre. Comme l'une «reflète» les comportements de l'autre, on dit familièrement, pour décrire ces actions symétriques, qu'elle se comporte en miroir.

Un comportement dans une communication symétrique signifie que les autres et vous échangez le même type de comportements, d'autant plus que vous parvenez à identifier ce qui se passe. Vous avez tendance à réduire les différences au minimum, et à viser la similitude entre vos actions et celles des autres. Un respect mutuel et un sentiment de collaboration peuvent alors exister. Dans bien des cas, amis, pairs, coéquipiers et collègues illustrent les relations entre égaux.

---

21. Paul Watzlawick, Janet Beavin et Don Jackson, *op.cit.*

Certains problèmes éventuels

Certains problèmes de communication peuvent apparaître dans les types de transactions dont nous parlons. Un exemple de problème *complémentaire* mentionné plus tôt est celui où un adolescent ou un adulte continue d'être traité en enfant par ses parents. Plusieurs étudiants connaissent bien cette situation où ils se sentent des adultes autonomes au collège ou à l'université, mais sont traités comme des enfants lorsqu'ils retournent à la maison. Les enfants ont l'impression que leurs parents s'ingèrent trop dans leur vie et les parents ont l'impression que leurs enfants sont trop indépendants.

Le même problème est susceptible de se produire au travail lorsqu'un supérieur particulièrement autoritaire insiste pour diriger ses subordonnés dans leurs moindres gestes. D'autre part, certains subordonnés se rebellent contre toutes les directives, peu importe d'où elles viennent.

Une personne en position d'autorité s'attend à certains comportements de ses subordonnés. Ainsi, un médecin ne s'attend habituellement pas à ce que son patient conteste son ordonnance médicale; un juge ne permettra pas qu'un avocat remette en question sa façon de procéder pendant un procès; plusieurs professeurs n'acceptent pas que l'information qu'ils transmettent soit remise en question; un agent de police tolère mal la réplique lors de l'arrestation d'un prévenu. En somme, si nous violons les ententes tacites liées à une relation complémentaire, l'interaction devient difficile et nous encourons même certains dangers.

Dans tous ces cas, il est important de clarifier la relation mutuelle. Nous faisons cela en prenant en considération les attentes des autres, c'est-à-dire la manière dont chacun veut être traité et la manière dont nous voulons traiter l'autre.

Dans les transactions entre égaux, dites *symétriques,* certains problèmes risquent aussi de se produire, notamment lorsque chacun essaie de l'emporter sur l'autre. Avez-vous déjà été dans la position de tenir une porte ouverte pour faire entrer quelqu'un, et que cette personne vous dise d'entrer en premier? Ici, chacun essaie d'être plus poli que l'autre et finalement personne ne bouge; ou alors cette situation ridicule se termine par une collision parce que tous les deux décident d'entrer en même temps. Deux personnes qui s'offrent des cadeaux de plus en plus coûteux pour s'épater mutuellement, voilà une autre situation symétrique qui risque de devenir difficile. Ou encore, à l'inverse, pensons à deux personnes égales qui, accumulant leurs petites irritations, verraient toutes les deux leur colère éclater contre l'autre?

Sixième principe: la communication est un partage de significations

Dans la description que nous avons faite de la communication, nous avons souligné que celle-ci devait avoir un but. Quoique la plupart des théoriciens s'accordent sur le fait que la communication soit liée à une manipulation de symboles, ils ne s'entendent cependant pas toujours sur ses buts. En effet, certains conçoivent qu'elle est faite pour transmettre de l'information ou faire passer des idées (modèle linéaire ou modèle de la cible), comme si les significations accompagnaient automatiquement et intégralement l'information transmise ou les idées véhiculées. Dans ce volume, nos idées impliquent qu'il doit y avoir un partage ou une création de significations. Nous discuterons cela en détail au chapitre 6.

Nous vivons dans un monde souvent confus où nous sommes assaillis de toutes parts de messages et de stimuli. Cependant, ce monde nous devient compréhensible dans sa beauté ou sa laideur parce que nous donnons un sens et des significations à ce que nous percevons. Imaginons que nous sommes dans un immense supermarché bruyant où il n'y a apparemment aucun classement des produits. À partir de notre expérience, nous commencerons à classer les produits, tels que les légumes, les conserves et les viandes, etc.

Habituellement, dans un supermarché, nous nous servons d'un système connu que nous avons mémorisé, et nous sommes aidés par l'affichage et l'arrangement des comptoirs. Nous ne nous attendons pas à retrouver les haricots frais avec les haricots en conserve seulement parce que ce sont des haricots. De même, il serait surprenant de trouver le café et le thé avec le lait pour la simple raison que ce sont des boissons. En fait, les classifications utilisées dans les supermarchés ne traduisent pas toutes les possibilités d'arrangement des produits alimentaires, mais elles reposent tout au moins sur le besoin de montrer et de préserver les aliments. C'est pour cela que les légumes frais ne sont pas avec les légumes en conserve et que le lait est dans un comptoir réfrigéré avec d'autres produits laitiers.

Barnlund concluait: «La communication, alors, est un «effort pour signifier», c'est-à-dire un acte créatif par lequel les gens cherchent à discriminer et à organiser les indices de leur environnement afin de s'orienter eux-mêmes et satisfaire leurs besoins [22].» Communiquer est alors un processus de transformation des données brutes et des stimuli en une information significative. Cet acte significatif, qui consiste à générer des significations, a aussi pour fonction de *réduire l'incertitude*. Les indices et signaux que nous sélectionnons dans notre milieu physique, social et interne servent à clarifier les situations vécues pour faciliter notre adaptation à celles-ci.

La signification d'un événement ou d'une situation peut ne pas être la même chez deux personnes parce que celles-ci sélectionnent différemment les choses, parce que leurs systèmes de classification sont différents, de même que les expériences qu'elles ont connues. Elles vivront donc des expériences différentes. Ainsi, la communication est la tentative de trouver à l'intérieur de nous une signification qui est en relation étroite avec ce qui se passe autour de nous. Enfin, communiquer c'est aussi essayer, au moyen de mots et de signes, de partager nos significations avec d'autres personnes en espérant que ces personnes attribueront les mêmes significations que nous à ces mots et à ces signes.

> *Il est intéressant d'envisager la communication comme une relation construite autour d'un échange d'information... Par exemple, tentez de vous rappeler comment la tendresse peut être importante dans une relation mère-enfant ou père-enfant, comment la gentillesse entre un voisin ou un collègue et vous peut améliorer votre relation, ou encore comment, à la télévision, la performance d'un de vos candidats politiques préférés peut hausser votre sentiment d'appartenance à son parti [23].*

---

22. Dean C. Barnlund, *Interpersonal Communication: Survey and Studies,* Boston, Houghton Mifflin Company, 1968, p. 6.
23. Wilbur Schramm, *op.cit.* p. 15.

RÉSUMÉ

Ce chapitre a exposé cinq raisons pour lesquelles nous communiquons: pour nous connaître nous-mêmes, pour mieux connaître le monde qui nous entoure, pour partager ce monde avec les autres, pour persuader ou influencer les autres et pour avoir du plaisir et se détendre. L'étude de la communication peut concerner (1) ce qui se passe à l'intérieur de nous (intrapersonnel), (2) ce qui se passe dans nos relations avec les autres (interpersonnel), soit par rapport à nous-mêmes, par rapport à des situations de face-à-face avec quelques personnes (petits groupes), ou par rapport à une foule ou un très grand nombre de gens (communication de masse).

Les modèles et les définitions servent à centrer notre attention sur des détails ou sur certains aspects d'une idée, à simplifier ce qui est complexe et à représenter notre point de vue.

Les six principes de la communication transactionnelle sont reliés à une définition de la communication, laquelle pour nous est *toujours présente, continuelle, prévisible, multidimensionnelle et faite d'un partage dynamique de significations*. Chacun de ces principes a une relation avec la définition suggérée.

Premier principe:. «Nous ne pouvons pas ne pas communiquer». Ce principe est lié à l'idée qu'il y a toujours communication quand nous sommes en présence d'une personne, que cela soit intentionnel ou non de notre part. En ce sens, la communication est inévitable. De plus, la communication ne se fait pas au hasard: nous communiquons pour atteindre certains buts même si nous ne sommes pas toujours totalement conscients de ceux-ci.

Deuxième principe. La communication est prévisible lorsque nous connaissons les principes d'organisation que nous utilisons et que les autres utilisent. Un des buts importants dans la plupart des communications consiste à augmenter la prévisibilité des effets de nos messages et des comportements , et ainsi réduire les ambiguïtés de notre monde.

Troisième principe. La communication est (comme les rapports entre la poule et l'oeuf) un processus sans début ni fin précis dans lequel nous «ponctuons» nos interactions avec les autres. Bien que la communication commence quelque part et aille vers quelque chose, qu'elle ait une origine et poursuive un but, nous ne portons attention qu'à une petite portion de notre expérience, et la façon dont nous sélectionnons et organisons cette expérience détermine en grande partie le sens que nous donnons aux comportements et aux événements. Nous divisons les choses en «petits paquets» que nous pouvons manipuler.

Quatrième principe. Si nous voulons gérer nos interactions efficacement, nous devons être attentifs à la fois aux messages ayant trait au contenu et à ceux ayant trait à la relation. Nous devons d'abord savoir ce qui est dit, mais nous avons également besoin d'information sur la manière de recevoir les messages comme nous avons besoin d'information pour établir de quelle façon nos relations avec les autres se définissent par rapport à l'autorité.

Cinquième principe. La communication se fait d'égal à égal (comme entre pairs), ou entre personnes inégales (comme entre personnes qui dépendent l'une de l'autre). La façon dont nous décidons d'interagir est liée à notre perception de nos relations avec les autres. Les termes «symétrie» et «complémentarité» sont utilisés par plusieurs transactionnalistes pour décrire les relations en «miroir», celles entre personnes de statut égal ou celles de dépendance.

Sixième principe. Les significations se partagent. Elles sont générées à l'intérieur des personnes et par les personnes qui communiquent. Comme nous le verrons au chapitre 6, ce sont les personnes qui créent les significations et non les mots eux-mêmes. Le partage de significations ne se fait pas par un pipeline qui transporte les significations d'un lieu à un autre. Les significations peuvent être décrites comme des prévisions calculées que nous effectuons au fur et à mesure que nous organisons systématiquement ce que nous voyons et entendons.

DEUXIÈME PARTIE

UN COUP D'OEIL SUR SOI

CHAPITRE

2

LA PERCEPTION:
L'OEIL DU SPECTATEUR

OBJECTIFS

Après avoir étudié ce chapitre, vous devriez être en mesure de:

1. Distinguer les limites physiologiques des limites psychologiques de vos perceptions.

2. Décrire le processus de sélection, d'organisation et d'interprétation des données sensorielles provenant de votre environnement et d'en donner des exemples originaux.

3. Définir le terme «contexte» et identifier son rôle dans votre communication.

4. Prédire l'habileté d'une personne à en comprendre une autre en comparant leurs perceptions respectives d'un événement, d'un incident ou d'une personne.

5. Comparer une «vision en mouvement» du monde avec d'autres visions de l'expérience humaine.

6. Expliquer comment l'étude des perceptions sensorielles est reliée à votre communication.

INTRODUCTION

«Hé! As-tu vu Rambo le film de Sylvester Stallone? Moi, j'ai adoré. Je l'ai trouvé fameux.»
– Ouais, je l'ai vu. Mais je ne peux sentir ce genre de personnage insipide avec beaucoup de muscles et peu de cervelle.
«Merveilleux, absolument merveilleux. C'est le genre d'art qui me touche vraiment.»
– Art? Tu appelles ça de l'art? C'est plutôt vulgaire, mon ami.

«Tu vois, je lui ai parlé et il m'a dit que c'était correct. C'est vraiment un professeur gentil.»

– Tu parles de Tremblay? Tremblay , un bon professeur? C'est un imbécile. Il ne peut enseigner même quand il essaie.

«Je sais que c'est arrivé comme ça. J'étais là. Je l'ai vu.»

– Mon amie était là et elle a dit que c'était différent.

La plupart des gens sont familiers avec des conversations comme celles-là. Elles montrent toutes que la même chose, la même personne ou le même événement peut ne pas avoir été perçu de la même façon par différentes personnes. Vous regardez une peinture et vous trouvez que c'est de l'art; je la regarde et j'y vois une croûte. Vous aimez le professeur Tremblay; je le déteste. Vous aimez les films de Sylvester Stallone; je ne les aime pas. Pourquoi deux personnes qui regardent la même chose ne voient-elles pas la même chose? Qui dit vrai à propos de la peinture? Y a-t-il un «vrai» ou «faux»? Qu'est-ce qui vous rend si sûr de vous-même dans la description d'un événement auquel vous avez assisté? Le simple fait d'avoir été là et de vous fier à vos sens est-il suffisant? Voyez-vous les choses comme elles sont, comme vous voudriez qu'elles soient ou comme vous êtes?

CE QUE NOUS PERCEVONS

Au premier chapitre, nous avons introduit l'idée d'«étendue» de la communication, en spécifiant que celle-ci commence à l'intérieur de nous, à partir de notre façon de voir, et est appelée *intrapersonnelle*. Ainsi, la communication intrapersonnelle renvoie aux processus qui se déroulent à l'intérieur de la personne, tels que la perception du monde, l'acquisition de l'information, la création des significations, l'apprentissage et l'utilisation d'une langue. La communication *interpersonnelle*, quant à elle, se rapporte aux processus qui se produisent lorsque deux ou plusieurs personnes échangent ensemble à l'aide du langage verbal ou non verbal.

La distinction était plutôt arbitraire et amenait plus de questions que de réponses. À cause de la nature transactionnelle de la communication, il est très difficile de séparer ou de distinguer ce qui appartient à l'intérieur de l'individu et ce qui appartient à l'environnement. Par exemple, la perception est un processus interne, mais une grande partie de ce qui détermine notre façon de percevoir vient de ce que nous avons appris par l'intermédiaire du contexte socio-culturel dans lequel nous vivons. La perception est à la fois quelque chose d'interne et de transactionnel.

Comment nous percevons-nous, s'agit-il strictement d'un processus interne? Ou devrions-nous plutôt voir dans la perception de soi un processus interpersonnel et transactionnel à partir duquel nous apprenons qui nous sommes en observant les réactions des autres à notre égard? Dans ce volume, nous mettons l'accent sur la nature transactionnelle et significative de notre communication plutôt que sur la dichotomie (intrapersonnelle - interpersonnelle) de la communication[1].

---

1. Pour de plus amples informations sur la nomenclature d'«intrapersonnel» et «interpersonnel», consultez Gerald Miller, «The Current Status of Theory and Research in Interpersonal Communication», *Human Communication Research*, vol. 4, n° 2, 1978, pp. 164-178.

Revenons aux conversations du débutde ce chapitre et demandons-nous si le film que j'aime ou que je déteste a une qualité qui agit sur moi ? Est-ce que le tableau qui nous déplaît possède les qualités d'«admirable» ou de «merveilleux» ou n'est-ce pas plutôt à l'intérieur de nous que cela se produit? En d'autres termes, sommes-nous responsables, par notre perception, du fait que le film est bon et que le tableau dégage une certaine valeur? Selon Alfred North Whitehead, la beauté de la nature réside dans ce que nous faisons avec elle et non dans ce qu'elle est (voir encadré 2.1).

Encadré 2.1   La nature n'est rien sans nous

La nature retire des bénéfices qui devraient en réalité nous revenir: la rose pour son parfum, le rossignol pour son chant et le soleil pour son éclat. Les poètes sont entièrement oubliés; pourtant, sans eux, la nature est terne, elle n'est qu'une bousculade interminable de matière dénuée de sens.

Alfred North Whitehead

Nos sens

Nous devons nous fier à nos sens pour qu'ils nous disent ce qui se passe autour de nous. Nous voyons des choses, des gens, des situations, des événements. Nous entendons des bruits et des mots. Nous goûtons des nourritures et des boissons. Nous sentons des odeurs et des parfums. Par notre peau, de même que par les divers organes internes (de digestion, d'élimination, etc.) de notre corps, nous parviennent aussi des sensations. Nous disons alors que nous avons perçu quelque chose: un son, un goût, une image, une sensation tactile.

Ce qui est enregistré dans le cerveau n'est pas plus l'événement ou le fait réel que l'image à la télévision n'est le vrai comédien ou le vrai annonceur. Lorsque nous regardons des objets autour de nous, une certaine lumière est alors réfléchie vers nous, et nous captons cette lumière à travers notre système optique. Les cellules de la rétine réagissent et envoient des impulsions aux nerfs de l'oeil, lesquelles sont transmises par le nerf optique à une région donnée du cerveau. Alors, selon le «pattern»d'intensité et de durée, une image de ce que nous «avons vu» est reconstruite dans notre tête. À elle seule, la vision ne peut nous donner l'image que nous nous faisons du monde. Un processus mental complexe convertit les patterns enregistrés au cerveau en une perception du monde tel que nous le connaissons.

Les études sur la *privation sensorielle* révèlent que lorsque nous sommes privés de sons, de lumières, de sensations tactiles, nous les imaginons, car nous avons un immense besoin de stimulation. Dans les expériences les plus connues[2] , les sujets avaient les yeux bandés, des

---

2. Woodburn Heron, «Cognitive and Physiological Effects of Perceptual Isolation» *dans* Philip Solomon *et al.* (dir.), *Sensory Deprivation,* colloque à la Harvard Medical School, Cambridge, Mass., Havard University Press, 1961, p. 6-33.

Encadré 2.2   Les limites de nos sens

Lors d'une communication, la plupart des informations nous viennent de notre vision et de notre ouïe. Cependant, nous n'entendons que les sons qui se situent entre 20 et 20 000 cycles par seconde, même si notre chaîne stéréophonique a une capacité supérieure à cette marge de fréquence. Les chiens, comme l'ont démontré des expériences avec des sifflets à haute tonalité, peuvent entendre des fréquences plus élevées que les humains.

La vision des humains est également limitée. Nous ne pouvons voir toutes les ondes d'énergie électromagnétique de notre monde: il y a les ondes courtes (de 0,00003 à 0,000001 centimètre), soit les ondes ultraviolets ainsi que les rayons-X , les rayons gamma et les rayons cosmiques. À l'autre extrémité du spectre visible de la lumière, il y a les ondes longues (de 0,00008 à 0,32 centimètre)que nous ne pouvons pas voir, soit les ondes infrarouges, les ondes radar et les ondes radio. La partie du spectre visible par les humains est très étroite si nous considérons toutes les sortes d'ondes disponibles autour de nous. Pensons à ce que serait notre monde si nous avions la vision d'un rayon-X, ou si nous entendions les sons de très hautes fréquences émis par certains êtres vivants?

manchons insonorisants sur les oreilles et de lourds emballages placés aux mains, les centres tactiles primaires; ils étaient dans un vacuum tel qu'un laboratoire peut en créer un. Ainsi isolés des stimulations extérieures, les sujets signalaient qu'ils commençaient à halluciner, à penser qu'ils voyaient des éclairs de lumière et à capter des sensations inexplicables. D'autres études[3] suggèrent que si nous ne pouvons nous servir de nos sens, il est possible que nous devenions incapables de les utiliser adéquatement.

Ne vivant pas en vacuum, nous sommes constamment bombardés de sensations. Nous sommes littéralement entourés de choses, de personnes, d'odeurs, de goûts et d'événements. Il y a toujours quelque chose à voir et à entendre. Que ce soit pendant le sommeil ou dans l'état d'éveil, nous sommes au centre d'une multitude de bruits, d'odeurs et d'autres stimulations sensorielles.

Si nous sommes préparés, comme êtres qui communiquent, à recevoir des stimulations, il n'est pas étonnant que nous appréciions les multiples sensations qui arrivent à nous en même temps: lire, écouter la radio, regarder la télévision, parler au téléphone, faire ses devoirs, entendre un ami qui arrive, sentir le repas qui mijote, sentir le courant d'air qui vient d'une fenêtre ouverte, etc. Cependant, un problème apparaît quand il y a trop de stimulations car nous ne pouvons toutes les capter. Des études en psychologie révèlent que nous avons des

---

3. Philip E. Kubzansky et P. Herbert Leiderman, «Sensory Deprivation: An Overview» dans Solomon *et al.* (dir.), *ibid.*, p. 221-238.

moyens de nous protéger des sensations que nous ne voulons pas recevoir; de la même manière, nous disposons de mécanismes pour résister aux événements perçus comme menaçants.

Qui est responsable de nos perceptions?

Nous avons tendance à nous considérer comme des récepteurs passifs de toutes ces stimulations venant «du dehors», «du monde empirique». Nous pensons que ces choses sont là et «nous arrivent». Imaginez-vous quelle relation vous avez avec tous ces événements qui vous arrivent? Croyez-vous que tout ce que vous avez remarqué voguait à la dérive dans notre monde et que, par hasard, cela vous a heurté? Pensez-vous que vous êtes des récepteurs passifs des stimulations qui sont sur votre chemin?

Nous sommes probablement convaincus que le monde est plein de choses, d'objets et de personnes qui sont séparés de nous. Nous savons ce qu'ils sont, ce qu'ils font et ce que nous pouvons faire avec eux. Nous ne nous attendons pas à ce que ces choses changent soudainement ou disparaissent. Si cela était, nous serions enclins à croire à l'intervention d'un magicien. Cette connaissance de ce que les choses «sont», leur identité et leur permanence, nous est vraiment précieuse. Elle nous donne non seulement un sentiment de sécurité mais nous permet aussi de réagir rapidement et habituellement de façon appropriée, étant donné les expériences antérieures que nous avons de ces phénomènes. Le fait qu'un ami devienne tout à coup bruyant et arrogant, ce qui est inhabituel chez lui, nous rendra inquiet et mal à l'aise. Quand nous pouvons prédire avec précision ce qui arrivera et comment nos amis se comporteront, nous avons l'impression d'avoir un certain contrôle sur les choses.

Voyons-nous tous la même chose?

Notre expérience du monde est unique, et pourtant elle est partagée avec celle des autres. Si nous croyons que tous les événements arrivent en dehors de notre influence, nous serons très démunis. La perception n'est pas quelque chose qui nous arrive au hasard. Nous ne sommes ni des non-participants, ni des contenants d'informations ou de stimulations. En fait, nous sommes des partenaires actifs et des acteurs importants de ce qui se passe «au dehors». De bien des façons, nous créons littéralement ce que nous voyons. Le mouvement, par exemple, n'est pas seulement un ensemble d'images présentées rapidement. Quand nos yeux regardent sans interruption les images immobiles qui défilent, ils les relient les unes aux autres et font apparaître le mouvement. La lumière traversant l'écran du téléviseur produit une image dans laquelle nous voyons une réplique du monde. Votre coeur ne bat-il pas plus vite lorsque vous voyez une ombre étrange sur votre mur, la nuit? Percevrez-vous différemment un ami après avoir entendu quelques commérages à son sujet?

La communication est essentiellement un processus de structuration de la réalité à travers la perception et la symbolisation. Notre manière de faire cette structuration façonne l'information que nous retirons de toutes les stimulations qui nous entourent et, partant, façonne l'image que nous nous faisons du monde. Ainsi un cycle commence, nous prêtons attention aux stimulations qui nous intéressent, nous les apprécions et nous modelons nos comportements et nos idées à partir de ces sélections.

En d'autres mots, notre façon de voir le monde détermine ce sur quoi notre attention portera; ces stimulations choisies deviennent alors une partie de notre expérience, et plus tard celle-ci orientera notre perception de la réalité. Prenons un exemple: si j'aime lire les romans d'Agatha Christie, j'en parle aux autres et je me convaincs ainsi qu'ils sont intéressants. J'en lis donc de plus en plus, je regarde les films et les séries télévisées basées sur ses romans. Ces livres finissent par influencer ma vie et mon genre de lecture. Par conséquent, je m'éloignerai peut-être des autres auteurs de romans policiers et des autres formes d'écriture.

Encadré 2.3   Quelle sorte de gens?

Quelqu'un entre dans un wagon et demande: «Quelle sorte de gens demeurent dans les environs?» «Bien, étranger, quelle sorte de gens y avait-il dans ton pays?» lui rétorqua un poète. «Ils étaient pour la plupart mesquins, menteurs, bavards et dénigraient les autres.» «Bien, étranger, tu trouveras la même sorte de personnes dans les environs.» L'étranger, perplexe, s'assoit tandis qu'un second étranger arrive. «Quelle sorte de gens demeurent dans les environs?» s'informe-t-il. Le poète lui répond: «Étranger, quelle sorte de gens y avait-il dans ton pays?» «La plupart étaient des gens honnêtes, travailleurs, respectueux des lois et aimables avec les autres.» «C'est la sorte de personne que tu vas trouver dans cette région.»

Tiré de *The People, Yes,* de Carl Sandburg, © 1936, Harcourt Brace Jovanovich inc. (révisé en 1964 par C. Sandburg).

Les observations de Carl Sandburg (voir encadré 2.3), illustrées dans une conversation avec des nouveaux venus, abondent dans ce sens. La plupart des gens ne sont pas aussi conscients que ce poète qui voit que nos perceptions sont souvent des projections de notre monde intérieur vers le monde extérieur.

Nos relations avec les autres sont assujetties à notre perception, à la faveur d'un système «logique» en trois étapes: (1) si nous voyons quelque chose, c'est qu'elle est là; (2) si nous voyons quelqu'un agir d'une certaine manière, c'est ce que cette personne est; (3) tout le monde voit les choses et les gens comme moi.

Nos perceptions influencent nos comportements

Quoique nous ne puissions jamais savoir si notre perception d'un rouge ou d'un *mi* bémol est exactement la même que celle d'une autre personne, *nous pouvons agir et, de fait, nous agissons en partant du postulat* que la plupart des gens voient les couleurs et entendent les sons plus ou moins de la même façon. Nous présumons que les autres se bâtissent un monde extérieur semblable à notre propre monde. Dans une large mesure, ces postulats se vérifient, mais nous ne devons pas oublier que nos perceptions ne sont rien d'autre que des théories et des hypothèses sur ce qu'est le monde, et que les autres ont aussi leurs hypothèses.

Encadré 2.4   Différend au sujet de la description d'un éléphant

Il existe une légende sur trois Hindous qui vivaient au pays où l'éléphant est la principale bête de somme. Ces trois hommes, aveugles de naissance, n'avaient donc jamais vu un éléphant. Décidés à satisfaire leur curiosité, ils se dirigèrent vers la grand-route et marchèrent jusqu'à ce qu'ils rencontrent un éléphant.

Il arriva que le premier plaça sa main sur l'immense flanc de la bête; le deuxième, cherchant de la main, toucha la trompe de l'éléphant; le troisième attrapa la queue de l'animal.

Sur le chemin du retour, un des aveugles dit à ses compagnons: «À ma grande surprise, un éléphant, c'est comme un grand mur lisse.» «Tu fais erreur, dit le deuxième, c'est plutôt comme un tronc d'arbre.» «Mais non, dit le troisième, vous êtes tous les deux dans l'erreur. J'ai constaté qu'un éléphant, c'est comme un bout de câble.»

Chacun de ces hommes s'était fait une idée très limitée d'un éléphant. S'il avait simplement pu tenir dans ses mains une sculpture miniature d'un éléphant et en palper la forme du bout des doigts, il se serait mieux représenté la forme d'un éléphant. Mais, même alors, aucun des trois aveugles n'aurait pu en concevoir le volume.

John Godfrey Saxe

Dans le poème de John Godfrey Saxe (voir encadré 2.4), chacun des hommes aveugles a fait une estimation partielle et personnelle de l'éléphant et suggère par conséquent des conclusions et perceptions différentes. La morale de cette histoire, comme il est dit à la fin du poème, est que chacun est partiellement dans l'erreur et est partiellement dans le vrai. Nous pouvons aussi constater que *la somme des perceptions de chacun ne pourra faire d'un éléphant quelque chose qui n'existe pas.*

La plupart du temps, nos théories se vérifient et nos perceptions de la réalité sont renforcées. Toutefois, lorsque quelqu'un défie ou conteste notre vision du monde, un malaise et une impression de dissonance s'emparent de nous. Nous éprouvons même une certaine anxiété lorsque nous découvrons que tout le monde ne perçoit pas les objets, les gens ou les événements exactement comme nous. L'expérience est plus ou moins désagréable selon l'importance qu'a à nos yeux la personne qui nous remet en question ainsi que les perceptions qui sont en cause. Pour certains jeunes enfants, découvrir que le Père Noël n'existe pas est une expérience traumatisante, car ils doivent alors réévaluer toutes leurs perceptions de ce qui est vrai et de ce qui est de l'ordre de la fantaisie. Apprendre que nous avons été trompés par un ami intime peut être une expérience très pénible et amener une réévaluation en profondeur de nos perceptions, non seulement de cet ami, mais aussi des gens en général.

COMMENT NOUS PERCEVONS

Maintenant que nous avons discuté le *quoi*, examinons comment nous percevons et comment nos processus mentaux fonctionnent pour appréhender le monde.

Nous sélectionnons

La plupart du temps, nous ne sommes conscients que d'une petite partie de ce qui se passe autour de nous. Lorsque nous portons attention à quelque chose, notre attention ne porte pas sur autre chose. Les raisons de cette sélection tiennent à plusieurs facteurs environnementaux et internes.

Facteurs environnementaux

Ces facteurs comprennent des influences telles que l'intensité, la dimension, le contraste, la répétition, le mouvement, la familiarité et la nouveauté.

L'INTENSITÉ

Plus une stimulation est intense, plus nous courons la chance de la percevoir. Un bruit fort dans une pièce plutôt silencieuse, une lumière vive dans une rue obscure attireront infailliblement notre attention. Les publicitaires misent sur ce phénomène lorsqu'ils nous présentent des emballages voyants ou lorsqu'ils augmentent l'intensité sonore d'un message à la télévision. Le sergent crie souvent ses ordres à ses subalternes et plusieurs professeurs doivent hausser le ton lorsqu'ils veulent attirer l'attention d'une classe turbulente.

LA DIMENSION

Le principe de dimension est assez simple. Plus une chose est volumineuse, plus elle attire l'attention. Une page remplie de gros caractères d'imprimerie capte mieux l'oeil que les petits caractères des annonces classées. Les jouets pour enfants sont souvent empaquetés dans de grosses boîtes pour donner l'impression d'un volume plus important. Même si les manufacturiers sont maintenant obligés d'indiquer sur la boîte les dimensions réelles du jouet, peu d'enfants lisent effectivement ces indications en petits caractères. Ils sont plutôt attirés par les dimensions de la boîte. Plus c'est grand et gros, mieux c'est.

LES CONTRASTES

Les choses présentées sur un fond très contrastant attirent habituellement l'attention. Il en est ainsi d'une enseigne de sécurité faite de lettres noires sur fond jaune ou de lettres rouges sur fond blanc. De la même manière une femme parmi une assemblée d'hommes, ou l'inverse, attirera l'attention.

LA RÉPÉTITION

Un stimulus répété attire plus l'attention qu'un stimulus émis une seule fois. Cela est particulièrement vrai dans un contexte ennuyeux où l'attention peut faiblir. Nous nous rappelons une histoire intéressante longtemps après l'avoir entendue, alors que des mots illogiques, un discours sans suite ou un matériel ennuyeux devront être répétés plusieurs fois pour que nous les retenions. Ainsi, les publicitaires savent qu'un message de courte durée répété plusieurs fois est plus efficace qu'un long message émis une seule fois.

LE MOUVEMENT

Nous portons plus d'attention à un objet qui bouge devant nos yeux qu'au même objet immobile. Encore une fois, la publicité utilise ce principe lorsqu'elle ajoute du mouvement à ses panneaux. Les signaux clignotants des voitures de police ou des ambulances sont là expressément pour capter notre attention.

LA FAMILIARITÉ ET LA NOUVEAUTÉ

Ce principe constitue en quelque sorte l'extension du principe de contraste. Des objets nouveaux dans un environnement familier, tout comme des objets familiers dans un environnement nouveau, sont susceptibles d'attirer notre attention. L'idée de rotation des emplois est basée sur ce principe. Le changement périodique d'emploi augmente l'attention du travailleur qui, autrement, est souvent démotivé par la routine ou la familiarité des tâches qu'il doit accomplir.

Les facteurs environnementaux décrits plus haut ne représentent qu'une petite partie de ce qu'est la perception sélective. Les facteurs internes de nature physiologique ou psychologique sont aussi très importants, car ils déterminent non seulement ce que nous percevons et la manière dont nous percevons, mais également ce que nous ne pouvons pas percevoir.

Facteurs internes

FACTEURS PHYSIOLOGIQUES

Comme nous le savons, nous sommes stimulés par ce qui vient de l'extérieur et atteint nos sens: la vue, l'ouïe, l'odorat, le goût, le toucher. Ces sens ne sont toutefois pas tout-puissants. L'être humain ne peut tout voir, certains sons lui échappent et il ne peut distinguer que certains goûts ou certaines sensations. Pour compléter une information et déterminer la nature d'un objet, un toucher, par exemple, devra accompagner la vue. Bien des animaux ont des sens beaucoup plus développés que les nôtres. La survie de plusieurs animaux dépend d'ailleurs de l'acuité de leurs sens, qui sont pour cette raison beaucoup plus raffinés que les nôtres. Il en est de même pour l'aveugle qui, pour compenser son handicap, tend à mieux utiliser ses sens du toucher et de l'ouïe.

Pour la plupart, nous ne pouvons percevoir les nuances gustatives trop subtiles. Ainsi, nous ne portons pas attention à certaines choses simplement parce que nous ne pouvons les percevoir.

Ces limites sont naturellement partagées par tous les humains. En plus des limites de notre espèce, certaines différences physiologiques individuelles affectent ce que chacun de nous peut percevoir. Tout le monde n'a pas une vision ou une ouïe parfaites. L'oreille fine du musicien professionnel permet à ce dernier de discriminer des tonalités avec plus d'exactitude et de facilité qu'un non-musicien. Le connaisseur de vins distingue des variations très fines de goût que la plupart des gens ne perçoivent pas.

FACTEURS PSYCHOLOGIQUES

Motivation. Les besoins, motivations, désirs diffèrent d'une personne à l'autre et chacun tend à percevoir ce qui correspond à ses propres besoins, motivations ou intérêts. Si nous avons faim, nous remarquons plus facilement les affiches de restaurants ou leur odeurs de nourriture qui, autrement, passent inaperçues. Dans notre culture, les stimulations liées au sexe attirent fortement l'attention. Une fois encore, les publicitaires, toujours intéressés à capter notre attention, savent qu'ils y parviendront s'ils agissent sur nos besoins, notamment nos besoins sexuels et sociaux fondamentaux. Il peut être difficile d'attirer l'attention sur un dentifrice, mais s'il est associé à des personnes attirantes, souvent des femmes, la tâche devient plus facile.

Nous avons tendance à porter attention à ce qui nous intéresse. Quelquefois nous déformons les choses pour qu'elles correspondent à ce que nous attendons d'elles. Nous ne voyons bien que ce que nous voulons voir et n'entendons bien que ce que nous voulons entendre. À une personne qui se sent menacée et inquiète, tout paraît dangereux. Lorsque, seul dans une maison la nuit, vous vous sentez tout à coup mal à l'aise et nerveux, chaque petit bruit renforce votre peur alors qu'en plein jour ces mêmes bruits semblent normaux et sans danger.

Expérience et apprentissage passés: une grille perceptuelle. Les gens sont susceptibles d'être davantage attentifs aux aspects de l'environnement qu'ils anticipent plutôt qu'à ceux qu'ils n'anticipent pas ou auxquels ils ne s'attendent pas. De plus, les gens s'attendent à percevoir les choses qui leur sont familières. Par exemple, nous ne réagissons pas à une conversation entre deux personnes situées derrière nous, jusqu'à ce que l'une d'elles prononce notre nom. Ce nom, lui, nous l'entendons très bien. Il se dégage du reste de la conversation parce qu'il nous est familier.

Les apprentissages effectués et la formation que nous avons acquise influencent ce que nous percevons. L'éducation est d'ailleurs un processus de différenciation et un apprentissage de la discrimination. Deux choses qui semblent pareilles au profane sont souvent pleines de différences significatives pour un spécialiste.

Un bijoutier percevra des différences entre deux diamants qui nous semblent identiques. Un médecin remarquera des différences entre des symptômes apparemment semblables. Un professeur de français percevra des différences dans les textes de deux étudiants qui, pour une autre personne, semblent d'égale valeur. C'est ainsi que nous voyons ce que nous sommes entraînés à voir et que, à travers la perception, c'est tout un passé d'apprentissages et d'expériences qui s'exprime, c'est-à dire une grille perceptuelle.

Nous nous dévoilons

Donnons un autre exemple. Supposons que nous devions faire un relevé et un rapport sur la taille des poissons dans une rivière donnée et que nous ne disposions pour cette tâche que d'un filet de 6 cm. Notre rapport donnerait quelque chose comme: «Dans cette rivière, se trouvent des poissons de 6 cm ou plus.» Imaginons maintenant que nous répétions la tâche avec un filet de 12 cm. Le rapport pourrait cette fois se lire: «Dans cette rivière, les poissons mesurent 12 cm ou plus.» Souvenons-nous ici que nous faisons un rapport sur les mêmes poissons de la même rivière. Lequel de ces rapports est exact? Les deux? Ni l'un ni l'autre? De quoi parlons-nous en réalité? De la taille du poisson? Non. En fait, nous rendons compte de la taille du filet utilisé. La grandeur du filet détermine la grandeur des poissons que nous pouvons attraper.

D'une certaine manière, nous avons aussi des «filets» dans nos têtes. Ces filets ne sont évidemment pas faits de corde, ils sont faits de tout ce qui nous rend uniques: nos composantes physiologiques, nos motivations, aspirations, besoins, intérêts, peurs, désirs, apprentissages et expériences, formation, etc. Ces filets agissent comme des filtres, et toutes les stimulations de notre environnement passent à travers ces filtres avant d'être perçues. Chaque personne possède son propre système de filtres. Quoique nous partagions le même environnement que bien d'autres personnes, souvent nous en filtrons des aspects différents. La réalité que nous percevons est dans une certaine mesure différente de celle des autres.

Certaines personnes ont des filtres défectueux: ces filtres sont si obstrués qu'elles ne voient que très peu ce qui se passe. D'autres ont des filtres qui déforment les stimuli de l'environnement. En somme, dans la mesure où nos filtres sont comme ceux des autres personnes, nous captons de l'environnement à peu près les mêmes choses qu'elles. Toutefois, un ingénieur, un représentant et un directeur de la production peuvent appartenir à la même organisation et percevoir qu'ils travaillent dans «trois compagnies très différentes».

Il est important de se rappeler que chaque fois que *nous parlons de quelque chose, ce n'est pas cette chose que nous décrivons, mais bien une de nos grilles ou un de nos filtres.* Lorsque nous disons, par exemple, que Jean Belleau est un type consciencieux, nous ne parlons pas tant de Jean Belleau comme tel que de nous-mêmes et de notre système de valeurs. Cela n'est pas sans importance. En fait, la plupart des problèmes de communication entre les gens émanent de deux croyances non fondées: (1) tout le monde voit ce que nous voyons; (2) nous avons un accès direct à la réalité. Dans les meilleures conditions, pourtant, l'accès à la réalité est indirect, filtré par nos propres observations ainsi que par nos limites physiologiques et psychologiques.

Incertitude de la science

Déjà, en 1927, le physicien Werner K. Heisenberg, avec son fameux «principe d'incertitude», anéantissait l'espoir de déterminer la «vraie» nature du microcosme. Il y a une indétermination fondamentale inhérente à l'univers atomique qu'aucune mesure, aussi raffinée soit-elle, ne pourra jamais faire disparaître. Ainsi, Heisenberg a démontré que la position et la vitesse d'un électron sont impossibles à déterminer, parce que le simple fait d'observer sa position change sa vitesse, et vice versa. Cette démonstration a choqué la science traditionnelle, qui était basée sur la causalité et le déterminisme, et les *probabilités* ont alors remplacé la notion selon laquelle la nature présente une séquence de cause à effet déterminée entre les événements. L'autre implication importante du principe de Heisenberg est que chaque fois que nous essayons d'observer le «vrai» monde objectif, nous le changeons et le déformons par le processus même de notre observation.

Lorsque nous parlons de sélection des stimuli de notre environnement, nous ne renvoyons pas seulement à différentes sortes de sons ou d'images à sélectionner, mais nous renvoyons aussi, le plus souvent, au fait que nous sélectionnons les différents stimuli sensoriels à partir de nos sens. Ainsi, nous développons des habitudes de regard ou d'écoute, notre processus de sélection triant alors activement toute une série d'images et de sons. Mais, en même temps, il oscille constamment entre une vision attentive et une écoute intense. Sélectionner n'est donc pas seulement un processus sous-jacent à la communication, c'est aussi une combinaison de choix physiques et de préférences psychologiques interreliés.

Nous organisons

Une fois que nous avons «sélectionné» ce que nous allons percevoir, nous l'organisons habituellement d'une certaine manière. Même l'expérience la plus simple demande que ces éléments soient ordonnés. Notre façon d'ordonner ou d'organiser ne se fait pas au hasard ou arbitrairement; nous suivons certaines «règles». Selon les psychologues de la Gestalt, ces règles sont innées. Les psychologues behavioristes, eux, affirment que ces règles sont apprises à travers l'expérience sociale. Des faits appuient chacun de ces points de vue, mais nous n'avons pas l'intention de clore le débat. Il est toutefois évident que ces règles ont des effets importants sur notre façon de percevoir.

Observez bien les figures 2.1, 2.2 et 2.3. Que voyez-vous? Dans un premier temps, peut-être ne percevez-vous que des ombres blanches et noires. Une forme se dégagera peut-être. Dans ce cas, vous venez d'organiser les formes en une image en mettant certaines de ces formes en arrière-plan et d'autres en avant-plan. Évidemment, il est possible que vous n'organisiez pas les formes de la même manière que tout le monde. Certaines personnes ne réussissent pas à organiser les stimuli visuels en une image cohérente. Ainsi, beaucoup de gens ne voient pas le visage du Christ dans la figure 2.3. D'autres personnes ne voient pas non plus la vieille femme dans la figure 2.2, et d'autres encore ne voient pas la jeune femme. Toutefois, chaque image contient toutes les lignes et formes nécessaires pour constituer les deux images en question. L'organisation des lignes et des formes en une image spécifique dépend seulement de la personne qui perçoit.

Ordinairement, c'est en donnant la priorité à ce qui est frappant ou saillant que nous organisons ce que nous percevons. Dans les relations figure-fond, nous avons tendance à identifier les figures à l'aide des couleurs habituellement dominantes. Cependant, lorsqu'il n'y a pas assez de contraste entre la figure et le fond, comme dans l'image du Christ, il est difficile de décoder quoi que ce soit.

Nous avons aussi tendance à organiser en une figure complète ce que nous percevons. Si ce que nous regardons est incomplet, nous remplissons les vides. Ce processus est appelé «fermeture». Regardez la figure 2.4. Vous verrez un chien et non une vingtaine de taches séparées. Regardez la figure 2.5. Vous verrez un carré complet, en dépit du fait que les lignes ne se rejoignent pas.

Nous avons parfois tendance à organiser ce que nous percevons de façon trompeuse, comme le démontrent les illusions d'optiques des figures 2.6 à 2.8.

Figure 2.1   Que voyez-vous? Le vase ou les deux figures?

Figure 2.2   Décrivez la femme sur cette photo. Quel âge a-t-elle, est-elle belle ou laide, quel genre de chapeau porte-t-elle?

Figure 2.3   Dans ces taches noires et blanches, voyez-vous le visage du Christ?

Figure 2.5   Même si les coins sont manquants, on les remplit avec notre imagination pour en faire un carré.

Figure 2.4   Cet amas de vingt petites taches compose l'image d'un chien.

Figure 2.6   Y a-t-il des lignes parallèles?

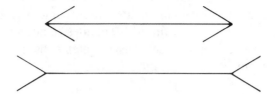

Figure 2.7   Ces deux lignes sont-elles de même longueur?

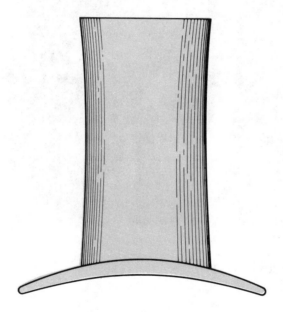

Figure 2.8   Ce chapeau est-il aussi haut que large?

Nous interprétons

Ce que nous regardons ou entendons est souvent ambigu, soit parce que la lumière est insuffisante, soit parce que la chose que nous regardons bouge trop rapidement, ou encore parce que nous ne pouvons voir distinctement. «Maintenant vous le voyez, maintenant vous ne le voyez plus», disent les magiciens, qui tablent sur la distraction et la vitesse du mouvement pour créer une illusion. Les objets les plus simples peuvent «produire» une variété de stimuli visuels (une tasse et une soucoupe vues sous différents angles) et des objets différents peuvent «produire» le même stimulus (un orchestre et un haut-parleur). Conséquemment, il est nécessaire d'interpréter ce que représente l'objet que nous regardons.

Cette interprétation n'est pas facile et elle est rarement consciente. Plus un objet est ambigu, plus il y a place à interprétation. Les tests projectifs utilisés par les psychologues illustrent ce principe. Regardez la tache d'encre de la figure 2-9 et dites ce que vous voyez. Habituellement, ce que vous percevez révèle ce que vous projetez dans cette tache, à savoir vos expériences personnelles, vos besoins, vos intérêts, etc.

Figure 2.9   Ce test de projection sert d'écran à notre imagination.

A B C

12 13 14

Figure 2.10 Voici un exemple de l'effet du contexte sur la perception. La figure du milieu, selon la séquence dont elle est entourée, peut représenter la lettre «B» ou le chiffre «13».

Le contexte

Souvent, nous interprétons ce que nous voyons à partir du contexte dans lequel se trouve l'objet. Par exemple, dans la figure 2.10, la forme 13 se lira comme la lettre B si elle est précédée de la lettre A. Mais si elle est précédée du chiffre 12, elle sera perçue comme le nombre 13. Souvent, ce ne sont donc pas les faits eux-mêmes qui sont à la base de différentes perceptions d'un même événement. C'est plutôt l'interprétation des faits à la lumière de contextes différents qui crée la plupart des difficultés de communication lors d'échanges interpersonnels.

Un autre facteur important qui affecte notre façon de percevoir l'environnement dans un contexte est l'âge ou la maturité. Justement, lorsque nous apprenons comment le monde fonctionne en l'expérimentant et lorsque nous apprenons notre langage au cours d'un processus de développement basé sur l'imitation, nous acquérons des habitudes de perception de l'environnement. À la télévision, les publicitaires de produits destinés à de jeunes enfants sont conscients de l'effet qu'on obtient lorsqu'on montre les jouets et les friandises plus gros qu'ils ne sont en réalité. Des adultes peuvent aussi être dupés par les trucages de la caméra et par les déformations de perspectives. Une étude d'Acker et Tiemens[4], qui compare des enfants de deux à sept ans à d'autres enfants plus âgés et à des adultes, a démontré que les jeunes enfants répondaient différemment à des images de friandises montrées dans leurs dimensions normales et «grossies». Les enfants plus jeunes croyaient que les friandises contenaient davantage lorsque l'image était plus grande. La plupart des autres enfants et adultes percevaient le trucage de la caméra plutôt que des friandises grossies.

Nous créons notre monde

Depuis le début de cette section, nous disons que l'environnement dans lequel nous vivons est uniquement le nôtre. Notre vision du monde nous appartient parce que nous l'avons créée et construite à partir des stimulations venant de l'extérieur que nous avons sélectionnées, organisées et interprétées. La façon dont nous sélectionnons, organisons et interprétons est due en grande partie à la façon dont nous avons effectué ces opérations dans le passé, car nous sommes le produit de ces perceptions antérieures. C'est avec tout notre passé que nous regardons ce qui se passe dans le monde. Notre «cadre de référence», comme disent les psychologues, nos «grilles» ou nos «filtres», comme nous disons pour notre part, sont ce qui nous permet de donner un sens aux stimulations que nous expérimentons. Arthur Tremblay ne voit pas le monde de la même façon que sa voisine Louise Lachance.

UN MONDE EN MOUVEMENT

Nous vivons dans une époque de relativité et d'incertitude. Depuis Max Planck, Albert Einstein et Werner K. Heisenberg, une nouvelle ère de la pensée scientifique s'est amorcée.

---

4. Steve R. Acker et Robert K. Tiemens, «Children's Perceptions of Changes in Size of Televised Images», *Human Communication Research*, vol. 7, n°4, été 1981, p. 340-346.

Une ère qui est moins en accord avec nos perceptions quotidiennes du monde, basées sur des instruments imparfaits tels nos sens et des microscopes moyennement puissants. «La certitude que la science peut expliquer comment les choses se passent est disparue depuis vingt ans», écrivait Lincoln Barnett en 1948. Présentement, la question est de savoir si nous sommes vraiment en contact avec la réalité... ou si nous pouvons espérer l'être un tant soit peu un jour[5].»

Tout ce dont on parle – que l'on soit un scientifique ou non – n'est qu'hypothèse. Même avec de puissants microscopes électroniques, les scientifiques n'arrivent pas à voir et connaître suffisamment bien le fonctionnement subatomique de l'univers pour pouvoir tirer des conclusions irréfutables. Il faut de l'humilité pour admettre que même avec de bonnes méthodes, de bons instruments et beaucoup de soins, un problème d'exactitude et de signification persiste. Il faut donc considérer comment il peut être difficile pour nous, qui n'avons ni méthode stricte ni habitude de décrire les circonstances de nos observations, d'en arriver à rendre compte de notre univers. Pensons aussi aux difficultés rencontrées dans la majorité des situations de communication interpersonnelle où nous parlons d'événements mettant en cause des gens, sans utiliser aucune méthode scientifique.

La science moderne nous dit que notre monde est dynamique et en perpétuel changement, qu'il est fait de radiations en mouvement et de transformation d'énergie; que ce qui paraît solide et immuable à l'oeil nu est en réalité une construction de notre cerveau; que nous ne pouvons connaître la réalité comme telle, étant donné que le fait même de l'observer, c'est déjà la changer; que nous devons jongler avec ce qui se passe dans le monde en nous servant de probabilités et abandonner l'idée de séquence de cause à effet dans les événements.

À ce sujet, Rogers et Kincaid, dans leur ouvrage *Communication Networks*, émettent cet important commentaire: «La plupart des discussions au sujet de la communication ne font pas ressortir que (1) la création des informations se produit sur le plan physique de la réalité, (2) que l'interprétation se produit au niveau psychologique et (3) que la perception relie les niveaux physique et psychologique de la réalité[6].» Leur terme «interprétation» inclut la fonction d'organisation à laquelle nous référions plus tôt. Le fait de percevoir fournit le lien entre nous et le bourdonnement incessant des événements, des bruits, des signes, des odeurs et d'autres stimulations de ce monde qui nous entoure. C'est un processus dynamique, sujet aux changements tout comme nous, et sujet aux fantaisies ainsi qu'aux tendances et habitudes individuelles.

Qu'est-ce que cela implique pour nous?

Qu'est-ce que cela implique pour nous? Voici quelques commentaires qui font ressortir l'utilité de la discussion précédente sur notre façon de communiquer et d'être en relation avec les autres.

Il y a plusieurs façons de faire l'expérience de la «réalité». Il n'y a pas deux personnes qui aient une expérience identique de celle-ci. Dans la mesure où plusieurs de nos perceptions sont

---

5. Lincoln Barnett, *The Universe and Dr. Einstein,* New York, Time, 1962, p. 6.
6. Everett M. Rogers et Lawrence D. Kincaid, *Communication Networks*, New York, The Free Press, 1981, p. 52.

communes à plusieurs personnes, notre «réalité», c'est-à dire nos théories de la réalité, sera la même et nous serons susceptibles de bien nous comprendre lorsque nous communiquerons. Dans la mesure où nos perceptions de la réalité sont différentes, parce que chacun de nous est unique, nous risquons d'avoir de la difficulté à partager et la communication deviendra plus difficile.

Quoique la certitude ou l'objectivité absolue soient impossibles, les prédictions de certaines personnes sur le monde et les choses peuvent être meilleures que celles d'autres personnes. Toutes les personnes ont des «biais», mais certaines en ont plus que d'autres, et d'autres encore ne sont même pas conscientes qu'elles en ont.

Pour augmenter les probabilités que nos perceptions rendent une meilleure information du monde, (1) nous devons devenir conscients du rôle que nous jouons lorsque nous percevons; (2) nous devons nous rendre compte que nous avons des biais et que nos filtres influencent, limitent et déforment l'information que nous recevons; (3) nous devons autant que possible interpréter et corriger nos perceptions à la lumière de nos biais et de nos filtres; (4) nous devons avoir à l'esprit que le simple fait de percevoir une chose ne nous donne pas automatiquement accès à la vérité sur cette chose.

Vérification de nos perceptions

En pratique, alors, comment pouvons-nous vérifier nos perceptions? Comment pouvons-nous vérifier nos théories? Une manière de le faire consiste à trouver d'autres personnes qui semblent percevoir la même chose de la même façon que nous. Avec l'appui des autres, nous acquérons le sentiment de percevoir correctement. Nous dépendons des autres pour faire le tri de ce qui est «vrai» et de ce qui ne l'est pas. Si plusieurs personnes sont d'accord avec nous sur une perception quelconque, nous avons confiance en cette perception. On appelle ce processus *validation consensuelle*, ce qui signifie simplement que d'autres personnes sont d'accord avec nous et nos perceptions.

Il y a cependant un danger dans cette dépendance envers les autres. Si nous ne vérifions nos perceptions qu'avec ceux et celles dont les filtres correspondent aux nôtres, nous ne pourrons nous rapprocher davantage de l'événement ou de l'objet «réel». De plus, nous pourrions être trompés par ceux ou celles qui voudraient nous piéger. Si, par exemple, toutes les personnes autour de nous disent qu'elles ont vu un couteau sur la table alors que nous n'en avons pas vu, si elles insistent et qu'elles aient l'air sérieuses, nous commencerons peut-être à douter de notre propre santé mentale. Le même phénomène se produirait si tout le monde se mettait à prétendre que des Martiens envahissent l'Assemblée nationale: nous nous sentirions sans doute un peu mal à l'aise.

Nous avons également tendance à faire confiance aux perceptions que nous avons *de façon répétitive*, qui reviennent dans notre champ perceptuel. Une perception qui revient sans cesse et qui est toujours la même suscite la confiance. Si notre autobus ou notre train a régulièrement un retard de cinq minutes, nous en viendrons vite à planifier nos déplacements en tenant compte de cette donnée.

Enfin, une autre manière de vérifier nos perceptions consiste à utiliser la *comparaison*. Nous comparons les nouveaux éléments ou comportements que nous voyons avec ce que nous avons connu dans le passé dans des conditions semblables. Si nous avons connu à un autre

Une façon de vérifier nos perceptions est de trouver ou de mettre quelqu'un en accord avec nous.
(© Susan Lapides/ Design Conceptions)

moment ou dans un autre endroit certains artistes, certains hommes chauves, certaines femmes blondes, certains professeurs grincheux, certains vendeurs d'automobiles malhonnêtes et certains policiers serviables, nous avons emmagasiné des données qui nous servent de points de comparaison lorsque nous rencontrons un nouveau professeur, un nouvel artiste, etc. Nous serons prévenus, cependant, qu'il peut y avoir autant de différences que de ressemblances dans ces nouvelles rencontres. Car, comme le disait Wendell Johnson : «Pour une souris, un fromage, c'est un fromage, qu'importe qu'il y ait un piège dessous. C'est pour cela que les souricières fonctionnent[7].» En fixant son attention sur les similitudes qu'elle perçoit – un fromage, c'est du fromage –, la souris oublie de remarquer une différence pourtant significative dans l'environnement, soit la souricière. Nous pouvons nous comporter envers un ami comme si nous étions encore des amis d'adolescence et être désappointés de trouver aujourd'hui plus de différences que de ressemblances dans nos façons de voir le monde. Les parents s'attendent à ce que leurs enfants reviennent du collège avec des idées, des valeurs et une manière de se vêtir semblables à celles qu'ils avaient à leur départ, et ils les jugent en fonction de ces attentes.

Le processus de comparaison et le processus de répétition sont semblables, car ils sont tous deux fondés sur notre capacité à emmagasiner et classifier de l'information. Ils diffèrent toutefois sur ce point que le processus de comparaison est basé sur les *similitudes perçues* entre le présent et le passé et non sur la réplique exacte d'une expérience.

---

7. Wendell Johnson, *People in Quandaries*, International Society General Semantics, San Francisco, 1980.

RÉSUMÉ

En somme, nos perceptions nous appartiennent. Nous avons le choix de les partager ou non avec les autres.

Nous percevons en *sélectionnant* des informations parmi celles présentes autour de nous, en nous basant sur nos sens et sur notre état interne. Ensuite, nous *organisons* ce matériel en un tout compréhensible. Puis nous *interprétons* ce que nous avons capté en tenant compte du contexte, de nos expériences passées, de l'apprentissage que nous avons acquis et de nos croyances.

Grâce à ce processus de sélection, d'organisation et d'interprétation, nous commençons à donner un sens au *monde en mouvement*, à ce monde compliqué et empressé qui nous entoure. La réalité, pour nous, peut être constituée de l'addition de nos suppositions, de celles des autres qui semblent confirmer les nôtres et du fait que nous y consentons. En dépit du fait que nous pouvons faire de prudentes suppositions et demander aux autres de les valider, par la *répétition* et par les *comparaisons*, ce que nous percevons est en grande partie une construction, une création de notre esprit.

CHAPITRE

3

LE CONCEPT DE SOI: QUI SUIS-JE?

OBJECTIFS

Après avoir étudié ce chapitre, vous devriez être en mesure de:

1. Décrire le processus selon lequel nous développons notre concept de soi dès la petite enfance.

2. Comprendre les termes «miroitement de soi» et «autre généralisé» et identifier les théoriciens associés à ces concepts.

3. Définir les comportements qui confirment ou rejettent notre image et donner des exemples.

4. Donner des exemples illustrant la façon dont le concept de soi est maintenu à travers la communication interpersonnelle.

5. Comprendre les expressions «prophéties que l'on concrétise soi-même» et «effet Pygmalion» et les illustrer au moyen d'exemples.

6. Comprendre comment la fenêtre de Johari est liée au dévoilement de soi et aux réactions que nous recevons.

7. Distinguer les habitudes verbales du concept de soi peu élevé et celles du concept de soi élevé.

8. Distinguer les diverses sphères (physique, des rôles et introspective) du concept de soi.

9. Comprendre la raison d'être des comportements et démontrer l'importance de bien faire la distinction entre la personne et les comportements de cette personne.

INTRODUCTION

Dans le chapitre précédent, nous avons vu comment nous développons notre vision de la réalité, nos perceptions du monde et la signification que nous attachons à nos expériences. Dans ce chapitre, nous verrons un aspect important du système de filtrage que nous utilisons pour comprendre notre environnement: notre perception de nous-mêmes.

UNE INTRODUCTION À SOI-MÊME

Nous vivons constamment avec des gens qui nous modèlent et que nous influençons. Nous avons besoin des autres pour vivre et, ultimement, la communication interpersonnelle est la seule source qui nous permet de vérifier et valider ce qui se passe en nous.

Dans l'étude de la communication interpersonnelle, nous devons d'abord explorer l'agent principal de ce processus, c'est-à-dire soi-même. Qui sommes-nous, comment les autres nous voient-ils, quel(s) rôle(s) jouons-nous devant eux, quels sont nos besoins et nos valeurs? Ce sont des questions fondamentales parce que notre façon d'y répondre détermine nos actions et les rôles que nous choisissons de jouer. Du fait que nous seuls pouvons faire quelque chose pour notre communication, il est important d'observer de quelle façon nous communiquons.

Les autres nous influencent-ils? Par exemple, si je veux être considéré comme un étudiant brillant par mon professeur, j'étudierai mes leçons et remettrai de bons travaux; mon comportement sera déterminé par la façon dont je veux être évalué. Je décide que certains comportements (de bons travaux) feront qu'une certaine personne (le professeur) me verra sous la facette dont j'aime me voir (en bon étudiant).

Avec le temps, nous découvrons des facettes de notre personnalité que nous aimerions que les autres voient; alors, nous avons des façons de nous faire remarquer. Très tôt dans la vie, nous découvrons que le fait de sourire et de parler avec entrain déclenche certaines réactions chez les gens qui, à leur tour, nous traitent comme une personne joyeuse et amicale. Un comportement (sourire) pousse les autres à agir d'une certaine façon vis-à-vis de nous (avec amitié) qui nous indique le genre de personne que nous sommes (amicale).

Notre comportement n'est pas seulement influencé par l'accumulation de nos expériences antérieures, il l'est aussi, et de façon importante, par les significations personnelles que nous attachons à ces expériences. Notre comportement n'est pas seulement fonction de ce qui se passe à l'extérieur, il est surtout fonction de ce que nous ressentons à l'intérieur de nous. Cela signifie que nous ferons aujourd'hui des choix de comportements en fonction de nos expériences antérieures; plus encore, nous les ferons en fonction des sentiments éprouvés lors de ces événements et des réactions ont suivi. Supposons qu'en troisième année j'aie remis un excellent résumé de livre (un bon travail) et que j'aie mérité une bonne note et des compliments de la part du professeur (récompense); toutefois, plusieurs élèves m'ont traité de chouchou du professeur (punition). J'ai su que le travail était bon, mais aussi qu'un chagrin peut accompagner une récompense. Aujourd'hui, si je dois remettre un résumé de livre, me souviendrai-je comment on fait pour écrire un bon travail? Me souviendrai-je aussi de tous les *sentiments* éprouvés lors de cet événement? Nous pouvons en déduire que l'aptitude à faire le travail et les sentiments éprouvés lors de cette expérience influenceront la manière dont j'exécuterai mon prochain devoir.

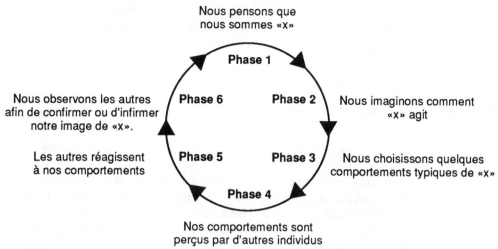

Figure 3.1

Le processus transactionnel du concept de soi: le diagramme circulaire illustre la nature continue du concept de soi. Toutes les phases sont reliées et un changement quelconque (par exemple la façon dont nous nous comportons) produit un effet sur les autres phases (les réactions des autres individus, nos idées et nos conclusions). Nous pouvons y pénétrer à n'importe quelle phase, par exemple si nous sommes tout à coup perçus dans un rôle spécifique par les autres (phase 4). Alors, si nous acceptons ce rôle (phase 1), nous devrons définir le concept de soi qui convient à ce rôle, à la phase 2, et choisir les comportements adéquats à la phase 3.

À la phase 1, nous nous voyons comme un «étudiant sérieux». À la phase 2, nous imaginons qu'un étudiant sérieux lit des livres, prend des notes en classe, écrit des dissertations trimestrielles, étudie très fort en vue des examens, va à la bibliothèque, écoute attentivement le professeur, etc. À la phase 3, nous adoptons les comportements convenant à ces idées et nous prenons part effectivement à ces activités. À la phase 4, les autres, le professeur et les étudiants, remarquent nos comportements. Aux phases 5 et 6, nous observons que nos notes sont excellentes et que le professeur apprécie ce que nous faisons bien plus que ce que font les autres étudiants (qui préféreraient nous voir plus souvent avec eux qu'à la bibliothèque et qui aimeraient que nous cessions de faire monter les moyennes de la classe). Nous voici de nouveau à la case de départ où nous pouvons continuer de nous définir comme «étudiant sérieux», mais nous possédons maintenant plus d'informations sur la façon dont les autres nous voient. Nous pouvons décider d'un changement à tout endroit – en décidant qu'un étudiant sérieux ne fait pas toutes ces choses (phase 2), en nous comportant un peu différemment (phase 3), en essayant de dissimuler nos actions à nos compagnons de classe (phase 4), ou encore en choisissant de ne pas prêter attention aux réactions des autres (phase 6).

Le rôle d'éducateur représente une situation des plus significatives où le concept de soi à travers les interactions est continuellement malmené, remis en question, et soumis aux conseils; des livres sur la meilleure façon d'éduquer les enfants se vendent comme des petits pains chauds, et des désaccords sérieux existent au sein des familles et des organismes sociaux et juridiques. En réfléchissant sur nos propres expériences familiales, pouvons-nous constater à quel point nos parents ont des images différentes sur la façon de se comporter (lesquelles font référence à leur propre expérience d'enfant) et comment cela influence la manière dont ils agissent avec leurs enfants en privé et en public? Des lois existent sur la façon de traiter les enfants; des contraintes religieuses, des normes sociales et des modèles culturels façonnent la manière dont les parents voient leur rôle (aux phases 1 et 2). Les comportements observés (phases 3 et 4) résultent du feed-back reçu par les parents (la phase 5), lequel peut être ignoré ou conservé (phase 6) et utilisé afin de modifier des images ou des comportements futurs.

Des centaines de comportements typiques des parents en situation privée, tels que faire manger des épinards à un enfant ou le récompenser pour un bon bulletin, ne sont que des suggestions. La publicité entourant les enfants maltraités a commencé à opérer un changement à la phase 2, où se conçoit le rôle des parents, dont sont maintenant exclus les comportements de violence et d'abus sexuel envers l'enfant. Toutefois, le concept de soi de ces parents n'est remis en question (phase 6) que lorsque la loi constate ces agissements (phase 4) et les déclare inacceptables.

La figure 3.1 illustre la façon dont se développe et se maintient le processus du concept de soi. Nous verrons aussi dans ce chapitre comment les interactions créent des images de nous dans notre tête, et les façons dont ces images influencent les interactions.

Encadré 3.1   Qui suis-je?

«Qui suis-je?» Cette question, nous nous la posons tous un jour ou l'autre. La réponse déterminera non seulement l'image que nous nous faisons de nous-mêmes, mais aussi la façon dont nous nous voyons par rapport aux autres. La question «Qui suis-je?» n'est pas seulement une question d'adolescent ou de philosophe. C'est une question à laquelle nous devons faire face tous les jours et à laquelle nous attachons de plus en plus de significations à mesure que nous traversons des périodes de crise et que nous prenons d'importantes décisions.

COMMENT NOTRE CONCEPT DE SOI SE DÉVELOPPE

Le développement de soi et du concept de soi a été et est encore l'objet de nombreuses spéculations et recherches. À la base, les psychologues et sociologues disent que le concept de soi est appris, maintenu et modifié à travers des processus de communication interpersonnelle. Examinons comment ce processus fonctionne.

Le concept de soi s'acquiert à travers la communication interpersonnelle

Ce postulat fondamental est partagé par des sociologues comme George Herbert Mead et Charles Horton Cooley, par des psychiatres et psychologues comme Harry Stack Sullivan, Karen Horney, R. D. Laing, Carl Rogers et Abraham Maslow.

Globalement, ce postulat soutient que l'image de nous-mêmes résulte de la façon dont nous croyons que les autres nous voient. Ce que Cooley[1] définit comme le «miroitement de soi» est le processus selon lequel nous imaginons comment notre personne apparaît aux autres individus. Le concept de soi n'est en fait que le reflet de la perception des autres. Selon G.H. Mead[2], le développement du concept de soi dépend de la capacité de l'individu à être un objet pour lui-même, à se mettre à la place d'autrui. À travers le processus de socialisation, on apprend ce qui est bon ou mauvais, comment se comporter, comment voir le monde et comment se percevoir soi-même. Notre façon de penser qui nous sommes nous vient de la façon dont les gens nous ont traités lors de notre enfance.

---

1. Charles M. Cooley, *Human Nature and the Social Order*, New Brunswick, N. J., Transaction Books, 1983.
2. George Herbert Mead, *Mind, Self and Society*, Chicago, University of Chicago Press, 1967.

À la naissance, nous n'avons aucun sens de nous-mêmes, de notre soi. La façon dont nous avons été éduqués a établi les bases sur lesquelles nous avons édifié les sentiments et pensées à propos de qui nous sommes. Si nous avons été chanceux, nous avons reçu des messages d'amour et d'affection, avons été bien nourris, avons eu de l'attention aux bons moments et avons ainsi acquis une confiance fondamentale en l'existence. Certains enfants ne sont pas aussi chanceux et sont presque ignorés pendant de longues périodes. La tragédie pour ces enfants est qu'ils n'acquièrent pas le sentiment du droit à l'existence et qu'ils ont l'impression qu'il ne vaut pas la peine qu'on prenne soin d'eux.

Le langage nous façonne

De la naissance jusqu'à l'âge de deux ans, le langage permettra à l'enfant de développer une certaine permanence de l'objet, de discerner, puis de généraliser ses expériences. C'est une phase durant laquelle la manière dont les autres parlent de nous crée des impressions durables et façonne littéralement notre perception de nous-mêmes. Nous apprenons ainsi certains stéréotypes tels «un vrai garçon ne pleure pas», «les garçons ne jouent pas avec les poupées» ou «les filles aident leur mère dans la cuisine». La façon dont nous commençons à nous percevoir est déterminée par les attentes des autres envers nous et par l'efficacité avec laquelle ils nous conditionnent à adopter ces identités[3].

Dès les premières années de la vie, le langage façonne notre image de nous-mêmes.
(© Susan Lapides 1985/Design Conceptions)

---

3. Harry Stack Sullivan, *The Interpersonal Theory of Psychiatry*, New York, W. W. Norton & Company Inc., 1968.

L'imitation

De 10 mois à 18 mois environ, l'enfant passe par une phase de simple *imitation*, sans comprendre les gestes ou les mots qu'il répète[4]. Certains de ses comportements ou de ses mots seront renforcés et demeureront dans son répertoire de rôles et dans son vocabulaire. Un peu plus tard, il y aura une phase où l'enfant essaiera de *jouer des rôles* ou d'adopter des comportements qu'il observe autour de lui, et auxquels il devient capable d'associer une signification. Il suffit de regarder un enfant de trois ans jouer à la maison; il est très habile pour jouer le rôle du père ou de la mère avec une poupée ou avec un autre enfant. L'observation discrète de ses enfants peut être une révélation pour bien des parents, qui se retrouveront alors face à eux-mêmes.

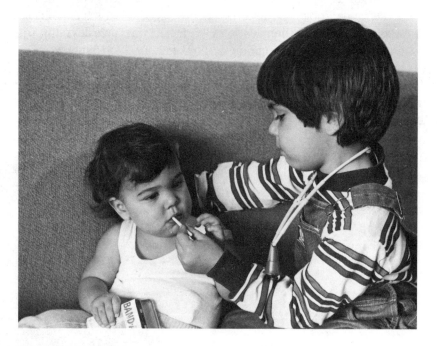

Imiter et jouer des rôles est une activité liée au langage et aux attentes qu'ont les gens par rapport aux rôles. (© Yan Lukas/Photo Researchers, Inc.)

La pratique de la prise de rôle

Entre l'âge de trois et cinq ans, les enfants commencent en général à comprendre les dimensions des rôles qu'ils jouent. Cette habileté au jeu de rôle est directement liée au degré de développement du langage de l'enfant[5]. Par ces jeux de rôles, les enfants développent la

---

4. G.H. Mead, *ibid.*
5. Dennis R. Smith et Keith Williamson, *Interpersonal Communication*, Dubuque, Iowa, Wm. C. Brown Company, 1977, p. 146.

capacité d'imaginer comment d'autres se comportent dans certaines situations. Lorsque la petite fille joue à la maman, par exemple, elle imagine comment sa mère agirait dans certaines situations. C'est une habileté cruciale qui permettra aux enfants d'imaginer leur propre comportement en relation avec les autres. Si la petite fille parvient à imaginer ce que sa mère ferait dans telle situation, elle développera alors, lorsque cette situation se présentera réellement, des attentes vis-à-vis du comportement de sa mère en relation avec elle. Les transactions interpersonnelles sont fondées sur notre habileté à imaginer ce que les autres pensent et attendent de nous et comment ils auront tendance à réagir à notre comportement.

La prise de rôle symbolique

Finalement, nous atteignons une phase où il n'est plus nécessaire de jouer le rôle d'une personne pour savoir comment elle sera portée à réagir face à nous. Nous effectuons alors symboliquement le processus dans notre tête. Le processus de la *prise de rôle symbolique*, comme Berlo le décrit[6], permet de nous comporter conformément à ce que nous croyons que les autres pensent de nous. Nous incorporons en quelque sorte les rôles que nous imaginons que les autres attendent de nous dans toutes les situations. Plus notre capacité d'imaginer augmente, plus les situations deviennent complexes: le nombre de personnes que nous devenons capables d'imaginer augmente et nous ne pensons plus en fonction des comportements sous-jacents au rôle d'une personne donnée, mais plutôt en fonction des personnes en général. Cet *autre généralisé*, comme en parle Mead[7], est à la base de toutes nos transactions. En tant qu'adultes, nous agissons non seulement sur la base de notre perception d'une situation, mais aussi à partir de ce que *nous imaginons que les autres attendent de nous*. Si nous pensons à nous en termes positifs, nous aurons tendance à nous imaginer que les autres nous perçoivent de façon positive. Si nous nous percevons négativement, nous anticiperons des réactions négatives de la part des autres. La chose importante à retenir est que, dans les deux cas, nous agissons selon la façon dont *nous pensons que les autres nous voient et non selon la façon dont ils nous voient effectivement.*

Le concept de soi se maintient ou se modifie à travers la communication interpersonnelle

La perception de la personne que nous sommes n'est pas statique. Parce qu'il se développe par la communication interpersonnelle, le concept de soi se maintient et se modifie également par celle-ci. Chaque personne que nous rencontrons et chaque expérience que nous vivons confirment jusqu'à un certain point notre vision du monde, des gens et de soi-même, mais peuvent aussi la changer. L'impact de gens nouveaux ou de nouvelles expériences dans notre vie peut être énorme et très apparent à certains moments, mais, la plupart du temps, il est subtil et passe inaperçu. Toutefois, au fur et à mesure que nous expérimentons de nouveaux comportements dans de nouveaux environnements et que nous rencontrons des gens qui réagissent différemment à nos attentes, le concept de soi et de notre identité peut changer.

---

6. David K. Berlo, *The process of Communication,* New York, Holt, Rinehart and Winston, 1960.
7. George H. Mead, *ibid.*

L'effet Pygmalion et la prophétie que l'on concrétise

Dans la mythologie grecque, Pygmalion sculpta une belle femme en ivoire et en devint amoureux. Ainsi, nous parlons d'effet Pygmalion lorsqu'une personne concrétise une prophétie. Rosenthal[8] a observé cet effet au cours d'une étude dans laquelle des professeurs ont été mis au courant que certains élèves pourraient devenir meilleurs que d'autres. Bien que les noms des élèves plus prometteurs aient été choisis au hasard par les expérimentateurs, les résultats scolaires et les évaluations des professeurs avaient tendance à être plus élevés chez ces étudiants que chez les autres. On a constaté qu'étant traités en sujets «brillants», les étudiants choisis ont commencé à *se comporter* en sujets «brillants». George Bernard Shaw a intitulé une pièce de théâtre *Pygmalion*, qui devint par la suite la comédie musicale *My Fair Lady*. Ces deux productions font état de l'idée qu'une vendeuse de fleurs à l'allure négligée, Eliza Doolittle, lorsqu'elle est traitée en jeune femme du monde, alors qu'on lui apprend les tournures de phrases appropriées, devient apparemment une tout autre personne.

La prophétie que nous concrétisons nous-mêmes est un exemple parfait de la nature transactionnelle de la communication. Une poignée de croyances en nourrit d'autres et produit un résultat attendu. Prenons l'exemple d'un jeune garçon timide qui ne se sent pas à la hauteur avec les gens, particulièrement avec les filles; il anticipera le rejet des autres et n'invitera ainsi aucune fille à sortir avec lui. Ce retrait de sa part donnera aux autres l'impression qu'il n'est pas intéressé à communiquer socialement. Cela signifie que peu de gens l'inviteront à des fêtes ou prendront l'initiative d'aller lui parler. Qu'il demeure isolé socialement renforcera sa vision qu'il n'est pas à la hauteur et n'est pas attirant. «Personne ne porte attention à moi. Je ne suis pas attirant. Je l'ai toujours su.» Il perçoit correctement les réactions des autres; ils ne recherchent effectivement pas sa compagnie. Mais d'où cela vient-il? Cette transaction est une réaction naturelle des autres qui n'ont perçu chez le jeune garçon aucune envie d'interaction.

Si le jeune homme avait démontré sa bonne volonté — en parlant aux autres ou même en invitant quelqu'un à sortir avec lui —, il aurait pu déclencher des réactions plus favorables chez les autres. Quelques réactions positives des autres lui auraient donné un peu plus de confiance en lui — «peut-être les autres en viendraient-ils à m'accepter et à m'apprécier». Ce gain de confiance sociale en lui-même lui permettrait d'agir de manière plus ouverte et de découvrir qu'il possède les habiletés sociales nécessaires. Cela serait une prophétie positive qu'il aurait concrétisée lui-même, une prophétie qui le favorise.

En résumé, une prophétie que nous concrétisons nous-mêmes est un cycle de nos attentes et de la façon dont les autres nous perçoivent. Cela nous encourage à agir d'une certaine façon et, en fin de compte, nous aide à développer chez les autres le genre de perceptions que nous croyions qu'ils avaient de nous au départ. Leur comportement maintenant dévoilé nous permet de conclure que nous avions raison dès le départ.

Confirmation et non-confirmation de soi

L'image que nous avons de nous-mêmes a besoin de vérification et de la confirmation des autres et notre communication contient souvent des demandes indirectes ou subtiles de

---

8. Robert Rosenthal, «The Pygmalion Effect Lives», *Psychology Today*, vol. 7, 1973, p. 56-63.

vérification de cette image. Virginia Satir, Paul Watzlawick, Don Jackson et d'autres soutiennent qu'à peu près tous nos messages contiennent une demande de «validation de soi». Nous recherchons non seulement la confirmation de l'image que nous avons de nous-mêmes, mais aussi l'attestation de notre vision des autres et de notre expérimentation du monde qui nous entoure. Ce processus de confirmation ou de non-confirmation a été décrit par plusieurs auteurs, dont Sieburg, qui écrit ceci:

> *La communication avec les autres est un besoin humain fondamental, car c'est par elle que les relations sont formées, maintenues et exprimées. Nous avons émis la théorie que, pour établir des relations, les individus s'engagent dans un comportement où ils formulent des messages avec l'attente d'une réaction ou d'une réponse. Si on répond à cette attente — si la réponse est directe, ouverte, claire, conforme et pertinente à la dite communication, les personnes auront le sentiment d'un dialogue authentique et pourront ressentir les avantages d'une «communication interpersonnelle thérapeutique»... Si la réponse est absente, tangentielle, ambiguë ou inadéquate, les participants risquent fort de se sentir confus, insatisfaits, incompris et aliénés[9].*

Les exemples suivants clarifieront ce qu'on entend par réponses affirmatives et négatives du soi.

RÉPONSES AFFIRMATIVES DU SOI

Elles incluent: (1) *la reconnaissance directe,* lorsque notre réponse au message de l'autre personne est directe et indique que nous reconnaissons cette personne comme faisant partie de notre monde perceptuel; (2) *un accord sur le contenu,* lorsque nous renforçons ou soutenons les opinions ou idées exprimées par l'autre personne; (3) *une réponse de soutien,* lorsque nous exprimons de l'encouragement ou de la compréhension (ou faisons toute autre tentative du même genre afin que la personne se sente mieux et encouragée); (4) *une réponse de clarification,* lorsque nous essayons d'amener une personne à s'exprimer davantage, à décrire ses sentiments ou son information, ou lorsque nous cherchons à faire répéter pour clarifier; (5) *l'expression de sentiments positifs,* lorsque nous partageons des sentiments positifs à propos de ce qu'une personne a fait ou dit.

RÉPONSES NÉGATIVES DU SOI

Elles incluent: (1) *les réponses incompréhensibles* lorsque nous ignorons ce qui est dit ou ne donnons aucune indication là-dessus; (2) *les réponses interruptives,* lorsque nous coupons la parole à quelqu'un ou changeons brusquement de sujet; (3) *les réponses non pertinentes,* lorsque nous introduisons une nouvelle idée ou un nouveau sujet, ou lorsque nous laissons entendre que ce que le locuteur précédent a dit est tellement insignifiant que ça ne vaut pas

---

9. Evelyne Sieburg, «Dysfunctional Communication and Interpersonal Responsiveness in Small Groups», thèse de doctorat inédite, Université de Denver, 1969.

la peine d'être commenté; (4) *des réponses tangentielles*, lorsque nous essayons de faire un lien avec ce qui vient d'être dit, mais en fait amenons la discussion dans une autre direction; c'est dans cette catégorie que sont rangés les «Oui... mais» et les «D'ailleurs, cela me rappelle que»... où l'histoire a peu de lien avec la discussion en cours; (5) *les réponses impersonnelles*, lorsque nous utilisons abondamment les généralisations, les clichés, les expressions toutes faites ou les rationalisations; (6) *les réponses incohérentes*, lorsque nous divaguons, lorsque nous utilisons des mots ou des expressions incompréhensibles pour ceux et celles qui écoutent, lorsque nous ne finissons pas nos phrases ou parlons tellement que nous perdons l'idée principale de notre discours; (7) *les réponses non conformes*, lorsque notre communication non verbale est complètement contraire à notre expression verbale.

L'analyse transactionnelle et la validation de soi

Dans ce chapitre, nous avons vu que non seulement nous possédons un système d'entreposage de l'*information* (ou contenu) de nos expériences antérieures, mais aussi nous entreposons les *sentiments éprouvés* lors de ces incidents (relations ou processus). Lorsque nous écoutons une chanson familière, les paroles et la mélodie nous reviennent en mémoire, mais également les souvenirs agréables ou tristes qui s'y rattachent. L'arôme du café nous rappelle la tasse qui accompagne le petit déjeuner, de même qu'un voyage effectué avec des amis, un matin à la campagne ou le début de la journée à la maison — en plus d'une série de sentiments qui accompagnent ces souvenirs.

En tant qu'étude psychologique et psychiatrique, l'analyse transactionnelle se fonde sur l'idée que nous avons à l'intérieur de nous un trio de «personnes» qui se comportent et ressentent les choses de façons différentes. Plus encore, ces comportements et ces sentiments impliquent les autres individus dans le sens que ceux-ci récompensent ou punissent. Nous entrons en contact avec les autres dans un but précis. Eric Berne nomme ces agissements des «jeux» et, dans ses livres très populaires, il fait la description des comportements de ces trois composantes: «l'enfant», «l'adulte» et «le parent»[10].

Les travaux d'Eric Berne et de Thomas Harris[11] ont abordé nos relations avec les autres sur la base de nos histoires privées, personnelles et uniques. Ils ont aussi établi quelques-unes de leurs prémisses à partir des recherches exploratoires de Penfield[12] sur la mémoire humaine. Pendant qu'un sujet se réveillait à la suite d'une anesthésie, Penfield stimula électriquement certaines parties de son cerveau et celui-ci se remémora clairement certaines images ainsi que des émotions qui s'y rattachaient. Jusqu'alors, d'aucuns croyaient qu'une personne est une accumulation de toutes ses expériences passées; mais l'évidence expérimentale a aidé à élaborer une théorie sur le sujet «Qui suis-je?»

«Comment suis-je correct?» est devenu le nouveau centre d'intérêt pour les auteurs de l'analyse transactionnelle comme Harris, qui suggère des systèmes de notre participation personnelle pour arriver à comprendre comment nous sommes corrects – ainsi, sommes-nous

---

10. Eric Berne, *Transactional Analysis in Psychotherapy*, New York, Grove Press, 1961, et *Games People Play*, New York, Grove Press, 1964.
11. Thomas Harris, *I'm OK – You're OK*, New York, Harper & Row Publishers, 1969.
12. W. Penfield, «Memory Mechanisms», *American Medical Association Archives of Neurology and Psychiatry*, n° 67, 1952 (avec les commentaires de L. S. Kubie *et al.*).

une personne valable? qu'est-ce que les autres apprécient? qu'est-ce que nous pouvons faire à ce propos? L'analyse transactionnelle (aussi nommée A.T.) a trouvé sa place dans l'éducation des parents, des administrateurs et des professeurs, et bien d'autres groupes qui veulent transformer leurs comportements sociaux en des relations plus authentiques, éloignées de ces «jeux» classifiés par Berne.

Spécifions toutefois que la personne que nous sommes est un reflet de ce que nous étions avant (notre «enfant»), des expériences accumulées et des réactions des autres vis-à-vis de nous. C'est ce que Sullivan[13] nomme les «évaluations réfléchies». Il déclare qu'au cours de l'enfance, nous apprenons qui nous sommes entièrement par les autres. De plus, nous modelons nos comportements sur ceux de notre mère et de notre père (notre «parent») et déterminons, selon les réactions des autres vis-à-vis de nous jusqu'à quel point notre imitation de ces comportements est réussie. Nous avons aussi le choix d'entrer en interaction avec les autres dans notre rôle d'«adulte» qui «traite les informations et détermine les probabilités de ce qui est essentiel pour affronter le monde extérieur[14]».

Le livre portant sur les «jeux» de relations interpersonnelles nous aide à nous situer dans nos relations avec les autres. Il contient une terminologie descriptive des phrases typiques de ces «jeux»: «N'est-ce pas épouvantable!», «Vois ce que tu m'as fait faire» et «C'est tordant», pour n'en citer que quelques-unes. Ainsi, en analysant les transactions à partir de ces trois composantes internes qui sont le parent, l'adulte et l'enfant, ces auteurs nous donnent une méthode très compréhensible pour observer et, mieux encore, pour améliorer notre communication de l'intérieur.

POURQUOI ÉTUDIER LE CONCEPT DE SOI?

Ce que nous pensons être est confirmé ou contredit par les réponses et réactions des autres à notre communication avec eux. À moins d'obtenir des messages clairs et confirmatifs, il est peu probable que nous aurons des expériences de communication efficace. Nous devons reconnaître que notre interaction avec les autres affecte nos sentiments envers nous-mêmes; de plus, l'estime de soi influe sur la qualité de ce nous accomplissons, car, sans soutien interne, les choses ne peuvent être accomplies.

La raison de cette longue discussion sur la formation, le maintien et le changement du concept de soi à travers le processus de communication interpersonnelle est que la perception de soi est un mécanisme de filtre majeur. Ce mécanisme joue un rôle très important dans notre perception du monde en général et, partant, dans notre comportement.

Une grande partie du développement du concept de soi est intimement liée au travail et aux rôles appris dans la participation aux organisations et institutions formelles de notre société. Le sentiment de votre valeur interne, de votre valorisation vient de l'accomplissement de rôles sociaux. Vous vous voyez comme avocat, ingénieur, professeur, secrétaire, camionneur ou comptable et apprenez les comportements qui conviennent à ces occupations. Lorsque ce que vous faites correspond aux standards, vous vous sentez bien, compétent et valorisé. Vous

---

13. H.S. Sullivan, *op. cit.*
14. E. Berne, *Games People Play*, *op. cit.*, p. 27.

savez que vous avez atteint les standards lorsque les autres le confirment. «C'est un bon rapport, M. Tremblay», une note «A» pour un travail scolaire, une promotion, l'inclusion dans un groupe sélectif, voilà autant d'exemples de messages qui confirment le sentiment d'être conforme.

L'anxiété liée à un nouvel emploi ou à la rencontre des gens nouveaux est rattachée à l'incertitude de savoir si vous serez à la hauteur de la situation. La situation est ambiguë. Tout en étant un finissant brillant, vous vous demanderez si vous pouvez vraiment vous comporter correctement dans un emploi éventuel. Serez-vous capable de vous conduire comme vous pensez devoir le faire ou comme les autres pensent que vous devez le faire? Si vous ne réussissez pas, vous risquez de perdre non seulement votre emploi, mais aussi une grande partie de votre estime de soi.

ACCEPTATION DE SOI ET ESTIME DE SOI

Dans le processus de développement de l'image de soi, nous formons des impressions et des sentiments à propos de qui nous sommes et en recherchons la confirmation chez les autres. Cette confirmation nous est nécessaire si nous voulons nous sentir bien avec nous-mêmes. Regardons comment se construit l'estime de soi.

L'estime de soi est le sentiment que nous éprouvons lorsque ce que nous faisons correspond à *l'image que nous avons de nous* et lorsque cette image particulière se rapproche de la *version idéalisée* que nous entretenons de nous-mêmes. Par exemple, nous nous percevons comme un amateur de plein air (image de soi). Nous nous imaginons dans la peau d'un grand ingénieur forestier (image de soi idéalisée). Enfin, nous nous rendons à une école de foresterie pour demander notre admission (action). Ce cheminement correspond à l'image de soi et à l'image idéalisée de soi. Si nous sommes admis et si réussissons bien cette formation, nous serons confirmés par les autres (pairs et professeurs) et cela renforcera notre estime de nous-mêmes.

Le maintien de l'estime de soi est une chose complexe. Souvent, nous réussissons à maintenir des sentiments positifs envers nous-mêmes, mais parfois ces tentatives échouent. Nous devenons alors défaitistes.

Nous cachons souvent des aspects de nous-mêmes aux autres de peur d'être rejetés. C'est comme si nous disions: «J'ai peur de te dire qui je suis parce que si je te le dis et que tu ne m'aimes pas, je n'ai rien d'autre à t'offrir.» Nous cachons par exemple ces aspects de nous-mêmes lorsque nous accumulons de la colère et de la frustration et refusons de montrer ces sentiments. Certes, par notre comportement non verbal, nous réussirons à ne pas décevoir les autres, mais ces sentiments continuent de s'accumuler (souvent dans l'estomac, produisant des ulcères); alors, au moment où une goutte fait déborder le vase, nous explosons.

Nous portons parfois des masques pour paraître différents de ce que nous sommes. Nous distribuons autour de nous des indices trompeurs et donnons de fausses impressions. Ce petit jeu que certains jouent continuellement consume beaucoup d'énergie et de concentration: pour être rentable, il doit être joué sans faute jusqu'au bout. Pour la plupart, nous ne sommes pas des comédiens professionnels et nos masques, si réussis soient-ils pendant un certain temps, finissent par être percés par les autres. Plus on essaie d'être un autre que soi-même, plus on se crée un langage faux et plus on perd le contact avec la réalité.

S'exposer et recevoir du feed-back

La façon efficace de maintenir l'estime de soi est fondée sur un processus en deux temps où d'abord on *s'expose* personnellement, pour ensuite recevoir du *feed-back*. On expose des parties de nous-mêmes aux autres à travers notre comportement; les autres donnent alors du feed-back à nos comportements, nous confirmant ainsi d'une certaine manière. On ne peut écarter les doutes à propos de qui nous sommes qu'en vérifiant avec les autres et en nous exposant directement et honnêtement au feed-back.

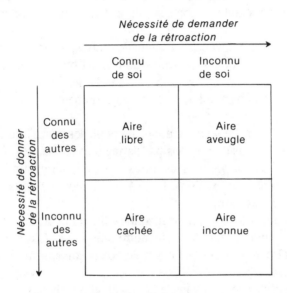

Figure 3.2   La fenêtre de Johari.

La fenêtre de Johari

En rapport avec ce que nous venons de dire, la fenêtre de Johari[15] est un outil très utile pour analyser ce processus transactionnel d'ouverture de soi, de feed-back et d'estime de soi. Comme nous l'avons souligné au premier chapitre, il y a une relation essentielle entre les divers facteurs de la communication. Un changement dans un facteur, l'émetteur, par exemple, implique un changement dans le message. Un changement des perceptions signifiera un changement des significations. La nature «transactionnelle» de la découverte de soi est démontrée dans le schéma de la fenêtre de Johari, où l'on ne peut envisager un changement dans un des quatre secteurs sans que cela implique un changement dans un autre. Consultez la figure 3.2.

---

15.   Joseph Luft, *Of Human Interaction*, Palo Alto, Calif., National Press Books, 1969.

Le mot «Johari» qui semble exotique, est simplement formé à partir des prénoms de ses deux concepteurs, Joseph Luft et Harrington Ingram. La fenêtre représente une manière de se regarder. Les quadrants ou secteurs sont formés par l'intersection de deux dimensions de la conscience de soi. Il y a des choses de soi connues des autres et d'autres qui sont inconnues des autres. Lorsque les quatre secteurs sont rassemblés, ils représentent les différentes dimensions du soi.

Le premier secteur, appelé «d'activité libre» (connu de soi, connu des autres) représente le soi public: c'est la conscience et la connaissance partagées de qui nous sommes. Il comporte notre nom, notre état civil, notre numéro d'assurance sociale et d'autres renseignements du même type. Ces informations étant évidentes ou accessibles, nous ne ressentons pas d'anxiété lors de leur divulgation.

La deuxième secteur, appelé «aveugle» (connu des autres, inconnu de soi) comporte l'information qu'ont les autres à notre sujet, mais dont nous ne sommes habituellement pas conscients. Dans ce secteur, on trouvera par exemple le timbre de notre voix, notre comportement non verbal ou nos manières. C'est ce qu'on peut appeler aussi le «secteur de la mauvaise haleine».

Le troisième secteur, dit «caché» (connu de soi, inconnu des autres), comprend ce que nous savons de nous-mêmes que nous ne voulons pas partager avec d'autres. C'est un secteur où nous nous protégeons, où nous empêchons les autres d'envahir notre intimité. Dans ce secteur, nous trouvons les sentiments, motivations, fantaisies, secrets que nous ne voulons pas ou craignons de partager avec les autres.

Le quatrième secteur, appelé le «secteur inconnu» (inconnu de soi, inconnu des autres), représente les choses qui n'ont pas encore atteint notre conscience. C'est un secteur qui suscite énormément de curiosité. On y trouve par exemple nos besoins profonds, nos attentes, nos peurs inconscientes, etc.

L'intérêt de ce modèle simple tient dans le fait qu'il rend bien compte du dynamisme des relations interpersonnelles. Par l'*ouverture* on peut rétrécir le secteur caché, obtenir plus d'information sur soi et agrandir le secteur libre. Par le *feed-back*, les autres peuvent nous aider à réduire notre secteur aveugle pour agrandir encore le secteur libre. Les autres sont les seuls à posséder ou percevoir certains faits.

Le début d'une relation, une rencontre à un cocktail sont des exemples caractéristiques d'un secteur libre assez restreint. De prime abord, nous ne faisons pas confiance à un étranger, pas plus que nous ne partageons des choses très intimes lors d'un premier contact avec quelqu'un. Nous restreignons habituellement la conversation à des sujets neutres (le temps qu'il fait, les films à l'affiche ou la mode). Nous avons tendance à entrer en relation avec les autres en leur exposant des masques, une façade afin de protéger notre «moi réel» d'une trop grande exposition. Le feed-back des autres à notre égard est aussi généralement réservé ou touche des sujets plutôt neutres: «Vous avez une belle voiture.» De part et d'autre, on met beaucoup d'énergie à conserver la façade: «J'ai peur de te dire qui je suis parce que si je te le dis et que tu ne m'aimes pas, je n'ai rien d'autre à t'offrir.»

Au fur et à mesure que l'on prend des risques à la faveur de l'ouverture et du feed-back, la confiance s'installe, les relations deviennent plus mûres, les masques et la façade s'effritent et le secteur d'activité libre s'accroît. Après tout, on ne peut parler éternellement du temps qu'il fait. De plus, nous croyons qu'il existe chez l'être humain un désir ardent de rapprochement, d'intimité et de relations humaines profondes. Quoique nos tentatives soient parfois faibles ou maladroites, la plupart des gens préfèrent des contacts significatifs à des rencontres superficielles.

Encadré 3.2   À chacun sa fenêtre

Nous avons des «fenêtres» (ouvertures) différentes selon nos relations, et nous devons veiller à ce que chaque fenêtre convienne à la relation pour laquelle elle était conçue au départ. Les quatre quadrants nous indiquent le degré de liberté que nous avons pour entrer en interaction avec les autres en nous appuyant sur ce qu'ils savent sur nous et sur ce que nous savons sur nous-mêmes, mais, seulement pour cette relation en particulier.

Dessinons la fenêtre que nous pourrions avoir avec une nouvelle connaissance — un étranger près duquel nous nous sommes assis en classe. Dessinons une autre fenêtre nous représentant dans la relation que nous entretenons avec notre meilleur ami du même sexe. Cette fenêtre serait-elle différente de celle représentant la relation avec notre meilleur ami de l'autre sexe? Quel genre de fenêtre illustrerait la relation avec un de nos parents? Cette fenêtre est-elle la même aujourd'hui qu'il y a dix ans? La fenêtre d'un ami a-t-elle changé au cours des années?

Les fenêtres sont sujettes à variation: 1) elles varient d'une relation à une autre; 2) elles varient d'une fois à l'autre dans une même relation; 3) elles varient à cause des changements qui se produisent en nous ou en l'autre personne.

HABITUDES VERBALES ET CONCEPT DE SOI

L'étude du comportement verbal de personnes dont le concept de soi est faible ou élevé révèle certaines tendances. Il ne s'agit pas ici de classer les gens ou d'affirmer qu'ils agissent toujours de la même manière. La perception de soi peut varier en fonction d'une situation ou d'un sujet, de même qu'en relation avec ceux et celles avec qui l'on communique. Un étudiant très loquace à l'extérieur de la salle de classe peut être très silencieux en classe, car il sent qu'il est un étudiant médiocre. Une fille sensible, sérieuse et ouverte avec ses amies peut être tout à fait embarrassée face à des garçons. Un adolescent acceptera des conseils de certains professeurs mais ne sera pas capable d'accepter les mêmes conseils ou explications s'ils viennent de ses parents. La façon dont chacun se perçoit en relation avec d'autres peut changer sa façon de communiquer.

Évidemment, la liste qui suit est partielle et ne sert pas nécessairement à décrire une personne. C'est une description de comportements verbaux qui, dans certaines circonstances ou lorsqu'ils sont persistants, indiquent une estime de soi faible ou élevée dans une relation particulière. Nous ne vous encourageons pas ici à utiliser cette liste pour analyser vos amis. Nous vous incitons toutefois à essayer de l'utiliser pour déterminer comment votre comportement verbal se rapproche de ces comportements dans certaines circonstances. N'allez pas conclure que vous êtes l'une ou l'autre de ces personnes. Peut-être conclurez-vous, par contre, que vous agissez parfois d'une certaine manière et que vos actions peuvent changer si vous le voulez. De plus, nous pouvons — spécifions, encore une fois, seulement si nous en avons envie — demander à quelqu'un qui nous connaît bien de nous dire si nous nous comportons d'une façon ou d'une autre (1) jamais, (2) rarement, (3) parfois, (4) souvent. Nous avons omis (5) «toujours» parce que personne (y compris nous) ne peut nous connaître si bien.

Concept de soi peu élevé

Les comportements verbaux suivants caractérisent souvent un concept de soi peu élevé:

Une utilisation fréquente de clichés ou d'expressions neutres qui n'aident pas vraiment à partager avec les autres, car la personne qui a un faible concept de soi ne fait pas confiance à son originalité, à sa différence, à son unicité.

Le besoin de critiquer ses faiblesses ou de révéler des expériences difficiles qui justifient et expliquent pourquoi on n'est pas meilleur.

Une difficulté à accepter les compliments ou les éloges, souvent exprimée par une demande de preuves supplémentaires.

Une peur du blâme si grande que la personne est trop anxieuse pour accomplir son travail.

Un cynisme ou une attitude extrêmement critique face à ses propres réalisations et celles des autres.

Une attitude un peu méprisante ou tout au moins moqueuse envers le succès, la réussite ou les biens matériels.

Un ton de voix souvent plaintif, des gestes ou postures manifestement spéciaux.

Une attitude pessimiste à propos de la compétition.

Concept de soi élevé

D'autre part, certains comportements verbaux caractérisent un concept de soi élevé:

L'utilisation d'expressions originales, un vocabulaire riche et approprié aux situations, la bonne manière d'aborder les autres ou de nommer les gens par leur nom ou prénom.

Une tendance à ne pas parler de soi de façon prétentieuse ou trop accaparante pour les autres: une capacité de fonctionner sans avoir constamment besoin de l'approbation des autres.

La capacité d'accepter les louanges ou le blâme; dans un travail de groupe, la capacité de prendre des risques et d'exprimer une position marginale.

La capacité d'examiner des réalisations et de décerner le crédit qui revient à chacun.

Un ton de voix confiant; l'évitement d'une attitude condescendante; la capacité de dire «Je ne sais pas» ou «J'étais dans l'erreur».

La capacité d'exprimer des sentiments et de l'empathie, même dans une situation délicate.

Une attitude optimiste face à la compétition; le désir d'expérimenter, d'amorcer une conversation sur un sujet nouveau, de poser des questions, en somme une disponibilité à faire l'effort d'apprendre.

Une attitude non dogmatique; une faible tendance à déformer les faits, à classer les autres ou à généraliser.

SPHÈRES DU CONCEPT DE SOI

Ce que l'on appelait «modes», «catégories», «classes», «dimensions» ou «types» de concept de soi, nous y ferons désormais référence au moyen du terme «sphère». La perception que nous avons de nous-mêmes est complexe. Nous sommes des humains qui vivent, qui avancent dans la vie; nous avons une présence physique dans le monde que les autres et nous-mêmes pouvons reconnaître aisément. Nous possédons aussi un grand nombre de rôles que nous jouons à l'intérieur de nos relations avec les autres et le monde autour de nous. Nous avons plusieurs façons de nous comporter en public et lorsque nous sommes seuls, et plusieurs façons de mener à bien la représentation dans laquelle nous jouons notre propre rôle. Nous sommes encore plus compliqués que cela; nous renfermons tous un être pensant, ressentant, réagissant et croyant — une créature mentale, émotionnelle, spirituelle et métaphysique.

Le processus dynamique selon lequel nous réagissons face à notre image de nous-mêmes signifie que nous pouvons ajuster nos perceptions. Nous pouvons décider dans quelle sphère nous allons jouer selon la situation. Nous pouvons choisir quel «nous» est le plus significatif lorsque nous avançons dans la vie. Ce que Zurcher et d'autres appelaient le «soi mutable», nous l'appellerons le «soi adaptable». Il est important de bien saisir que nous ne sommes pas figés en une gamme de réponses préétablies. Nous sommes au contraire capables de nous adapter si le besoin se fait sentir, de montrer un autre soi ou d'observer d'un autre oeil notre soi en relation avec les événements ou les gens qui nous entourent.

Par conséquent, notre soi «adaptable» sera mis en relation avec les trois sphères interdépendantes décrites plus haut: premièrement la sphère «physique», deuxièmement la sphère «des rôles» et troisièmement la sphère «introspective» qui inclut le travail intrapersonnel comme l'intellect, les émotions, les peurs, les croyances et les ensembles perceptuels.

La sphère physique

En premier vient la sphère *physique*. L'âge, la taille, le poids, la couleur des cheveux et d'autres traits observables composent cette sphère. Certains caractères comme le sexe peuvent se retrouver dans plusieurs sphères; c'est pourquoi nous préférons nommer ces dimensions «sphères», afin d'indiquer qu'elles ne sont pas toujours des classifications précises et hermétiques mais peuvent se modifier. Par exemple, notre concept de soi physique peut influencer les rôles que nous jouons — si nous nous considérons comme une mauviette, nous n'essaierons pas de jouer le rôle de l'athlète ou du «dur». Le fait d'être un homme (sphère physique) détermine d'une certaine façon quels emplois (sphère des rôles) on s'attend à nous voir occuper; le fait d'être une femme (sphère physique) peut restreindre nos efforts vers une diversité mentale ou émotionnelle (sphère introspective). Une part significative de la sphère physique comprend la dimension de la beauté et de l'attrait physique. Les chirurgiens en esthétique rapportent que leur travail, qui consiste à changer les traits d'un patient, améliore le concept de soi. Le livre populaire de Maxwell Maltz contient nombre d'histoires qui démontrent une amélioration émotionnelle appréciable chez les patients ayant subi des interventions esthétiques même mineures: la façon dont les patients se voyaient avant et après la chirurgie différait.

Encadré 3.3   Les sphères du concept de soi

Les sphères	Ce que nous nous disons	Ce que les autres pourraient nous dire (de bien ou de mauvais)
Physique	Je suis assez beau.	Vous êtes fort pour votre taille.
	J'ai de beaux cheveux.	J'aime cette robe.
	Je danse (nage, court...) bien.	Tu as bien joué ce coup.
	Ce veston est cher.	Faites attention de renverser du lait.
Rôle	Je suis étudiant.	Lisez-vous beaucoup?
	Je suis avocat.	Vous me semblez travailler très fort.
	Je suis un piéton.	Les garçons ne pleurent pas.
	Je suis ton ami.	En quelle année scolaire êtes-vous?
Introspective	Je suis sensible aux autres.	Vous semblez inquiet?
	J'ai des convictions profondes.	Merci de me supporter.
	Je suis un optimiste-né.	Vous me semblez toujours joyeux.
	Je pleure quand je vois un film triste.	Vous y croyez réellement ?

La sphère des rôles

Notre sphère des *rôles* telle que décrite dans l'encadré 3.3, se résume ainsi: ce que nous sommes est le résultat de ce que nous faisons, voilà un jugement très répandu dans notre société. Les stéréotypes véhiculés sur l'enseignement, le travail policier, la médecine, la loi, etc., ont tendance à restreindre le comportement des gens uniquement à ces champs d'activité. Cependant, les rôles vont bien au-delà de ce que les gens font pour gagner leur vie. Les rôles comprennent nos relations avec les autres dans l'environnement. Nous sommes un fils ou une fille pour nos parents, un ami pour quelqu'un, un étudiant dans un cours à l'université, un patient chez le dentiste, un musicien dans un groupe ou un piéton dans une rue très passante. Pensons aux diverses manières dont nous agissons quand nous passons d'un rôle à un autre. (Au chapitre 8, nous examinerons les rôles plus en profondeur.) Nous savons presque tous comment agir lors d'une interaction avec nos parents, lorsque nous sommes assis sur la chaise du dentiste, lorsque nous jouons d'un instrument de musique dans un groupe ou encore lorsque nous marchons dans une rue. De quoi avons-nous l'air lorsque nous agissons de la sorte? Sommes-nous heureux de la façon dont nous nous comportons dans de telles situations, ou voudrions-nous agir différemment? Nous passons beaucoup de temps à observer si nous jouons convenablement le rôle de la façon dont nous l'avons défini. Nous surveillons chez les autres des réactions qui nous aident à diriger nos comportements en vue de futurs rôles. Dans l'impossibilité de connaître les réactions des autres, nous tentons de deviner comment nous nous comportons et décidons si nous continuerons ainsi ou si nous nous adapterons.

La sphère introspective

À l'intérieur de nous se trouvent les sphères *introspectives* . Lorsque nous sommes à la recherche de notre «vrai nous» dans notre tête et dans notre coeur, nous observons les autres et endossons certaines attitudes et émotions selon leurs agissements. Nous commençons à développer un ensemble de connaissances, d'émotions et d'inclinations que nous pourrons ensuite partager avec les autres. Nous deviendrons par exemple un conteur d'histoires et informerons les autres des nouveaux événements et des incidents cocasses, ou leur donnerons des conseils sur la réparation des voitures – données tirées de notre soi intellectuel. Nous pouvons échanger avec les autres l'espoir qui nous anime ou parler de nos anxiétés et phobies – données qui viennent d'autres dimensions de notre soi introspectif. Comme nous l'avons mentionné plus haut, ce sont nos comportements (généralement le choix de nos conversations) qui donneront des informations aux autres sur notre soi introspectif, et de ces rencontres nous apprendrons comment nous adapter. Ce que nous voulons dévoiler aux autres, de même que la manière de le faire, deviendra une part importante des relations que nous établirons et influencera notre concept de soi.

Les comportements dans les sphères

En tenant compte du fait que nous sommes constitués d'une relation complexe de ces facteurs, pouvons-nous déterminer de quelle façon se transmet notre concept de soi? Passons-nous la majeure partie de notre temps à nous inquiéter de ce que les gens pensent de nous (sphère physique)? L'emploi que nous occupons représente-t-il une source de fierté ou de honte (sphère des rôles)? Nous considérons-nous comme des personnes aux convictions religieuses ou morales profondes dans nos relations avec les autres (sphère introspective)? Laquelle des variations semble nous inquiéter le plus? Pourrions-nous essayer d'y apporter des améliorations significatives? Aimerions-nous avoir une apparence physique plus remarquable, ou recherchons-nous plutôt la stabilité émotionnelle ou le pouvoir intellectuel?

Avant de décider que nous ne voulons être qu'une de ces personnes, considérons l'idée qu'une sphère existe dans tous les regroupements généraux et que les sphères se regroupent dans une certaine mesure. Plus encore, considérons que nous pouvons nous adapter aux circonstances particulières de chacune des sphères. Par exemple, lorsque nous jouons au tennis, il nous arrivera d'éprouver le besoin de vérifier comment les autres perçoivent notre soi physique, tandis que lors d'une récitation en classe, notre sphère introspective deviendra dominante. Avant donc de décider une fois pour toutes que nous sommes un ensemble de qualités, souvenons-nous que (1) nous sommes un tout comportant bien des facettes qui font de nous une personne à part entière; (2) nous pouvons nous adapter aux diverses sphères établies dans notre concept de soi; (3) nous avons élaboré notre concept de soi pendant une longue période; (4) nous possédons un contrôle considérable sur la façon de nous voir.

Encadré 3.4   Ce que nous faisons / Qui nous sommes

Dans les livres sur l'éducation et dans ceux sur la formation des éducateurs, on insiste sur l'idée que nous devrions séparer les actions d'un jeune de l'enfant lui-même. Pour ce faire, le père ou la mère (ou la personne qui détient l'autorité) doit dire à l'enfant qui se fait corriger ou réprimander: «Tu es correct, mais ce que tu as fait n'était pas correct.» Cette forme d'évaluation met l'accent sur le fait que c'est le comportement qui doit changer, ce que toute personne peut réussir, et non la personne, ce qui représenterait un défi quasi insurmontable.

Un livre populaire* sur la gestion du personnel indique une façon de procéder lorsqu'il est nécessaire de réprimander un travailleur ou une travailleuse: il faut le faire pendant une minute et en deux étapes. La première étape consiste à décrire avec précision l'erreur que la personne a fait. La seconde étape consiste à rassurer la personne en lui expliquant que nous pensons encore du bien d'elle; toutefois, c'est son comportement qui nous a amené à la réprimander.

---

*   Kenneth Blanchard et Spencer Johnson, *The One Minute Manager*, New York, William Morrow and Company, 1982, p. 59.

NOS COMPORTEMENTS ET NOTRE CONCEPT DE SOI

Dans ce qui précède, nous avons veillé à distinguer la personne (comme entité) de son comportement. Cette distinction est importante. Si nous voulons traiter les gens de façon appropriée, nous devons reconnaître que l'on ne voit jamais *tout* ce que la personne est et que toute personne change avec l'expérience qu'elle acquiert. Autrement dit, il est incorrect de qualifier une personne de malhonnête, égoïste, fanatique, brillante, gentille, etc. Il serait plus exact de décrire les comportements d'une personne et de limiter nos jugements à ceux-ci.

Nos comportements et nous

Il n'est peut-être pas important de savoir si nous devons ou non donner de l'information sur nous-mêmes. Nous livrons constamment quelque chose de nous-mêmes à travers nos comportements – parfois intentionnellement, parfois non. Même si nous essayons de cacher des choses sur nous, il y a des chances pour que nos comportements nous trahissent. Il y a aussi de fortes chances pour que nous ne connaissions pas les effets de nos comportements, à moins que (1) nous ne tentions de les comprendre en tant qu'une part de nous-mêmes et que (2) nous ne désirions ajuster nos comportements à partir du feed-back reçu. De cette manière, les comportements servent aux gens à s'entraider.

Nos comportements résultent de nos sentiments envers nous-mêmes et des rôles que nous choisissons de jouer en diverses circonstances. Nos orientations se traduisent habituellement par des comportements typiques. En se basant sur ces comportements, les autres jugent de notre «personnalité» et, au cours de ces interactions, ils réussissent à se faire une image de nous – bonne ou mauvaise. C'est aussi à partir de ces modèles de comportements typiques que nous pouvons «catégoriser» une autre personne, faire des prédictions sur ses comportements et nous vanter de la «connaître». Dans une partie d'échecs, par exemple, il est plus utile de connaître le style de l'autre joueur que de connaître toutes les stratégies du jeu. Si nous pouvons prévoir les coups de l'autre, nous jouerons plus efficacement.

L'interaction humaine nous place souvent devant un dilemme. D'une part, la société valorise l'uniformité, la prévisibilité, la constance, la régularité, la fiabilité à un tel point que nous avons l'impression que nos comportements devraient toujours être prévisibles. D'autre part, la nouveauté, l'imagination, la créativité et la spontanéité sont également très prisées et l'on veut être une personne moins prévisible.

Prendre nos responsabilités

Pour résoudre ce conflit, rappelons-nous que nos comportements ne sont pas seulement une source pour les jugements des autres, ils sont aussi une excellente base pour tester la réalité. Si nous ne développons pas un type de comportement, nous aurons peu de choses à vérifier, certes. Mais si nous n'ajoutons rien de nouveau à nos comportements, nous n'apprendrons rien de nouveau sur nous-mêmes. Il semble que nous devions aller dans les deux sens, c'est-à-dire adopter des comportements familiers et typiques dans certaines circonstances et en essayer de nouveaux dans d'autres. Rappelons-nous, en outre, que nos comportements ne doivent pas être nécessairement «uniformes» à travers tous nos rôles et ne peuvent être considérés comme étant représentatifs de notre personne entière dans notre interaction avec différents groupes.

Nos comportements sont des pièces détachées; nous n'en utilisons que certaines à la fois dans des circonstances choisies avec des personnes choisies.

Encadré 3.5   Les comportements: un résumé

1. Bien qu'ils ne soient que des portions de nous-mêmes, les comportements restent les nôtres. Nous en avons la responsabilité. Nous les avons inventés. Nous devons en assumer les conséquences.

2. Les comportements ne sont pas nécessairement toujours les mêmes, ils varient, tout comme nos relations varient.

3. Les comportements peuvent toutefois révéler des tendances ou des habitudes qui amènent les autres, souvent de façon erronée, à nous étiqueter ou nous catégoriser dans la mesure où la prévisibilité de ces comportements augmente.

4. Nos comportements sont des tests sur la réalité que nous utilisons avec les autres ou sur eux.

5. Nos comportements sont pour les autres une source de jugement sur nous-mêmes.

6. Nos comportements sont, pour le meilleur ou pour le pire, une expression de nos intentions.

7. Nos comportements peuvent changer si nous le voulons, et les autres peuvent nous donner l'occasion de changer.

8. Nos comportements sont une monnaie d'échange avec les autres; ils nous permettent d'apprendre davantage sur nous-mêmes si nous restons réceptifs au feed-back.

RÉSUMÉ

Le présent chapitre démontre à quel point nous dépendons des autres pour (1) développer, (2) maintenir ou (3) ajuster notre concept de soi. Nous avons souvent dit que nous découvrons qui nous sommes en observant les réactions des autres vis-à-vis de nous.

De plus, qui nous *pensons être* déterminera la façon dont nous nous comportons, selon notre image de nous-mêmes, soit de succès, soit d'échec, et la façon dont nous vivons en accord avec ces attentes que nous développons envers nous et que les autres ont envers nous.

L'exemple de la fenêtre de Johari illustre ce que nous connaissons de nous et ce que les autres savent de nous dans n'importe laquelle de nos relations. Bien se connaître et connaître les autres, cela peut améliorer la prévisibilité de notre communication.

Une sphère de concept de soi peut être reconnue dans notre manière de nous exprimer et de nous comporter avec les autres dans la sphère physique, la sphère des rôles et la sphère introspective.

Nos comportements vis-à-vis des autres semblent liés directement à notre façon de nous voir. Les réactions des autres à nos comportements nous livrent de l'information sur nous-mêmes et nous dictent aussi des choix sur la façon d'agir. Avant de décider que les autres ont mal interprété nos comportements, assurons-nous que les messages que nous envoyons sont bien ceux que nous voulions transmettre, et que nous en prenons l'entière responsabilité.

CHAPITRE

4

LES OPTIONS INTERPERSONNELLES: QUI DEVRAIS-JE ÊTRE?

OBJECTIFS

Après avoir étudié ce chapitre, vous devriez être en mesure de:

1. Expliquer deux théories sur les besoins humains et les relier à leur auteur.
2. Définir les termes «croyances», «attitudes» et «valeurs» et les distinguer.
3. Définir et donner un exemple de groupe de référence; puis démontrer son influence sur le comportement lors d'une communication.
4. Expliquer une théorie classique de la dissonance et de la réduction de la dissonance.
5. Expliquer la théorie du jugement social.
6. Préciser l'importance de la situation, des autres et de vous-mêmes dans la définition des rôles.
7. En rapport avec les attitudes, définir les termes «direction», «intensité» et «importance» et donner des exemples.
8. Identifier chez les gens l'origine des croyances primitives, d'autorité, dérivées et sans conséquence, et donner cinq exemples originaux pour chacun.

INTRODUCTION

Dans les chapitres précédents, nous avons abordé la communication en général (au chapitre premier), puis la façon dont nous percevons le monde et dont nous nous voyons (aux chapitres 2 et 3).

Dans ce chapitre-ci, nous examinerons de plus près les interactions entre ce qui arrive à l'intérieur de nous – besoins, attitudes, croyances, valeurs – et ce qui arrive dans le monde extérieur. La société nous fait plusieurs demandes; la manière dont nous répondons à celles-ci constitue le sujet de cette partie du volume.

Nous voulons que les gens et les événements soient d'une certaine façon, et quand les choses ne se présentent pas ainsi que nous le souhaitons, nous aimons savoir (1) pourquoi cela est arrivé de cette manière et (2) ce que nous pouvons faire à ce sujet. La compréhension de nos propres motivations peut aussi nous aider à comprendre comment les autres réagissent, et par conséquent nous aider à adapter les relations que nous développons en nous efforçant de répondre à nos besoins interpersonnels.

CE QUI NOUS MOTIVE

La motivation humaine est une dynamique complexe. Pour simplifier, disons qu'elle est reliée à nos valeurs, besoins, croyances et attitudes. Dans ce chapitre, nous discuterons ces sources de motivation.

LES BESOINS

La plupart des spécialistes dans le domaine du comportement s'accordent pour dire que nous sommes motivés par le désir de satisfaire plusieurs besoins, mais tous ne s'entendent pas sur la nature de ces besoins et sur la perception individuelle de leur importance. Il est inutile de connaître ces besoins car une bonne partie de nos comportements peut être expliquée par l'existence de ces besoins. Qu'est-ce qui nous motive? Qu'est-ce qui nous fait agir d'une certaine manière? Qu'est-ce qui nous a fait faire telle ou telle chose? Ces questions, nous nous les posons lorsque nous ne sommes pas trop certains de la raison pour laquelle nous avons accompli telle action.

Pour nous aider à comprendre tout cela, nous verrons maintenant la hiérarchie des besoins de Maslow et la théorie des besoins interpersonnels de Schutz.

Maslow et la hiérarchie des besoins[1]

La théorie de Maslow repose sur deux postulats:

1. Les gens ont tous des besoins fondamentaux qui sont organisés en une hiérarchie. Ce n'est que lorsque les premiers niveaux de besoins sont satisfaits que les gens peuvent consacrer de l'énergie à satisfaire les besoins du niveau suivant.

---

1. Abraham Maslow, *Motivation and Personality*, New York, Harper & Brothers, 1970.

2. Seuls les besoins insatisfaits peuvent motiver un comportement. Lorsqu'un besoin est satisfait, il n'agit plus comme motivateur.

Maslow identifie cinq niveaux de besoins fondamentaux.

Besoins physiologiques

Ces besoins comprennent les éléments de base nécessaires à la vie: les besoins d'air, d'eau, de nourriture, de sommeil, d'élimination, de sexe. Ce sont les besoins les plus fondamentaux et ils ont préséance sur tous les autres tant qu'ils ne sont pas comblés. Une absence prolongée de nourriture ou de sommeil déterminera un comportement avant toute autre chose ou avant que l'on puisse songer à satisfaire un besoin de niveau supérieur. L'intelligence fonctionne difficilement l'estomac vide.

Besoins de sécurité

À ce deuxième niveau, la hiérarchie de Maslow place le besoin de sécurité ou, si l'on veut, le désir de se protéger des dangers, menaces et privations. D'un point de vue organisationnel, les besoins de sécurité correspondent au désir d'avoir un emploi stable et bien rémunéré.

Besoins sociaux

Lorsque les besoins physiologiques et de sécurité sont relativement satisfaits, les besoins sociaux peuvent commencer à motiver et influencer le comportement des gens. Les besoins sociaux correspondent aux désirs de relations interpersonnelles, d'appartenance, d'accepta-tion, d'amitié, d'amour. Certaines personnes feront de grands efforts pour appartenir à un groupe qu'elles valorisent. Le désir d'appartenir, de façon formelle ou informelle, à certains groupes est une puissante motivation pour ceux et celles qui tirent leur identité de leur appartenance à des groupes sociaux ou professionnels.

Les besoins sociaux sont souvent des besoins d'appartenance. (© Hazel Hankin/Stock, Boston)

Besoins d'estime

Ces besoins n'agissent pas comme motivation tant que les niveaux précédents n'ont pas été raisonnablement satisfaits. Les besoins d'estime correspondent (1) au besoin d'*estime de soi*, caractérisé par un désir de confiance en soi, de respect de soi et des sentiments de compétence, de réussite et d'indépendance; et (2) au besoin d'*estime des autres*, incluant le désir d'être reconnu, apprécié, d'avoir un statut et du prestige. Nous demandons à nos amis et aux membres de notre famille de nous aider à satisfaire ce besoin à un niveau très personnel.

Besoins d'actualisation

Ces besoins incluent la réalisation de notre potentiel, l'accomplissement de soi et l'expression créatrice. Il n'est pas rare de voir des gens très respectés dans leur domaine, ayant des besoins premiers assez satisfaits, qui se sentent quand même mécontents et ne peuvent connaître le repos! On voit par exemple des femmes d'affaires qui réussissent bien soudainement devenir artistes ou encore des savants éminents qui tout à coup décident de se lancer en affaires. Ces gens qui changent aussi radicalement de carrière au cours de leur vie professionnelle sont souvent motivés par des besoins d'actualisation.

Les besoins sont comme des motivations

D'abord, un besoin ne motive une personne à agir que lorsqu'il n'est pas comblé. Nous sommes les seuls à connaître nos besoins particuliers et leur importance. Il arrive d'ailleurs que l'on ne cherche pas immédiatement la satisfaction d'un besoin même fondamental parce qu'on veut combler un besoin d'un niveau plus élevé. L'on choisira par exemple de se priver de sommeil et d'activités sociales pendant de longues périodes afin d'atteindre certains objectifs professionnels qui demandent beaucoup de travail. L'étudiante qui travaille durant de longues heures restreint sa vie sociale et se voue à ses études. Cette étudiante est essentiellement motivée par des besoins d'estime aux dépens de la satisfaction de ses besoins sociaux et même parfois de ses besoins physiologiques. Évidemment, tous ne feront pas ce choix, la motivation diffère beaucoup d'un individu à l'autre. Il est utile de savoir que, *généralement*, les gens ont cinq besoins fondamentaux et qu'*habituellement* un besoin satisfait n'est plus une source de motivation. Cela ne répond toutefois pas à la question «Que faudrait-il faire pour inciter Claude à travailler davantage?»

Les besoins sont comme des transactions

Quel est le lien entre la satisfaction des besoins fondamentaux et le domaine de la communication? C'est par la communication transactionnelle que les gens nous font connaître ce qui est important pour eux et c'est par notre sensibilité et notre attention aux messages des autres que nous sommes capables de déterminer (1) ce que sont leurs besoins; (2) quels besoins sont particulièrement importants à un moment donné; (3) si oui ou non ils perçoivent correctement nos tentatives pour répondre à ces besoins. Nous pouvons faire tout ce qui est «correct», mais si les autres perçoivent mal nos intentions, ils interpréteront nos actions d'une façon qui risque de nous nuire.

La communication interpersonnelle est satisfaisante lorsque nous réussissons à combler nos besoins. Dans le cas des besoins interpersonnels, nous dépendons entièrement des autres. Lorsque les autres nous procurent la reconnaissance que nous cherchons, nous donnent une chance d'exercer notre influence ou nous offrent l'atmosphère intime que nous aimons, nous sommes satisfaits et nous recherchons ces gens. Lorsque c'est possible, nous évitons les situations de communication interpersonnelle où nos besoins sont généralement niés.

Schutz et la théorie des besoins interpersonnels

William Schutz[2] identifie trois besoins interpersonnels fondamentaux qui sont sous-jacents à notre comportement avec les autres. Idéalement, ces besoins devraient être présentés comme des dimensions ou continuums sur lesquels les gens se retrouvent. Ce sont le besoin d'inclusion, le besoin de contrôle et le besoin d'affection.

Inclusion

Selon Schutz, le besoin d'inclusion renvoie au besoin d'être reconnu comme un individu distinct des autres. Une personne qui possède un besoin élevé d'inclusion a besoin de l'attention et de la reconnaissance des autres. Une telle personne aime être sous les projecteurs, être singulière et remarquée. À une des extrémités de ce continuum on trouve la prima donna, la grande vedette ou encore l'enfant haïssable qui fait tout pour se faire remarquer, même s'il en résulte des punitions. Etre puni vaut alors mieux que d'être ignoré. À l'autre extrémité, c'est-à-dire là où la personne dont le besoin d'inclusion est faible, on trouve la personne effacée, tranquille, qui n'aime pas recevoir d'attention ni être vue du public.

Selon Schutz, aux deux extrêmes se trouvent des gens motivés par la peur de ne pas être reconnus des autres. Les gens qui ont un fort besoin d'inclusion combattent cette peur en forçant l'attention des autres à leur égard. Ceux dont le besoin d'inclusion est faible sont convaincus qu'ils n'obtiendront pas d'attention et qu'ils veulent qu'il en soit ainsi. La majorité se situe probablement quelque part au milieu de ce continuum. Notre besoin d'inclusion varie sans doute en fonction des gens rencontrés et des situations vécues. Par exemple, nous ne cherchons pas à attirer l'attention d'un professeur pour lequel nous sentons peu d'intérêt alors qu'en même temps nous essayons de nous faire remarquer de notre voisin ou de notre voisine pendant ces cours.

Le besoin d'inclusion influence le processus de communication interpersonnelle. Imaginons la situation où plusieurs personnes ayant un grand besoin d'attention forment un groupe de travail. Dans ce contexte, il est fort possible que chacun consacre beaucoup d'énergie à tenter d'obtenir dans le groupe une position où il aura l'attention qu'il désire. Toutefois, plusieurs personnes ayant le même besoin, il sera difficile d'y arriver. Il faudra beaucoup de temps pour s'adapter et être efficace. Habituellement, un groupe composé d'individus qui ont un besoin d'inclusion élevé et d'individus qui ont un besoin plus faible d'inclusion fonctionnera plus facilement.

---

2. William Schutz, *The Interpersonal Underworld*, Palo Alto, Calif., Science and Behavior Books, 1966.

Contrôle

Le besoin de contrôle renvoie à la recherche du pouvoir, au désir de mener et d'influencer l'environnement. Le besoin de contrôle n'est pas nécessairement lié au besoin d'inclusion. Certaines personnes aiment avoir des responsabilités sans que tout le monde le sache. Ces gens ont un besoin de contrôle élevé mais un besoin d'inclusion faible. C'est le type de personnes qu'on trouve immédiatement derrière celles qui exercent le pouvoir – le premier secrétaire, le bras droit. Certaines personnes, par contre, recherchent le leadership ou les positions de prestige non pour le pouvoir, mais pour l'attention qu'ils procurent. Il n'est donc pas facile de déterminer si le comportement d'une personne est influencé par un besoin ou par l'autre. Nous devrions d'ailleurs nous garder de jouer à l'«analyste» avec nos amis et de les catégoriser.

Naturellement, certaines personnes ont un besoin de contrôle peu élevé et ne sont pas du tout intéressées à prendre des initiatives, assumer des responsabilités, prendre des décisions ou diriger un groupe. Comme dans le cas du besoin d'inclusion, un groupe composé de façon mixte aura de meilleures chances de bien fonctionner.

Trop de leaders et pas assez de participants, cela peut amener une lutte incessante pour le leadership et créer un climat de compétition peu productif. D'autre part, trop de participants et pas de leaders, cela peut amener une certaine apathie et encore une fois ne rien donner de productif.

Affection

Le besoin d'affection renvoie au type de distance sociale que les gens veulent garder entre eux. Certains individus aiment être intimes et chaleureux dans toutes leurs relations, même celles de passage. Ils aiment parler d'eux-mêmes et s'attendent à un comportement semblable de la part des autres. Ils veulent être aimés, en ont besoin. Quelquefois, ces personnes sont perçues comme trop amicales ou dérangeantes.

D'autre part, bien sûr, certaines personnes aiment garder les autres à distance. Elles n'aiment pas devenir familières trop rapidement. Elles n'aiment pas trop partager sur un plan personnel avec les autres qu'elles ne connaissent pas. Peut-être même éprouveront-elles du dégoût pour l'intimité et le rapprochement, si ce n'est avec des personnes qu'elles auront précautionneusement choisies. Ces personnes sont habituellement perçues comme froides, hautaines ou «supérieures».

Dans le cas de l'affection, un groupe mixte n'est peut-être pas la meilleure combinaison pour des relations interpersonnelles productives. Des gens distants et froids se mêlent mal avec des gens chaleureux et ouverts; chacun rend l'autre inconfortable et personne n'est capable de satisfaire les besoins de l'autre.

En résumé: pourquoi étudier les besoins?

Comprendre les besoins interpersonnels est essentiel non seulement pour faciliter des prises de conscience sur la vie de groupe, mais aussi pour nous aider à prédire les situations qui seront plus ou moins satisfaisantes et productives pour nous-mêmes.

Plusieurs observateurs affirment qu'auparavant, la vie de famille répondait à tous ces besoins; par conséquent, ils croient qu'un grand nombre de problèmes sociaux que l'on connaît actuellement sont attribuables à «l'éclatement de la famille». Que cette affirmation soit véridique ou non, il n'en demeure pas moins que la famille, les amis, la religion, la communauté, etc., ont un rôle important à jouer dans la satisfaction de nos besoins. La frustration découlant de besoins insatisfaits peut être à l'origine de plusieurs problèmes humains importants. Par exemple, une nation de personnes affamées a peu de chances de se gouverner elle-même; une génération ayant été asservies politiquement et économiquement par une autre nation risque peu de développer des leaders, de grandes idées ou des produits créatifs ou innovateurs.

CROYANCES, ATTITUDES ET VALEURS

Nous avons souvent l'impression que notre expérience du monde ou qu'un de nos sentiments est particulier, unique, et que nous ne pouvons pas le partager. Même si nous réussissons à décrire verbalement ce sentiment, nous conservons l'impression que les autres ne peuvent le saisir vraiment ou le connaître comme nous. Pour un Noir dans un ghetto, par exemple, la vie est pleine d'expériences qu'aucun Blanc ne réussira jamais à comprendre aussi bien qu'une autre personne noire.

Toutefois, nous sommes assez singuliers. En effet, en même temps que nous croyons intuitivement en notre individualité, nous présumons que nous vivons dans le même monde que les autres. Nous supposons que nous voyons ce que les autres voient. Ainsi, en dépit de notre sentiment d'unicité, nous passons plus de temps dans notre vie quotidienne à assumer ce que nous partageons avec les autres plutôt que ce qui est unique à nous.

C'est peut-être là une des fonctions vitales de la communication. Sans communication ni contact humain, nous vivrions seuls, exclusivement dans notre monde, sans obtenir la confirmation de nos expériences.

La confirmation de nos expériences implique non seulement celles du monde physique – lorsque nous vérifions nos perceptions avec celles des autres pour tester la réalité mais aussi celles du monde social – lorsque nous comparons nos idées religieuses, politiques, morales, etc., avec celles des autres pour tester leur validité.

Les humains sont des créatures qui utilisent des symboles, dès lors ils peuvent créer des règles de conduite qui dépassent les besoins de l'espèce. Lorsque, chez les animaux, une femelle prend soin de son petit, elle le fait d'une façon qui a déjà été programmée et qui assurera la survie du petit, donc de l'espèce. Chez l'humain, l'engagement sur le plan des sentiments, des attentes sociales, des lois, etc., est beaucoup plus prononcé. Les êtres humains se créent des systèmes de valeurs, se forment des croyances et, en conséquence, apprennent à répondre à leur environnement de certaines façons plutôt que d'autres.

Nous examinerons dans ce chapitre comment les valeurs, les croyances et les attitudes – les ingrédients fondamentaux du système d'action de chaque personne – s'acquièrent, se maintiennent et sont modifiées par la communication *interpersonnelle*.

Quelques définitions

Croyances

Les croyances représentent la façon dont les gens voient leur environnement. Elles sont caractérisées par un continuum vrai-faux et par une échelle de probabilités. L'existence des fantômes, par exemple, serait sur cette échelle plus vraie pour certaines gens que pour d'autres. Que l'humain descende du singe est une question encore débattue; certains placent la théorie évolutionniste de Darwin vers le «faux» du continuum et situent la Genèse et la théorie créationniste plus près du «vrai». Les croyances représentent donc ce avec quoi nous sommes d'accord et ce que nous pensons qui est vrai. Nous croyons certaines choses absolument vraies, d'autres probables et d'autres fausses. Selon le psychologue social Milton Rokeach, un système de croyances peut être défini comme «l'organisation psychologique interne, mais pas nécessairement logique, où chacun élabore d'innombrables croyances sur le monde physique et sur les réalités sociales[3]».

Nous ne pouvons pas observer directement une croyance. Nous ne pouvons qu'observer le comportement d'une personne et présumer qu'il est issu d'une croyance particulière. Les croyances ne sont pas nécessairement logiques. Elles sont fortement déterminées par ce que nous voulons croire, par ce que nous sommes capables de croire, par ce que nous avons été conditionnés à croire. Elles sont également déterminées par nos besoins fondamentaux, lesquels peuvent nous influencer à croire certaines choses et à adopter certaines croyances afin de satisfaire ceux-ci.

Certaines croyances sont plus centrales ou plus importantes que d'autres. Plus une croyance est centrale et importante pour un individu, plus elle résistera au changement. Toutefois, si une croyance change, les répercussions se feront sentir sur tout le système de croyances.

Il n'est pas facile de déterminer quelles sont les croyances centrales d'un individu et quelles sont celles qui sont de moindre importance. Selon Rokeach, plus une croyance a de *liens* avec les autres croyances du système et de conséquences profondes sur celles-ci, plus elle a d'importance pour l'individu. Les liens et les conséquences sont susceptibles d'être d'autant plus forts lorsqu'ils sont rattachés à notre existence et à notre identité. Les croyances apprises par expérience et celles partagées par d'autres sont également centrales et très souvent liées à nous. En examinant certaines de nos croyances et leur centralité par rapport à nous, nous pouvons sans doute distinguer les cinq types de croyances décrites par Rokeach et identifiées ci-après.

CROYANCES PRIMITIVES: CONSENSUS TOTAL

Ce sont les croyances les plus centrales de toutes. Nous les apprenons par l'expérience directe. Elles sont appuyées et renforcées par le consensus des gens auxquels nous sommes associés. Elles sont fondamentales, peu souvent remises en question ou controversées. C'est quelque chose comme «Je crois cela et je pense également que tout le monde le croit». La croyance dans l'existence et dans la constance des choses est une croyance primitive. Par exemple, même si nous pouvons voir une table rectangulaire sous plusieurs angles, nous continuons de croire que c'est une table et que sa forme ne change pas. La croyance que les choses dans le monde physique et dans notre monde social demeurent les mêmes est importante si l'on veut

---

3. Milton Rokeach, *Beliefs, Attitudes and Values,* San Francisco, Calif., Jossey-Bass, 1968, p. 2. Et *Organization and Modification of Beliefs, ibid.,* p.1-21.

développer un sentiment de cohérence et d'unicité. Lorsque de telles croyances sont perturbées, nous commençons alors à nous interroger sur la validité de nos propres sens, sur notre capacité de saisir la réalité et quelquefois même sur notre santé mentale. Les perturbations de nos croyances primitives se produisent rarement parce qu'elles suscitent trop de questions et de problèmes. Ces croyances sont, nous le répétons, très résistantes au changement. Elles incluent des choses que nos parents nous ont apprises et qui ont été renforcées par nos professeurs, par la télévision, par nos amis et par nos propres expériences. Les jours de la semaine, l'heure du jour appartiennent à ces croyances vérifiées sur lesquelles nous basons nos activités quotidiennes. Pensons aux problèmes causés lorsque nous oublions quel est le jour de la semaine ou lorsque nous oublions de corriger l'heure à notre montre en changeant de fuseau horaire...

CROYANCES PRIMITIVES: CONSENSUS ZÉRO

Certaines croyances primitives ne sont pas partagées par les autres et ne dépendent pas du consensus social, mais proviennent d'expériences personnelles profondes. Elles n'ont pas besoin d'êtres partagées par d'autres pour être conservées et elles sont habituellement difficiles à changer. Plusieurs de ces croyances inébranlables concernent nous-mêmes. Certaines sont positives (ce dont nous sommes capables); d'autres sont négatives (ce dont nous avons peur). Ces croyances sont maintenues, si l'on peut dire, par la foi. À titre d'exemple, si nous nous croyons tout à fait ineptes en mathématiques, peu importe ce que d'autres nous diront. Nous conservons ces croyances en dépit des évidences. Autre exemple: si nous croyons vivre dans un monde complètement hostile, qu'importe ce que nous entendrons, notre croyance demeurera. En fait, même si nous voulons changer ces croyances sur nous-mêmes après nous être convaincus intellectuellement du contraire, elles demeurent extrêmement résistantes au changement. Il est parfois nécessaire d'obtenir l'aide d'un thérapeute, d'un conseiller ou d'un autre professionnel pour modifier ces convictions profondes.

CROYANCES D'AUTORITÉ

Lorsque nous étions enfants, toutes nos croyances étaient de nature primitive et nous tenions pour acquis qu'elles étaient partagées par tout le monde. Non seulement croyions-nous au Père Noël, mais nous nous imaginions que tout le monde y croyait. À un moment donné, par contre, nous nous sommes rendu compte que tous ne partageaient pas les mêmes croyances. Alors, nous nous sommes peut-être tournés vers une autorité pour résoudre ce dilemme. Au fil des années, en effet, nous cherchons à quelle autorité faire confiance et à quels groupes de référence nous identifier. Également, nous sommes soucieux, en général, de savoir comment évaluer l'information qui nous parvient. La famille sert naturellement de premier groupe de référence, mais, avec le temps, nous aurons des expériences diversifiées et augmenterons le nombre de groupes de référence auxquels nous nous identifierons.

Ces croyances n'ont pas le caractère inébranlable des croyances primitives. Nous apprenons à faire face aux controverses et aux différentes opinions émanant des sources d'autorité. Nous apprenons à investir notre confiance de façon différenciée. Ces croyances d'autorité sont donc d'une certaine manière plus faciles à changer.

CROYANCES DÉRIVÉES

Lorsque nous avons fait confiance à une autorité à propos d'une croyance particulière, nous avons tendance à accepter d'autres croyances émanant de cette même source d'autorité, même dans des domaines qui ne sont pas reliés à elle. Les croyances dérivées peuvent donc se fonder non pas sur une expérience directe mais sur la confiance investie dans une autorité. Ce principe est celui de certaines publicités. Si mon joueur de hockey favori se rase avec telle marque de crème, je suis susceptible de croire davantage son témoignage et d'acheter le produit en question.

CROYANCES SANS CONSÉQUENCE

Les goûts de chacun sont habituellement considérés comme sujets sans conséquence, car ils ont peu de liens avec les autres croyances. Si elles changent et lorsqu'elles changent, ces croyances n'affectent pas les autres. Dire que ce sont des croyances sans conséquence ne veut pas dire cependant que nous y renonçons facilement ou que nous les jugeons sans importance. Elles le sont parfois. Si nous sommes convaincus que des vacances à la montagne valent mieux que des vacances au bord de la mer, cette croyance est sans grande conséquence, car si nous changeons d'idée sur ce sujet, cela ne nécessitera pas une réorganisation complète de tout notre système de croyances.

Attitudes

Une attitude est une *organisation de croyances* relativement stable qui nous amène à réagir de façon particulière. En fait, nous ne pouvons jamais observer directement les attitudes. Nous inférons leur existence à partir de ce que les gens font. Les attitudes incluent les évaluations positives ou négatives, les réactions émotives et certaines tendances en relation avec des objets, des gens ou des événements.

Les attitudes sont des réactions humaines qui peuvent être examinées selon trois dimensions: leur direction, leur intensité, leur importance.

DIRECTION

La «direction» d'une attitude renvoie simplement au comportement favorable, défavorable ou neutre que nous avons tendance à adopter en relation avec un objet, une personne ou une situation. Elle renvoie à la question de savoir si nous sommes attirés, repoussés ou simplement indifférents à une certaine ligne d'action. C'est une évaluation plus ou moins positive ou négative des choses ou des personnes; par exemple, aimer beaucoup quelqu'un, ne pas l'aimer ou se sentir indifférent face à lui. Ou encore, cela peut être quelque chose comme approuver l'avortement, ne pas l'approuver, être ambivalent. Nous manifestons des attitudes face à presque tout ce qui nous arrive et nous jugeons en outre ce qui nous arrive en fonction des attitudes que nous avons déjà. Enfin, lorsque nous ne connaissons pas un sujet ou un objet, ce que les autres nous communiqueront là-dessus contribuera à nous forger une attitude.

INTENSITÉ

«L'intensité» d'une attitude renvoie à sa force, c'est-à-dire jusqu'à quel point nous aimons ou détestons quelque chose ou quelqu'un. Par exemple, nous n'aimons pas beaucoup les cours de sciences, mais nous ne détestons pas autant la biologie que les mathématiques.

IMPORTANCE

La troisième dimension d'une attitude renvoie à l'importance que celle-ci prend pour une personne. Comme nous l'avons mentionné plus tôt, nous avons des attitudes à propos de presque tout; toutefois, nous n'attachons pas la même importance à toutes les choses. Il ne faut pas confondre importance et intensité. Nous éprouvons une forte réaction (attitude intense) envers une chose, une personne ou une idée, sans toutefois que cette attitude soit très significative pour nous, c'est-à-dire très importante. Par exemple, nous sommes convaincus des mérites d'un dentifrice et n'achetons que celui-là, mais les dentifrices en général ne revêtiront pas dans notre vie une grande importance. Nos attitudes envers la sexualité, les droits des individus, la pollution, seront probablement beaucoup plus importants pour nous.

Valeurs

Une valeur est une conception assez durable de ce qui est bon ou mauvais et de l'importance relative que nous attribuons aux choses, aux gens et aux événements de notre vie. Les valeurs sont habituellement regroupées dans des systèmes moraux ou religieux, systèmes que toute culture ou société, des plus «primitives» aux plus complexes et industrialisées, possède. Les valeurs définissent les paramètres d'actions des gens. Elles indiquent qui les partage, ce qui est désirable, à quel degré, et ce que chacun devrait faire. Elles procurent aussi aux gens une ligne de conduite à adopter lorsqu'il est difficile de choisir la «bonne» solution.

Les étiquettes «bon», «mauvais», «moral», «immoral» et tous les autres mots que nous utilisons pour véhiculer des jugements de valeur ne sont que des termes appliqués aux objets et ne résident pas «dans» les objets comme tels. Une chose est bonne pour un individu ou un groupe uniquement parce qu'il la définit ainsi.

C'est la communication qui rend un système moral possible. Les jugements sur la beauté ou la laideur sont dans la même catégorie que ceux sur le bien et le mal. «La beauté réside dans l'oeil du spectateur», écrivait Shakespeare. On ne peut pas découvrir la beauté, mais seulement comment les gens la définissent. C'est une dimension créée par les êtres humains.

Les valeurs émergent d'une interaction complexe entre les besoins fondamentaux et la spécificité d'un environnement donné. Par exemple, tous les humains mangent pour survivre, mais ils ne privilégient pas tous la même nourriture. En Amérique on mange du boeuf, alors qu'en Inde il est interdit de toucher aux vaches car elles sont sacrées. Ce qui est privilégié dans une région ou un pays est évidemment en partie déterminé par la disponibilité de certains aliments. Les valeurs diffèrent donc d'un endroit à l'autre et d'un moment à l'autre parce que les besoins particuliers peuvent être satisfaits de plusieurs façons. Le «matérialisme» de la génération ayant vécu en Amérique la dépression de 1929, et le matérialisme d'une autre génération connaissant l'abondance d'après la Deuxième Guerre mondiale, reflètent sans doute un changement sur le plan des valeurs.

Parce ce qu'elles sont liées aux besoins humains fondamentaux et qu'elles sont apprises très tôt et souvent de façon marquante, les valeurs sont très résistantes au changement. Toutefois, plusieurs valeurs partagées par le même groupe peuvent être conflictuelles. Pour agir, il faut alors décider laquelle de ces valeurs conflictuelles est la plus fondamentale. Choisir, par exemple, entre «Tu ne dois pas tuer ton prochain» et «Tu peux tuer ton ennemi en temps de guerre».

Formation des croyances, attitudes et valeurs

Nous voulons insister fortement sur le fait que les valeurs, croyances et attitudes sont *apprises*. On ne naît pas raciste, conservateur, athée ou amateur de sport. On ne naît pas non plus avec la foi en Dieu, ou avec le sentiment de l'importance de la liberté et de la dignité humaines. On ne naît pas davantage avec la conviction que si l'on utilise telle marque de shampooing, on sera chanceux socialement.

Toutes les valeurs, attitudes et croyances sont apprises des gens avec lesquels nous vivons. Par contre, si elles sont apprises, elles peuvent être désapprises, c'est-à-dire modifiées. Ces modifications, comme nous le verrons plus loin dans ce chapitre, sont cependant difficiles à effectuer.

C'est essentiellement à travers la communication interpersonnelle que les individus développent les préjugés et présomptions sur ce qu'est la vie ou ce qu'elle devrait être. Nos valeurs, croyances et attitudes sont formées parce que nous avons appartenu et appartenons à des groupes et que nous sommes susceptibles d'être «endoctrinés» par ceux et celles que nous chérissons.

Communiquer avec les autres, c'est les influencer et être influencés par eux, car, dans tout contact avec d'autres, ce qu'ils font et ce qu'ils nous disent nous affectent. Jusqu'à un certain point, chaque fois que nous apprenons quelque chose de nouveau, nous changeons et nous devenons semblables à ceux et celles qui nous apprennent. C'est cela qui rend une société possible. La communication interpersonnelle entretient donc l'uniformité minimale nécessaire pour que les gens vivent et travaillent ensemble. Quelquefois l'endoctrinement réussit, alors nous observons des ressemblances entre l'enfant et les parents sur les plans social et politique; quelquefois il a un effet inverse, le fils d'un homme très conservateur devient un radical de gauche. Ce phénomène peut s'expliquer par ce qu'on appelle en psychologie sociale la théorie du groupe de référence[4].

Groupes de référence

Personne n'est une île. Nos attachements, engagements, aspirations et buts sont reliés d'une quelconque manière aux autres. Nous nous identifions à plusieurs groupes: notre famille, nos amis, les membres de notre club ou de notre organisme, etc. Certains de ces groupes ont plus d'importance que d'autres et nous influencent parce que notre besoin d'appartenance est élevé

---

4. T. H. Newcomb, «Attitudes Development as a Function of Reference Groups: The Bennington Study» dans E. E. Maccoby, T. H. Newcomb. et E. L. Hartley (dir.), *Readings in Social Psychology*, New York, Holt, Rinehart and Winston,1958, p. 265-275.

et nous avons de l'admiration pour ces membres que nous voulons imiter. Les groupes de référence sont les groupes auxquels nous sommes liés comme membres, auxquels nous nous identifions, auxquels nous aspirons à appartenir, auxquels nous nous attachons physiquement ou psychologiquement[5].

Les groupes de référence sont la source de nos buts, aspirations, standards et critères pour évaluer nos actes. Et, puisque nous les utilisons pour nous vérifier nous-mêmes et pour juger de nos succès et de nos échecs, ils se révèlent extrêmement importants.

Les groupes de référence sont importants pour notre identification et nos aspirations; ils appuient nos buts, nos normes et nos réalisations. (© Roberta Hershenson/Photo Researchers, Inc.)

Différencier un membre et un non-membre de groupes de référence peut sembler tatillon, mais cette distinction est justifiée. Effectivement, être membre d'un groupe ne signifie pas nécessairement que ce groupe en est un de référence pour nous; on peut être chez soi et trouver l'herbe plus verte dans le pré du voisin. D'autre part, certains groupes ne satisfont pas entièrement nos besoins, alors nous sommes tentés de nous identifier à des groupes auxquels nous n'appartenons pas «officiellement». Par exemple, il y a des gens qui, par leur travail, arrivent à un certain niveau social et, en même temps, se plaignent des valeurs de cette classe et essaient désespérément d'en imiter une autre.

5. M. Sherif et C. Sherif, *Social Psychology*, New York, Harper & Row Publishers, 1969, p. 418.

En outre, à cause du type de société dans laquelle nous vivons, il peut arriver, à la suite d'un changement de milieu, que nous fassions partie d'un groupe que nous n'avons pas choisi. Ainsi, notre appartenance à un groupe ne signifie pas nécessairement que ce soit un groupe de référence. Un enfant gauchiste dans une famille conservatrice s'identifie sans doute davantage à un groupe de référence quelconque qu'à sa famille. Un élève peut trouver des amis dans une autre école que la sienne.

Il y a une autre remarque à faire à propos des groupes de référence; elle est liée aux rôles que nous jouons. Dans une société complexe et avec les vies occupées que nous menons, nous avons plusieurs groupes de référence à l'intérieur desquels nous jouons un rôle précis. Nous verrons au chapitre 8 la description de Michel Lemieux, l'homme du milieu. Il est mari, père, employé, patron, partenaire de golf, membre d'un comité de parents, etc. Il ne jouera le même type de rôle qu'à l'intérieur de quelques-uns de ces groupes de référence.

Même si tous les groupes de référence auxquels nous appartenons ou auxquels nous nous identifions ne nous demandent pas de changer de rôle, ils ont souvent des attentes de rôles conflictuelles envers nous. Pour constater cela, il suffit de porter attention à la façon dont nous agissons ou sentons le besoin d'agir différemment d'un groupe à l'autre. Les valeurs diverses de ces multiples appartenances sont parfois incompatibles. Habituellement, le groupe auquel nous nous identifions le plus fortement est celui qui réussit le mieux à modeler nos valeurs et à influencer nos comportements.

Stabilisation

Lorsqu'une attitude est formée, plusieurs facteurs font en sorte qu'elle se stabilise. De nombreuses personnes résistent au changement et ne s'exposent que de manière sélective à de nouvelles informations. Ainsi, nous lirons un journal et des magazines qui reflètent nos idées sociales, politiques et économiques et nous écouterons les personnalités politiques pour lesquelles nous préférons voter.

Plusieurs recherches[6] ont démontré que les gens recherchent activement des renforcements et s'engagent dans les situations dans lesquelles, consciemment ou inconsciemment, ils espèrent voir renforcer leur attitudes, leurs croyances et leurs valeurs. Cela a d'importantes implications pour notre communication interpersonnelle. Nous avons tendance à rechercher les gens qui, croyons-nous, adoptent les même attitudes, croyances et valeurs que nous.

Si nous ne pouvons éviter de nous trouver devant des points de vue opposés aux nôtres, nous écoutons alors sélectivement et ne retenons que ce qui confirme nos croyances; parfois, nous ne nous rendons même pas compte que des points de vue contraires aux nôtres sont émis. Dans le domaine de l'information sélective, il serait sans doute intéressant d'analyser nos attitudes par rapport aux choix des émissions de télévision que nous faisons. Sans doute pourrions-nous alors découvrir que nous choisissons souvent de renforcer nos préjugés et de consolider nos valeurs et croyances, car nous ne voulons pas prendre conscience de certains messages.

---

6. J. Mills, E. Aronson et H. Robinson, «Selectivity in Exposure to Information», *Journal of Abnormal and Social Psychology*, vol. 59, 1959, p. 250-253.

Théories reliées

Comme nous l'avons souligné plus tôt, il est courant que certaines attitudes, croyances et valeurs, d'une personne entrent en conflit les unes avec les autres. Quelques théories psychologiques[7], appelées théories de la cohérence cognitive (théorie de l'équilibre, théorie de la dissonance), tentent de cerner ce phénomène. Ces théories disent: (1) que les gens ont besoin de consonance dans leurs valeurs, croyances et attitudes; (2) qu'une prise de conscience des dissonances produira des tensions; (3) que les gens feront quelque chose pour réduire ces tensions.

Dans sa théorie de la dissonance cognitive, Leon Festinger[8], se réfère à ces mêmes idées. Il énonce: (1) que l'existence d'une dissonance chez une personne incite celle-ci à essayer de la réduire pour rétablir la consonance; (2) que lorsqu'une dissonance est présente chez une personne, cette dernière, en plus de chercher à la réduire, évite les situations ou les informations qui pourraient augmenter cette dissonance. Toujours selon lui, deux facteurs majeurs expliquent l'apparition d'une dissonance: (1) de nouveaux événements ou informations font ressortir un contraste entre ce qu'une personne fait et ce qu'elle connaît croit, ou font ressortir une différence entre deux croyances; (2) nos opinions et comportements sont le plus souvent un mélange de contradictions, rares sont les choses très clairement définies.

De nombreuses situations peuvent provoquer une dissonance. Par exemple, nous obtenons une note faible d'un professeur que nous admirons et pour lequel nous avons beaucoup travaillé; nous achetons une chaîne stéréophonique et découvrons le lendemain que la même chaîne était beaucoup moins chère dans un autre magasin; nous découvrons qu'une personne que nous admirons milite dans un mouvement politique que nous n'aimons pas du tout. Ces faits se heurtent et provoquent en nous un conflit, une tension que nous chercherons certainement à réduire.

Réduction de la dissonance

Nous utilisons plusieurs «stratégies» pour réduire la tension générée par les situations dissonantes. Si deux de nos valeurs ou croyances sont conflictuelles, nous aurons tendance à réduire la dissonance en changeant une des deux croyances ou valeurs, généralement celle qui est la moins importante ou la moins intense des deux. Supposons que nous croyions que la cigarette est absolument sans danger, et que nous lisions un article médical très convaincant qui dit le contraire. Si notre croyance initiale est très forte, il y a des chances pour que nous rejetions l'article. Ce rejet peut toutefois prendre plusieurs formes. Nous pouvons (1) minimiser ou dévaloriser la source («Il ne sait pas de quoi il parle, il n'a pas de bonnes preuves»); (2) accuser la source de malhonnêteté ou d'être biaisée («C'est de la propagande»);

---

7. F. Heider, *The Psychology of Interpersonal Relations*, New York, John Wiley and Sons, 1958; T.M. Newcomb, «An Approach to the Study of Communicative Acts», *Psychological Review*, vol. 60, 1953, p. 393-404; P. Lecky, *Self Consistency: A Theory of Personality*, New York, Shoe String Press, 1961; C. Osgood et P.H. Tannenbaum, «The Principle of Congruity in the Prediction of Attitude Change», *Psychological Review*, vol. 62, 1955, p. 42-55.
8. Leon Festinger, *A Theory of Cognitive Dissonance*, Evanston, Ill., Row, Peterson & Compagny, 1957.

(3) trouver de l'information qui correspond à ce que nous pensons («J'ai lu un autre article qui disait tout à fait le contraire»); (4) nous échapper psychologiquement et physiquement, c'est-à-dire éviter la lecture, de manière qu'elle ne crée aucune impression.

Prenons l'exemple de l'ami que nous admirons et au sujet duquel nous découvrons l'engagement dans une cause que nous avons en aversion. Pour réduire la dissonance, plusieurs stratégies sont à notre disposition. D'abord nous pouvons changer mentalement un des deux éléments conflictuels, soit notre ami, soit notre attachement à la cause politique en question. Si nous choisissons de changer d'ami, nous nous disons qu'après tout cette personne ne valait pas vraiment la peine d'être admirée ni respectée, que nous nous sommes laissé berner et qu'en définitive elle ne sera plus notre amie. La consonance est alors rétablie. Cette personne qui nous est maintenant indifférente travaille pour une cause à laquelle nous sommes insensibles.

Évidemment, nous pouvons changer l'autre élément de la dissonance, soit la cause politique. Ici encore, plusieurs options s'offrent à nous:

1. Nous prétendons que la source qui nous a appris ce fait est en réalité peu fiable, nous a menti ou ne savait pas vraiment de quoi elle parlait. En fait, nous nous disons que notre ami ne peut pas vraiment appartenir à cette organisation. La consonance est encore une fois rétablie. Évidemment, ce genre de stratégie ne peut être utilisé lorsque c'est l'ami en question qui nous apprend lui-même la chose. Dans ce dernier cas, nous essaierons de réduire la dissonance en nous disant qu'il blague. Il peut toutefois apparaître rapidement que l'ami ne blague pas, qu'il est sérieux; alors nous devons faire face au conflit.

2. Nous trouvons des excuses à notre ami. Nous nous disons qu'il ne sait pas vraiment ce qu'il fait, qu'il a été manipulé d'une certaine manière, ou même que l'éducation qu'il a reçue est responsable de cette situation.

3. Nous nous disons qu'après tout, si un ami brillant comme celui-là fait partie de cette organisation, cette dernière n'est certainement pas aussi mauvaise que nous le croyions.

4. Nous distinguons notre amitié et ses vues politiques. Ce processus consiste en quelque sorte à ne pas tenir compte des vues politiques de notre ami et à accepter celui-ci sur la base de certains autres mérites (sa sincérité et sa fidélité dans sa relation avec nous). Ses idées politiques sont rangées quelque part dans notre cerveau, mais elles sont consciemment «oubliées» ou ignorées.

5. Finalement, nous nous engageons dans une communication interpersonnelle avec cet ami en espérant rétablir la consonance. La motivation nécessaire pour résoudre ce désaccord dépendra de la force de notre amitié et de l'intensité qu'atteint ce conflit pour nous. Nous discuterons du sujet jusqu'à ce que l'un des deux, connaissant les sentiments et les arguments de l'autre, change d'opinion. Un des résultats possibles de cette démarche est que nous aimions notre ami un peu moins et sa cause un peu plus.

Les quatre premières stratégies sont fondées sur des *rationalisations*. En somme, les gens ont malheureusement souvent tendance à se berner eux-mêmes, volontairement ou involontairement. Nous nous croyons nous-mêmes, simplement parce que nous avons besoin de nous croire et que nous pouvons ainsi mieux nous protéger. Toutefois, la rationalisation implique souvent une certaine déception vis-à-vis de soi-même et, utilisée trop souvent, cette stratégie risque de nous éloigner quelque peu de la réalité.

Résistance au changement

La réduction de la dissonance n'implique pas toujours une stratégie de rationalisation. Au lieu de rationaliser une nouvelle information conflictuelle, nous pouvons changer notre comportement. Par exemple, lorsqu'une personne qui fume se rend compte du danger du tabac pour la santé, elle peut, pour réduire la dissonance, cesser de fumer.

Toutefois, il n'est jamais facile de changer un comportement, une attitude, une croyance ou une valeur. Nous avons tendance à résister au changement à cause des difficultés qu'il suscite; nous l'envisageons avec des sentiments partagés. Ce à quoi nous sommes habitués, bien que ce soit insatisfaisant par moments, demeure plus facile que de faire face à l'inconnu et procure davantage d'assurance. Nous sommes plus confiants envers ce qui est connu parce que nous savons comment réagir. Nous savons comment en tirer des satisfactions et éviter ce qui est désagréable. Lorsqu'une nouvelle situation se présente (un nouvel emploi, un déménagement, un nouvel engagement ou de nouvelles idées), nous devons faire face à un dilemme. D'un côté le changement a plusieurs aspects positifs: essayer de nouvelles choses est excitant, cela constitue une évasion du quotidien, une aventure, nous offre la possibilité de faire de nouveaux rêves, etc. De l'autre côté, les risques sont grands, car le changement représente toute une série d'inconnues. Nous avons généralement peur de ces inconnues et, pour cette raison, nous avons malheureusement trop souvent tendance à nous accrocher à ce qui est familier.

Comme Thelen le souligne[9], le groupe auquel nous nous identifions peut générer soit la résistance au changement, soit l'incitation au changement.

1. Nous résistons souvent au changement pour maintenir nos illusions quant à notre compétence; changer un comportement ou un mode de pensée peut impliquer que nos actions antérieures n'étaient pas bonnes, et cela est difficile à admettre. Nous pouvons rationaliser nos échecs et en faire des succès pour réduire la dissonance («Je n'ai rien fait aujourd'hui, mais j'ai eu du plaisir»).
2. Nous avons le sentiment que le changement requis est une tâche qui demande plus d'énergie que nous n'en avons. En fait, nous ne voulons pas faire d'efforts et nous rationalisons alors que nous n'avons pas le temps d'entreprendre un tel changement, ou que nous l'entreprendrons plus tard.
3. Nous pouvons craindre que les changements n'impliquent des modifications de comportements dans les rôles et positions que nous maintenons avec les autres. Même si nous sommes enclins à essayer de nouveaux comportements, nous pouvons craindre de déranger les autres, de nous voir confier de nouvelles responsabilités, ou l'inverse, de perdre notre place dans un système.

La théorie du jugement social

À la suite de ses recherches sur les changements d'attitude, C.W. Sherif[10] affirme que nos attitudes sont le mieux représentées par un continuum en trois sections ou par une série de réponses divisées approximativement en trois sections. La première section est notre *latitude*

---

9. H.A. Thelen, *Dynamics of Groups at Work*, Chicago, University of Chicago Press, 1963.
10. C. W. Sherif, *Attitude and Attitude Change*, Westport, Conn., Greenwood Press, 1982.

d'acceptation: elle englobe les idées et les positions variées qui expriment notre accord à propos d'un sujet. Sur le continuum, la section suivante est celle de la *latitude de neutralité*, où le niveau des positions à propos d'un sujet est soit neutre ou hésitant. Finalement, à l'autre extrémité du continuum se trouve la *latitude de rejet* qui inclut, pour un sujet donné, toutes ces positions connues que nous trouvons inacceptables. Nous pouvons mesurer n'importe laquelle de nos idées à ce continuum illustré à la figure 4.1.

Selon cette théorie, si nous entendons une information qui se situe à l'intérieur ou légèrement en dehors de notre latitude d'acceptation, nous aurons tendance à la percevoir comme plus près de notre position qu'elle ne l'est réellement. Cela se nomme *l'effet d'assimilation* (voir figure 4.2) et a comme résultat d'élargir notre latitude d'acceptation.

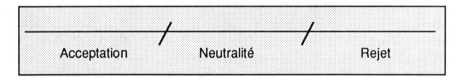

Figure 4.1   Continuum d'attitudes.

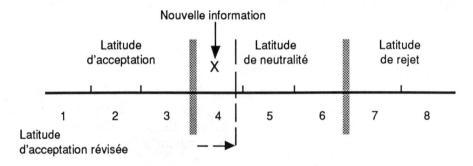

Figure 4.2   L'effet d'assimilation: une information tombe dans l'aire de neutralité près de la latitude d'acceptation; la latitude d'acceptation se déplace pour prendre cette nouvelle information; ainsi se trouve élargie la latitude d'acceptation à propos de ce sujet.

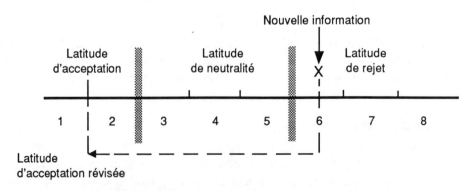

Figure 4.3   L'effet de contraste (l'effet boomerang diminue la latitude d'acceptation): une information tombe dans la latitude de rejet. Elle est perçue comme étant plus divergente, plus différente que les idées émises par cette personne; il est possible, dans certaines circonstances où l'information est forte et menaçante, que la latitude d'acceptation à propos de ce sujet soit réduite.

D'autre part, si nous entendons une information qui correspond à notre aire de rejet, nous aurons tendance à la percevoir plus loin de notre position qu'elle ne l'est réellement. Cet *effet de contraste* peut de plus conduire à l'*effet boomerang*, qui consiste à réduire notre champ d'acceptation dans le sens où les positions qui étaient acceptables et tolérées auparavant seront définitivement rejetées.

Pour illustrer ces effets, prenons l'exemple d'un homme presbytérien. Sa latitude d'acceptation est composée en grande partie des rituels et dogmes de l'Église presbytérienne. Les valeurs du protestantisme (qui diffèrent peu de celles du presbytérianisme) seraient probablement dans sa latitude de neutralité. Dans sa latitude de rejet, nous trouverions les valeurs émanant de l'islam, peut-être du catholicisme, et sûrement de l'athéisme. Si cette personne entend parler des activités d'une autre Église protestante, elle les considérera positivement car leurs valeurs sont semblables à celles du presbytérianisme. Voilà un exemple de l'effet d'assimilation. D'autre part, une information au sujet de l'athéisme amènera chez cet homme une réaction très éloignée de la latitude de neutralité, ce qui illustre un effet de contraste. En somme, cette personne reçoit plus positivement les informations au sujet des protestants (assimilation) et plus négativement celles au sujet des athées (contraste), sans vraiment tenir compte des informations.

Voici un autre exemple. Deux personnes ont des attitudes différentes au sujet de la marijuana, l'une étant en faveur et l'autre opposée. Toutes deux lisent le même rapport de recherche sur les effets de la marijuana. Les conclusions de ce rapport signalent l'existence de dangers à la suite d'une consommation prolongée. D'autre part, il est dit que la consommation occasionnelle n'a pas révélé d'effets nuisibles. Les lecteurs auront tendance à percevoir ces messages dans le sens de ce qu'ils sont prêts à croire, comme nous l'avons mentionné dans les chapitres précédents. Ils verront leurs attitudes modifiées soit par assimilation (en voyant dans les informations qui appuient un peu leurs arguments des informations qui les appuient fortement), soit par contraste (en voyant dans les informations qui divergent quelque peu de leurs croyances des informations très divergentes). Dans plusieurs cas comme celui-ci, les lecteurs achèvent la lecture du rapport avec leurs croyances premières renforcées, car ils ont soit exagéré la force des informations qui appuient leurs arguments, soit dénigré les arguments qui sont opposés aux leurs.

Implications pour la communication

Les réactions des autres à notre égard déterminent largement qui nous sommes. Notre choix de faire ou de ne pas faire certaines choses est fortement influencé par notre façon de juger, de définir les situations sociales que nous vivons. Ces définitions sont à leur tour issues des valeurs et croyances que nous partageons avec les autres et que nous adoptons au cours de nos communications interpersonnelles.

Un cercle est donc complété. C'est en interagissant, en communiquant avec les autres que nous décidons de ce qui est bon ou mauvais, beau ou laid, que nous choisissons le dentifrice qui peut le mieux combattre la carie. Ces décisions et ces valeurs affectent en retour nos jugements, nos définitions des situations sociales, nos attentes envers les autres, nos perceptions de ce que les autres attendent de nous et finalement notre façon de déterminer.

Nos présomptions, valeurs et croyances affectent tellement ce que nous sommes et ce que nous faisons qu'elles ont souvent besoin d'être révisées.

Il est important de bien savoir ce que nous valorisons et ce en quoi nous croyons, comment nous en sommes venus à soutenir telles valeurs ou croyances, si des valeurs ou croyances sont adéquates dans les situations actuelles et comment elles sont cohérentes avec notre discours et notre action.

Encadré 4.1   Le pouvoir des traditions

Peut-être connaissez-vous l'histoire de la jeune mariée qui rôtissait un jambon pour la première fois et qui coupa les deux bouts avant de le mettre dans la rôtissoire. Son mari, surpris, ne dit rien. La deuxième fois, sa femme coupa encore les deux bouts, il lui demanda pourquoi. Elle lui répondit que sa mère faisait toujours cela. La fois suivante, lorsqu'il rencontra sa belle-mère, il lui demanda pourquoi elle coupait toujours les deux bouts de son jambon. Elle lui répondit qu'elle ne savait pas pourquoi, mais sa mère faisait toujours cela. Quand il demanda à la grand-mère de sa femme pourquoi elle coupait toujours les bouts de ses jambons, cette dernière répondit d'un trait: «Oh!... parce que ma rôtissoire était trop petite.»

Il en est ainsi pour plusieurs de nos croyances et valeurs. Nous n'en vérifions pas la pertinence. Nous croyons certaines choses et agissons de certaines manières simplement parce que nos mères, nos pères, nos enseignants ou nos amis croient en ces choses, agissent de la sorte. Peut-être, comme la grand-mère, ont-ils des raisons valables de faire ce qu'ils font. Mais lorsque les situations de la vie changent et que les vieilles croyances et valeurs sont conservées de façon rigide, sans discernement on peut en venir à couper les bouts d'un jambon sans aucune raison.

RÉSUMÉ

Les gens sont motivés par un éventail de besoins. Bien que ces besoins – c'est la même chose pour les croyances, attitudes et valeurs – ne puissent être vus ou touchés, nos comportements et actions les révèlent souvent. Nous arrivons à comprendre qu'un système ou qu'une séquence d'activités pourront satisfaire un ensemble de besoins. Alors nos motivations profondes sont clarifiées et organisées en un système de croyances, attitudes et valeurs, lesquelles sont largement développées à travers notre communication interpersonnelle.

Les croyances représentent la manière dont nous voyons notre monde, ce que nous considérons comme étant vrai et ce que nous approuvons. Les attitudes reflètent notre tendance à répondre aux choses dans un certain sens, à agir selon nos croyances. Nos valeurs sont nos conceptions de l'importance que nous attribuons aux choses, aux événements ou aux gens dans notre monde et de leur bonté ou de leur mauvaise qualité.

Nous apprenons des autres, particulièrement de nos «groupes de référence», nos croyances, attitudes et valeurs. De tels groupes sont composés de gens que nous admirons et aimons, auxquels nous nous identifions et que nous utilisons comme modèles pour nos buts et aspirations et même ultimement pour nos comportements.

Nous expérimentons des situations lorsque nos croyances, attitudes ou valeurs sont mises à l'épreuve par des idées concurrentes. Nous vivons alors de la dissonance, éprouvons le sentiment troublant que nous avons à choisir entre deux choses opposées. Nous pouvons composer avec un tel inconfort en élaborant des stratégies ou en changeant nos croyances, valeurs et attitudes de manière qu'elles se conforment à ces nouvelles situations. Le changement est très difficile; il semble cependant plus forçant d'agir en vue de ne pas changer que d'agir pour changer.

Les transactions se trouvent là où nos croyances, attitudes, valeurs et besoins, sont présents. Nous sommes engagés dans des transactions (1) quand nous prenons les autres en considération; (2) quand nous distinguons nos rôles dans nos relations; et (3) quand nous conduisons nos interactions en suivant des règles et en ayant la conscience aux autres. Les rôles sont faits d'une série de relations ou de transactions, et sont définis par nos réponses aux situations, aux personnes et à nos propres besoins.

TROISIÈME PARTIE

UN COUP D'OEIL
SUR LE LANGAGE ET
LE NON-LANGAGE

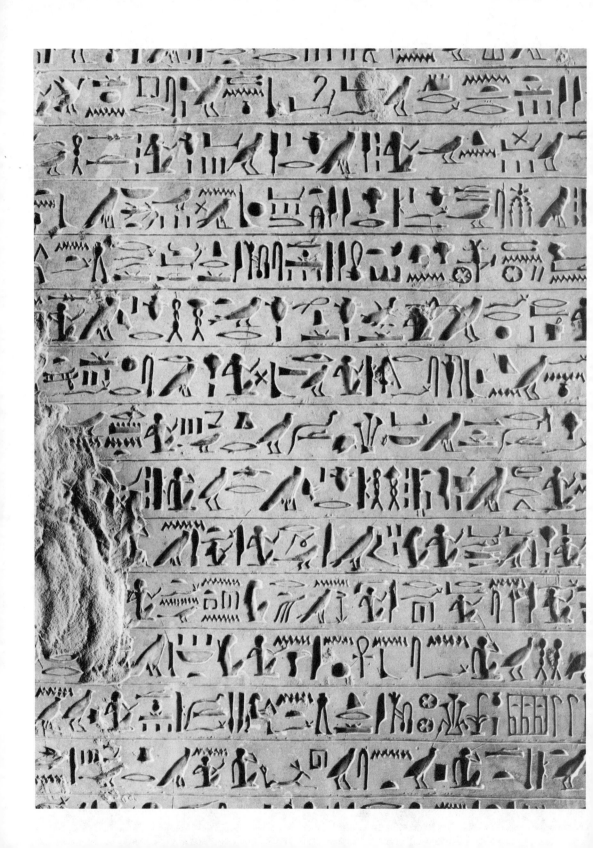

CHAPITRE

5

LES SYSTÈMES DE SYMBOLES:
UNE RÉFLEXION SUR NOTRE LANGAGE

OBJECTIFS

Après avoir étudié ce chapitre, vous devriez être en mesure de:

1. Donner deux raisons pour lesquelles il est intéressant d'étudier le langage.

2. Résumer le principe du langage et de la pensée tel que formulé dans l'hypothèse de Sapir et Whorf.

3. Faire la différence entre les «signes» et les «symboles» et donner un exemple original pour expliquer cette différence.

4. Discuter la façon dont les symboles sont ultilisés, c'est-à-dire comme des raccourcis pour décrire nos expériences.

5. Expliquer comment le langage est chargé de faire le lien entre le passé et le futur.

6. Discuter le danger que nous courons lorsque nous confondons les mots avec les choses qu'ils représentent.

7. À partir du principe selon lequel le langage sert à classifier les choses, les personnes et les événements de notre environnement, élaborer un exemple original où «les différences ne font pas de réelle différence».

8. Expliquer pourquoi le stéréotype est considéré comme un raccourci de la pensée.

9. Citer deux exemples où le langage adopté est un moyen officiel d'échange symbolique.

10. Identifier quel type de difficultés peut éprouver une personne qui ne parle qu'un dialecte considéré comme inférieur.

INTRODUCTION

Le langage est le véhicule à travers lequel nous organisons notre réalité, la signifions et parlons d'elle. Lorsque nous comprenons la relation entre le langage (monde symbolique) et notre environnement (monde empirique), nous pouvons mieux nous adapter aux réalités changeantes et aux incertitudes faisant partie intégrante de nos vies. L'étude du langage est vraiment celle de notre manière de vivre et de notre manière de voir le monde. C'est avec Edward Sapir et Benjamin Whorf que le langage a été associé à l'idée qu'en plus de refléter la façon dont *nous parlons du monde, détermine ce que nous cherchons à voir* et influence notre manière de penser *les choses que nous percevons*[1].

LE LANGAGE INTÉRESSE TOUT LE MONDE

Sûrement parce qu'il est partie intégrante de notre environnement et que nous l'utilisons constamment, le langage est un sujet d'intérêt pour la grande majorité des gens. Nous voulons savoir pourquoi nous disons telle et telle chose et nous voulons prévoir ce qui va se produire lorsque nous communiquons. Un grand nombre d'études historiques et de recherches linguistiques montrent comment notre langue est apparue, comment elle a évolué sur certains plans et résisté aux changements à d'autres égards, et comment elle affecte les gens aujourd'hui. La langue appartient à chacun, aussi bien au marchand de fleurs qu'au professeur ou au journaliste. Nous utilisons tous des mots, et même si, dans un premier temps, nous ne pensons pas toujours à ces mots, nous vivons avec eux et par eux. Dans notre cas, la langue française est chaque jour le véhicule essentiel de notre expression et de nos communications. C'est pourquoi nous devons toujours être attentifs à sa qualité et à son efficacité.

Presque partout, les marchands de fleurs et les professeurs s'intéressent aux relations amenées et créées par leur langage. D'ailleurs, c'est souvent en comparant le système de symbolisation d'une langue avec celui d'une autre que nous comprenons mieux la manière de vivre des personnes qui parlent une autre langue que la nôtre. Dans certaines langues, par exemple, on utilise beaucoup de noms (nominatif), accordant ainsi une grande importance objets. Dans d'autres langues, par contre, on utilise davantage les verbes, donnant ainsi beaucoup d'importance à l'action, au mouvement[2]. Toutes les langues ont donc leurs particularités; cependant, malgré notre fierté pour la langue française, les spécialistes de ces questions s'entendent pour dire qu'il n'y a pas de langues «supérieures» à d'autres, chaque

---

1. Edward Sapir, *Culture, Language and Personality*, Berkeley, University of California Press,1964; Zelleg Harris, *Language*, vol. 27, 1951, p. 288-333; Benjamin Whorf, *Language, Thought, and Reality*, New York, John Wiley & Sons, 1956; Charles D. Hockett, «The Origin of Speech», *Scientific American*, vol. 203, n°3, 1960.
2. B. Whorf, *op. cit.*

langue étant capable de représenter et de traiter les choses nécessaires à la culture et au milieu auquel elles appartiennent. Comme le sociologue Sapir l'a écrit:

> *Le contenu de chaque culture peut s'exprimer à travers une langue, et il n'y a pas de matériel linguistique, tant sur le plan du contenu que sur celui de la forme, qui ne soit là pour symboliser et exprimer des significations ressenties et élaborées par les gens de cette culture; et cela en dépit des attitudes des personnes qui appartiennent à une autre culture* [3].

LE LANGAGE COMME MODE DE PENSÉE

Le langage est le véhicule qui permet de penser et de parler à propos des choses et des idées. Ce que nous appelons le «savoir» ou la «connaissance» est en fait du langage. Ce que chacun de nous «connaît» est le produit du langage. Vu de cette manière, le langage (ou la symbolisation) est plus que la simple dénomination des choses qui traversent notre univers.

Le langage nous permet de rêver ce qui n'a jamais existé et ce qui, peut-être, n'existera jamais. Nous imaginons une licorne parce que nous lui donnons un nom, même si l'on doute qu'un tel animal ait déjà existé. À partir de la photographie de quelqu'un, nous pouvons imaginer cette personne et parler d'une rencontre future avec elle parce que nous disposons du langage. Ainsi, le passé et le futur peuvent faire partie de notre réalité grâce au langage, de même que dans le présent nous pouvons utiliser un mot pour désigner un objet.

LE LANGAGE COMME SYSTÈME DE SYMBOLES

Un «symbole» est tout ce qui prend la place de quelque chose ou le représente. Les *objets* peuvent être des symboles: par exemple un anneau comme symbole de mariage, un uniforme pour une occupation ou un rang quelconque, un drapeau pour un pays ou une nation. Les *personnes* peuvent devenir des symboles: par exemple un Premier Ministre représente son pays, un prêtre ou un rabbin représente sa religion, un agent de police ou un juge représente la loi. Une *image* peut être ou contenir un symbole. Certains *gestes* ou *expressions faciales* deviennent des symboles pour traduire une attitude ou une humeur particulière.

Un *mot*, parlé ou écrit, est aussi un symbole. Le mot «chaise» n'est que le symbole de quelque chose sur lequel on peut s'asseoir; ce n'est pas sur le mot que nous nous assoyons, n'est-ce pas ? Certes, dans certaines sociétés dites primitives, le mot devient quasiment la chose ou l'événement lui-même; par exemple, dans certaines tribus, on fait des incantations et on répète des formules magiques comme si ces paroles pouvaient devenir la réalité elle-même. Dans nos sociétés dites modernes, nous aimons bien penser que nous ne manifestons pas une telle confusion ridicule entre les mots et les événements; cependant, à l'occasion, nous embrassons la lettre que nous venons de recevoir de notre bien-aimée, nous évitons de parler du retrait potentiel de notre joueur de hockey préféré ou nous empêchons les autres de prononcer le nom d'un de nos ennemis en notre présence. Et quoi encore?

---

3. E. Sapir, *ibid.*, p. 6.

Une des caractéristiques du langage est que, certes, il peut être vu comme un système symbolique qui rend compte de l'expérience directe, s'y réfère ou s'y substitue, mais dans les faits il n'est ni séparé de l'expérience directe, ni parallèle à elle. Il est généralement difficile d'opérer une séparation complète entre la réalité objective et les symboles linguistiques qui y réfèrent; les choses, les qualités et les événements sont tout compte fait ressentis de la façon dont les mots les nomment. Pour la personne normale, chaque expérience, réelle ou potentielle, est saturée de verbalisme[4].

Encadré 5.1   Signes ou symboles?

Un *signe* est tout ce qui prend la place de quelque chose d'autre ou le représente, et qui entretient une relation naturelle avec cette chose; par exemple, la fumée est un signe de feu. Un *symbole* remplace quelque chose parce que nous en convenons, ou parce que nous avons établi un lien; par exemple, Yogi l'ours, aux États-Unis, est un symbole de prévention des incendies.

Si le moteur de votre automobile fait un bruit anormal ou ne donne pas son rendement habituel, cela est un *signe* qu'il y a un problème, malgré le fait que cette automobile puisse être pour vous un *symbole* de votre prestige, de votre classe sociale et de votre revenu, si vous croyez en un tel symbole.

À la plage, un amas de nuages menaçants au-dessus de votre tête peut être un *signe* d'un orage qui s'en vient. Au même moment, les drapeaux d'avertissement que les sauveteurs et la garde côtière mettent en place pour les baigneurs et les adeptes de la navigation de plaisance sont des *symboles,* car ils ont ici par convention une signification établie et connue des gens.

Notre monde réel et notre monde symbolique

Si, comme Sapir l'affirme, nos expériences sont saturées de verbalisme, nous pouvons alors avoir l'impression de vivre dans deux mondes à la fois. Il y a le monde réel (ou *empirique),* monde dans lequel nous nous heurtons aux objets et aux points de vue des autres, monde de nos activités quotidiennes. Ce monde est en quelque sorte celui de notre expérience directe; c'est un monde d'observations personnelles et concrètes à partir de nos sens (vue, toucher, goût, ouïe, odorat), un monde d'objets en dehors de notre peau.

Ensuite, il y a le monde verbal (ou *symbolique),* celui dans lequel nous accolons des mots à ces expériences. Nous utilisons alors le langage pour nommer des choses, pour penser et parler à propos de certaines idées ou de certains événements, et pour communiquer aux autres nos réactions intérieures face au monde réel.

---

4. E. Sapir, *ibid.,* p. 8.

Les symboles comme raccourcis

Supposons que nous n'ayons ni les mots ni les symboles pour communiquer les uns avec les autres. Nos conversations seraient strictement limitées aux objets, aux personnes et aux faits présents à nos sens au moment de la conversation. Les animaux, spécialement les animaux domestiques, en dépit des qualités que nous leur attribuons, sont très limités par le fait qu'ils ne peuvent utiliser des systèmes de symboles aussi sophistiqués que ceux des humains pour communiquer. Heureusement pour nous, nos ancêtres ont développé lentement, à travers l'histoire, des systèmes de symboles composés de sons, ils les ont organisés en séquences de sons. Ils ont progressivement adopté ces sons, devenus mots, comme raccourcis pour référer aux objets, personnes et faits présents autour d'eux, mais aussi pour référer à ces choses aussi bien au passé qu'au futur.

Les symboles font le lien entre le passé et le futur

Ces débuts du langage oral signifiaient que l'humanité pouvait désormais communiquer au-delà des limites du présent immédiat. Cela voulait dire, par exemple, que les gens pouvaient parler de la nourriture qui était devant eux, mais aussi de la nourriture qu'ils avaient consommée la veille ou de celle qu'ils allaient prendre le lendemain. Si vous croyez que votre chien a une capacité presque humaine de communiquer, essayez de lui expliquer que demain il aura une portion du boeuf haché qu'il aime.

Grâce aux symboles, on peut emmagasiner nos expériences dans le cerveau, les enregistrer dans notre mémoire et éventuellement se les rémémorer et les communiquer aux autres. La possibilité de communiquer les expériences a nettement favorisé l'émergence des civilisations humaines. En effet, ce n'est que lorsque les hommes et femmes ont pu transmettre leur expérience et leur savoir, de façon écrite ou parlée, et cela de génération en génération, que la civilisation a commencé.

De cette façon, les individus du XXe siècle sont le produit de toutes les générations qui ont utilisé les symboles avant nous.

Nous avons dû apprendre à lire, écrire et compter, mais nous n'avons pas eu besoin d'inventer un alphabet ou un système numérique. Nous pouvons aujourd'hui utiliser une machine à écrire électrique ou faire du traitement de texte, mais nous n'avons pas eu à découvrir l'électricité ou à inventer l'ordinateur.

Les symboles ne sont pas les choses ou les événements qu'ils symbolisent

Les symboles servent à accomplir, nous venons de le dire, la transformation de nos expériences immédiates du monde empirique en une version communicable de ces expériences. Ce que nous communiquons aux autres est non pas l'expérience elle-même, mais une représentation, ou si l'on veut, une image symbolique de cette expérience. Les mots utilisés pour renvoyer aux objets, aux personnes, aux situations ou aux sentiments ne sont pas les objets, les personnes, les situations ou les sentiments comme tels. C'est une chose que de ressentir un mal de dents et une autre que de dire «J'ai mal aux dents». Les mots n'expriment qu'imparfaitement la douleur et il est strictement impossible qu'une autre personne ait à ce moment, par ces mots, la même expérience que vous de cette douleur.

Avez-vous déjà tenté de faire l'expérience d'une chose sans nommer cette chose, même lorsque vous «pensez» en silence? Ou encore, lorsque vous voulez décrire ou partager une expérience avec d'autres, n'êtes-vous pas obligé de choisir entre parler, écrire et utiliser certains gestes ou expressions non verbales? Dans tous les cas, vous devez nécessairement utiliser des symboles.

LE LANGAGE COMME MOYEN DE CLASSIFICATION

Parler, c'est classifier. Le langage sert à organiser en une séquence ordonnée ou à catégoriser la multitude des choses que nous observons à un moment donné. Toute personne ou tout objet peut être classé dans différentes catégories selon les caractéristiques auxquelles nous portons attention. Les classifications peuvent être bonnes ou mauvaises, mais elles reflètent nos choix et les critères que nous utilisons pour regrouper les objets, les événements et les personnes.

SIMILITUDES ET DIFFÉRENCES

Lorsque nous classifions, nous portons attention à certaines qualités, lesquelles sont habituellement issues des comparaisons de similitudes ou de différences que nous effectuons. Prenez un livre sur l'étagère et comparez-le avec celui-ci. Les deux ont des pages. Les deux ont une reliure quelconque. Les deux contiennent des mots ou des images. Vous trouvez ainsi un certain nombre de similitudes pour décrire les qualités de ce qu'est «un livre». Alors, lorsque quelqu'un vous demande de lire, d'acheter ou de consulter un livre, vous savez à quelle catégorie d'objet vous avez affaire.

La fonction de classification que joue le langage est si importante que chaque fois que nous nous trouvons devant de nouveaux événements ou de nouvelles personnes, nous cherchons automatiquement ce que nous connaissons déjà de cet événement ou de cette personne. En d'autres termes, nous cherchons à déterminer dans quelle catégorie nous pouvons placer cet événement ou cette personne. Ces actes sont des jugements basés sur notre façon de porter attention aux similitudes et aux différences. Stéréotyper est aussi une conséquence directe du fait de classifier et de catégoriser. Nous stéréotypons les gens comme étudiants, professeurs, blancs, noirs, asiatiques, radicaux, libéraux, conservateurs; Juifs, Français, Américains, républicains, démocrates, socialistes, communistes; parents, adolescents, avocats, syndicalistes, etc. Nous avons tendance à penser que si des gens ont certaines similitudes avec une catégorie, ils les ont toutes; s'ils appartiennent à la catégorie, ils sont tous pareils. En d'autres termes, lorsqu'on a vu un pingouin, on les a tous vus, dirait-on.

Encadré 5.2   Le pouvoir des classifications

Les questions de définitions sont liées à la *signification* que nous attachons aux mots. Elles renvoient à notre manière arbitraire de classifier les choses. Prenons les questions suivantes: «La photographie est-elle un art?» ou «Les combats de taureaux sont-ils un sport?» En fait, que la photographie ou la tauromachie coïncident avec votre définition de l'art ou du sport, la réponse est essentiellement verbale, car les définitions sont verbales. Qu'importe l'examen attentif que vous pouvez faire d'une photo, il n'amènera pas une réponse à la question. Ceux ou celles qui rejetteront votre classification ou les valeurs qu'impliquent vos définitions ne seront probablement pas d'accord avec votre réponse.

Des questions de classification et de définition apparaissent souvent dans le monde légal. Une librairie est-elle comme une épicerie? (Si oui, la loi permettait à la librairie de rester ouverte le soir et les fins de semaine mais l'obligeait pour cela à vendre des cigarettes!) Un bar est-il un cabaret? (Le permis d'alcool est le même, mais les taxes et les restrictions ne sont pas les mêmes!) Une grève du zèle et une grève perlée sont-elles des grèves? (Certaines lois interdisent parfois les grèves!) En fait, les réponses à ces questions sont toujours importantes, même si elles sont arbitraires, car elles impliquent le respect ou la transgression de la loi.

Utilisation des stéréotypes

Le problème qu'entraîne le fait de stéréotyper est que s'il procure un raccourci à notre pensée, il nous dispense de faire l'effort de connaître directement, par nous-mêmes, ce que chaque individu de cette catégorie a d'unique et de différent. Les stéréotypes créent et alimentent des catégories bien identifiables, dans lesquelles nous pouvons inclure et ranger nos évaluations des gens, des situations et des événements; mais ces catégories sont malheureusement trop souvent une simplification abusive de la réalité.

Encadré 5.3   Les classifications influencent nos comportements

La directrice d'un grand magasin tenta un jour l'expérience suivante*. Du lot de mouchoirs de grande qualité qu'elle venait de recevoir, elle décida d'en placer la moitié sur un comptoir avec l'écriteau: «Fine lingerie irlandaise: 2,50 $ pièce». Elle fit placer l'autre moitié du lot sur un autre comptoir, mais avec l'écriteau: «Mouchoirs de poche: 3 pour 2 $». Les mouchoirs irlandais se vendirent cinq fois plus que les autres. À quoi les clients réagissaient-ils? Au monde empirique? Aux mouchoirs qu'ils pouvaient concrètement observer et toucher? Non. Ils réagissaient à l'étiquette et ne se souciaient pas de vérifier s'il y avait une différence réelle entre la «lingerie irlandaise» et les «mouchoirs de poche». Nous réagissons tous aux mots utilisés pour nommer les choses, et cela affecte notre façon de réagir envers les choses elles-mêmes.

---

* William Haney, *Communication and Organization Behavior*, Homewood, Ill., Richard D. Irwin, 1967.

Encadré 5.4   Vous et votre automobile

En 1958, une étude assez classique sur les stéréotypes portant sur un objet profondément symbolique, soit l'automobile, fut faite par trois psychologues sociaux* ; ceux-ci demandèrent à des gens ce qui caractérisait les propriétaires de différentes marques de voitures. Au départ, puisqu'une même marque de voiture était conduite par des centaines de milliers de gens, l'hypothèse à vérifier était que les propriétaires respectifs seraient perçus comme différents, c'est-à-dire représentatifs d'un large éventail de personnalités. Toutefois, l'expérience montra que les gens avaient les mêmes notions du propriétaire d'une Cadillac (riche, célèbre, important, fier, supérieur), d'une Buick (classe moyenne, brave, viril, fort, moderne, agréable), d'une Chevrolet (pauvre, ordinaire, classe inférieure, simple, pratique, maigre, amical), d'une Ford (viril, fort, puissant, beau, dur, dangereux, célibataire, bruyant, actif) et d'une Plymouth (calme, attentif, lent, précautionneux, moral, obèse, gentil, triste, pensif, patient, honnête). De plus, notait-on dans cette recherche, pour les gens, ces caractéristiques n'étaient pas suggérées par le statut socio-économique peut-être lié au prix de la voiture, car les stéréotypes demeuraient entre les propriétaires de marques d'automobiles moins chères. Ainsi, quel que soit le prix du véhicule à l'intérieur d'une même marque, le propriétaire d'une Ford était jeune et aventureux, le propriétaire d'une Plymouth était sensible et honnête, et celui d'une Chevrolet était tout simplement mesquin. Il est peu probable que tous les propriétaires d'une marque donnée aient vraiment correspondu aux stéréotypes; cependant, la publicité fut beaucoup affectée par cette recherche.

---

* W.D. Wells, F.J. Goi et S.A. Seader, «A Change in Product Image», *Journal of Applied Psychology*, vol. 42, 1958, p. 120-121.

Un autre problème relié au fait de stéréotyper, c'est que les généralisations que nous effectuons sont basées sur nos propres jugements standardisés et ils sont évaluatifs plutôt que descriptifs. Les généralisations ne sont pas toutes mauvaises et nous ne pourrions probablement pas vivre sans en faire quelques- unes; il n'y a pas toujours lieu de faire des distinctions entre les choses. La teinte du rouge des feux de circulation, par exemple, peut varier d'une ville à l'autre, mais pour le contrôle de la circulation, les diverses teintes de rouge sont sans importance. Nous pouvons apprécier un auteur parce que nous sommes sensibles à son style, que nous nous concentrons sur les similitudes de ses romans et que nous n'accentuons pas les différences entre ses récits. Cependant, lorsque nous affirmons que nos conclusions et nos valeurs sont bonnes pour tout le monde, nous demandons aux autres de se soumettre à notre propre façon de généraliser, c'est-à-dire à notre manière particulière d'organiser les similitudes et les différences.

Nous avons tendance à aimer les gens qui nous ressemblent. (© Lionel Delevingne/Stock, Boston)

Il n'est pas surprenant que des recherches aient démontré que nous avions tendance à aimer les gens qui sont *comme nous* (les similitudes sont plus attirantes que les différences) et que les gens ont même tendance à épouser une personne qui ressemble à leurs parents. Cette tendance à diviser ainsi les gens en «comme nous» et «pas comme nous» s'appelle l'*ethnocentrisme* . Cela risque fort de générer un monde où tout se divise en «bon» et en «mauvais», en un monde où les gens qui sont «comme nous» sont les bons et ceux qui ne sont «pas comme nous» sont les mauvais. En somme, les stéréotypes sont parfois pratiques dans certaines situations, mais ils remplacent trop souvent, surtout lorsqu'il s'agit de personnes, une évaluation mieux équilibrée des similitudes et des différences.

Polarisation: les opposés

Lié au langage, un autre raccourci que nous utilisons consiste à penser et ainsi à parler en termes d'opposés. Le noir est opposé au blanc; le jeune est opposé au vieux; le bonheur est opposé à la tristesse et au malheur; le mauvais est opposé au bon. Tout comme nous avons tendance à exagérer les similitudes, nous avons tendance à rendre les différences complètes et absolues et à diviser le monde en opposés irréconciliables. Notre langage est construit sur des *termes polarisés*.

Pour vous faire une idée de cette attitude qu'est la polarisation du langage, essayez le test à la page suivante. Remplissez le trait du milieu de cette échelle avec *un mot* qui signifie pour vous un moyen terme entre la paire d'opposés qui vous est présentée. Suivez le premier exemple avec le mot «gris» comme terme représentatif de ce qui est à mi-chemin entre noir et blanc et rappelez-vous ainsi que tout n'est pas noir ou blanc.

noir	gris	blanc
mauvais	————————	bon
succès	————————	échec
mesquin	————————	généreux
poli	————————	grossier
honnête	————————	malhonnête

Nous avons de la difficulté à trouver des mots pour exprimer les nuances et les degrés. Nous disons facilement d'une personne qu'elle est correcte ou incorrecte alors qu'elle serait sûrement mieux définie et caractérisée par un qualificatif modéré. Il y a pourtant des nuances dans la réalité des choses et nous devrions plus souvent décrire et exprimer les nuances, les tonalités et les subtilités de ces choses plutôt que de choisir des termes de polarité.

Le langage guide nos observations

En rapport avec l'hypothèse de Sapir et Whorf selon laquelle le langage et la pensée sont liés, Clyde Kluckhohn a dit également que le langage était en fait «une façon particulière de regarder le monde et d'interpréter les expériences».[5] La structure de tout langage cache une série de postulats inconscients par rapport au monde. Les anthropologues et les linguistes en sont d'ailleurs venus à réaliser que les idées des gens à propos de la réalité ne sont pas issues des choses ou des événements eux-mêmes. Les gens en viennent plutôt à voir ce à quoi la structure de leur langage les a sensibilisés et entraînés à voir.

Plusieurs langues font une différence entre les personnes étrangères et les personnes qui nous sont familières. Le français, par exemple, utilise le *tu* et le *vous* pour distinguer entre un échange formel et un échange plus familier; en espagnol on utilise *tu* et *usted* de la même manière. Dans la langue navajo, les verbes sont exprimés de façon qu'on sache si un énoncé tel que «il pleut», est l'expression de quelqu'un qui a fait l'expérience de la pluie (à savoir, dans le cas présent, si cette personne s'est fait mouiller). Une autre forme dira que la personne a eu l'expérience comme spectateur (à savoir ici qu'elle a observé la pluie de l'intérieur). Une troisième forme du verbe indiquera qu'on vous a dit qu'il avait plu (vous n'avez pas vu la pluie). En français, en anglais ou dans une autre langue, il est sûrement très différent de dire «Je lis un livre», «Je suis en train d'étudier un volume» ou «Je lis la Bible», alors qu'il y a lecture dans les trois cas.

Comme Kluckhohn l'a écrit «chaque langage est un instrument qui guide les gens à observer, à réagir et à s'exprimer d'une certaine façon. *La totalité d'une expérience peut être découpée de plusieurs façons, mais le langage est la principale force directrice en arrière-plan*[6].»

---

5. Clyde Kluckhohn, *Mirror of Man,* New York, Fawcett Publications, 1963, p. 139.
6. C. Kluckhohn, *ibid.,* p. 140.

Encadré 5.5   Toutes sortes de neige

Les Inuit, qui vivent dans un monde de neige et de glace, ont quelque 18 mots pour désigner la neige. En français, nous utilisons presque toujours les trois mêmes mots: neige, glace ou «slotche» (gadoue). Même en ajoutant un adjectif ou un adverbe à ces mots, nous n'obtenons encore que quelques types de neige: neige mouillée, neige poudreuse, neige damée ou neige croûtée. Cela nous donne à peu près sept ou huit types de neige. Où les Inuit prennent-ils la douzaine d'autres sortes de neige? Chacun de leurs mots renvoie pourtant à un type de neige particulier et différent des autres. La réponse, c'est qu'ils vivent avec la neige presque à longueur d'année. Elle est un élément important de leur vie et ils doivent la connaître à fond, car leur survie peut en dépendre. Cela explique qu'ils perçoivent les moindres différences de consistance de la neige que personnellement nous ignorons (à moins de skier, et encore). Pensons aux habitants des pays tropicaux qui ne vivent jamais sous la neige; ils risquent de ne pas faire la différence entre une neige poudreuse et une neige glacée. Les Inuit, eux, perçoivent les moindres différences et trouvent des mots pour les exprimer. La présence de tous ces mots dans leur vocabulaire contribue à leur faire percevoir les différences. Chacun de ces différents mots attire l'attention sur une petite particularité de la neige. Il est possible qu'à l'origine de leur langue, ils aient trouvé les mots parce qu'ils voyaient des différences, mais après un certain temps les mots eux-mêmes sont devenus indicateurs, pour souligner, chacun à sa façon, un aspect de la neige. Les mots ont en quelque sorte rendu plus facile la perception de chaque caractéristique et ils ont permis de dégager les différences plutôt que les similitudes.

Le langage, répétons-le, est un moyen de catégoriser et de classifier les expériences et les événements, et pas seulement un moyen de les rapporter. Nos filtres linguistiques permettent à certaines expériences d'entrer dans notre conscience et en refoulent d'autres.

LE LANGAGE COMME POUVOIR POLITIQUE ET SOCIAL

Le langage a toujours été dans l'histoire, tout au moins dans l'histoire que nous connaissons, un moyen de maintenir le pouvoir sur les autres, ainsi qu'une force pour obtenir des gains ou des avantages politiques, économiques et sociaux. Ainsi, le langage parlé et écrit d'une nation est presque toujours considéré comme partie intégrante de l'héritage de cette nation et contribue à son impact sur le monde. La langue française, par exemple, est liée à certaines conquêtes, et sert aujourd'hui de lien politique et socio culturel à une communauté internationale de plusieurs millions d'individus.

Langage et pouvoir international

Lorsqu'une langue est très répandue dans le monde, c'est-à-dire lorsqu'elle est largement utilisée dans les sociétés alphabétisées, à cette langue, en plus de l'échange d'informations qu'elle permet de faire, est relié un certain pouvoir. Les études sur le nombre d'auditeurs des stations de radio internationales diffusant en plusieurs langues fournissent des données statistiques sur la quantité et la dispersion de ces auditeurs à travers le monde. Elles mesurent aussi, dans un sens, la façon dont on pense dans le monde, puisque ces radios véhiculent et reflètent toujours, avec la langue qu'elles utilisent, leurs idées sociales, politiques, économiques et artistiques. Les chercheurs disent que même si le contenu d'une émission de radio n'est pas politique en soi, le choix de la langue dans laquelle cette émission se fait est un choix politique très clair. Notons que les messages à caractère religieux ou politique sont les plus nombreux parmi ceux diffusés à travers le monde.

Parmi les diffuseurs internationaux utilisant les ondes courtes (radio FM), c'est l'anglais qui arrive au premier rang des langues utilisées. Le français arrive au deuxième rang, l'arabe au troisième et l'espagnol au quatrième. L'allemand, le russe et le portugais suivent dans cet ordre. D'autre part, la «Voice of America» diffuse en 36 langues différentes, la BBC suit de près avec 34 langues, alors que Radio Pékin en République populaire de Chine diffuse en 43 langues et Radio Moscou en 72 langues. Enfin, Radio Canada et Radio France International diffusent aussi dans plusieurs langues.

Les langues «officielles»

Avec un tel nombre de langues en usage dans le monde, il est courant que la majorité des gens considèrent que les langues sont la propriété des nations. Par exemple, nous présumons que l'anglais est la langue des États-Unis ou que le russe est la langue de l'Union soviétique. Nous croyons que tout le monde parle espagnol au Mexique, même si nous savons que des langues comme le maya ou le nauhatl sont utilisées par les Indiens de certaines régions de ce pays. En fait, nous croyons habituellement qu'une langue commence et se termine aux frontières d'un pays.

Il y a pourtant plusieurs pays dans lesquels plusieurs langues «officielles» existent. Les minorités linguistiques sont présentes dans plusieurs pays du monde. Le hindi, par exemple, comme langue «officielle» de l'Inde, a été contesté de façon assez sanglante, entre autres par les Tamouls. Le hindi n'a donc pas la reconnaissance et le soutien de tous les individus de ce pays. Nous entendons parler très souvent d'affrontements issus de problèmes linguistiques à l'intérieur d'un pays ou entre deux pays voisins. La solution à ces problèmes n'est pas facile à trouver car il y a là non seulement des enjeux politiques et économiques mais aussi des droits personnels exprimés par les minorités linguistiques. «Si, toutefois, la minorité devient suffisamment nombreuse, puissante et dense, elle pourra demander des droits linguistiques spéciaux, allant de la tolérance locale à des fins limitées au statut d'égalité complète à toutes fins sous la protection de l'État. L'afrikaans en Afrique, le flamand en Belgique, le français au Canada, et plus récemment le basque et le catalan en Espagne sont des exemples de langues ayant obtenu un statut officiel à l'intérieur d'états bilingues[7].»

---

7. William F. Mackey, «Language Policy and Language Planning», *Journal of Communication*, vol. 29, n° 2, printemps 1979, p. 49.

Les langues ne sont pas neutres

Les langues ont été, et sont encore, un sujet qui déclenche les passions dans plusieurs parties du monde. En Asie, des millions de personnes au Pakistan et au Sri Lanka ont fait la guerre sur cette question[8].

Selon des statistiques nationales, aux États-Unis, 15 pour cent de la population n'a pas l'anglais comme langue maternelle. L'utilisation d'une autre langue que l'anglais est un sujet de litige dans plusieurs endroits de ce pays; les débats sur la possibilité d'obtenir une éducation bilingue n'est qu'un des aspects du conflit. L'utilisation d'une autre langue que l'anglais dans certains milieux de travail n'a pas seulement donné lieu à une querelle sur la compréhension du vocabulaire; il y a eu des cas de discrimination basée sur la langue parlée par des travailleurs; des employeurs refusent de donner des promotions à des personnes ne parlant pas bien l'anglais et, en plusieurs occasions, des personnes appartenant à des minorités linguistiques sont ridiculisées. Plusieurs cas de vandalisme lié à l'affichage sont rapportés en plusieurs endroits, par exemple sur des panneaux coréens à Philadelphie et sur des enseignes espagnoles à Los Angeles. Le cas du Québec, également, est souvent cité et étudié en ce qui a trait à sa manière d'établir ses lois sur les droits linguistiques; mais là encore la situation n'est pas neutre, elle demeure tendue.

Les différences linguistiques (dialectes et variétés)

Dans toute société, il est possible de retrouver à l'intérieur du langage et du code principal des codes symboliques et des systèmes de communication avec lesquels certains groupes seulement sont familiers ou que seules certaines personnes peuvent comprendre. Le français, par exemple, n'est pas uniforme dans tous les pays francophones; on sait les différences qui existent entre le français parlé en Martinique et Guadeloupe, celui de certains pays d'Afrique comme le Sénégal et celui qu'on trouve en Belgique. Ces «dialectes» parlés sont très différents les uns des autres, malgré une origine commune. De prime abord, les habitants de ces pays devront faire un léger effort pour se comprendre, car ils ont le sentiment de parler des langues presque différentes.

En Amérique du Nord, d'une région à l'autre on remarque des différences. Au Québec, par exemple, le français de certains villages de la Côte-Nord est assez différent de celui des gens de Montréal. Les habitants de ces régions utilisent souvent un vocabulaire très différent pour parler des mêmes choses. Ces différences peuvent être liées à des particularités ethniques, socio-économiques et géographiques. Les spécialistes de ces questions parlent aujourd'hui de «variétés» plutôt que de «dialectes» et ils identifient les différences à partir des variations sur le plan de la prononciation, des inflexions et des accents, du débit et du rythme, de la grammaire et du vocabulaire, ainsi que des expressions typiques ou particulières.

---

8. Steven R. Weisman, «When Language Barrier Becomes a Barricade», *New York Times,* 14 janvier 1987.

Y a-t-il un français ou un langage meilleur qu'un autre?

Le problème que l'on peut trouver dans le cas du français, par rapport aux différences linguistiques, est l'utilisation de ce qu'on appelle le français «standard». Malgré la controverse à ce sujet, pour savoir si ce français existe réellement ou non, plusieurs personnes considèrent qu'un certain français parlé, à la télévision ou à la radio d'État, par exemple, constitue le français standard et représente ou devrait représenter celui de la majorité des francophones. Mais est-ce qu'il y a vraiment une façon «correcte» de parler français? Est-ce qu'il y a un bon français et d'autres français médiocres? En fait, plusieurs experts s'accordent pour dire qu'aucun français ne peut être considéré comme étant «meilleur» qu'un autre, pourvu qu'il serve efficacement à communiquer et qu'il soit approprié aux situations dans lesquelles il est utilisé. Ce point de vue pratique et fonctionnel remet donc en question la notion de langages dits «inférieurs». Les seuls critères nécessaires pour parler de communication efficace sont que ces «langages» possèdent une grammaire assez stable et appropriée, un vocabulaire utile et bien adapté et une phonologie cohérente lorsque le langage est parlé, ou une orthographe cohérente elle aussi, lorsque ce langage est écrit.

C'est un fait, toutefois, que plusieurs personnes voient dans le langage des gens qui les entourent un indice de leur niveau d'éducation, de leur classe sociale, de leur intelligence ou même de leur valeur intrinsèque. Ces «juges» du langage considèrent qu'ils parlent «bien» et que les autres parlent «mal». Ces considérations sont excessives et n'engendrent que des conflits inutiles au sein d'une langue.

Lorsque des gens croient qu'une langue est meilleure, plus prestigieuse qu'une autre et qu'elle est synonyme d'un degré élevé d'éducation ou de culture, des conséquences dramatiques peuvent surgir et créer des conflits ethniques sérieux.

Nous voulons ici souligner qu'il n'y a pas de langage «meilleur» ou «correct» en regard de certaines qualités inhérentes au langage lui-même ou de qualités inhérentes à ceux et celles qui le parlent. Le langage est essentiellement arbitraire. L'usage ou le consensus est ce qui crée un langage et personne ne peut être tenu de ce conformer à un langage «correct». Toutefois, dans notre société complexe et changeante, l'isolement dans un groupe et l'exclusion de tous les autres autour est une affaire fort risquée. Autrement dit, du point de vue de la communication, augmenter son répertoire de «langages», c'est augmenter ses choix et ses possibilités de communiquer. Plus nous avons d'outils, c'est-à-dire de «langages» que nous pouvons maîtriser (ce qui ne veut pas dire ici nécessairement d'apprendre des langues étrangères), plus nous accroissons nos chances de nous adapter aux situations variées et complexes de notre société.

RÉSUMÉ: LA LANGUE NOUS HUMANISE

Quel que soit le langage que nous parlons, il nous sert de clef pour trouver un sens aux choses qui nous entourent et pour entrer en contact avec les autres. Toutes les cultures disposent d'un langage suffisamment complexe et sophistiqué pour répondre aux besoins des personnes qui appartiennent à ces cultures. Sans le langage et le pouvoir d'organisation qu'il nous apporte, en nous permettant de classifier nos expériences, nous serions forcés de vivre uniquement dans le présent, c'est-à-dire coupés des autres lieux et des autres temps.

Le langage a des limites et des faiblesses importantes, dont celles-ci: la tendance à *polariser* les expériences en opposés; la tendance à simplifier à l'extrême les événements et les gens en *stéréotypant* ou la tendance à *observer étroitement* ce que le langage nous indique. Avec le langage, cependant, nous avons la merveilleuse possibilité de décrire le monde, de le penser et de l'analyser, en plus d'exprimer nos rapports à ce monde et avec les autres.

CHAPITRE

6

VIVRE AVEC NOTRE LANGAGE

OBJECTIFS

Après avoir étudié ce chapitre, vous devriez être en mesure de:

1. Identifier et expliquer quatre mythes du langage.

2. Dessiner, nommer et discuter le «triangle de signification» proposé par Ogden et Richards.

3. Apporter une argumentation pour défendre l'idée selon laquelle les significations ne sont pas dans les dictionnaires, ce sont les gens qui les élaborent.

4. Définir ce qu'est la «dénotation» par rapport aux significations.

5. Définir ce qu'est la «connotation» par rapport aux significations.

6. Expliquer ce qu'on veut dire par «l'attitude Humpty Dumpty» en regard des significations.

7. Prendre position face à l'ambiguïté stratégique dans nos relations avec les autres.

8. Énumérer trois facteurs qui contribuent généralement aux incompréhensions liées aux significations.

9. Donner deux exemples d'«embellissement» de la communication.

10. Inventer un exemple de continuum de pollution du langage dans une perspective d'éthique.

11. Distinguer entre des énoncés d'observation, d'inférence et de jugement, et donner des exemples originaux de chacun.

INTRODUCTION

Le langage est l'outil que nous utilisons pour partager nos expériences avec les autres et pour nous adapter au monde qui nous entoure. Nous fabriquons des significations pour nous-mêmes en utilisant des symboles, et, à l'aide du langage nous influençons les autres, pour le meilleur ou pour le pire. Ce que nous appelons «signification», c'est ce que nous choisissons de percevoir et c'est notre façon de partager ces perceptions avec les autres. Plus nous savons de quelle manière se créent les significations, plus nous devenons efficaces dans nos communications.

MYTHES AU SUJET DES SIGNIFICATIONS

Les difficultés que nous éprouvons à bien nous faire comprendre sont peut-être attribuables aux mythes que nous avons sur le langage et les significations. Une partie seulement de nos difficultés sont dues à ce que nous ne connaissons pas; pour le reste, les problèmes viennent de ce que nous croyons savoir mais qui est faux.

Premier mythe: les mots ont une signification

Nous pensons la plupart du temps que les significations sont contenues de façon plus ou moins permanente, logique, évidente, naturelle et prévisible dans les mots. En vertu de ce mythe, nous croyons que les significations sont attachées aux mots et qu'il suffit alors d'employer les mots pour que les significations les accompagnent automatiquement.

Toutefois, une «signification» est une *relation que nous faisons nous-mêmes* entre un symbole et ce qu'il représente. Deux expressions ici sont importantes pour comprendre ce qu'est une signification: (1) une signification est une relation entre un objet ou un événement et un son ou un autre bruit dont nous avons convenu qu'il était représentatif de cet objet ou de cet événement; (2) c'est nous qui construisons la signification. La signification n'est pas dans les mots. Elle est à l'intérieur des gens. Nous utilisons les mots pour *faire jaillir* des significations chez les gens, c'est-à-dire amener une relation particulière entre un symbole et ce qu'il représente.

Encadré 6.1   Comment dites-vous?

Je sais que vous croyez comprendre ce que vous pensez que j'ai dit, mais je ne suis pas certain que vous vous rendiez compte que ce que vous avez entendu n'est pas ce que j'ai voulu dire.

Cette phrase contient plusieurs difficultés qui sont au coeur de nos communications personnelles et professionnelles.

Symboles et référents

Il n'y a pas nécessairement de relation logique, intrinsèque ou correcte entre un symbole et ce qu'il représente. Puisque la relation est établie par les gens, elle est arbitraire et peut changer. C'est dans la mesure où deux personnes ou plus s'accordent sur cette relation qu'elle peut avoir une valeur de communication.

Ogden et Richards[1] ont illustré cette absence de relation directe entre les mots et les choses. La figure 6.1 que nous avons adaptée ici à partir de leur diagramme original compare la signification à un triangle sans base dans lequel les trois points représentés sont un objet, un symbole qui représente cet objet et un être humain. La relation entre le symbole et l'objet ne peut être faite que par un humain. Le triangle n'a pas de base parce qu'il n'y a pas nécessairement de connexion entre le mot «chien» et l'animal. La désignation de cet objet au moyen de ce nom particulier, écrit ou prononcé de façon particulière, ne reflète que le fait que les gens se sont mis d'accord pour le faire ainsi. Alors, le symbole a fini par *signifier* l'objet dans notre utilisation du langage.

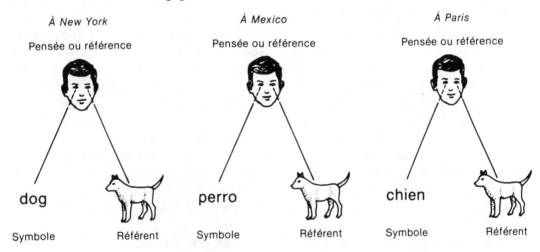

| À New York | À Mexico | À Paris |
| Pensée ou référence | Pensée ou référence | Pensée ou référence |

| dog | perro | chien |
| Symbole   Référent | Symbole   Référent | Symbole   Référent |

Figure 6.1 Il n'y a pas de relation directe entre le «référent» (la chose dont on parle ou à propos de laquelle on écrit) et le «symbole» (les mots que nous utilisons). C'est seulement dans la mesure où ces référents et ces symboles sont reliés aux pensées d'une personne qu'ils ont une signification. La signification n'est ni dans l'objet ni dans le symbole, mais dans l'interaction des deux à travers la communication humaine.

Les dictionnaires et les significations

Il peut être tentant de s'objecter à l'idée que les mots n'ont aucune signification. Que faites-vous des dictionnaires, dira-t-on? Ne font-ils pas autorité à propos de la signification des mots? N'est-ce pas eux que l'on consulte lorsqu'on veut savoir la signification d'un mot?

---

1. C.K. Ogden et J.A. Richards, *The Meaning of Meaning*, New York, Harcourt, Brace & World, 1959, p. 10-11.

Voilà un autre mythe. Un dictionnaire n'émet pas d'énoncés autoritaires sur la «vraie» signification des mots, mais il *enregistre* ce que les mots ont signifié pour différentes personnes, dans différentes parties du monde où cette langue a été en usage jusqu'au moment où ce dictionnaire a été imprimé.

Les dictionnaires enregistrent aussi les divers *usages* des mots à certains moments, dans des régions ou des pays et dans des contextes différents. Les dictionnaires fournissent donc un enregistrement historique de la façon dont certaines personnes provenant de différents milieux sociaux ont utilisé un mot, mais ils ne peuvent prédire avec exactitude comment et dans quel sens la prochaine personne utilisera ce mot dans un message. Les dictionnaires, en somme, peuvent confirmer l'orthographe ou l'origine d'un mot, être un guide pour le jeu de Scrabble, mais ils ne peuvent pas donner une signification «vraie» des mots, détachée des gens qui les utilisent.

Les niveaux de signification: dénotation et connotation

Alors, si la communication n'est pas dans les mots, comment peut-on communiquer? Comment pouvons-nous être certains que nos mots seront interprétés comme nous voulons qu'ils soient? La réponse est que nous ne pouvons pas toujours être certains de cela. Nous avons davantage de chances d'être compris lorsque nous parlons d'objets que nous pouvons désigner du doigt, et qui ont un poids, une couleur et un volume. Par exemple, lorsque je dis «S'il te plaît, passe-moi le sel», habituellement, j'obtiendrai une salière. Par contre, si je dis «J'ai besoin que tu me respectes», il est possible de prime abord que je reçoive en retour un regard plutôt interrogateur de mon interlocuteur. Alors, où est la différence?

Le «sel», dans ce cas-ci, est *objectif;* il peut être vu, touché et manipulé et nous donner une certaine assurance que c'est là ce dont nous parlons tous les deux. Le sel a alors une signification *dénotative*. Nous pouvons ici accomplir la référence physique à la chose et nous mettre assez facilement d'accord à partir de notre expérience commune par rapport au sel et aux salières.

Le «respect», d'autre part, est plutôt *subjectif;* on peut difficilement en donner deux cuillerées à son voisin. Le mot a alors une signification *connotative*. Il n'y a pas de référence facile à faire dans le monde concret; ainsi, pour sa signification, nous dépendons uniquement de notre expérience antérieure avec cette chose que nous nommons le respect. À ce niveau, le mot renvoie aux sentiments que nous avons développés au cours de nos expériences avec tout ce que ce mot peut mettre en évidence. *La signification connotative des mots vient de nos expériences vécues avec ce que les mots représentent.* Ainsi, lorsque les gens parlent de «respect», ils n'attendent pas tous la même chose; on peut avoir une certaine difficulté à définir le terme, à moins qu'ils n'aient passablement les même expériences et les mêmes attentes.

Les connotations sont intimes, elles sont rarement identiques d'une personne à l'autre et sont certainement plus difficiles à communiquer que les dénotations. Même ces dernières varieront, selon l'accent que l'on choisira de mettre sur les similitudes ou les différences par rapport à la chose signifiée.

Deuxième mythe: les mots n'ont qu'une seule signification

La communication serait plus simple – mais aussi plus limitée – si chaque mot ne pouvait renvoyer qu'à une signification sur laquelle tout le monde est d'accord. Même si nous sommes conscients que cela est impossible et qu'il s'agit d'un mythe, nous agissons quand même la plupart du temps comme si les mots n'avaient qu'un seul usage ou une seule signification. Dans nos conversations, nous essayons probablement d'imposer la signification que nous accordons à des mots tels qu'«honnêteté», «patriotisme», «loyauté», «respect», «tricherie», «succès», «travail», «amitié», «onéreux», «beau», «intelligent», ou «fou».

Encadré 6.2   Trouverez-vous toutes les significations?

La communication serait assez simple si chaque symbole pouvait référer à une seule expérience pour chaque personne. Nous avons l'illusion qu'un mot équivaut à un usage et qu'il n'y a qu'une façon de l'utiliser. Prenons le mot «trouver». On peut:

- trouver son chemin;
- trouver un mot dans le dictionnaire;
- trouver un appartement;
- trouver une solution;
- trouver la force pour faire quelque chose;
- trouver le temps long;
- trouver quelqu'un sympathique;
- se trouver en conflit;
- trouver que l'on a raison;
- se trouver bien;
- se trouver malin;
- trouver chaussure à son pied;
- se trouver là par hasard.

Comme Humpty Dumpty dans l'encadré 6.3, nous donnons aux mots les significations que nous voulons bien leur donner. Nous voulons que la signification du mot qui soit la bonne soit *la nôtre*. Nous devrions savoir, toutefois, qu'en français nous n'utilisons que quelques centaines de mots dans notre langage quotidien, et que pour chacun de ces mots il y a souvent plusieurs définitions et donc significations possibles. Ainsi, lorsque des mots sont utilisés, nous ne pouvons être certains de leur signification, à moins d'avoir une idée de la personne qui les utilise ou du contexte dans lequel ces mots sont utilisés.

En fait, comme dans le cadre du mythe précédent, nous disons que les mots n'ont pas de significations qui leur soient propres. Les significations des mots existent à cause des gens qui les font à partir de leur expérience particulière et de leur personnalité. Si une expérience donnée est étiquetée ou nommée de la même manière par deux personnes, on dit que celles-ci communiquent avec succès, car l'expérience évoquera quelque chose de «semblable» dans leur esprit.

Encadré 6.3   L'attitude Humpty Dumpty

Pour ceux et celles qui utilisent un jargon ou qui ont un lien avec les dialectes, voici un message donné par Lewis Carroll qui indique comment une façon de parler peut devenir un charabia. L'histoire d'Alice au Pays des Merveilles contient des passages intéressants sur les mondes sémantiques que nous pouvons inventer et sur la façon dont nous pouvons tirer un sens d'un jargon incompréhensible.

« Je ne comprends pas ce que vous voulez dire par "gloire" », dit Alice.
Humpty Dumpty sourit avec mépris.
« Bien sûr que vous ne comprenez pas; attendez que je vous explique. Cela signifie:"Voilà un bel argument écrasant!"
– Mais "gloire" ne signifie pas "un bel argument écrasant", objecta Alice.
– Quand j'emploie un mot, dit Humpty Dumpty avec un certain dédain, il signifie ce que je veux qu'il signifie, ni plus ni moins.
– La question est de savoir, dit Alice, si vous pouvez faire que les mêmes mots signifient tant de choses différentes.
– La question est de savoir, dit Humpty Dumpty, qui est le maître; c'est tout.»

---

* Lewis Carroll, *Alice au pays des merveilles* et *De l'autre côté du miroir*, Paris, Gründ, 1985, p.173. Traduction d'André Bay.

Troisième mythe: les significations ambiguës sont toujours mauvaises

La plupart des gens qui utilisent les communications ou travaillent dans ce domaine – enseignants, parents, conseillers – consacrent beaucoup de temps et d'efforts à ce que les gens communiquent plus clairement, plus précisément et plus adéquatement. Dans cette quête d'une plus grande clarté, une section portera sur la «pollution du langage», pour montrer comment le langage peut nous induire en erreur et, dans certains cas, comment on peut se sentir victime à la suite d'une communication ambiguë ou confuse. Avant de montrer l'importance d'une *communication claire*, explorons un peu l'idée selon laquelle, *dans certaines circonstances, il est important d'être ambigu dans notre communication.*

Les relations personnelles sont complexes

La vie n'est pas simple. Ce que nous attendons de nos relations avec les autres peut être compliqué et, en fait, nos désirs et nos attentes peuvent être parfois à l'opposé les uns des autres. Par exemple, si nous voulons passer du temps avec deux personnes séparément mais ne voulons pas blesser l'une ou l'autre, il est possible d'utiliser une phrase comme «Je vais rencontrer Jacques ce soir, mais j'aimerais bien te voir vendredi soir». Les thérapeutes et conseillers matrimoniaux ont déjà suggéré aux gens mariés d'être parfois un peu vagues dans leurs réponses aux demandes de leur partenaire.

On pourra aussi faire appel, dans nos relations, à ce que l'on pourrait appeler des «petits mensonges». Il s'agira de petites phrases qui indiquent à un ami que sa coiffure lui va bien, qu'il n'engraisse pas vraiment, ou qui révèlent à un collègue que son texte est très bien écrit ou que cela ne nous dérange pas qu'il nous emprunte telle chose.

L'aspect positif de l'ambiguïté

Maintenir constamment une communication ouverte et directe dans nos relations personnelles et professionnelles, ne constitue pas la seule façon, ni même parfois la meilleure, pour conduire nos affaires. Si nous avons à accomplir des buts multiples ou contradictoires, il peut être difficile d'être toujours clair lorsque nous parlons ou écrivons pour accomplir ces buts.

Eric Eisenberg et quelques autres chercheurs suggèrent le terme d'«ambiguïté stratégique» pour décrire les activités de communication de certaines personnes qui doivent maintenir dans leur organisation «l'équilibre entre se faire comprendre, ne pas offenser les autres et conserver leur propre image personnelle[2]». Les problèmes, lorsqu'on essaie de maintenir l'équilibre entre des besoins qui entrent en contradiction, comme le décrit Eisenberg, ne se limitent pas à la communication dans les organisations. Nous pouvons éprouver de tels problèmes quotidiennement dans d'autres situations sociales comme dans notre relation conjugale, notre groupe de travail ou nos interactions familiales. La loi est également un domaine fertile pour les messages ambigus. Wendell Johnson, qui a lui-même consacré sa vie à aider les gens pour qu'ils développent une communication interpersonnelle plus efficace, écrit:

> *L'ambiguïté n'est pas nécessairement négative. Prenons, par exemple, l'écriture des lois. Elles doivent être rédigées de façon un peu vague et conserver un peu d'ambiguïté, si elles veulent avoir un certain effet sur un grand nombre de gens. Toutefois, si elles sont trop ambiguës, personne ne saura comment les mettre en application ou les faire respecter. Par contre, si elles sont trop précises, elles ne seront pas applicables à plusieurs situations. L'ambiguïté est fascinante[3].*

UTILISATION EFFICACE DU LANGAGE

Nous évitons d'utiliser les termes «bon» et «mauvais» pour référer aux façons dont les gens utilisent le langage. La question éthique dans l'utilisation du langage est cependant très importante, et nous aimons penser que les gens n'ont pas de mauvaises intentions quand ils communiquent, et même qu'ils respectent les valeurs et les normes de la société dans laquelle ils communiquent[4]. Dans chaque société, chaque profession, on trouvera des gens qui tentent

---

2. Eric M. Eisenberg, «Ambiguity as Strategy in Organizational Communication», *Communication Monographs*, vol. 51, septembre 1984, p. 228.
3. Wendell Johnson et Dorothy Moeller, *Living with Change: The Semantics of Coping*, New York, Harper & Row, 1972, p. 94.
4. Pour une discussion intéressante sur l'enseignement de l'éthique en communication, on peut consulter W. Charles Redding, «Rocking Boats, Blowing Whistles, and Teaching Speech Communication» dans *Communication Education*, vol. 34, n°3, juillet 1985, p. 245.

d'abuser des autres de toutes sortes de manières. Malheureusement, comme nous en avons déjà parlé dans ce chapitre, le langage est associé au pouvoir et il n'est pas très difficile pour certaines personnes d'utiliser le pouvoir du langage à des fins immorales ou contraires à l'éthique.

Encadré 6.4   Les étiquettes péjoratives peuvent blesser

Le langage affecte notre comportement. Vous êtes sans doute familiers avec l'expression «les mots blessent souvent davantage que les coups». Si cela est vrai, comme nous le croyons, il est compréhensible que les étiquettes données aux gens provoquent de vives réactions. Même si nous ne le montrons pas toujours, nous sommes affectés par un nom ou une étiquette non méritée dont nous aura affublés quelqu'un. Peu de gens aiment se faire traiter de «peureux», de «tricheur», de «bonasse», d'«imbécile» ou de «charlatan». Chacun de nous a malheureusement sa liste d'expressions, d'insultes, de surnoms ou d'étiquettes «noires». Ces mots, nous le savons, peuvent blesser quelqu'un d'autre, ou l'inverse, nous affecter personnellement.

Les trois parties du langage

Lorsque quelqu'un saisit correctement la signification de notre message, nous en sommes habituellement contents; la communication est alors dite «efficace» ou «réussie». Trop souvent, toutefois, certaines significations que nous voulions transmettre ne passent pas ou sont perdues. Lorsque de telles incompréhensions se présentent, on peut chercher du côté des trois facteurs suivants: (1) nos propres postulats internes et nos choix de symboles; (2) les postulats et les interprétations de symboles de l'autre personne; et (3) le langage lui-même. C'est là un modèle de communication assez simple, n'est-ce pas? Nous, l'autre personne, et le langage que nous utilisons l'un avec l'autre. Comme nous l'avons expliqué dans les chapitres précédents, le processus de la communication est compliqué par une accumulation de besoins, d'intérêts, de différences physiques et psychologiques et d'intentions diverses propres à chaque personne.

Discutons maintenant la troisième partie de la problématique, le langage lui-même, c'est-à-dire les situations où les gens utilisent le langage pour dire des choses auxquelles ils ne croient pas, où les mots sont employés (parfois accidentellement, parfois intentionnellement) pour masquer plutôt que pour expliquer, pour induire en erreur plutôt que pour clarifier. Dans de tels cas, nous dirons qu'il y a pollution du langage.

George Orwell, dans son livre *1984*, a prédit que le langage officiel des media réussirait à convaincre les masses que «l'ignorance est une force» et que «qui veut la paix prépare la guerre». Le langage, disait-il aussi, sert souvent à falsifier le passé et à entretenir des régimes basés sur le mensonge et l'oppression.

Beaucoup de gens remarquent les transformations de notre langage. Par exemple, on ne parle plus de «pauvreté» mais de «bas salaire» (terme moins alarmant) ; on ne parle plus de «ghetto» mais de «quartier défavorisé»; on ne parle plus de «prison» mais «d'institution correctionnelle», etc. Dans certains cas, le changement de vocabulaire a reflété bien sûr des changements réels, mais, dans d'autres cas, il n'a servi qu'à masquer la réalité et à brouiller le climat de communication. Les euphémismes ou les substituts linguistiques agréables sont là pour couvrir la réalité et les problèmes, rendre les choses meilleures qu'elles ne le sont en réalité ou encore, tout simplement, leur donner l'air de ce qu'elles ne sont pas. Dans les mots de Hechinger:

> *Les cosmétiques linguistiques sont souvent utilisés pour donner l'impression que les problèmes ont été réglés ou encore pour amener à croire que ces problèmes, à l'origine, n'étaient pas si importants. Le résultat est que les gens ne se sentent plus concernés. C'est l'inaction. On se repose sur ses lauriers politiques ou même pédagogiques[5].*

Jargon spécialisé dans un monde technologique

Le terme de «jargon» est souvent utilisé pour désigner un type de langage qui camoufle l'information ou encore un langage qui n'est parlé que par un groupe distinctif ou par un groupe d'initiés. Le jargon ressemble souvent, pour la majorité des gens, à une série de mots et de sons incompréhensibles. Il est aussi souvent utilisé pour confondre le lecteur ou l'auditeur; dans certaines occasions, il nous donne l'impression que nous sommes plutôt stupides puisque nous n'y comprenons rien. Les personnes qui utilisent un jargon veulent se placer, dirait-on, au-dessus des autres ou en marge d'eux. Avez-vous déjà entendu des amateurs d'informatique dire quelque chose comme «T'as besoin de beaucoup de K pour faire ce dessin, mais avec le 20 MEG de ton disque rigide, tu n'auras aucun problème»? Quelle serait votre réaction si un médecin vous disait que vous avez un «pédicule hépatique»? Ou encore si un psychologue vous annonçait que vous allez passer un «MMPI»? Trop souvent, les personnes exerçant un métier ou une profession s'imaginent que s'ils connaissent quelque chose, tout le monde connaît cette chose.

Une autre facette du langage spécialisé est qu'il se caractérise parfois par le désir de masquer la réalité. L'administration publique, par exemple, est souvent reconnue pour sa façon de manipuler les mots. Un ministre, un haut fonctionnaire ou un cadre n'est jamais congédié mais «mis en disponibilité» ou «muté», et dans ce milieu on ne parle généralement pas d'erreur mais de «geste inapproprié dans la circonstance». Dans le langage des bureaucrates, on a recours à certains artifices pour se protéger: ainsi, une expression comme «J'en doute» signifie souvent «Je ne l'ai pas vérifié»; «C'est un fait intéressant» signifie «je pense que c'est une rumeur»; «Un principe universellement reconnu» veut probablement dire «Une proposition risquée» et «Nous verrons sans doute à étudier la priorité de ce projet» signifie sans doute «Nous mettons de côté ce projet».

---

5. Fred M. Hechinger, «In the End Was the Euphemism», *Saturday Review World,* 3 sept.1974, p. 50-52.

Encadré 6.5   Le jargon, obstacle à la communication

Quelquefois, le jargon de certains spécialistes peut être un obstacle à la communication, notamment lorsque ces spécialistes ne se parlent pas entre eux mais discutent avec des profanes. On raconte l'histoire d'un plombier étranger qui écrivit au service de vérification de la construction du gouvernement pour dire qu'il trouvait que l'acide chlorhydrique était efficace pour nettoyer les drains, mais se demandait s'il était dangereux. Le service répondit: «L'efficacité de l'acide chlorhydrique est indiscutable, mais les résidus corrosifs sont incompatibles avec la permanence métallique.» Le plombier répondit qu'il était content de voir que le service était d'accord avec lui. Le service répliqua sur un ton alarmé: «Nous ne pouvons assumer la responsabilité de la production des résidus toxiques et dangereux engendrés par l'acide chlorhydrique et nous vous suggérons de trouver une méthode de rechange.» Le plombier écrivit qu'il était content d'apprendre que le service continuait d'être d'accord avec lui. Ce à quoi le service répondit de façon explosive: «N'utilisez pas l'acide chlorhydrique, ça brise les tuyaux!»

Embellir pour produire de l'effet

L'embellissement est une autre forme de pollution du langage qu'il est possible d'observer autour de nous. On peut en effet embellir une phrase simple afin d'obtenir un effet plus grand. Par exemple, «Tu ne peux pas aller chez Mado» peut devenir une phrase de martyr avec une paraphrase telle que «Maman dit que je dois rester à la maison et qu'il est hors de question que j'aille un jour chez Mado». «Je peux t'aider si tu veux» peut devenir «Il a dit que cela lui ferait très plaisir de m'aider de quelque manière que ce soit, et que je n'avais qu'à le lui demander pour obtenir tout ce que je veux». Le «sans commentaire» de certaines personnes lorsqu'il est rapporté par les media s'embellit et devient «Monsieur le Député Lacroix, à qui l'on a demandé son opinion concernant le projet, a été incapable de faire des commentaires et a refusé de nous accorder une entrevue.» Écoutez attentivement le téléjournal de votre station de radio ou de télévision, et vous entendrez sûrement de telles choses.

Un continuum de langage pollué[6]

Voici maintenant trois dimensions ou types de pollution du langage. Ces trois types de pollution ne constituent pas des catégories de comportements très nettes ou distinctes, comme nous le montrons dans le tableau 6.1. Ces types de pollution en général s'entrecroisent, se recoupent et déteignent l'un sur l'autre.

---

6. Deux articles intéressants parlent des significations confuses: Janet Beavin Bavelas, «Situations That Lead to Disqualification», *Human Communication Research,* vol. 9, n°2, hiver 1983, p. 130-145 et Linda L. Putnam et Ritch L. Sorenson, «Equivocal Messages in Organizations», *Human Communication Research,* vol. 8, n°2 1982, p. 114-132.

Quoique nous voulions attirer votre attention sur l'utilisation douteuse de certaines formes de langage et que nous suggérions certains correctifs, nous ne voulons pas porter de jugement sur les intentions ou l'éthique des personnes qui utilisent ces formes de langage. De la même manière, nous ne regardons pas avec dédain les gens qui se font piéger par ces formes de langage, ni ne voulons les accuser d'être trop naïves. Le tableau 6.1 est un énoncé sur le langage lui-même, tel qu'il est utilisé par les gens qui ont des besoins à satisfaire, au moyen des formes de langage dont nous retrouvons la liste dans le tableau. Si certains points représentent les symptômes d'un langage «malsain», ils peuvent être corrigés et améliorés.

	Caractéristiques (comment ils se présentent dans la communication)	Correctifs possibles à apporter
Confusion (significations inconnues)	Langage étranger Mots inusités Jargon technique Terminologie mal utilisée	Demander une traduction Demander une définition des termes, une expression en termes plus simples, une vulgarisation.
Ambiguïté (trop de significations)	Trop de possibilités de définir les mots Références vagues Indices trop généraux Termes imprécis Énoncés ambigus	Vérifier la signification Demander des détails Chercher des exemples, des illustrations ou des cas concrets.
Tromperie (significations faussées ou obscurcies)	Messages Distorsions des faits Données incomplètes ou mal rendues Absence de réponses à des questions directes	Confronter avec vos propres informations Chercher les faits ou les données publiques officielles Demander une clarification Reformuler les questions

Tableau 6.1　Types communs de pollution du langage.

La *confusion* est ce qui apparaît le plus souvent quand le langage n'est pas familier et que les idées sont complexes. C'est ce qui se produit lorsque nous sommes devant une langue étrangère, lorsque quelqu'un donne trop de détails avec l'information qu'il nous communique, lorsque des mots simples sont utilisés de façon inhabituelle ou dans un sens particulier ou lorsque nous sommes devant une terminologie nouvelle ou des termes techniques. Par exemple (directives dans un manuel de micro-ordinateur): «Pour imprimer le catalogue d'une disquette ou d'un dossier, sélectionnez sur le Finder l'icône de la disquette ou du dossier dont vous désirez imprimer le catalogue, ou activez la fenêtre du catalogue. Choisissez ensuite Format d'impression dans le Menu et réglez le format du papier, l'orientation et autres options.»

L'*ambiguïté,* pour sa part, apparaît lorsque nos décisions sur ce qu'il faut faire (ou comprendre) sont plus nombreuses que la «bonne» réponse anticipée. Les mots sont équivoques, et nous laissent dans l'incertitude par rapport à la manière de répondre ou de nous comporter. Par exemple: «Quand tu passeras à l'épicerie, prends quelque chose pour le dîner» peut signifier acheter des carottes, de la laitue ou autre chose, mais vous ne savez pas exactement quoi. «Venez tous nous voir un de ces jours» est une autre phrase tellement ambiguë qu'il ne s'agit pas là d'une véritable invitation.

La *tromperie* apparaît le plus fréquemment lorsque nous voulons cacher quelque chose à quelqu'un. Le langage peut en effet servir à tromper une autre personne; pour l'induire en erreur, la duper et même pour la frauder. Les tromperies et illusions d'un magicien, ou les mensonges pour préparer une fête à l'issu d'un ami sont bien sûr sans conséquence. La tromperie est également possible lorsque nous voulons éviter certains problèmes ou cherchons à nous protéger de quelque chose. Ainsi: «As-tu fait la vaisselle?» Vous répondez: «Je l'ai mise dans l'évier.» «À quelle heure es-tu rentré, hier soir?» Vous répondez: «Je n'ai pas regardé l'horloge.» «Combien ce chandail t'a-t-il coûté?» Vous répondez: «Je l'ai obtenu en solde.» Vous signalerez sans doute qu'aucune de ces réponses n'est un mensonge. D'accord, mais vous avez plutôt répondu à une autre question que celle qui vous était posée, à savoir: «As-tu mis la vaisselle dans l'évier?», «As-tu regardé l'heure en rentrant hier soir?» «As-tu trouvé ce chandail en solde?»

INFÉRENCE, OBSERVATION ET JUGEMENT

Nos descriptions sur ce qui se passe autour de nous sont affectés par ce que nous voyons et ce que nous croyons voir. Nous observons des choses et, habituellement,   commençons aussitôt à ajuster ces observations à ce que nous connaissons déjà du monde. Ce que nous ajoutons à nos observations s'appelle des «inférences». Ce sont les «certitudes» de notre imagination et de nos croyances.

Imaginez que vous voyez une de vos amies au volant d'une nouvelle automobile, que pensez-vous? L'a-t-elle achetée? L'a-t-elle louée pour l'occasion ou empruntée à quelqu'un? Nous observons cette amie avec la nouvelle voiture et immédiatement nous commençons à faire des inférences qui peuvent expliquer la situation.

Nous passons à côté de deux personnes dans le corridor en train d'argumenter vivement. À partir d'un seul mot entendu, nous commençons néanmoins à faire des inférences sur ce qui se passe entre ces personnes et sur l'issue de la discussion.

Un professeur demande à un étudiant de rester après le cours. Le premier niveau d'observation et d'inférence consiste certes à envisager l'étudiant et le professeur en train de se parler, mais d'autres inférences à plusieurs niveaux peuvent facilement venir s'ajouter.

Un employé de bureau arrive en retard à son travail. L'employeur va-t-il inférer que cet employé a manqué son autobus, s'est levé en retard, n'est pas motivé à son travail, manque de ponctualité ou est resté coincé dans l'ascenseur pendant 15 minutes?

En somme, dans tous ces exemples, nous pouvons commettre de grandes erreurs en nous laissant aller à faire des inférences que nous ne pouvons observer. Nous risquons ainsi d'induire les autres en erreur lorsque notre communication est basée sur ce que nous pensons de quelque chose – ce que nous inférons – , et non sur ce que nous voyons concrètement – ce que nous observons.

ÉNONCÉS DE FAIT ET D'INFÉRENCE

La langue parlée permet deux genres d'énoncés. Nous regardons quelqu'un et disons: «Il porte des lunettes». C'est là un *énoncé de fait*, car il correspond de près à ce que nous pouvons observer, et à ce que les autres personnes autour de nous peuvent vérifier par leurs observations. Par contre, nous pouvons aussi dire: «Il s'est acheté des lunettes». Voilà plutôt un énoncé d'inférence que nous faisons parce que cette personne porte des lunettes, qu'elle a l'air honnête et que peu de gens volent une ordonnance de lunettes.

Un énoncé d'inférence est une estimation, effectuée à partir du connu. Le «connu» peut être une observation ou une série d'observations (l'homme porte des lunettes) ou parfois simplement une inférence ou une série d'inférences (l'homme a l'air honnête, etc.).

Certaines estimations sont évidemment plus facilement et plus rapidement vérifiables que d'autres. Certaines sont aussi plus probables que d'autres. Par exemple, si nous nous rendons au bureau de poste un mardi à 10 heures, nous nous disons facilement: «Le bureau de poste est ouvert». C'est là un énoncé d'inférence. Ce n'est pas un fait comme tel tant que nous ne l'avons pas observé directement. Cependant, c'est une inférence qui est: (1) facilement vérifiable (il suffit de s'y rendre); (2) rapidement vérifiable (nous pouvons le faire tout de suite); et (3) hautement probable (les bureaux de poste, les jours ouvrables, sont habituellement ouverts à 10 heures, et celui où nous allons est aussi ouvert à cette heure en temps normal).

Notre décision d'aller au bureau de poste est alors basée sur une inférence probable, car l'inférence elle-même est basée sur des observations antérieures. Évidemment, quelque chose a pu se produire aujourd'hui qui engendre la fermeture du bureau de poste. C'est là cependant un risque qu'il faut courir. Dans ce cas, toutefois, parce que nous sommes conscients de faire une inférence, nous avons en quelque sorte envisagé les probabilités, calculés les chances. Nous courons un risque, mais ce risque est calculé. Nous nous appuyons sur une information et une expérience acquises.

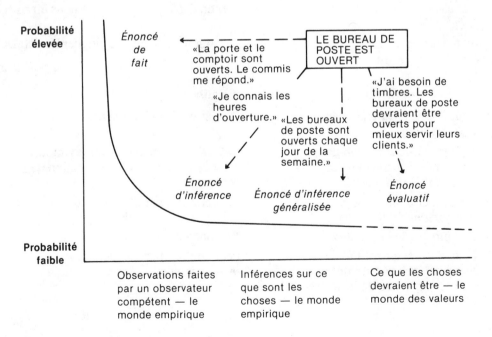

Figure 6.2 Probabilité des énoncés d'inférences.

Le besoin de distinguer les énoncés de fait des énoncés d'inférence

Si nous regardons les énoncés de fait et les énoncés d'inférence par rapport à leur certitude ou leur probabilité, nous pourrons obtenir quelque chose de semblable à la figure 6.2.

Un fait ou une observation se situe généralement dans les «probabilités élevées», par conséquent en haut de la courbe de la figure 6.2. Mais pourquoi ne disons-nous pas que nous sommes «absolument certains» plutôt que de parler de «probabilités élevées»? Parce que même les observations ou les faits ne peuvent toujours être complètement sûrs. Rappelons-nous notre discussion sur les distorsions perceptuelles. Évidemment, si nous observons quelque chose régulièrement, si d'autres font les mêmes observations et sont d'accord avec nous, alors nous pouvons acquérir une certaine certitude. La réserve que nous apportons ici, espérons-nous, ne choquera personne, car plusieurs personnes sont souvent très sûres de nombreuses choses. Nos sentiments de certitude, ne l'oublions pas, nous viennent en partie de la validité que nous accordons à nos sens et en partie de la validation que les autres accordent à nos perceptions. Si nous voyons une chose de couleur verte et que tout le monde autour de nous dise que la chose est jaune, sans doute commencerons-nous à douter. D'autre part, nos inférences n'approchent jamais le niveau de ce qui est à peu près certain. Les inférences appartiennent au domaine des probabilités peu élevées.

Mais pourquoi est-il important de distinguer les énoncés de fait des énoncés d'inférence? Parce que si nous ne savons pas que nous sommes en train de faire une inférence, que nous sommes dans le domaine des probabilités, dans le domaine des hypothèses au sens large du terme, alors il est peu probable que nous serons capables de déterminer la probabilité de notre inférence. Il nous sera difficile de connaître nos chances. Si nous faisons une inférence et si nous la traitons comme si c'était une observation directe ou un fait, nous serons sûrs de nous-mêmes, nous ne ressentirons pas le besoin de vérifier et, dans ce cas, nous prenons un *risque non calculé*.

William Haney[7] donne les suggestions suivantes pour nous aider à distinguer les énoncés de fait des énoncés d'inférence:

Énoncés de fait	Énoncés d'inférence
1. Peut être fait seulement après l'observation.	Peut être fait *en tout temps*.
2. Doit rester *dans les limites* de ce qu'une personne peut observer, et non au-delà.	*Peut aller au-delà* de l'observation; n'est limité que par l'imagination de la personne.
3. Ne peut être fait que par *une personne qui observe*.	Peut être fait par *n'importe qui*.
4. S'approche de la *certitude*.	Ne concerne que les *probabilités*.
5. Peut être seulement fait dans la mesure des possibilités et de la *compétence* de la personne qui observe.	Peut être fait par une personne *incompétente*.

---

7. William Haney, *Communication and Organization Behavior*, Homewood, Ill., Richard D. Irwin, 1967.

Il nous a semblé nécessaire d'ajouter le cinquième élément (non mentionné par Haney) parce que certaines personnes sont plus habituées que d'autres (ou peut-être aussi plus honnêtes) et, alors, leurs énoncés peuvent être plus exacts et plus fiables. Par exemple, si une personne tout à fait incompétente regarde le moteur de votre automobile et dit «Votre carburateur est plein de saletés», et même si d'autres gens non compétents l'approuvent, ce ne sera pas pour autant un énoncé de fait, car la compétence est ici nécessaire pour faire l'observation et l'énoncé de fait.

Comment vérifier une inférence

Lorsque nous entendons un énoncé d'inférence, nous devons déterminer sa probabilité. Comment faire cela? Comment calculer les probabilités? La première chose à faire est de vérifier la source de l'inférence. L'inférence est-elle basée sur une ou plusieurs observations – observations faites par une ou plusieurs personnes? Quel genre de personne a fait l'inférence? Cette personne est-elle compétente, incompétente, fiable, a-t-elle un parti pris?

Nous pouvons nous faire nous-mêmes notre propre échelle de probabilités et y placer les différentes sources possibles de notre information. Par exemple, lorsque nous voulons déterminer si le bureau de poste est ouvert sans pouvoir vérifier directement par nous-mêmes, nous devrons alors accepter la parole de quelqu'un. La parole de certaines personnes sera plus fiable que celle d'autres. Si nous téléphonons au bureau de poste et qu'un employé nous réponde que celui-ci est ouvert, alors notre inférence est assez fiable (mais jamais complètement, car quelque chose peut toujours arriver entre le moment présent et celui où nous nous y rendrons). Si nous demandons à quelqu'un qui vient de s'y rendre, il est probable que nous obtiendrons une information assez exacte. Par contre, si nous demandons à quelqu'un qui se remémore plus ou moins bien les heures et les jours d'ouverture qu'il a vus la semaine précédente sur la porte d'entrée du dit bureau, les probabilités de faire une erreur augmentent. Enfin, si nous demandons le renseignement à un étranger, sa réponse sera peu fiable jusqu'au moment où nous aurons vérifié par nous-mêmes. Il est important de retenir que lorsque nous faisons des inférences, elles peuvent être plus ou moins exactes. Nous devrions être prudents et évaluer la source de nos inférences avant d'agir à partir d'elle. Nous ne devrions sauter à aucune conclusion avant d'être raisonnablement certains que nous prenons un risque calculé.

Énoncés évaluatifs (jugements)

Certains énoncés ne sont ni des énoncés de fait ni des énoncés d'inférence. Ce sont des «énoncés évaluatifs», des jugements, parce qu'ils reflètent certaines valeurs de la personne qui les émet.

«La nourriture de ce restaurant n'est pas bonne.»
«Un examen objectif est préférable à un examen traditionnel.»
«Elle est intelligente.»
«Il est très beau.»

Ces énoncés reflètent des valeurs personnelles. Ils amènent en réalité peu d'informations réelles mais expriment passablement les opinions, les valeurs de la personne qui parle. Par exemple, lorsque nous disons de la nourriture d'un restaurant qu'elle n'est pas bonne, nous parlons de *nos* goûts en matière de nourriture. Lorsque nous disons de quelqu'un qu'il est intelligent, nous révélons *nos* critères d'intelligence. Que d'autres personnes soient d'accord avec nos énoncés prouve en réalité bien peu de chose sur la validité de ces énoncés. Cela veut dire que d'autres sont alors d'accord avec nous sur le plan des valeurs, mais ce n'est pas la même chose que d'être d'accord sur le plan de l'observation.

Nous pouvons certainement fonctionner mieux dans la vie si nous apprenons à distinguer les énoncés émanant de ce qui se passe à l'extérieur d'un individu (énoncés d'observation) des énoncés émanant de ce qui se passe à l'intérieur de celui-ci, soit ses inférences (énoncés évaluatifs). Notre communication sera également facilitée si nous pouvons déterminer d'où la personne qui parle a reçu son information: l'a-t-elle obtenue par observation directe ou a-t-elle cru «voir» quelque chose? S'est-elle laissé influencer par ses présomptions pour ensuite nous communiquer comment elle réagit intérieurement à ce qu'elle a «observé»?

Les énoncés de jugement viennent donc de l'intérieur des gens et visent à rejoindre notre propre intérieur, c'est-à-dire notre propre subjectivité. Certes, cela aide de constater que d'autres ont les mêmes réactions que nous, mais cela ne rend pas les jugements plus valides pour autant. Ils sont seulement plus ouvertement et plus largement exprimés.

Il est vrai qu'au sein d'une culture particulière, plusieurs jugements de valeur deviennent standardisés, deviennent en quelque sorte des normes. Les standards de beauté et de laideur, de ce qui est bon ou mauvais, s'apprennent de la même manière, peut-être en même temps, d'ailleurs, que le langage. Ainsi, qu'un groupe soit d'accord sur la longueur idéale des cheveux ne correspond à aucun fait réel, mais rend compte d'une similitude de goûts et de valeurs au sujet des cheveux.

Si nous croyons, simplement parce que d'autres sont d'accord avec nous et nos jugements, que nous sommes absolument corrects, cela réduira notre tolérance à accepter des gens qui sont en désaccord avec nous et dont certains jugements divergent des nôtres. Cette attitude risque même de nous amener à vouloir convaincre tout le monde de notre position parce que nous sommes «dans la vérité». Cette attitude réduit les chances d'une communication réussie.

RÉSUMÉ

Tenter de comprendre et essayer de trouver la signification des comportements et des événements qui nous entourent n'est pas toujours facile. Nous dépendons pour cela des autres, qui parlent le même langage que nous, qui réfèrent à des choses dont nous avons déjà une certaine expérience, qui ont un vocabulaire ordonné et qui utilisent les mots dans un sens connu ou prévisible. Lorsque nous allons dans un pays où les gens ne parlent pas notre langue, non seulement avons-nous de la difficulté à traduire les mots, mais nous font défaut les expériences vécues et partagées de cette culture qui nous aideraient à saisir pleinement ce qui est dit.

En résumé, voici les trois principes majeurs alliés aux significations et au langage. *Premièrement, les gens ont des significations communes dans la mesure où ils partagent des expériences communes.* Les connotations sont intimes et se développent au fil des années où nous sommes en interaction avec les choses à travers nos sens. Parce que deux personnes ne peuvent avoir une expérience identique, nous développons des significations différentes.

Deuxièmement, les significations ne sont pas fixes; elles changent au fur et à mesure que nos expériences changent. Héraclite a dit que nous ne pénétrons jamais deux fois dans la même rivière; les personnes changent et la rivière coule.

Troisièmement, nous répondons toujours à notre environnement en fonction de nos propres expériences. Ce que nous disons «à propos du monde» est toujours le reflet de notre manière de regarder le monde. La capacité de voir le monde selon le point de vue des autres prend les noms d'«empathie», de «sensibilité», de «conscience des autres» ou d'«adaptation psychologique». Cependant, lorsque nous parlons du monde que nous connaissons, nous finissons toujours par parler de nous-mêmes.

CHAPITRE

7

COMMUNIQUER SANS PAROLE: LE NON-VERBAL ET LES SILENCES

OBJECTIFS

Après avoir étudié ce chapitre, vous devriez être en mesure de:

1. Nommer huit sortes de silences et décrire certaines occasions où chacun d'eux peut être approprié.

2. Distinguer entre ce qui peut être qualifié de «silence approprié» et de «silence inapproprié».

3. Identifier et décrire les circonstances où les gens, lors d'une première rencontre, commencent à porter des jugements les uns sur les autres, et comment ils risquent alors de commettre plusieurs erreurs.

4. Identifier quatre façons par lesquelles vous pouvez faire une meilleure analyse de la communication non verbale.

5. Définir et donner des exemples originaux du paralangage, des gestes, des expressions du visage et du contact visuel, du langage des objets et du toucher.

6. Discuter l'aspect interculturel du temps et de l'espace comme dimensions de la communication non verbale.

7. Comparer la fiabilité de la communication non verbale avec celle de la communication verbale.

8. Expliquer comment la communication non verbale sert à établir des relations interpersonnelles et donner un exemple original.

INTRODUCTION

L'étude de la communication *non verbale* proprement dite est relativement récente. Pendant longtemps, les gens ont cru que s'il n'y avait pas de mots, il n'y avait pas de communication. Cette attitude était et est encore constamment renforcée par notre culture qui accorde beaucoup d'importance au discours et au langage parlé ou écrit. En dépit de quelques dictons comme «Le silence est d'or, la parole est d'argent» et «Une image vaut mille mots», on apprécie et on valorise énormément les personnes qui ont le talent de la parole et de l'écriture. Dans les groupes, souvent les personnes silencieuses ont moins d'influence et nous avons même tendance à les considérer comme ayant moins de capacités ou de talent.

Cette attitude à propos du silence est enracinée dans une fausse conception, à savoir que la communication s'allume ou s'éteint selon qu'une personne parle ou se tait. C'est là une idée erronée, car, comme nous l'avons vu au premier chapitre, nous ne pouvons pas ne pas communiquer. Nos silences et nos autres comportements non verbaux ne se font pas au hasard, pas davantage d'ailleurs que notre langage verbal; ils peuvent véhiculer beaucoup d'informations aux autres.

Le champ de la communication non verbale est très étendu; vous trouverez plusieurs livres qui traitent divers aspects de la communication non verbale: les expressions du visage, les gestes et les mouvements, les distances et les relations spatiales entre humains, etc. Nous ne pouvons malheureusement pas ici, explorer tout ce champ de recherches et ses implications dans nos communications. Dans ce chapitre, toutefois, nous aborderons quatres aspects de la communication non verbale: premièrement, les silences comme communication; deuxièmement, le processus d'émission et de réception des messages non verbaux; troisièmement, les diverses manières dont le temps et l'espace influencent la communication; quatrièmement, un résumé de quelques caractéristiques des systèmes non verbaux.

SILENCES

Les silences font partie de la communication interpersonnelle

Vous et votre nouvel ami êtes en route pour le cinéma. Après quelques minutes de conversation sur le temps qu'il fait, les cours que chacun suit au collège, le genre de film que chacun préfère, vous n'avez tout à coup plus rien à dire et le silence s'installe, long, pesant, embarrassant. Vous êtes assis là, et vous ne pouvez pensez à quelque chose d'autre à dire. En désespoir de cause, vous allumez la radio de l'auto.

Vous êtes à une réception et on vient de vous présenter à quelqu'un qui s'assoit en face de vous. Après une conversation d'usage, ni vous ni l'autre ne trouvent quelque chose à dire et le mieux que vous puissiez faire est de jouer avec vos ustensiles et regarder le plafond. En bref, vous tentez d'avoir l'air occupé.

Ces deux exemples sont simples mais courants. Ils illustrent deux principes à propos des silences: (1) ceux-ci font partie intégrante de la communication interpersonnelle, ils sont beaucoup plus fréquents que nous ne le pensons ordinairement; (2) ils sont souvent perçus et vécus comme embarrassants. Nous avons le sentiment qu'il ne devrait pas y en avoir et, lorsqu'ils se produisent, nous essayons désespérément de combler le vide qu'ils créent. Les silences ne devraient toutefois pas être considérer comme l'équivalent d'une absence de communication. Ils sont un aspect naturel et fondamental de la communication, souvent ignoré car mal compris.

> *Comme la plupart des personnes qui étudient l'interaction sociale le savent, les «trous» dans une conversation sont souvent embarrassants, et les gens ont tendance à combler ces trous par des bruits quelconques: tousser, se racler la gorge, soupirer, siffloter, bâiller, taper des doigts sur la table; ou alors ils émettent de petites phrases ou de petits mots sans signification, tels que «oui, euh», «alors», «de toute façon», dans l'espoir que le partenaire prendra la parole à son tour[1].*

La plupart des études portant sur les séquences vides dans les échanges verbaux, les «latences» comme on les appelle parfois, révèlent que les gens qui ont de la difficulté avec ces trous de communication sont de moins bons communicateurs. La personne la plus efficace, semble-t-il, est celle qui réussit à être à l'aise et à combler facilement ces trous qui apparaissent normalement dans toute conversation. Pensez aux gens autour de vous qui «parlent facile-ment». Comment font-ils pour remplir les petits vides de votre conversation? Comment partagez-vous la responsabilité avec eux pour «garder la conversation en marche»? Lorsque des trous apparaissent dans vos conversations avec vos amis et vos proches, réagissez-vous de la même façon que lorsque vous êtes en présence de quelqu'un que vous voulez absolument impressionner[2]?

Une communication efficace dépend largement des silences parce que les gens parlent à tour de rôle et doivent se taire pour écouter. Sans garder le silence, on ne peut vraiment écouter. C'est comme pour la musique: pour en composer, en interpréter ou en écouter, il faut savoir apprécier les silences. Si nous ne comprenons pas et ne nous souvenons pas que les silences font partie intégrante de la communication, nous continuerons d'en avoir peur, de nous sentir embarrassés, de les éviter au lieu de les apprivoiser et de leur donner un sens.

Les silences n'apparaissent pas au hasard

Peut-être avez-vous remarqué que nous utilisons le mot «silences» au pluriel. C'est intention-nel. Nous voulons mettre en évidence le fait qu'il existe différents types de silences et que chacun a sa signification, ses conséquences propres. Dire que nous aimons le silence ou que nous en avons peur, c'est ne pas faire de distinction entre les différents types de silences. Pour comprendre ce type de communication, nous devrons apprendre à en voir les différentes facettes et réagir de façon différenciée à celles-ci.

---

1. Margaret L. McLaughlin et Michael J. Cody, «Awkward Silences: Behavioral Antecedents and the Conse-quences of the Conversational Lapse», *Human Communication Research*, vol. 8, n°4, été 1982. p. 299.
2. *Ibid.*, p. 314. Voir aussi J. N. Cappella et S. Planalp, «Talk and Silence Sequences in Informal Conversation», *Human Communication Research*, vol. 7, n°3, printemps 1981, p.117-132; et W. B. Stiles, «Verbal Response Modes and Dimensions of Interpersonal Roles», *Journal of Personality and Social Psychology*, vol. 36, 1978, p. 693-703.

Par exemple, (1) le silence de quelqu'un qui est tendu, fâché, frustré, prêt à éclater de rage est différent du (2) silence de quelqu'un qui est prêt à écouter et regarder ou qui est fasciné par ce qui se passe autour de lui. Dans les deux cas, il n'y a pas de parole, mais ce qui se passe à l'intérieur de ces personnes au point de vue des émotions, des réactions et des pensées est tout à fait différent. Non seulement ces silences ont-ils des causes différentes, mais les gestes et actions de ces personnes reflètent cette différence.

(3) Le silence provoqué par l'ennui est un silence différent des deux précédents. Le «silence de l'ennui» exprime un retrait de la situation, une réévaluation négative de ce qui se passe; il peut parfois même impliquer une attitude de supériorité qui offensera les autres.

Soulignons un autre type de silence déjà évoqué dans ce chapitre, soit (4) le silence qui apparaît lorsqu'on ne sait plus quoi dire, (lors d'un dîner, d'un rendez-vous ou dans tout autre type de rencontre avec quelqu'un que nous ne connaissons pas bien). Ces rencontres impliquent habituellement que chacun parle et les silences sont évités car ils peuvent amener un sentiment de gêne, une conscience de soi soudainement trop aiguë.

(5) Il y a aussi le silence présent lorsque nous réfléchissons à ce que quelqu'un vient de dire et (6) celui qui exprime que nous ne comprenons pas ce qui a été dit. Dans le premier cas, nous mijotons le message, nous prenons le temps d'assimiler alors que, dans le deuxième, nous risquons d'être si confus que nous ne saurons même pas quelle question poser pour obtenir une clarification.

(7) Le silence peut en être un de révérence, de respect, de méditation ou de contemplation. Cela peut se produire dans une église lors d'une prière ou lorsque nous voyons soudainement quelque chose de si beau et merveilleux que nous en sommes bouche bée ou profondément émus.

(8) Il y a le silence «dogmatique», celui qui signifie «Je n'ai plus rien à dire sur ce sujet». Il est bien différent de (9) celui des amoureux, qui se tiennent par la main et n'ont pas besoin de parler. Ce dernier silence est rempli de chaleur et de complicité. Il est confortable, on ne sent pas le besoin de le rompre; au contraire, on veut le prolonger parce qu'il reflète la profondeur de la relation. Souvent, les gens qui se connaissent bien peu besoin de parler pour communiquer. Un regard, un sourire leur suffisent.

(10) Le silence de la douleur et du chagrin est un autre type de silence. «Ils se regardèrent l'un l'autre pendant longtemps sans dire un mot.» C'est un silence difficile. Nous savons intuitivement que les mots n'exprimeront pas la sympathie et le respect que nous voulons partager avec la personne qui souffre. Le simple fait d'être présent est alors suffisant.

(11) Enfin, nous trouvons des silences de défi, d'obstination, une espèce de mutisme calculé. Cela ressemble quelquefois à l'enfant qui boude sans dire un mot, à un ami qui ne veut pas nous répondre ou au silence qui se fait vers la fin d'un cours lorsque le professeur demande: «Y a-t-il des questions?» et que personne n'ose dire un mot, de peur de déclencher chez le professeur des explications qui dépasseraient l'heure.

Cette liste de silences n'est pas exhaustive. Plusieurs autres types de silences peuvent signifier diverses choses. Remarquons tout simplement qu'on ne peut considérer tous les silences de la même manière. Chacun doit être interprété chaque fois en fonction du contexte. Les réactions que les silences suscitent sont habituellement différentes parce que chacun a sa propre signification.

Pour communiquer, il est essentiel d'être sensible aux silences, que ce soit les nôtres ou ceux des autres à qui nous parlons. Rester silencieux parce que nous réfléchissons et rester silencieux parce que nous sommes confus à la suite de ce qu'une personne vient de nous dire n'est pas tout à fait semblable, et nous devrions le laisser savoir à cette personne. Si les autres restent silencieux lorsque nous communiquons avec eux, nous devrions être capable de lire les indices permettant de comprendre leur silence, ou alors leur demander carrément les raisons de leur silence. Nous saurons alors si c'est parce qu'ils ne nous comprennent pas, parce qu'ils résistent à ce que nous voulons leur transmettre, parce qu'ils sont ennuyés, ou pour une autre raison.

Il y a plusieurs indices disponibles pour comprendre les silences des gens; leurs mouvements, leurs postures, l'expression de leurs visages nous donnent souvent les raisons des silences. Nous analyserons quelques-uns de ces indices un peu plus loin dans le chapitre.

Les silences peuvent être appropriés ou inappropriés

Tout comme il arrive que nous parlions quand nous devrions nous taire, nous gardons parfois le silence alors qu'il serait préférable de parler. Celui ou celle qui est en train d'étudier sérieusement, par exemple, n'aimera pas être envahi par un ami qui n'arrête pas de parler et qui veut à tout prix accaparer son attention. Lorsque des gens sont en prière dans une église, d'habitude ils n'apprécient pas qu'une bande de touristes viennent visiter leur église et s'exclament à haute voix sur les beautés de la nef.

D'autre part, dans certaines situations sociales ou interpersonnelles, nous pouvons être traités de snobs parce que nous restons tranquilles, alors que les autres s'attendent à ce que nous parlions. On nous dit alors quelque chose comme «T'es donc bien tranquille!» Même si la conversation n'est pas tellement importante, notre silence est perçu négativement. Or, habituellement, nous n'aimons pas donner une telle impression, alors nous nous mettons à parler de banalités comme tout le monde pour éviter d'être carrément rejetés, car notre acceptabilité sociale en dépend. Dans un cas où la situation demande le contraire, le silence paraît antisocial et fait fuir les gens. C'est ainsi qu'on arrive à jouer le jeu et lorsque notre voisin nous dit «Bonjour! Il fait beau aujourd'hui, n'est-ce pas?» nous rétorquons de façon spontanée «Oh oui, il fait beau! Bonne journée!» Nous avons alors établi un contact qui, quoique superficiel, nous rassure sur le fait que nous ne sommes pas isolés.

ÉMETTRE ET RECEVOIR DES COMMUNICATIONS NON VERBALES

Nos relations avec les autres dépendent énormément des messages non verbaux que nous émettons, et de l'interprétation que nous faisons de ce que nous observons. D'ailleurs, avant même qu'une personne n'ait dit un mot, nous nous formons parfois une opinion à son sujet. À l'inverse, nous sommes conscients du fait que les autres, d'une certaine manière, nous jugent souvent avant que nous ayons pu parler de nous-mêmes et montrer nos talents.

Lors des premières minutes d'une rencontre avec une nouvelle personne, on s'évalue de part et d'autre. En même temps que les échanges verbaux restent souvent à un niveau assez simple et conventionnel, les messages les plus significatifs semblent se transmettre de façon non verbale. «Poignée de main plutôt molle.» «Tiens, pas de bague de mariage.» «Ah! ce qu'il est grand; les personnes de cette taille me rendent mal à l'aise.» «Ce n'est pas l'accent de chez nous; ou elle a un ton de voix affecté.» «Sa coiffure a besoin d'être refaite.» «Elle ressemble à une de mes bonnes amies; sans doute une personne correcte.» «Il a vraiment des gestes gracieux, de belles manières.» «Sa cravate est affreuse.» «Il se tient vraiment loin de moi; est-il snob?»

Les messages non verbaux, bien sûr, ne servent pas seulement lors d'une première rencontre. Dans toutes nos relations, nous devons tenir compte du non verbal, c'est-à-dire du ton de voix, du regard, des gestes, du toucher, et ainsi de suite. De façon complémentaire, nous nous attendons à ce que les autres nous donnent des indices pour nous permettre de saisir leurs humeurs, leurs attentes ainsi que les significations qu'ils veulent communiquer. La communication en face à face recourt aux signes non verbaux visibles – expressions faciales, gestes, vêtements, etc.–, mais nos conversations téléphoniques, elles, sont limitées par notre ton de voix, nos pauses et les mots que nous choisissons.

Les façons de se comporter au téléphone sont expressives et souvent exagérées.
(© Susan Woog Wagner/Photo Researchers, Inc.)

Vous remarquerez que le style qu'on adopte au téléphone est habituellement un peu plus expressif que lors des échanges normaux en face à face. C'est là une tentative pour combler la perte des indices visuels, lesquels ne sont plus disponibles. Les annonceurs de radio doivent généralement utiliser davantage leur expression vocale que les annonceurs de télévision qui, eux, peuvent compter sur leur expression non verbale visuelle pour appuyer leur message.

Le non-verbal comme culture populaire

La communication non verbale suscite depuis quelques années beaucoup d'intérêt dans le public. Les gens veulent savoir comment ils peuvent influencer les autres par leur langage corporel ou par d'autres systèmes non verbaux. Ils sont également curieux de savoir comment les gestes, les mouvements et les autres aspects non verbaux révèlent leur «vraie» personnalité ou leurs «vraies» intentions. Cette approche populaire de la communication non verbale est sûrement bien fondée en partie mais il y a peu de chances de réussir à contrôler complètement les autres autour de nous ou, à l'inverse, de devenir des victimes simplement à cause du non-verbal. Avant de s'illusionner sur de telles techniques, il est nécessaire de garder en perspective le pouvoir relatif des comportements non verbaux.

Première mise en garde: considérer le contexte

De la même manière que les mots et la langue parlée doivent se situer dans le contexte de nos relations interpersonnelles, les signes non verbaux doivent être reliés au verbal, à nos interactions avec les autres ainsi qu'aux autres messages non verbaux, c'est-à-dire la posture, le toucher, le regard, etc., qui les accompagnent. Prélever hors contexte un geste, un regard ou une posture de quelqu'un et dire que nous comprenons la situation, c'est comme juger d'une conversation à partir d'un seul mot. Les comportements non verbaux, dans un processus de communication, font partie d'un ensemble dynamique et doivent être liés aux autres indices et comportements si nous voulons traduire adéquatement et complètement le message d'une personne. Malheureusement, plusieurs «livres de recettes» et articles traitant du non-verbal ignorent cet aspect important qui consiste à ce qu'on ait un assez grand nombre de messages à analyser et qu'on considère le contexte avant d'interpréter des signes non verbaux.

Deuxième mise en garde: est-ce vraiment un message?

Est-ce que cette personne m'a fait un clin d'oeil pour susciter ma complicité, ou avait-elle une poussière dans l'oeil? Alors que je lui parlais, est-ce que ma tante a croisé ses jambes parce qu'elle se fermait à ce j'étais en train de dire, parce qu'il y avait un courant d'air ou parce qu'elle me déteste? Ma copine s'est-elle assise à l'écart parce qu'elle est fâchée ou parce qu'il y a une tache sur le banc qui salirait sa robe? Les messages non verbaux, comme plusieurs auteurs le soulignent, peuvent être des signes psychologiquement très significatifs, comme ils peuvent être une réponse naturelle à une condition ou à un événement physique. Avant de jouer au psychologue avec les autres et d'analyser indûment des comportements non verbaux, nous devons nous demander si ces comportements et signes non verbaux sont vraiment ce qu'ils semblent être. En somme, il faut faire très attention lorsque nous interprétons un signe non verbal pris isolément.

Troisième mise en garde: ne vous attendez pas à trop

Peut-être avez-vous étudié et même pratiqué des techniques non verbales dans l'espoir d'influencer les autres sans qu'ils s'en rendent compte. Si vous avez l'intention de contrôler les autres au moyen d'un comportement non verbal, sachez bien d'abord qu'il y a plusieurs interprétations possibles à des gestes, c'est-à-dire que les mêmes gestes et comportements n'ont pas les mêmes significations pour tout le monde et que certaines de ces interprétations peuvent être erronées. De plus, même si vous réussissez à développer toute une panoplie de techniques non verbales dans le but d'influencer les autres, il y a de fortes chances pour que personne ne fasse suffisamment attention à ces techniques pour en être influencé.

Quatrième mise en garde: tout le monde n'est pas pareil

Si des types généraux de messages non verbaux signifient des choses logiques dans un environnement donné, il y a aussi plusieurs utilisations spéciales et uniques de mouvements, d'expressions du visage, de postures. En effet, très souvent le langage non verbal diffère d'une personne à l'autre et spécialement d'une culture à l'autre; le même geste peut avoir une signification très différente d'une société et d'un pays à l'autre. Les expressions faciales varient beaucoup d'un bout à l'autre du monde, et ce que l'on jugerait comme une expression adéquate par rapport aux normes culturelles nord-américaines ou européennes peut être très mal vu dans un pays asiatique. Le sourire d'un homme d'affaires japonais ne veut pas nécessairement dire qu'il apprécie la situation; au contraire c'est peut-être là un signe d'embarras. En somme, nous avons grandi dans un milieu spécifique et appris un langage parlé particulier, acquis un ensemble de comportements non verbaux particuliers. Il a été démontré que les hommes et les femmes utilisent les symboles non verbaux différemment: en effet, les femmes sont généralement plus sensibles aux indices que les hommes[3.] Enfin, on a trouvé que les gens agissent différemment lorsqu'ils mentent: ils laissent «voir» de la tension dans l'expression d'un mensonge[4].

LES SYSTÈMES NON VERBAUX

Il y a toujours un «quoi» et un «comment» dans nos transactions interpersonnelles. Il y a ce que nous disons à quelqu'un (le quoi) et il y a la manière dont nous le disons (le comment). Alors que le «quoi» véhicule l'information et les données en tant que telles, le «comment» indique pour sa part (1) *comment notre message devrait être interprété*, soit avec sérieux, à la blague, comme une confidence, etc., et (2) le genre de relation qui existe entre soi et l'autre, soit, une relation amicale, intime, formelle, autoritaire, etc.

Nous nous attendons à ce que le «quoi» d'une transaction soit véhiculé principalement par les mots, et que le «comment» soit amené par des indices dans le système non verbal. Ces indices peuvent être le paralangage, les gestes, les expressions du visage, les mouvements corporels, le langage des objets et le toucher.

---

3. Myra W. Isenhart, «An Investigation of the Relationship of Sex and Sex Role to the Ability to Decode Nonverbal cues», *Human Communication Research*, vol. 6, n°4, été 1980, p. 309-318; Ross Buck, «A Test of Nonverbal Receiving Ability: Preliminary Studies», *Human Communication Research*, vol. 2, n°2, hiver 1976, p. 162-171.
4. Henry D. O'Hair, Michael J. Cody et Margaret L. McLaughlin, «Prepared Lies, Spontaneous Lies, Machiavellianism, and Nonverbal Communication», *Human Communication Research*, vol. 7, n°4, été 1981, p. 325-339; George J. Keiser et Irving, Altman, «Relationship of Nonverbal Behavior to the Social Penetration Process», *Human Communication Research*, vol. 2, n°2, hiver 1976, p. 147-161.

Paralangage

La langue parlée n'est jamais complètement neutre. Elle est toujours affectée par le timbre et le volume de la voix, les inflexions et l'accent mis sur certains mots, les coupures d'une phrase. Ces facteurs non verbaux sont ce qu'on appelle le *paralangage*. Comme on le remarque souvent, un simple «oui» peut exprimer différents sentiments tels la colère, la frustration, la résignation, le désintéressement, l'accord avec une personne ou le défi. Par exemple, «Oui, je vais le faire» peut signifier:

«Je suis très contente de le faire.»
«Je vais le faire, mais c'est la dernière fois.»
«Tu réussis toujours à me faire faire ce que tu veux.»
«O.K., tu as gagné.»
«Ne t'inquiète pas, je vais m'en occuper.»
«Tu es tellement imbécile que je préfère m'en occuper moi-même.»

La bonne signification parmi celles-ci peut habituellement être déterminée par le ton, les inflexions de la voix et l'accent particulier mis sur chacun des mots. La signification de cette phrase ne réside pas seulement dans les mots, elle se trouve aussi dans la façon dont elle est exprimée, soit dans le paralangage, lequel est toujours associé à la langue parlée.

Dans la vie quotidienne, en plus de dépendre des mots, nous dépendons souvent du paralangage pour trouver les significations propres à ce que les autres nous disent. Il y a en effet des moments où nous sommes distraits et manquons certains mots, alors nous utilisons le paralangage pour interpréter ce qui est dit et répondre à notre interlocuteur. Cela se produit souvent, par exemple, lors de rencontres mondaines où les gens parlent de sujets assez légers sans porter vraiment attention au contenu; ils répondent alors de façon presque automatique. «Il fait beau, n'est-ce pas?» est dit d'un ton convaincant; l'autre de répondre «Ah! oui vraiment», même s'il pleut.

Enfin, une autre illustration de cette présence du paralangage dans notre communication nous est fournie lorsque nous devenons accaparés non par ce qu'une personne dit mais par la façon dont elle le dit. «Il a tellement l'air sûr de lui que j'ai toujours le goût de le contredire.» Ainsi, nous avons tendance à réagir aux différents aspects du paralangage, sans toutefois nous en rendre compte tout à fait. Si nous découvrons notre manière de réagir face au paralangage des gens, nous comprendrons mieux pourquoi certaines personnes nous attirent et d'autres nous repoussent.

Gestes

Le geste a probablement été un des premiers moyens de communication entre les humains avant l'apparition de la langue parlée. Toutes les cultures ont un système significatif de communication par gestes. Celui-ci accompagne le langage oral et peut même le remplacer pour véhiculer certains messages. Par exemple, nous secouons la tête de haut en bas pour dire «oui», de gauche à droite pour dire «non», nous l'inclinons doucement d'un côté à l'autre pour dire «peut-être». D'une culture à l'autre, tout cela peut être semblable ou très différent. Le signe pour faire de l'auto-stop est par exemple assez uniforme dans toutes les cultures automobiles. La poignée de main est généralement un geste d'amitié ou de bienvenue utilisé dans les cultures occidentales, mais elle n'est pas courante dans d'autres cultures.

Certaines cultures sont reconnues pour être plus expressives que d'autres sur le plan gestuel. Ainsi, chez la plupart des Français, des Italiens et des Méditerranéens, on constate une effusion de gestes assez remarquable.

Les gestes, par ailleurs, dans la communication deviennent souvent automatiques. Les étudiants sont habituellement très bons pour reconnaître les gestes familiers de leurs professeurs. Évidemment, les imitateurs professionnels utilisent aussi, en plus de la voix, les gestes des personnages qu'ils imitent. En somme, les gestes servent à donner du relief à nos mots. Mais si cet accent est placé sur le mauvais mot, il laisse alors l'impression que le message transmis n'est pas sincère.

Les gestes font partie de la culture. Ils sont enseignés par la société et la culture à laquelle nous appartenons. De même que nous apprenons notre langue d'origine, de même nous apprenons à l'accompagner d'un code gestuel et à interpréter ce code.

Insistons une fois de plus sur le fait qu'aucun comportement ou geste n'a de signification en lui-même. En effet, les gestes contribuent à la création des significations et font ressortir certaines attitudes et émotions des communications interpersonnelles. Les gestes et leurs significations potentielles ont rarement une correspondance unique de l'un à l'autre. Exception faite des *emblèmes* et des *signes* qui possèdent une signification communément partagée (le pouce en l'air pour l'auto-stop, par exemple), les gestes comme les mots ne contiennent pas de signification et ne font qu'aider à en créer une.

Les gestes aident donc de plusieurs façons à interpréter le contenu d'une communication. Ils aident à *définir des rôles et des situations sociales*. La façon dont nous souhaitons la bienvenue à quelqu'un indique si la situation est formelle ou sociale, amicale ou distante. Les gestes amples, par exemple, sont souvent attribués à l'autorité et aux figures dominantes, et les gestes plus restreints sont associés à la faiblesse, à l'inconfort ou au manque d'autorité. De même, les gestes servent souvent à *contrôler* le flux de l'interaction. Scheflen[5] définit ces contrôles comme étant des actions qui régularisent ou maintiennent l'ordre dans une communication interpersonnelle. Ainsi, l'index pointé et déplacé vers l'avant est un geste fréquemment utilisé par les parents pour exprimer la désapprobation et la punition. Le mouvement d'une main indique à quelqu'un d'arrêter ou de réduire son flot de paroles. Les gestes servent alors en quelque sorte à établir le contexte de la relation. D'autres gestes sont associés à un comportement de séduction, et d'autres encore à un comportement d'autorité.

Expressions du visage et mouvements corporels

Nous sommes rarement immobiles et sans expression. Notre figure bouge, notre corps bouge, et ces mouvements communiquent nos sentiments, réactions, émotions. Parfois, ces mouvements sont conscients et intentionnels, comme lorsque nous sourions délibérément à un ami,

5. Albert E. Scheflen, *Body Language and Social Order: Communication as Behavioral Control*, Englewood Cliffs, N.J., Prentice-Hall, 1972.

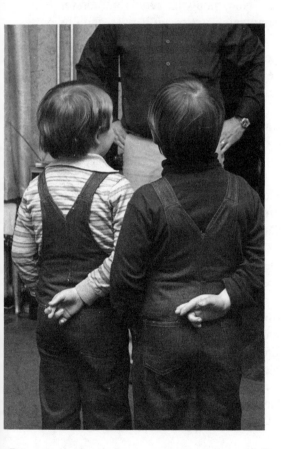

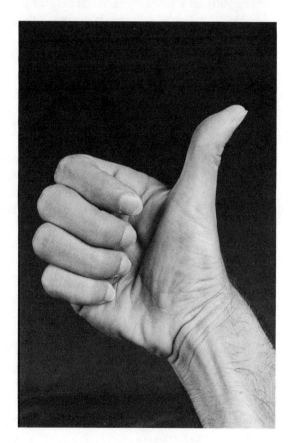

Pouvez-vous interpréter ces gestes et signaux? De quelle expérience antérieure avez-vous besoin pour comprendre ces messages non verbaux? (1ʳᵉ photo: © Joel Gordon 1982; 2ᵉ photo: © Dave Schaeffer/The Picture Cube; 3ᵉ photo: © Reuters/Bettman Newsphotos; 4ᵉ photo: © Peter Southwick/Stock, Boston).

fronçons les sourcils en signe de désapprobation ou écarquillons les yeux pour montrer notre surprise à quelqu'un. La plupart du temps, toutefois, ils font tellement partie de notre comportement global qu'ils apparaissent inconsciemment. Ainsi, lorsque nous essayons de masquer un sentiment, il peut malgré tout transparaître dans notre façon de bouger ou de nous tenir. La tension, l'ennui se manifesteront par des mouvements brusques ou une position retirée, alors que si nous sommes intéressés, nous aurons plutôt tendance à nous pencher vers l'avant et à garder le contact visuel avec notre interlocuteur.

La façon dont nous marchons indique souvent aux autres notre détermination, notre bien-être ou notre fatigue. Les postures peuvent aussi indiquer le statut social des gens. Avec des gens qui ont le même statut que nous ou un statut inférieur, nous avons tendance à nous détendre, alors que nous devenons tendus en présence de gens dont nous percevons (à tort ou à raison) qu'ils ont un statut supérieur au nôtre. Nous pouvons avoir l'impression qu'un individu manque de respect à notre endroit simplement parce qu'il pose certains gestes familiers que nous jugeons inappropriés.

Observer attentivement le visage des autres personnes est une autre chose que nous faisons régulièrement. Lorsqu'un ami nous dit quelque chose qui peut être interprété de plusieurs manières, nous nous hâtons de regarder son visage pour voir ce qu'il a vraiment voulu dire. Lorsque nous sommes dans une grande salle, loin de la personne qui parle en avant, nous cherchons à discerner les gestes et les expressions faciales qui pourraient nous faire saisir plus précisément son message.

La télévision et le cinéma nous ont habitués aux gros plans sur les personnes et personnages à l'écran; nous pouvons lire l'expression de leurs visages qui deviennent alors partie intégrante du message. Les chercheurs dans le domaine des media ont d'ailleurs étudié les effets des signes non verbaux des commentateurs de télévision. Il semble, d'après ces études, que les lecteurs de nouvelles montrent une variété d'expressions du visage lorsqu'ils parlent des divers candidats politiques, et qu'un observateur non habitué puisse détecter ces expressions. Ces études mentionnent toutefois que plusieurs de ces lecteurs de nouvelles sont des professionnels bien formés, et qu'en principe ils ont un meilleur contrôle que la majorité des gens sur leurs expressions du visage[6]. Évidemment, le ton de voix est très important dans un moyen de communication comme la télévision, mais il est indéniable que les expressions du visage et les autres petits gestes peuvent ajouter considérablement à ce que la personne dit.

En somme, que ce soit pour exprimer l'intimité, l'admiration, le désir, pour établir une supériorité ou donner un ordre, les yeux comme le reste du visage ou les mouvements du corps véhiculent toujours des messages importants. Il reste beaucoup à apprendre sur la façon dont les expressions du visage et les gestes affectent les autres, non seulement dans le domaine des relations interpersonnelles mais aussi dans le domaine social où d'importants enjeux politiques et sociaux sont en cause.

---

6. Howard S. Friedman, Timothy L. Mertz et M. Robin Di Matteo, «Perceived Bias in the Facial Expressions of Television Broadcasters», *Journal of Communication,* vol. 30, n°4, automne 1980, p. 103-111.

Contact visuel

Parmi les phénomènes reliés aux expressions du visage, les yeux méritent une attention spéciale. Les poètes disent des yeux qu'ils sont le «miroir de l'âme», et il y a toute une mythologie associée aux yeux, au regard, à ce que les chercheurs dans le domaine de la communication non verbale appellent le «comportement de contact visuel».

«Regarde-moi dans les yeux et dis-moi la vérité», déclarerons-nous dans certaines situations; «Ne me regarde pas de cette façon», dirons-nous dans une autre circonstance. Devons-nous regarder cette personne ou ne pas la regarder? *Qui* pouvons-nous fixer dans les yeux, *combien de temps* pouvons-nous «dévisager» quelqu'un, *sur quelles parties du corps* pouvons-nous porter notre regard, voilà autant de questions qui sont sans nul doute liées à des conventions et à certaines règles de la communication non verbale et qui influencent nos relations avec les autres.

En effet, plusieurs aspects du contact visuel sont minutieusement prescrits même si ces normes ne sont écrites nulle part. D'abord, plusieurs de ces règles viennent de la culture dans laquelle nous avons grandi. On enseigne par exemple aux enfants des cultures noire ou hispanique traditionnelles des États-Unis à ne pas regarder directement le visage des aînés (particulièrement leurs parents), alors qu'aux enfants blancs de classe moyenne on apprend à faire le contraire, surtout lorsqu'on les réprimande! D'autres normes sont liées au sexe ou à l'âge. Les femmes ont tendance à utiliser plus le contact visuel que les hommes, et cela dans des conditions quelque peu différentes; de plus, il y a des règles spécifiques du regard entre personnes d'âge différent.

Il y a aussi des règles par rapport à la zone du corps où nous pouvons regarder. Il est habituellement permis de regarder quelqu'un dans la zone au-dessus des épaules et celle en bas des genoux. Pensons à ce nous pouvons éprouver si nous sommes surpris en train de regarder quelqu'un dans la zone «entre les deux» ou l'inverse si nous surprenons quelqu'un en train

Le contact visuel suggère souvent l'intimité. (© Peter Vandermark/Stock, Boston)

de nous regarder un peu trop intensément dans cette région. Nous mettons également beaucoup d'énergie à regarder notre interlocuteur dans les yeux ou à vouloir capter son regard. Le contact visuel sert à indiquer à qui est le tour de parler.

Dans certains cas, lorsqu'on fixe quelqu'un dans les yeux, et selon que ce regard est dur ou tendre, cela signifie une forte désapprobation ou alors un désir que nous voulons entrer en contact. Avec notre ami ou amie intime, un regard prolongé pourra indiquer qu'il est temps de quitter la réception où nous sommes. Les différences de statut social déterminent aussi qui peut regarder qui, et pendant combien de temps; ainsi, une personne ayant un statut, une position ou un rang supérieur (parents, patron, etc.) pourra regarder plus longuement et intensément une autre personne d'un rang inférieur. La personne de rang inférieur accepte généralement la norme et ne regarde la personne de rang supérieur qu'à de brefs moments, évitant ainsi le contact visuel soutenu. Il y a risque parfois d'apparaître insubordonné si on regarde le patron trop longtemps dans les yeux.

Un autre type de contact visuel prolongé et intense peut avoir une connotation plus intime, habituellement de nature sexuelle, mais peut aussi être une manière d'établir notre supériorité et notre autorité sur une autre personne. C'est un peu le jeu de «qui baissera les yeux en premier». La distance aussi, bien sûr, peut faire varier l'intensité et la durée du contact visuel que l'on a avec quelqu'un. Le contact visuel est alors fonction de l'endroit où nous sommes en relation avec l'autre.

En somme, il y a des règles qui nous disent qui on peut regarder, de quelle façon et combien de temps peut durer un contact visuel; il semble bien que nous le sachions intuitivement lorsque nous enfreignons ces règles.

Langage des objets

Nous passons tous un certain temps à prendre soin de notre apparence physique. Notre culture accorde beaucoup d'importance à l'attrait physique, à l'apparence des gens. Évidemment, l'esthétique varie d'une année à l'autre avec les changements de la mode. L'apparence est un des déterminants majeurs de nos premières impressions des autres. Notre allure et nos vêtements communiquent toujours quelque chose aux autres, que nous le voulions ou non. Comme le note Leathers[7]: «Nous communiquons notre identité par ce qui est visible.» Pour plusieurs d'entre nous, le principal moyen de communiquer notre apparence est le vêtement.

En effet, du point de vue de la communication, les vêtements ont plusieurs fonctions. Ils peuvent exprimer des émotions et des sentiments. Les couleurs vives expriment souvent la vitalité, la jeunesse, alors que le gris et les couleurs sombres expriment davantage le sérieux et la retenue. Il y a des vêtements qui suggèrent des messages sexuels: mini-jupes, pantalons moulants, décolletés profonds. Récemment, sont apparus des livres sur «la façon de s'habiller pour réussir», lesquels aident les hommes et les femmes à adopter l'apparence appropriée pour créer une bonne impression dans divers milieux. En fait, nos vêtements ont un impact prononcé sur notre propre comportement et sur celui des autres envers nous. Les uniformes,

---

7. Dale G. Leathers, *Non Verbal Communication Systems*, Boston, Allyn and Bacon, 1976.

par exemple, ont une valeur communicative très élevée. De même, les vêtements ont souvent pour fonction de différencier les gens. Ainsi, en général, l'habillement varie avec l'âge; les jeunes ne s'habillent pas comme les gens âgés.

Évidemment, les vêtements reflètent aussi des différences socio-économiques, culturelles et ethniques. En fait, quoique nous le sachions tous intuitivement, l'étude de Gibbins[8] révèle clairement que les gens se jugent entre eux à partir des vêtements qu'ils portent et qu'en général nous nous entendons sur la signification attachée à certains types de vêtements. Certes, la situation a quelque peu changé aujourd'hui. Sans doute fait-on moins de jugements radicaux et d'associations hâtives qu'à une certaine époque, mais ce facteur influence encore sûrement les perceptions interpersonnelles. Pour la plupart, nous choisissons nos vêtements en tenant compte de l'appréciation qu'en feront les autres, et non seulement en fonction des facteurs de durabilité et de confort.

Le langage des objets, pour sa part, renvoie aux significations que nous attribuons aux objets dont nous nous entourons. De la même manière que les vêtements, nos bijoux, notre coiffure et tous les autres objets comme l'ameublement que nous choisissons pour notre chambre ou notre appartement font partie de ce langage. Ces objets parlent de nous, car ils représentent des choix que nous avons faits. À cet égard, les vêtements et les bijoux sont particulièrement révélateurs. Nous nous habillons différemment selon les occasions et, si nous ne le faisons pas, nous communiquons quand même nos attitudes, nos valeurs, notre éducation. Le vêtement a une valeur symbolique. Certains jeunes, comme les punks, y attribuent une valeur extrêmement grande. D'autres personnes sont si préoccupées par l'image que projette leur habillement qu'elles ne fréquentent que certaines boutiques où elles n'achètent que des vêtements signés pour s'assurer de leur statut ou offrir une image particulière. Enfin, bien entendu, certains objets comme des anneaux, des bagues, des bracelets, des foulards ont pour fonction de communiquer des choses assez précises.

Nous réagissons à l'habillement des autres en nous demandant ce que cela signifie pour nous. Une femme portant un uniforme de la police révèle beaucoup, de façon non verbale, si ce n'est sur elle-même, tout au moins sur le rôle qu'elle est appelée à jouer dans certaines situations. Plusieurs études ont tenté de cerner la manière dont les gens réagissent face aux «uniformes» différents tels que ceux d'un clochard, d'un commis voyageur, d'une personnalité politique ou d'un étudiant qui fait circuler une pétition. Les styles de coiffure, les types de barbe, les bijoux, toutes ces variables ont souvent fait l'objet d'études formelles et informelles visant à observer les réactions des gens face à ce que nous appelons ici le langage des objets.

Tous ces objets nous aident à faire des inférences au sujet des individus. Nous ne pouvons ignorer ces objets et décider qu'ils ne nous influencent pas, comme nous ne pouvons décider que le langage d'un individu ne nous influence pas. Trop souvent, malheureusement, ces inférences sont mauvaises ou la signification des objets est mal interprétée. Nous devons donc être prudents avant d'interpréter les messages qu'une personne communique par sa tenue vestimentaire ou par les objets qui l'entourent. D'autre part, nous ne pouvons nier que c'est habituellement nous-mêmes qui choisissons notre habillement; nous devons donc en assumer

---

8. K. Gibbins, «Communication Aspects of Women's Clothes and Their Relation to Fashionability», *British Journal of Social And Clinical Psychology*, vol. 8, 1969, p. 306-307.

la responsabilité, même si les conséquences de ces choix ne correspondent pas aux intentions que nous avions et génèrent chez les autres des réactions que nous ne souhaitions pas. Si nous voulons communiquer efficacement avec les autres, nous ne pouvons prendre pour acquis qu'il appartient aux autres de nous comprendre. Nous sommes responsables au premier chef de ce que les autres comprennent. Si nous pensons que nous ne devrions pas être jugés sur notre habillement et nos objets, rappelons-nous qu'ils font partie de ce que nous communiquons, que nous le voulions ou non.

Communication par le toucher

Le toucher est un des premiers modes de communication de l'être humain. Les jeunes enfants apprennent leur environnement grâce aux sensations venant du toucher: cela inclut la façon dont ils sont portés, bercés, caressés, ce qu'ils manipulent et ce que nous leur donnons à palper, etc. La couverture de Linus dans les dessins animés de Charlie Brown ou l'ourson de chaque enfant sont des exemples d'objets auxquels l'enfant s'attache et qu'il adore toucher, sentir et garder près de lui. Nous communiquons énormément par le toucher. Une tape d'affection, une poignée de main ou une promenade main dans la main avec la personne qu'on aime communiquent davantage que bien des échanges verbaux. Les amoureux savent cela, les parents savent cela.

Encadré 7.1   Le pouvoir du toucher

Nous ne nous rendons peut-être pas toujours compte jusqu'à quel point le toucher est un mode d'apprentissage et de communication fort et direct. Brown et Van Riper* citent un exemple de cette puissance.

Un étudiant conduisait son automobile sur l'autoroute par un beau matin d'automne. Une autre automobile arrive derrière la sienne à très grande vitesse et se met tout à coup à déraper d'un côté à l'autre de la route. Après quelques secondes interminables, il voit cette automobile le frôler, faire une embardée dans le fossé, accrocher violemment au passage un poteau de signalisation avant, finalement, de s'immobiliser. L'étudiant arrête et court vers l'automobile pour apporter de l'aide à son conducteur. La victime gît contre la portière de son automobile, son visage est criblé d'éclats de vitre et elle est apparemment morte. Le jeune homme s'approche et veut soulever un peu la victime pour la dégager. L'homme bouge alors doucement la tête sans ouvrir les yeux et il murmure: «Donnez-moi la main.» L'étudiant prend alors la main de l'homme; au bout d'une minute, il sent l'homme mourir. «Pendant ces moments, dit l'étudiant, j'ai appris de la mort ce qu'aucune parole ne saurait m'enseigner.»

---

*   Charles T. Brown et Charles Van Riper, *Speech and Man*, Englewood Cliffs, N.J., Prentice-Hall, 1966, p. 54-55. Reproduit avec l'autorisation des auteurs et de l'éditeur.

Dans la culture nord-américaine, mis à part quelques situations bien définies, le toucher est lié aux relations interpersonnelles intimes et reste tabou dans la plupart des autres types de relations. Plusieurs personnes s'abstiennent de toucher les autres dans les occasions sociales, de crainte que ce comportement ne paraisse déplacé, ou simplement parce qu'ils ont peur et n'aiment pas les contacts physiques. On remarque généralement, en Amérique du Nord, que les gens n'aiment pas se toucher; ils évitent les contacts physiques, que ce soit dans l'autobus, dans le métro, à l'entrée du cinéma ou de théâtre. Dans les pays arabes, d'autre part, les gens forment peu souvent des lignes, ils se pressent les uns sur les autres, se touchent. Cela fait partie des moeurs et n'est pas considéré comme étant de mauvais goût. Les enfants nord-américains apprennent certes à embrasser la parenté lors de certaines rencontres mais cela ne va guère plus loin. Dans les pays méditerranéens, on fait couramment la bise non seulement aux intimes, mais aussi aux amis et aux gens que l'on rencontre. Il n'est pas rare non plus de voir deux amis se promener en se tenant par la taille.

Le toucher est un outil de communication puissant. Il sert à exprimer toute une gamme de sentiments tels que la peur, l'amour, l'anxiété, la chaleur ou la froideur. L'importance du toucher dans la communication est également mise en évidence par la langue parlée. Le français possède d'innombrables expressions reliées au corps et au toucher, telles que: prendre contact avec quelqu'un, donner un coup de main, avoir des frissons dans le dos, se faire tirer l'oreille, s'enfler la tête, flatter quelqu'un, avoir quelqu'un dans la peau, être touché au fond du coeur, se serrer les coudes, avoir la peau dure, sauver la face.

Le toucher est si important pour le développement de la vie humaine qu'un nouveau-né qui n'est pas pris, bercé et caressé tombe facilement malade et peut mourir de ce manque de stimulation fondamentale[9]. La dimension du toucher dans la communication interpersonnelle est un processus transactionnel par lequel le soi se développe. C'est par le contact physique que l'enfant prend conscience de son corps et développe ce qu'on appelle l'image corporelle de soi, laquelle est la plus fondamentale du soi et du moi futur. Un manque de toucher dans les premiers moments de la vie peut laisser de sérieuses blessures émotionnelles qui affectent, lors de la vie adulte, le développement de saines relations intimes.

Le toucher est en fait un véritable mode de communication. Nous touchons et nous nous rapprochons plus facilement des personnes que nous aimons. Ce n'est pas là une simple vérité de La Palice. La dimension relationnelle de nos transactions interpersonnelles se perçoit concrètement à travers le toucher et le contact physique. Par exemple, on peut facilement se permettre un contact physique avec un bébé ou un jeune enfant, mais on est mal à l'aise de toucher quelqu'un de rang social élevé ou en position d'autorité.

La façon dont nous toucherons une personne communique aussi quelque chose de notre relation avec elle. Un toucher tendre et délicat communique des sentiments généralement positifs, alors qu'un toucher brusque fait habituellement un effet négatif, à moins d'être dans une situation de jeu où la règle le permet.

Enfin, les zones du corps qui peuvent être touchées ont aussi une valeur communicative. Les zones du corps que nous pouvons toucher sont habituellement prescrites par la culture

---

9. Ashley Montagu, *La Peau et le Toucher*, Paris, Seuil, 1979.

ambiante, souvent avec minutie, car les touchers ont toujours une signification sexuelle potentielle. Ainsi, il semble plus permis de toucher le genou d'un ami que de toucher son visage, et ainsi de suite selon le type de relation entre les deux personnes, selon leur sexe et leur âge.

LE CONTEXTE DES MESSAGES NON VERBAUX

Dans son livre *Le Langage silencieux*, l'anthropologue Edward T. Hall[10], a été un des premiers chercheurs à fouiller les dimensions contextuelles de la communication interpersonnelle. Comme nous l'avons déjà souligné, la communication s'amorce non pas dans un vacuum, mais dans un contexte culturel, c'est-à-dire dans un système de normes et de règles qui détermine dans une large mesure les variables du processus de la communication. Nous ne sommes pas toujours très conscients de ce contexte culturel parce qu'il nous est familier et nous semble normal. Nous sommes susceptibles de nous en rendre compte davantage lorsque nous sommes placés devant une culture étrangère. Les deux facteurs les plus importants qui affectent notre communication interpersonnelle sont le temps et l'espace.

Le temps

Le temps est une forme de communication interpersonnelle. Dans notre culture, toutefois, le temps est traité comme une chose matérielle: nous en perdons, nous en gagnons, nous en donnons, nous en prenons. Le temps est précieux, il est une denrée plutôt rare dans notre mode de vie moderne. Pourtant, le temps véhicule d'importants messages.

Dans notre culture urbaine nord-américaine, la ponctualité est de mise et les retards sont plutôt mal vus. Remettre un travail en retard ou arriver après l'heure fixée à un rendez-vous, cela risque d'avoir des conséquences fâcheuses. Toutefois, ce que nous appelons un «retard» peut varier d'un individu à l'autre non seulement selon sa perception du temps, mais aussi selon la situation, les gens qui sont en cause et le lieu. C'est ainsi qu'à un rendez-vous pour obtenir un emploi, nous tâcherons d'être à l'heure, et arriverons peut-être même 15 minutes avant l'heure fixée. Si nous arrivons en retard, nous essaierons de nous justifier. Plus notre retard sera grand, plus nos explications risquent d'être élaborées et plus nous nous confondrons en excuses face aux gens qui nous attendaient.

Avec un ami intime, un retard peut être plus grand sans qu'il y ait de conséquences majeures, mais, là aussi, une échelle plus ou moins large est à respecter. Bien que des excuses puissent être sincères et véritables, un retard excessif risque d'indisposer fortement l'autre personne et même être considéré comme une insulte ou un signe d'irresponsabilité.

Dans certaines cultures, les retards ne sont vraiment pas perçus comme insultants et les heures de rendez-vous d'affaires sont même assez extensibles. Au Mexique, par exemple, il est courant de voir les gens arriver une heure et demie en retard à un rendez-vous sans que cela soit mal considéré. En Amérique du Nord, la chose est plutôt impensable ou tout au moins

---

10. Edward T. Hall, *Le Langage silencieux*, Paris, HMH, 1973.

disgracieuse, et nous nous attendons à des excuses et des explications. À moins de connaître et de comprendre la perception du temps d'une culture, nous risquons d'être frustrés et notre communication peut en être affectée.

Le temps communique d'autres choses. Un appel téléphonique en pleine nuit indique une urgence. Habituellement, les gens n'appellent pas la nuit pour dire «Bonjour, comment ça va? Ça fait longtemps qu'on s'est vus.» Dans la vie de famille, deux heures de retard d'un de ses membres pour le souper, cela passe encore, mais le même retard après minuit, et sans avertissement, provoquera de l'inquiétude.

L'espace

L'espace dans lequel s'établit une communication interpersonnelle nous affecte d'une façon subtile dont nous ne sommes pas toujours conscients. Chacun a son «espace personnel», une espèce de bulle psychologique qui lui est propre et qu'il n'aime pas voir brusquement envahie. Nous préférons généralement signifier aux autres à quel moment ils peuvent se rapprocher et franchir cet espace psychologique. Quoique chacun tende à délimiter son espace personnel en fonction de la distance physique, dans l'ensemble, des schémas culturels contrôlent et régularisent cet espace et ces distances interpersonnelles.

Edward T. Hall a identifié trois distances interpersonnelles majeures qui gouvernent la plupart de nos relations. Il les a nommées distance «intime», «sociale» et «publique». La distance «intime» va du fait d'être très proche (de 7 à 15 cm, pour un murmure, un secret, une communication intime) au fait d'être proche (de 20 à 30 cm, pour une information confidentielle) et d'être près de quelqu'un (de 30 à 60 cm, pour parler à voix douce). La distance «sociale», elle, va de 60 cm à 1,5 m et la distance «publique» de 2 à 30 m.

Lorsque des gens violent ces règles établies, c'est-à-dire franchissent des limites non conformes aux attentes des autres selon les circonstances, un malaise est habituellement ressenti. Par exemple, lorsque quelqu'un se rapproche trop de nous sans que nous l'ayons invité, nous avons tendance à reculer ou à nous déplacer. Nous territoire est marqué et nous aimons laisser les autres s'approcher à la condition de l'avoir choisi. Ainsi, l'inconfort que nous ressentons

---

Encadré 7.2   Définition de l'espace

Comme Hall l'a remarqué, en Amérique du Nord la distance «idéale» pour une conversation entre deux personnes est d'environ un mètre. En France, au Brésil ou dans les pays arabes, on réduit plus facilement cette distance. Une conversation entre un Américain et un Arabe pourrait d'ailleurs prendre l'allure d'un ballet: l'Arabe s'approcherait de l'Américain et le regarderait intensément dans les yeux. L'Américain ne serait pas à l'aise à cette distance et reculerait un peu. L'Arabe, pour qui l'Américain semblerait trop éloigné, se rapprocherait; l'Américain reculerait encore. Chacun se sentirait mal à l'aise et dérangé par ce qu'il perçoit: l'Arabe semblerait un «intrus» pour l'Américain, et l'Américain serait vraiment «trop froid» et inamical pour l'Arabe.

dans une pièce où il y a beaucoup de monde vient souvent du fait que les gens sont trop rapprochés les uns des autres. Ou encore, lorsque quelqu'un, dans un endroit public, vient s'asseoir trop près de nous, nous faisons parfois un geste pour nous éloigner un peu. Si, après cela, l'autre personne ne semble pas comprendre le message non verbal, nous pourrons carrément adopter un comportement d'évitement. Par exemple, à la cafétéria, nous achèverons notre repas un peu plus rapidement; à la bibliothèque, nous changerons discrètement de place. Les distances interpersonnelles, comme la notion du temps à respecter, varient également selon les cultures.

La distance interpersonnelle est un moyen d'exprimer les sentiments. Nous nous rapprochons des gens que nous aimons et, si nous avons le choix, nous nous éloignons de ceux que nous n'aimons pas. Parfois, nous prenons même de grandes précautions pour ne pas s'approcher trop d'une personne que nous n'aimons pas.

L'étude de l'«espace de vie», soit l'étude des relations spatiales entre les gens, ou ce qu'on a appelé également la «proxémique», utilise maintenant deux hypothèses par rapport au rapprochement que les gens tolèrent généralement entre eux: (1) en tenant compte de plusieurs facteurs, les gens ont des espaces bien délimités dans leurs rapports avec les autres; (2) ces distances ne sont pas toujours respectées par les autres. À partir de ces deux hypothèses et à partir d'un certain nombre de recherches antérieures, Burgoon et d'autres psychologues ont mené des recherches[11]. Les gens admirés sont mieux appréciés, sont plus persuasifs et sont mieux compris lorsqu'ils se placent plus proche que ce qu'indique la distance normale. Les gens ayant un statut élevé sont également plus aimés, plus persuasifs et mieux compris lorsqu'ils se tiennent plus proches que ce à quoi on s'attend d'eux. Si vous êtes une personne dont la crédibilité est élevée, vous serez davantage aimé si vous vous rapprochez, ce qui ne sera pas le cas d'une personne dont la crédibilité est faible. La distance fera également une différence dans la manière de punir: si vous donnez un feed-back négatif à quelqu'un, vous serez plus apprécié si vous vous tenez plus loin que ce à quoi on s'attend; les gens se sentent plus menacés par une source punitive qui se tient à une bonne distance que par une source gratifiante à la même distance.

Les gens, comme les animaux, ont tendance à posséder un espace personnel; on parle alors de «territorialité». La territorialité communique aussi quelque chose et nous l'utilisons comme une sorte d'extension de nous-mêmes. Les voitures, par exemple, sont souvent une extension de nous-mêmes. Notre bureau, notre chaise deviennent des extensions de nous-mêmes et il arrive que nous soyons irrités lorsqu'une personne touche ou prend ces objets qui sont, en somme, partie intégrante de notre territoire. Des invectives comme «N'entre pas dans ma chambre, ne touche pas à mes affaires» sont dites parfois comme si l'autre allait toucher personnellement notre propre corps. En fait, nous le «sentons» lorsqu'une personne est trop près et empiète sur notre terrain, ou lorsqu'elle trop loin et n'est plus sur notre territoire.

---

11. Judee K. Burgoon et Stephen B. Jones, «Toward a Theory of Personal Space Expectation and their Violations», Human *Communication Research*, vol. 2, n° 2, hiver1976, p. 131-146; Judee K. Burgoon et Lynn Aho, «Field Experiments on the Effects of Violations of Conversational Distance», *Communication Monographs*, vol. 49, n° 2, juin 1982.

Le territoire est aussi une chose définie culturellement. Dans les transactions interpersonnelles en particulier, il procure souvent un avantage au propriétaire ou à l'occupant, c'est-à-dire à la personne qui est chez elle plutôt que chez l'autre. Faire une compétition sportive «sur son terrain» plutôt que chez l'adversaire est souvent perçu comme un avantage. Dans notre territoire, notre maison, notre appartement, nous nous sentons mieux que dans les lieux publics ou dans l'appartement du voisin. Le fait de demander «Chez moi ou chez toi?» recouvre souvent un enjeu émotif important. Si un superviseur vous appelle à son bureau pour discuter d'une question, un certain avantage lui est conféré par le territoire.

Observez vos rapports avec un de vos professeurs, votre patron ou un autre supérieur hiérarchique. Ceux-ci se modifient selon le lieu ou le territoire où ils se situent. Si vous cherchez un rapport égalitaire et amical, vous tenterez d'amener la personne en question dans un café plutôt que d'aller à son bureau. D'autre part, s'il s'agit de parler d'un travail ou d'affaires, cette personne voudra sûrement rétablir sa position d'autorité en vous rencontrant dans son bureau, lequel lieu n'est plus neutre. L'avantage est léger et subtil, mais il compte.

Certains territoires, nous le voyons, sont considérés comme étant neutres. Ainsi, les halls d'entrée, les places publiques, les cafétérias, etc., appartiennent à tout le monde. La communication qui a lieu dans de tels endroits neutres a habituellement certaines caractéristiques. En diplomatie, on ira jusqu'à tenir des rencontres importantes dans des lieux neutres, voire des pays neutres. Les discussions, négociations et pourparlers de paix à ce niveau sont souvent cruciaux et nécessitent la neutralité des lieux d'échange pour qu'aucun des pays en cause ne puisse profiter d'un avantage psychologique ou logistique au détriment d'un autre. Si nous sommes dans une position dominante par rapport à l'autre et que nous souhaitions désormais une relation plus égalitaire, nous aurons le choix d'aller sur le terrain de l'autre ou dans un lieu neutre pour compenser quelque peu notre position supérieure.

Certains aspects particuliers de l'espace, autres que les distances interpersonnelles, nous affectent aussi. L'arrangement d'une pièce, la disposition de la table, et des chaises autour d'une table pour une réunion ou un séminaire, le nombre de personnes dans un local par rapport à l'espace disponible, tout cela influence le développement de la communication interpersonnelle.

Des chercheurs ont trouvé, par exemple, que la communication se distribuait plus également et que le réseau de communication était plus équilibré quand les gens étaient assis autour d'une table *ronde* plutôt qu'autour d'une table *rectangulaire*. À une table rectangulaire, les gens assis à chaque bout parleront davantage et nous aurons tendance à leur parler. Robert Sommer[12] a fait des études poussées sur la disposition des chaises autour d'une table et son influence sur la perception des gens par rapport à la compétition, la coopération ou la collaboration.

---

12. Robert Sommer, *Personal Space*, Englewood Cliffs, N.J., Prentice-Hall, 1969, p. 58-75.

La figure 7.1 illustre trois de ces arrangements de base. Le face à face à chaque extrémité d'une table, par exemple, risque d'être perçu comme de la compétition. En fait, la plupart des jeux compétitifs se font en face à face. Lorsque nous nous assoyons en face à face par rapport à quelqu'un, nous avons tendance à percevoir la situation comme compétitive et avons l'impression de faire face à un adversaire. Pour un arrangement coopératif, nous devrons retrouver une position en diagonale ou côte à côte. En fait, dans des discussions, ne parle-t-on pas «d'être du même bord»? Dans un arrangement diagonal, un contact plus étroit peut être maintenu, mais, grâce au coin de la table ou du bureau, chacun peut se prémunir contre une intrusion dans son espace personnel. Le travail en groupe sur un même projet, particulièrement si des objets doivent être manipulés, peut être facilité si les membres s'assoient l'un à côté de l'autre.

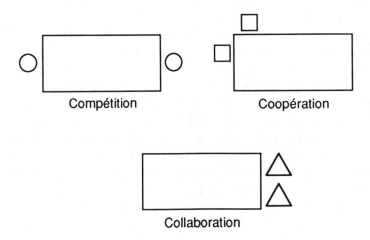

Compétition

Coopération

Collaboration

Figure 7.1   Arrangement de chaises.

Observez la disposition des chaises et de la table de travail dans le bureau d'un professeur, d'un conseiller pédagogique ou d'un psychologue. Est-ce que ceux-ci s'assoient derrière leur table pour vous parler? Y a-t-il une chaise disponible, installée en diagonale? Les chaises permettent-elles un entretien en face à face? Pouvez-vous vous asseoir à côté d'eux lorsque vous les consultez? Cette position change-t-elle lorsque, par exemple, vous allez au bureau du professeur pour recevoir l'évaluation finale de votre travail?

Quoique ces arrangements ne soient pas le seul facteur qui permette de maintenir le contrôle, engendrer la compétition ou la coopération, ces éléments non verbaux ne sont pas l'effet du hasard. Les gens choisissent l'arrangement de leur bureau, de leur lieu de travail, certes dans les limites de la forme et de la grandeur que le lieu lui-même impose et selon les contraintes organisationnelles de leur métier, mais ils choisissent aussi, en général, la position qu'ils veulent occuper en rapport avec les autres. Cette position a une importante valeur de communication.

RÉSUMÉ

CARACTÉRISTIQUES DE LA COMMUNICATION NON VERBALE

L'impossibilité de ne pas communiquer

Nous ne pouvons pas ne pas communiquer. La nature de la communication est telle qu'elle est inévitable. Comme nous l'avons déjà dit, nous pouvons nous empêcher de communiquer avec des mots, mais nous ne pouvons éviter la communication non verbale. Ne rien dire est en soi une forme de communication. Nous ne pouvons nous empêcher d'exprimer quelque chose avec nos mouvements ou les expressions de notre visage. La communication interpersonnelle est donc inévitable quand deux personnes sont ensemble, parce que tout comportement a une valeur de communication.

La communication interpersonnelle peut ne pas être consciente, intentionnelle, ni même réussie, mais il y en a toujours une quand même. Connaître ce principe, en comprendre la valeur pour nous-mêmes et pour les autres, est essentiel si l'on veut éviter les ruptures de communication.

L'expression des sentiments et des émotions

La communication non verbale est notre premier mode d'expression de nos sentiments et de nos émotions. Certes, nous communiquons d'abord ce qui touche le contenu ou la tâche à travers la communication verbale. Le langage verbal est notre mode d'échange d'information cognitive et de «négociation» de la réalité, c'est-à-dire notre outil pour «obtenir» quelque chose des autres. La communication non verbale est toutefois ce qui sert d'abord à partager des sentiments et entretenir des relations avec les autres. Les mots renferment *l'information sur le contenu* ; la communication non verbale exprime et transmet *l'information affective*. La manière dont nous regardons quelqu'un, par exemple, peut communiquer de l'amour, de la haine, de la confiance, de la méfiance, du désir, de l'admiration, de l'acceptation, de l'incompréhension, de la surprise, toute une gamme d'émotions et de sentiments que nous n'exprimons pas toujours verbalement. Des gestes comme celui de tapoter des doigts ou du pied peuvent communiquer de l'impatience, de l'ennui, de la nervosité. Le visage, quant à lui, peut exprimer assez bien ce que nous voulons ou ce que nous ne voulons pas, notre accord ou notre désaccord.

L'information sur le contenu et la relation

La communication non verbale inclut habituellement de l'information sur le contenu du message verbal. Elle nous donne les indices nécessaires pour interpréter les messages verbaux. Le même contenu dit d'un ton différent – nous l'avons illustré plus tôt – doit probablement être interprété de façon différente. Le ton de voix, parmi les autres expressions non verbales, est un indice essentiel sur lequel se basent nos interprétations. Le fait de ne pas tenir suffisamment compte de cette dimension de la communication interpersonnelle peut engendrer des difficultés.

La communication non verbale procure aussi de l'information sur la nature de notre relation avec ceux et celles qui nous entourent. Ici, les subtilités sont nombreuses. Avant de qualifier une relation de bonne ou de mauvaise, par exemple au cours d'un entretien ou d'une conversation, nous devrons être capables de saisir conjointement plusieurs variables et nuances.

Encadré 7.3   Le non-verbal dans une salle de classe

Lewis et Page* ont émis l'hypothèse qu'il y a une relation tout à fait particulière entre ce qui se passe au niveau non verbal entre le professeur et les étudiants dans une classe et le genre d'apprentissage qu'on y trouve. Ayant retenu et appliqué certains principes de communication non verbale dans une classe , ils purent d'abord voir clairement que les étudiants mettaient leur confiance dans l'honnêteté et l'authenticité des professeurs à partir d'indices non verbaux. Ils expliquèrent que ce type d'étudiants vérifient non seulement la fiabilité de la personne qui communique, mais s'attend à obtenir des clarifications supplémentaires du matériel verbal par l'observation du système non verbal. En somme, dans un tel échange, une grande responsabilité incombe au professeur; il doit être conscient et honnête dans ce qu'il communique non verbalement. Décidément, tout le monde est engagé dans ces transactions non verbales.

---

* Phillip V. Lewis et Zollie Page, «Educational Implications of Non-Verbal Communication» *ETC.*, Vol. 31 n° 4, 1974, p. 371-375.

La fiabilité des messages non verbaux

Les messages non verbaux sont habituellement plus fiables que les messages verbaux. Effectivement, nous nous en rendons souvent compte dans des situations interpersonnelles, où le contexte du message ne correspond pas à l'information affective transmise par ce même message. Un homme peut dire à une femme «Je t'aime» et avoir des attitudes non verbales qui nient ce qu'il vient de dire. Il dit quelque chose au niveau du contenu mais communique l'opposé de façon non verbale. Qu'est-ce que la femme doit croire? Les mots ou les signes non verbaux?

Une femme vous assure qu'elle vous fait confiance, mais son comportement envers vous contredit constamment ses paroles. Que devez-vous croire? Les paroles ou le comportement?

Nous savons intuitivement que les mots à eux seuls ne sont pas suffisants pour établir l'authenticité d'un message. Nous savons cela parce que nous savons comment il est facile de mentir avec les mots. Nous le faisons souvent dans des situations sociales, comme lorsque nous disons à quelqu'un «Merci beaucoup, ça m'a fait plaisir» ou «Je suis très content que vous soyez venu». Chacun est poli mais ne croit pas vraiment ce qu'il dit. Il est plus difficile de «mentir» non verbalement et d'exprimer des émotions que nous ne ressentons pas. Les acteurs professionnels ne sont pas partout. Pour la plupart, nous avons de la difficulté à contrefaire longtemps une émotion ou un sentiment que nous n'éprouvons pas. Un étudiant peut feindre de s'intéresser à un cours pendant 10 minutes, mais le faire pendant tout un cours sans donner de signe d'ennui est extrêmement difficile.

Les expressions non verbales sont donc considérées comme étant plus fiables que les mots. Si le message verbal est en conflit avec l'expression non verbale, nous aurons tendance à croire le non-verbal. En fait, pour nous faire une impression sur l'honnêteté des gens dans leurs relations, nous pouvons nous fier davantage aux indices non verbaux que sur ce qu'ils nous disent ou disent d'eux-mêmes.

Les gens auxquels nous faisons confiance sont habituellement ceux qui ont un comportement non verbal qui confirme et renforce le contenu de leur communication verbale. Nous voyons et sentons qu'ils expriment leurs vrais sentiments, qu'ils sentent et agissent selon ce qu'ils disent.

QUATRIÈME PARTIE

UN COUP D'OEIL
SUR LES INTERRELATIONS

CHAPITRE

8

LA DYNAMIQUE DES INTERRELATIONS

OBJECTIFS

Après avoir étudié ce chapitre, vous devriez être en mesure de:

1. Définir le terme «interrelations» en le comparant au terme «transactions».

2. Énumérer les cinq phases des interrelations, donner les caractéristiques de chacune et, à partir de deux milieux différents (famille, école, amis, travail, etc.), illustrer ces cinq phases.

3. Définir le terme «rôles» par rapport aux comportements.

4. Énumérer sept sortes d'attentes dans les rôles que nous jouons, et donner un exemple personnel de chacune.

5. Expliquer de quelle façon la définition des rôles influence nos comportements dans nos relations avec les autres.

6. Reprendre dans vos propres mots l'histoire de Michel Lemieux qui illustre la complexité des interrelations et des rôles et expliquer la signification des figures géométriques, des nuages et du cercle entourant celui-ci à la figure 8.1.

7. Donner au moins deux issues possibles dans les interrelations lorsque les images dans la tête des gens en interaction ne sont pas correspondantes, qu'elles sont même opposées.

8. Expliquer les trois situations jugées nécessaires par Rossiter et Pierce pour faire l'expérience de la confiance, et donner un exemple personnel de chacune.

9. Commenter l'énoncé suivant: «Il est facile de perdre la confiance, mais très difficile de la gagner.»

INTRODUCTION

Dans cet ouvrage, les termes «interpersonnel» et «transaction» sont utilisés fréquemment pour faire référence à ce qui se produit lors d'une communication entre les gens.

Pour les besoins de notre étude sur la dynamique de la communication, nous devons souligner que le mot «interpersonnel» ne signifie pas seulement «intime»; il s'applique aux situations dans lesquelles nous voudrions parler aux autres, les écouter ou entrer en relation avec eux, qu'ils soient des étrangers ou des amis très chers. Le mot «transaction» devra être pris lui aussi dans son sens le plus large. Élément de base de la communication, la transaction nous donne une façon d'observer les échanges d'informations ou de sentiments. Les transactions qui se déroulent sur une certaine période deviennent ce que l'on appelle généralement des «interrelations» ou parfois des «relations interpersonnelles». Les transactions peuvent se produire lors de situations tout à fait fortuites ou temporaires, tout comme lors de situations de plus grande importance ou permanentes.

Nous reprendrons dans ce chapitre les notions de communication des chapitres précédents, comme la perception, le concept de soi, les besoins, les valeurs, le langage et sa signification et le non-verbal, afin de démontrer de quelle façon les interrelations se développent et se maintiennent au moyen des transactions de communication.

LES INTERRELATIONS

> *Dans le vocabulaire de tous les jours, nous utilisons l'expression «relation personnelle» pour faire référence aux amants, aux conjoints, aux meilleurs amis et aux collègues de travail*[1].

Cette liste, proposée par Harold H. Kelley, couvre à peu près toutes les interrelations que l'on peut généralement s'attendre à développer. D'autres auteurs ont proposé des classifications plus élaborées, divisant en catégorie, les meilleurs amis du même sexe, ceux de l'autre sexe, les connaissances du même sexe et celles de l'autre sexe.

Peu importe la définition attribuée aux «interrelations», elles n'incluent probablement pas les rencontres fortuites, les relations de courte durée, ni les situations qui ont peu de conséquences. Certaines transactions de communication seront exclues de la définition de l'interrelation. Le fait d'aller au bureau de poste pour acheter des timbres et d'engager une transaction d'affaires avec le commis n'implique pas nécessairement une interrelation. Dans notre société de haute technologie, un bon nombre de services qui peuvent être faits au moyen de l'informatique – l'achat de billets de théâtre, les transactions bancaires, le paiement de factures – ne nécessitent aucun contact humain (voir l'encadré 7.2 à la page 151).

---

1. Harold H. Kelley, *Personnel Relationships: Their Structures and Processes*, Hillsdale, N.J., Lawrence Erlbaum Associates, 1979, p. 1.

DÉFINITION DES INTERRELATIONS

La plupart des gens sont engagés sérieusement dans les interrelations qu'ils développent et sont en même temps fascinés par elles. On tente parfois de convaincre une autre personne de partager une activité avec nous; on éprouve aussi des difficultés avec les personnes qui partagent le même appartement que nous; on est inquiet, à l'occasion, de la façon dont nos collègues de travail agissent envers nous; on redoute à tel moment la réaction de nos parents face à une nouvelle que nous devons leur annoncer; on a très envie de connaître une personne.

Comment décrire une interrelation? Que doit-il arriver pour qu'il y ait une interrelation, en comparaison d'une transaction? Nous aborderons cette question au moyen des critères suivants:

1. Les interrelations couvrent généralement une *longue période*; elles signifient beaucoup plus que d'acheter à quelqu'un des timbres au bureau de poste ou de voir quelqu'un passer en voiture. Il n'est ni nécessaire ni utile d'établir une durée précise pour une interrelation; cependant, les gens qui sont en cause doivent au moins avoir le sentiment d'entrer en relation pour un certain temps.

2. Les individus engagés dans une interrelation *passent du temps ensemble, et font des activités ensemble*. Toutefois, il doit être convenu mutuellement que le temps passé ensemble l'est d'une façon volontaire, ce qui diffère du fait d'attendre l'autobus au même arrêt ou d'être l'un derrière l'autre dans la file à la cafétéria. Cependant, une personne romantique peut considérer ces rencontres accidentelles comme un prélude à une interrelation, mais on ne la qualifiera d'interrelation qu'au moment où débuteront certaines activités volontaires et décidées mutuellement.

3. Les personnes engagées dans une interrelation *partagent un environnement ou un cadre de vie important.* Dans les conditions de vie de tous les jours, ce cadre de vie peut signifier un appartement que partagent des étudiants, un couple, une famille. Dans le milieu du travail, les interrelations peuvent s'établir parmi les personnes qui, à cause de leur travail, se voient souvent ou sur de longues périodes, parce que leurs tables de travail sont voisines ou parce qu'elles ont des réunions ensemble ou assistent à des conférences.

4. Les interrelations encouragent et même exigent *l'échange d'informations personnelles et la révélation des sentiments*. Le niveau d'ouverture est élevé et les gens en interrelation communiquent dans leurs conversations des renseignements sur leur travail mais partagent aussi des préoccupations plus personnelles. La variété des sujets abordés et les occasions de discuter qui se présentent encouragent une autre sorte de conversation plus personnelle, exempte d'échanges de données factuelles sur le travail.

5. Les interrelations sont aussi définies par le fait que *les gens se voient eux-mêmes en relation et sont perçus par d'autres* de cette manière. Ainsi, une interrelation se développe quand les participants conviennent soit directement, soit indirectement, qu'ils sont liés et se comportent de manière à être compris des autres [2].

---

2. Il est à noter que plusieurs de ces critères sont utilisés dans l'étude de la *dynamique des groupes* pour définir un «groupe» en opposition à un «rassemblement d'individus» comme l'a exprimé Robert Bales dans *Interaction Process Analysis*, Cambridge, Mass., Addison Wesley Press, 1950, p. 33; et D. Krech, R.S.Crutchfield et E.L.Balachey, *Individual in Society*, New-York, McGraw-Hill Book Company,1962, p. 383-384.

Où se créent les interrelations?

La définition des interrelations ne serait pas complète sans certaines précisions sur les lieux où elles peuvent se produire. Il a déjà été établi que le fait d'aller acheter à quelqu'un des timbres au bureau de poste ou des billets au théâtre ne sont pas des interrelations. De même, si vous êtes avec des amis dans un restaurant renommé et tentez d'engager une relation plus intime avec le serveur, il est fort possible que celui-ci ne s'engagera pas outre mesure et se contentera de prendre les commandes. Bien des transactions s'effectuent dans nos vies sans pour autant devenir des interrelations.

Par contre, les interrelations peuvent se produire avec des amis des deux sexes, dans la famille, au travail, en classe, en fait partout où les personnes se voient liées à d'autres personnes pour une tâche commune nécessitant un certain temps. Le «mariage» est un terme utilisé lorsqu'un sentiment amoureux entre deux personnes atteint un certain palier et qu'elles ressentent le besoin de rendre officielle leur interrelation par un rituel civil ou religieux. Le terme «divorce» est-il utilisé pour prédire la fin de l'interrelation qu'est le «mariage», ou est-il une autre forme d'interrelation?

Les interrelations comme une fin en soi

La fenêtre de Johari (voir chapitre 3, p.63) présente les composantes du processus de développement de l'interrelation et suggère qu'il est possible d'avoir une «fenêtre» pour chacune des interrelations. En d'autres mots, au moyen des transactions de communication, nous développons un potentiel immense d'occasions d'interrelations – parmi les amis, les membres de la famille, les connaissances, les collègues de travail, etc.

Cependant, il est important de se souvenir que lorsque nous affirmons qu'une interrelation semble impliquer une certaine utilité, nous ne voulons pas dire que la communication se fait dans le but de vendre un produit, d'arriver à ses fins, d'informer ou de ne pas informer; nous entendons plutôt que l'utilité la plus grande peut être l'interrelation elle-même. La communication peut être établie dans le seul but de développer, d'entretenir ou de terminer une interrelation.

LES PHASES DES INTERRELATIONS

Comme nous avons pu le constater, certaines interrelations avortent dès le début alors que d'autres s'étendent sur une longue période et atteignent un niveau d'engagement assez important. Diverses listes de phases ont été proposées par plusieurs auteurs et chercheurs [3].

---

3. Une explication détaillée des phases est proposée par Mark L. Knapp dans *Social Intercourse: From Greeting to Goodbye,* 1978, et dans *Interpersonal Communication and Human Relationship*, Newton, Mass., Allyn and Bacon, 1984 ; aussi par Kenneth L. Villard et Leland J. Whipple, *Beginnings in Relational Communication,* New York, John Wiley & Sons,1976; Harold H. Kelley et John W. Thibaut, *Interpersonal Relations: A theory of Interdependence,* New York, John Wiley & Sons,1978; et un des premiers travaux sur le sujet, celui de Fritz Heider, *The Psychology of Interpersonal Relations*, New York, John Wiley & Sons,1958.

Des interrelations peuvent apparaître entre les membres d'une famille. (© Barbara Rios/Photo Researchers, Inc.)

Certaines listes ont leur point de départ à zéro, d'autres au premier contact significatif; certaines mènent les gens à une conclusion positive, et d'autres décrivent les hauts et les bas des phases qui vont d'une rencontre fortuite jusqu'à l'intimité pour aboutir à une fin et à une dissolution complète de l'interrelation.

Nous suggérons les phases suivantes comme façon de voir la dynamique dès le début de la première rencontre ou des premières transactions. Cependant, gardons à l'esprit les deux problèmes qui peuvent survenir au cours des phases lors du processus de l'interrelation; il est toujours délicat de prendre une telle dynamique et de la décortiquer en phases définies.

En premier lieu, les interrelations sont constamment en mouvement, et cette façon d'énumérer les diverses phases peut nous laisser croire à tort que lorsque nous arrivons dans une phase, nous ne pouvons reculer. Dans la communication, dans le flot des intentions et des comportements, dans la constante manifestation des nouvelles ou de vieilles forces, les personnes engagées dans une interrelation réagissent parfois d'une manière inattendue ou imprévue aux situations qui se développent. Bien que l'on aime que l'autre soit toujours le même ou la même, l'expérience nous enseigne que cela ne se passe pas toujours ainsi. On doit s'habituer à connaître des changements et à développer certaines façons d'y répondre quand les changements sont inévitables.

En second lieu, ces phases ne se présentent pas toujours dans un ordre précis et bien ordonné. De plus, ces phases n'apparaissent pas toujours sous leur forme la plus pure; il est parfois nécessaire de dépenser un peu d'énergie pour revenir à une phase précédente et y renforcer un comportement, tout comme il faut parfois passer plus rapidement à une autre phase. On ne doit pas non plus considérer ces phases comme les seules possibilités de l'interrelation – nous avons déjà suggéré que les transactions, comme unités de l'interrelation, peuvent suivre un seul sens ou prendre des directions intéressantes lors des contacts avec les autres.

Phase 1: le contact

Étant la première phase de l'interrelation, elle est aussi appelée l'«initiation», l'«audition» (si l'on réfère à la notion d'essai de cette phase), la «sélection», etc. À cette phase, on commence par se demander si oui ou non on veut une plus grande interrelation. L'autre personne semble-t-elle posséder les traits, les intérêts, les idéaux, les valeurs, les habitudes, la personnalité ou les ressources (incluant des éléments comme une nouvelle Porsche, ou une moyenne de A en mathématiques) qui répondent à nos besoins, à nos valeurs? Cette personne semble-t-elle intéressée à une plus grande interrelation avec nous – n'avons-nous pas tous besoin d'un peu d'encouragements avant de nous engager dans une interrelation[4]? Parmi les livres-guides très populaires, il s'en trouve certains qui expliquent comment «rencontrer et attirer» une personne de l'autre sexe en améliorant grandement les transactions habituelles d'ouverture ou de contact. Un but de cette phase est de découvrir si la personne est intéressée et si elle est intéressante.

---

4. Pour des informations supplémentaires sur ce propos, consultez *Human Communication Research*, vol. 13, n° 1, automne 1986, p. 3-75.

La «communication factice» de Malinowski ou la conversation légère préparant la voie à une conversation plus sérieuse a lieu à cette phase, que l'on soit assis près d'une personne en classe, que l'on rencontre quelqu'un dans un bar, que l'on rencontre dans un bureau voisin une personne jusqu'à maintenant inconnue ou que l'on rencontre une personne qui vient visiter la famille. La «conversation légère» qui caractérise cette phase de «contact» n'est en réalité pas du tout légère parce qu'il est possible de découvrir bien des facettes de la personnalité de l'autre sans toutefois que l'un des deux risquent de dévoiler des informations trop person-nelles. Si l'autre personne est attirante et désire aller au-delà de cette première phase, l'interrelation se poursuivra. Sinon, il est possible de mettre un terme immédiatement à l'interrelation sans qu'il en coûte beaucoup à chacun.

Phase 2: l'évaluation

À la deuxième phase, on fait le bilan des côtés positif et négatif qui relèvent de l'interrelation et on décide à ce moment jusqu'à quel point on investira dans cette relation. Le fait qu'on aille souvent à la bibliothèque avec un autre étudiant peut signifier que l'on doit négliger certains amis ou manquer notre émission favorite, mais cette activité peut mener à un échange profitable de temps d'étude et de plaisirs personnels. Au travail, on peut ressentir le besoin de voir un collègue fréquemment pour échanger des informations émotionnelles et pratiques sur le travail, mais ce faisant on doit s'éloigner de son bureau, renoncer à des habitudes comme dîner avec telle personne ou prendre la pause café avec telle autre. Cette phase est souvent surnommée la phase de la «négociation», de l'«exploration», des «essais». Fréquenter une autre personne peut occasionner des coûts économiques pour l'homme comme pour la femme (billets, repas, transports, équipement pour le sport comme le ski, etc.) et émotionnels; c'est pourquoi il faut évaluer si tout cela va rapporter suffisamment à l'interrelation et à nous avant de continuer à investir. Nous devons nous souvenir que le fait d'entrer dans cette phase ne signifie nullement que celle du «contact» est terminée; nous devons continuer de mettre à l'épreuve, comme au début, de nouveaux centres d'intérêts ou des attitudes qui aideront à évaluer l'interrelation.

Phase 3: l'engagement

Cette phase est caractérisée par des interrelations plus approfondies qui mènent souvent à la signature d'un contrat de tout genre: d'affaires, de mariage, d'accord pour aller étudier au même collège ou à la même université, pour s'inscrire dans un même club, ouvrir un compte conjoint, faire des achats majeures ensemble. On peut se demander mutuellement de concentrer nos associations sur la plus importante de notre vie. Certains analystes considèrent que deux phases distinctes entrent en jeu à ce moment: au début, les combinaisons sont souvent appelées l'«intensification», la «révision», la «liaison» ou «l'interaction majeure»; ensuite elles se nomment l'«institutionnalisation», l'«intimité», l'«association» ou l'«échange stable».

Durant cette phase, les jugements négatifs à propos de l'autre personne sont quasi inex-istants. On passe l'éponge sur les fautes de l'autre, et on se concentre sur les joies que procure l'association; on commence à réduire ses rapports avec les autres au profit de l'interrelation.

Fréquenter quelqu'un d'une façon stable est l'un des premiers symptômes de cette phase, et l'expression «éperdument amoureux» qualifie bien ce type de comportement. Même dans les interrelations qui ne sont pas nécessairement associées à l'amour, comme au travail ou en classe, on établira un répertoire de blagues partagées, on partagera peut-être un langage constitué de termes significatifs et l'on exprimera de diverses manières le désir d'exclure les autres de cette relation.

Pour être près de notre ami, on est prêt à changer notre choix de cours contre un autre qui auparavant ne semblait pas intéressant. Chez les amoureux, c'est l'étape de «l'île déserte», où l'on voudrait bien pouvoir s'évader et se couper complètement du reste du monde pour être seul avec l'autre en tout temps, ce qui d'une façon inconsciente est une tentative pour protéger le nouvel enchantement contre un changement ou une détérioration éventuelle. Les formes d'engagement les plus fréquentes de la relation homme-femme sont le mariage ou la cohabitation.

Phase 4: le doute

Alors que dans les phases précédentes nous mettions l'accent sur les qualités de l'autre personne, à cette phase nous commençons à remarquer les côtés moins intéressants. Certains auteurs disent de cette phase que c'est celle de l'«intolérance», de la «différenciation», de la «détérioration», de la «stagnation» ou du «développement des conflits». Les habitudes et les attitudes, auparavant jugées acceptables, voire adorables, tombent maintenant sur les nerfs de l'autre. Les partenaires partagent moins d'activités et font moins d'efforts pour se faire plaisir. Parfois, une attitude telle que «Aime-moi comme je suis» met l'autre au défi d'arrêter de lui chercher noise. En plus de se contredire de plus en plus fréquemment, on découvre des sujets que l'on ne doit pas aborder, des sujets tabous.

S'il s'agit d'une relation avec un ami de classe, alors on ne partage plus aussi souvent qu'avant les notes de cours et on ne s'entend plus comme autrefois sur la pertinence de la matière du dernier examen. Les colocataires d'un appartement revendiqueront leurs «droits territoriaux» à l'aide de phrases telles que: «Garde-toi de mettre tes affaires sur mon bureau» et par l'emploi plus fréquent des mots «toujours» et «jamais» :«Pourquoi ouvres-tu toujours le robinet au moment où je prends ma douche? Cela m'ébouillante!»

Au travail, les raisons de critiquer les agissements d'un collègue se font plus nombreuses, on exprime ses doutes quant à l'avenir de cette personne au sein de la compagnie; on s'aperçoit bientôt que l'on ne retourne plus ses appels ou que l'on est trop occupé pour aller prendre un café ou manger avec elle.

Dans un mariage, on revient aux réponses courtes, à la «conversation légère» au sujet du travail, des enfants. Quand les conjoints se demandent «Comment s'est passée la journée?», ils n'engagent plus la conversation comme avant, surtout si elle touche des sujets intimes ou personnels. Les premiers pas pour se «désengager» se font lorsque les partenaires sont ensemble et que l'attention de l'un ou de l'autre se porte sur une émission de télévision, sur les enfants ou sur l'animal de la maison, c'est-à-dire sur tout ce qui ne touche pas de près leur relation de couple.

Nous appelons cette étape le «retour à la première personne du singulier». À la phase de l'«engagement», les pronoms utilisés sont «nous», «notre», tandis que dans cette phase de «doute», le langage tend à reprendre les mêmes pronoms que ceux utilisés à la phase du «contact», soit «je», «moi» ou «le mien».

Phase 5: le désengagement

Une phase de «fuite», de «rupture», de «dissolution» ou de «fin» peut être rapide ou lente. Un exemple de désengagement rapide pourrait être un bris de contrat soudain, le fait de changer d'appartement avant la fin du bail, de quitter le collège à la mi-session ou d'être muté dans un autre emploi un bon matin. Les personnes qui veulent rompre une relation changent leurs habitudes de sorties et modifient même leur horaire de façon à éviter les rencontres avec l'autre personne. Un divorce, qui est la manière la plus connue de terminer un mariage, peut se produire très doucement ou d'une façon précipitée.

Le désengagement peut être *complet* (divorce, décès, déménagement, mésentente complète) ou *incomplet* ou partiel. Même quand la séparation physique n'est pas possible, une séparation psychologique ou émotionnelle peut se produire. Le désengagement d'un couple marié peut en fait se produire (si les deux parties s'entendent pour vivre parallèlement) même si un divorce légal n'a pas lieu pour diverses raisons, comme l'argent, les enfants, la religion, la commodité ou pour des raisons externes.

Dans d'autres interrelations moins dramatiques, nous pouvons aussi retarder un désengagement complet même si l'engagement dans la relation a diminué considérablement pour les partenaires. Les colocataires continueront d'occuper un même appartement et éviter de s'y trouver au même moment. Les collègues de travail éprouveront des difficultés s'ils continuent à travailler au même endroit et devront fournir des efforts pour interagir entre eux. Les milieux des affaires et du travail sont reconnus pour être des lieux où se développent des interrelations à plusieurs niveaux (personnels et professionnels), mais aussi où les liens personnels et émotionnels sont les moins acceptés (voir encadré 8.3, p.175).

Encadré 8.1   Observations des interrelations entre les gens

Quand on voit un couple marié déambuler dans la rue, celui des deux qui marche quelques pas en avant est celui qui est fâché.

Helen Rowland

Lorsque les gens sont fâchés – pas seulement dans un couple marié – ils se font un devoir de montrer leurs sentiments, habituellement au moyen du langage non verbal. Dans cette brève citation satirique, on se rend compte que non seulement les gens ont des sentiments, mais qu'en plus ils ont des façons très prévisibles de les montrer; de plus, ils font tout pour s'assurer que l'autre personne (et parfois le monde entier) s'aperçoit que quelque chose ne va pas. Comment les amoureux marchent-ils dans la rue? Comment devineriez-vous que les deux personnes qui marchent dans la rue viennent de faire connaissance? Ou qu'ils sont de vieux amis? Comment deviner s'ils sont à la phase 1 du contact ou à la phase 5 du désengagement? Seriez-vous capable de reconnaître ces phases seulement en observant les gens qui marchent ensemble?

LES RÔLES

Au chapitre premier, nous avons introduit le terme «transaction» pour indiquer que la communication devrait être perçue comme une activité continue entre deux personnes (1) où chacun est conscient de l'autre et en tient compte; (2) où chacun définit son rôle ou ses rôles; et (3) où chacun conduit ses interactions à partir d'un certain nombre de règles ou de principes qui peuvent être analysés et prévus.

Dans le but de mieux comprendre la manière dont nous agissons dans nos interrelations, nous avons besoin d'examiner les rôles et de voir comment ils influencent ce qui se passe entre nous et les autres.

Les rôles sont des modèles ou, si l'on veut, des schèmes de comportements appropriés à certaines situations. Ils sont composés de comportements auxquels nous nous attendions des gens dans certaines positions. Par exemple, vous êtes dans un rôle d'étudiant pendant un certain temps et, comme étudiant, on s'attend à ce que vous fassiez certaines choses en relation avec les autres personnes. On s'attend à ce que vous alliez en classe, que vous participiez à vos cours, que vous fassiez des travaux et des examens, et ainsi de suite. Votre comportement d'étudiant est certes différent de celui que vous avez à adopter si vous êtes mère, père, commis de magasin ou entraîneur d'une équipe de volley-ball. Certains comportements sont attendus des parents, des étudiants ou des commis, et ils sont définis non pas de façon isolée mais en relation avec les rôles des autres personnes. On ne peut être père ou mère sans avoir d'enfant et on ne peut être commis sans avoir à servir ou à vendre à quelqu'un.

Très souvent nous abordons une personne en tenant compte de son rôle plutôt qu'en considérant la personne qui occupe ce rôle. Ce comportement est un raccourci qui simplifie le processus des relations courantes que nous devons entreprendre. C'est la base des stéréotypes, qui sont expliqués au chapitre 5. Que pensez-vous de l'individu qui est agent de police ou politicien? Avez-vous la même impression lorsque vous êtes dans votre rôle d'étudiant en classe et lorsque vous êtes dans votre rôle de membre d'une famille?

La négociation de nos rôles

Parce que le rôle est probablement un des premiers éléments qui apparaît dans la phase de «contact» des interrelations, nous ferons toujours face au problème de «la négociation de rôles dans nos interrelations». Pour briser la glace, une personne vous demande: «Êtes-vous étudiant ici?» Alors, quelle que soit votre réponse, vous orienterez la transaction suivante. «Où travaillez-vous?» est une question au sujet de votre rôle et non à propos de l'emplacement physique de votre travail. «Il est chômeur», «Elle est mariée», «Il est universitaire» sont des étiquettes de rôles qui donnent des indices sur les comportements possibles de ces personnes. Pour cette raison, il importe de déterminer quel rôle nous voulons faire reconnaître, avec lequel nous négocierons. De plus les interrelations dépendent en grande partie de la façon dont nos rôles répondent aux attentes des autres personnes.

Les attentes qu'engendrent les rôles: l'intimité

Nous définissons nos interrelations partiellement en fonction d'un sentiment d'intimité que nous partageons avec l'autre. La façon dont j'agis envers les autres et celle dont les autres

Encadré 8.2   La télévision et le développement des rôles

L'influence de la télévision dans le développement des rôles des gens est reconnue par plusieurs critiques. L'acquisition de nos rôles sociaux par l'intermédiaire des émissions de télévision peut être à la fois une bonne et une mauvaise expérience. Certaines émissions n'offrent pas les meilleurs modèles de rôles à suivre pour les gens – par exemple le tyran agressif qui menace et intimide les autres, ou la personne malhonnête qui n'est pas reconnue coupable de ses actes ni punie, ou le caractère généralement désagréable des comportements ou propos socialement inacceptables. La télévision peut présenter aux enfants (aussi bien qu'aux adultes qui sont aussi influencés par les modèles de rôles) des comportements familiaux qui diffèrent de leur propre expérience. Des recherches ont démontré que les émissions qui dépeignent des situations de la vie familiale offrent très peu de comportements agressifs et violents mais en contrepartie beaucoup de comportements de coopération et d'affiliation. Ainsi, certains enfants peuvent actuellement avoir un meilleur modèle de vie familiale à la télé que dans leur vie. Si l'enfant croit que la vie familiale devrait être comme celle de la télé, alors l'influence de la télévision peut être bénéfique pour le développement des rôles familiaux sains. L'apprentissage des comportements de consommateur est aussi relié aux habitudes des téléspectateurs et aux «patterns» de communication familiale. L'influence des parents auprès de leurs enfants au sujet des émissions à regarder est plus grande que celle de ces émissions elles-mêmes[*].

Dans d'autres secteurs d'activités, le développement des rôles peut être fortement influencé par la télévision. Une étude sur les habitudes de conduite automobile et sur les caractères de la télévision montre une relation entre les attitudes des téléspectateurs et leurs propres conduites. Les résultats indiquent que certains téléspectateurs acceptent comme normaux certains comportements irréguliers, comme surchauffer les pneus, faire grincer les freins. Ils croient que l'excès de vitesse est correcte, que la plupart des mordus de la vitesse ne sont pas attrapés, que les ceintures de sécurité ne sont pas nécessaires et que la conduite dangereuse n'a pas de conséquences sérieuses. Ils croient aussi que le rôle des hommes est d'être des conducteurs et celui des femmes d'être des passagères; que les jeunes gens (dans la vingtaine) conduisent en commettant plus d'irrégularités que les autres et que les camionnettes, camions et voitures sport sont les véhicules que l'on conduit le plus souvent de façon dangereuse ou irrégulière[†].

La télévision peut mériter sa réputation de générateur de rôles auprès des téléspectateurs réguliers. Avec la quantité et la variété d'émissions disponibles, il ne manque pas d'exemples pour modeler nos vies.

---

[*] Nancy L. Buerkel-Rothfuss, Bradley S. Greenberg, Charles K. Atkin et Kimberly Nuendorf, «Learning about the Family from Television», *Journal of Communication*, vol. 32, n° 3, été 1982, p. 191-201. Aussi Roy L. Moore et George P. Moschis, «The Role of Family Communication in Consumer Learning», *Journal of Communication*, vol. 31, n° 4, Automne 1981, p. 42-51.

[†] Bradley S. Greenberg et Charles K. Atkin, «The Portrayal of Driving on Television», *Journal of Communication*, vol. 33, n° 2, printemps 1983, p. 44-55.

agissent envers moi peuvent être influencées par un accord tacite au sujet de l'intimité. Cette dimension est difficile à traduire en mots, et habituellement on se fie à une impression qui n'est pas exprimée explicitement, ce qui fait qu'il est facile de violer l'espace des autres et difficile d'anticiper la distance personnelle raisonnable. «Jeannine, dactylographiez-moi cette lettre», «Jeannine, ma chérie, s'il te plaît, dactylographie-moi cette lettre» et «Mme Tremblay, pourriez-vous, s'il vous plaît, me dactylographier cette lettre» impliquent différents degrés de rapprochement et de formalisme entre les deux personnes. Encore une fois, l'information sur le degré de rapprochement et d'intimité entre les gens est révélée en grande partie par des indices non verbaux – on emploie un ton de voix particulier, on se tient plus près, on se regarde dans les yeux, on se touche, on soupire ou on gronde. Ainsi, le ton de voix, le maintien, la position ou le regard nous indiquent ce que les gens préfèrent comme distance et comme formes. Il y a aussi le fait que nous connaissons les personnes dont nous attendons des comportements intimes et affectueux. Nous verrons plus loin que l'environnement a également un effet sur notre façon d'agir intimement.

Les attentes qu'engendrent les rôles: l'autorité

Certaines relations sont basées sur des différences qui existent entre les gens qui sont en cause. Les rapports étudiant-professeur, mère-enfant, médecin-patient et patron-employé sont des relations qui impliquent souvent un rapport domination-soumission[5]. Ces relations sont en grande partie définies culturellement et socialement. Toutefois, des rôles de domination-soumission peuvent aussi apparaître ou se développer en réponse aux attentes et besoins des participants. Par exemple, dans certains mariages, un des partenaires peut être dominant dans certaines circonstances avec l'accord tacite de l'autre. Le divorce peut survenir quand les attentes sur l'autorité sont incompatibles. Certaines relations sont basées sur l'égalité, par exemple entre amis, collègues, étudiants ou membres d'une même équipe. Si vous jouez au football et que vous négligez systématiquement de faire des passes à un coéquipier, celui-ci ne pourra pas vous obliger à changer de comportement étant donné qu'il ne détient pas d'autorité; par contre, l'entraîneur pourra modifier plus facilement votre style de jeu. «S'il vous plaît, Jeannine, dactylographiez cette lettre.» «Très bien, M. Rousseau, je m'en occupe»: voilà une transaction qui illustre une interrelation d'autorité comprise et acceptée par les deux participants.

Les attentes qu'engendrent les rôles: la situation

Parce qu'il est possible pour nous d'assumer plusieurs rôles à différents moments, la situation ou le contexte de nos transactions s'avère un élément crucial pour nous aider à déterminer quel rôle nous choisissons de jouer à un moment précis. On s'attend à un comportement différent selon qu'on est à la bibliothèque ou qu'on assiste à un événement sportif – votre rôle

---

5. Voir au chapitre premier «Cinquième principe: la communication se fait d'égal à égal ou à la verticale» et aussi au chapitre 4 les besoins interpersonnels de contrôle, d'affection et d'inclusion énoncés par Schutz. Ces facteurs sont en fait reliés aux rôles que nous jouons et que nous attendons que les autres jouent.

d'étudiant studieux ne convient plus lorsque vous appuyez votre équipe de hockey. Votre rôle de bouffon de la classe peut être plus efficace avec les autres étudiants qu'avec les professeurs. Les rôles intimes sont réservés à des lieux retirés et selon des dispositions particulières.

Les attentes qu'engendrent les rôles: les professions et occupations

Les rôles sont souvent liés à des étiquettes professionnelles ou à un statut; nous anticipons certains comportements de la part d'un médecin, d'un prêtre, d'un agent de police, d'un travailleur social, etc. Lorsque nous savons quel rôle une personne peut jouer, il est plus facile de prédire son comportement. Nous avons aussi des indices sur la façon de se comporter à l'égard d'un psychiatre, d'un avocat, d'un portier, d'un professeur, d'un fermier ou d'une infirmière. En d'autres mots, les interrelations que nous amorcerons et poursuivrons seront basées principalement sur notre façon de voir les rôles des autres, et cette perception est influencée par les expériences que nous avons connues en rapport avec ces rôles. Si vous détestez la musique classique, il est probable que vous n'établirez pas d'interrelation stable ou durable avec un ou une violoniste d'un orchestre symphonique. Si vous aimez les enfants, vous pouvez vous trouver des amis qui sont parents ou éducateurs, ou décider de devenir vous-mêmes parent ou éducateur.

Les attentes qu'engendrent les rôles : l'âge

Mis à part les attentes en rapport avec le statut professionnel ou autre, nous pouvons avoir beaucoup d'idées concernant la façon dont, à certains âges, les gens sont censés se comporter. La colère d'un enfant de trois ans ne signifie pas la même chose que la colère d'une personne de 50 ans. Un comportement sera interprété d'une certaine façon selon l'âge de la personne. Vous adressez-vous aux amis de vos parents sur le même ton qu'à vos amis? Abordez-vous les mêmes sujets? Partagez-vous les mêmes activités que les gens qui sont beaucoup plus âgés ou plus jeunes que vous? Certaines limites aux rôles sont imposées par la société aux adolescents, aux jeunes adultes et aux adultes plus âgés. Si nous violons ces limites, les autres s'inquiéteront de nos comportements, à moins qu'ils ne soient liés à nous et qu'ils ne tolèrent ces manières d'agir.

Les attentes qu'engendrent les rôles: les relations familiales

Il y a aussi des attentes sur le plan des relations familiales même si les familles nucléaires et élargies du passé sont remises en question par des changements sociaux. Le nombre de familles monoparentales, la fréquence des divorces et le fait de confier de plus en plus les personnes âgées à des gens en dehors du noyau familial ne sont que quelques exemples de changement, des normes sociales. Il y a une affiliation intime qui est suggérée par «les liens du sang» lorsque l'on accepte ou tolère plus facilement certains comportements de la part de nos parents proches que de la part d'étrangers. On peut rester en bons termes longtemps avec ses parents, cousins, enfants, frères et soeurs même si nos intérêts sont devenus différents. On s'attend également à ce que les enfants de familles en vue aient certains avantages, mais aussi à ce qu'ils maintiennent la renommée de leur famille ou deviennent eux-mêmes remarquables.

Les attentes qu'engendrent les rôles: le sexe

Une autre source importante d'attentes sur le plan des rôles provient de différences sexuelles. En effet, quoique les stéréotypes de rôles sexuels soient aujourd'hui sérieusement remis en question, on rencontre encore plusieurs personnes qui s'attendent à ce que les garçons ne pleurent pas, à ce que les filles jouent à la poupée, à ce que les garçons deviennent des ingénieurs et les filles des secrétaires. Le même comportement chez un homme et chez une femme peut être interprété très différemment, simplement à cause de la différence sexuelle, alors que cela n'a aucune raison d'être. Un homme qui pleure est faible mais une femme qui pleure est émotive. Le même comportement chez un homme peut être jugé dynamique et approprié, alors que chez la femme il sera interprété comme agressif et déplacé.

Cette ambiguïté dans le rôle de la femme est exposée clairement dans les livres qui tentent d'expliquer aux femmes comment réussir. Les auteurs ne sont pas d'accord sur la façon de mesurer la réussite chez une femme; quelques-uns n'essaient même pas de la mesurer mais laissent à leurs lectrices le soin de décider elles-mêmes; d'autres expriment des avis différents sur la façon d'atteindre cette réussite non définie[6]. Cependant, les femmes trouvent dans ces livres une série d'hypothèses sur les rôles sexuels et sur la façon dont la société y réagit; il s'agit d'une indication claire de l'impact de la différenciation des rôles sexuels. Les programmes pour favoriser un rapprochement entre les cadres masculins et féminins sont en vogue; ils se basent sur des hypothèses fortement ancrées au sujet des rôles sexuels. Il y a aussi des preuves que les patterns de communication des hommes et des femmes se ressemblent davantage que ne le laissent croire la sagesse populaire ou les suppositions superficielles des gens eux-mêmes, les hommes se percevant eux-mêmes comme des communicateurs plus précis et les femmes jugeant qu'elles ont un style plus animé que les hommes[7].

Les conséquences de la définition des rôles

La définition des rôles est importante car, lorsque nous savons quel rôle jouer et quel rôle les autres peuvent jouer, nous détenons de l'information sur les comportements que les autres attendent de nous et sur les comportements que nous pouvons attendre des autres, ce qui nous aide à établir et à maintenir une interrelation.

Les rôles peuvent aussi indiquer comment nous devons nous habiller (en uniforme, de façon excentrique, réservée, provocante, avec mauvais goût, etc.); si nous pouvons parler à quelqu'un et comment nous devrions le faire (en utilisant l'argot, les jurons, le discours formel, les titres comme Monsieur, Madame, Docteur, etc.); quels genres de responsabilités

---

6. Barbara Bate et Lois S. Self, «The Rhetoric of Career Success Books for Woman», *Journal of Communication*, vol. 33, n° 2, printemps 1983, p.149-165.

7 . Barbara M. Montgomery et Robert W. Norton, «Sex Differences and Similarities in Communicator Style», *Communication Monographs*, vol. 48, n° 2, juin1981, p. 121-132. Voici d'autres articles au sujet des patterns masculins et féminins: B. Aubrey Fisher, «Differential Effects of Sexual Compositions and Interactional Context on Interaction Patterns in Dyads», *Human Communication Research*, vol. 9, n° 3, printemps 1983, p. 225-238; et Patricia Hayes Bradley, «The Folk-Linguistics of Women's Speech: An Empirical Examination», *Communication Monographs*, vol. 48, n° 4, mars 1981, p. 73-90. Pour d'autres études sur le langage des sexes, voir: «The Sociology of the Languages of American Woman», Betty Lou Dubois et Isabel Crouch (dir.) publié dans *Papers in Southwest English* (PISE IV), Bates Hoffer, édité par Trinity University, San Antonio, Texas, 1976.

Encadré 8.3 Les relations entre les hommes et les femmes au travail

Comme de plus en plus de femmes occupent des postes de direction où elles assument un certain leadership, des malaises et des incertitudes sont ressentis par elles et par les hommes qui les côtoient. Une étude présentée en 1987 par Catalyst, un organisme consultatif de recherche à but non lucratif de New York*, a découvert que les hommes de tout âge peuvent être inconscients des biais sexuels qui gouvernent leurs décisions par rapport aux femmes. Les hommes plus âgés qui occupent des postes très élevés semblent être ceux qui ont le plus de difficultés avec les femmes, comme le démontre cette affirmation: «Ils ne peuvent réellement comprendre pourquoi une femme voudrait être directrice financière d'une compagnie quand elle pourrait être à la maison avec ses enfants.» Les images de relations romantiques viennent à l'esprit des hommes et des femmes, souligne le rapport, et des difficultés peuvent survenir quand les femmes cadres sont perçues comme distrayantes pour les hommes cadres. Certains hommes disent qu'ils hésitent à critiquer une femme, car ils croient qu'elle pleurera et ils ne peuvent supporter les larmes. Ou encore ils n'envoient pas une femme sur la route, car ils supposent qu'elle n'aime pas voyager.

Après avoir offert une formation pour réduire les problèmes de relations entre hommes et femmes dans les milieux administratifs, les représentants de la compagnie Catalyst disent qu'il y a peu de chances pour que les tensions reliées au sexe disparaissent rapidement du milieu du travail. Cependant, ils restent optimistes, car ils observent un accroissement du personnel administratif masculin et féminin qui affronte les problèmes sans détour et qui essaie de s'adapter à de nouvelles interrelations dynamiques.

---

* Présenté dans un article de Glenn Collins, *New York Times*, 30 janvier 1987.

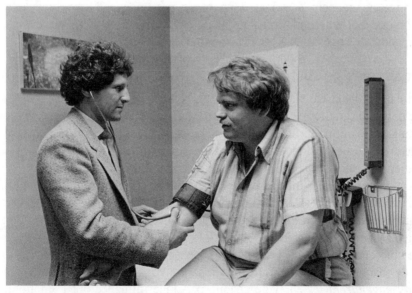

Les rôles influencent le contenu de nos communications. (© Donald Dietz 1981/Stock, Boston)

et de privilèges nous avons (avoir la clé de la salle de toilette pour les cadres, pouvoir se toucher, s'asseoir ensemble, être au garde-à-vous, partager la salle de bains, avoir une place de stationnement réservée).

Également, les rôles déterminent souvent les personnes avec lesquelles nous communiquons et auxquelles nous pouvons parler. Si nous sommes commis-vendeurs, nous devons nous attendre à parler avec des clients. Si nous sommes étudiants, le plus souvent nous parlons avec d'autres étudiants, quelquefois avec des professeurs, très rarement avec un administrateur scolaire et encore plus rarement avec le ministre de l'Éducation. Par contre, si nous sommes ministres de l'Éducation, nous parlons souvent avec d'autres ministres, quelque fois avec des administrateurs scolaires, rarement avec des professeurs et très rarement avec des étudiants.

Les rôles influencent aussi le contenu de notre communication. Comme étudiants, il est fort possible qu'avec un professeur nous parlions du contenu de son cours. Si nous rencontrons ce professeur dans l'autobus ou au supermarché, il est alors possible d'aborder d'autres sujets, mais, le plus souvent, la conversation reviendra à un contenu scolaire. On peut utiliser l'expression «il ne faut pas mêler les affaires et le plaisir» pour déterminer les sortes de relations entre cadres et employés; elle signifie que leur communication doit porter presque exclusivement sur des aspects du travail et rarement sur des problèmes personnels. Bien qu'un patron puisse demander: «Comment va ta femme?» l'employé ne pourrait retourner cette question à son patron. Par conséquent, il est possible pour un supérieur dans plusieurs milieux de demander des informations très personnelles, ce que le subalterne n'a pas le droit de faire. Les professeurs peuvent enquêter au sujet de certains aspects de la vie d'un étudiant, lequel n'est pas libre de questionner le professeur (au sujet de ses habitudes de téléspectateur, de ses heures de sommeil, de ses amitiés, de ses problèmes familiaux, etc.). Dans une famille, les parents peuvent poser des questions indiscrètes, ce qui n'est pas permis aux enfants à leur égard; voilà une reconnaissance de la différence des rôles. Les rôles précis, que ce soit d'agent de police, de juge, de médecin, d'avocat, donnent aux personnes qui les exercent l'avantage d'établir le contenu de l'entretien – on s'attend à devoir répondre à leurs questions et à être limité dans le choix des questions à poser à son tour.

L'histoire des rôles de Michel Lemieux

Voici l'histoire de Michel Lemieux. Elle illustre assez bien la complexité des rôles. Elle n'est toutefois que partielle car elle n'est concentrée que sur lui et ne complique pas les choses au point de placer tous les autres participants à tour de rôle sur la sellette. Chaque fois que Michel Lemieux joue un rôle, il est évident que quelqu'un (son patron, sa femme, son fils, son ami) a réciproquement un rôle. Cette réciprocité crée l'interrelation.

La *qualité* et la *durée* de ces interrelations dépendent de la façon dont Michel Lemieux se voit dans ces différents rôles et dont les autres lui répondent. Si vous voulez relevez le défi, essayez d'imaginer ce qui se produit quand les «autres» personnes appartenant au monde de Michel Lemieux jouent un rôle central.

Alors que nous entrons dans le cercle des proches de Michel Lemieux, interrogeons-nous sur le niveau de chaque interrelation qu'il entretient. Pouvons-nous spéculer sur la façon dont les *attentes qu'engendrent les rôles* de chaque personne influenceront l'amélioration des relations?

Figure 8.1 | PREMIER NIVEAU – M. Lemieux et quelques personnes de son environnement. DEUXIÈME NIVEAU – M. Lemieux a une image mentale de lui-même, et les autres ont leurs images mentales de lui (les figures géométriques). TROISIÈME NIVEAU – M. Lemieux a une vision idéale de lui-même et ceux et celles qui l'entourent ont aussi une vision idéale de lui (les petits nuages).

Michel Lemieux et les autres

À la figure 8.1, nous voyons Michel Lemieux au centre entouré de quelques personnes avec lesquelles il interagit fréquemment. Concentrons-nous sur Michel Lemieux – sur ses rôles dans quelques interrelations, soit au travail, à la maison, avec les amis, etc.

À la première étape, Michel Lemieux est un être humain qui respire, mange, travaille, a une famille et joue au golf. Physiquement, il a une personnalité bien à lui; il est facilement reconnaissable par sa taille, la couleur de ses cheveux et même par sa façon de marcher. Lorsque les gens qu'il connaît le rencontrent dans la rue, ils savent bien que son nom est Lemieux. Il ne change que graduellement, excepté lorsqu'il s'achète des vêtements, qu'il se fait couper les cheveux ou qu'il se laisse pousser une moustache. Il a donc, d'une certaine manière, une série de caractéristiques bien identifiables qui font que la plupart des gens reconnaîtraient sa photo dans le journal ou l'identifieraient dans une foule.

Les images dans leurs têtes

À la deuxième étape, en ajoutant des cases (figures géométriques) au-dessus de sa tête et de la tête des autres, nous commençons à nous former une idée de Michel Lemieux qui va au-delà de l'apparence physique. Dans ce diagramme, les figures géométriques au-dessus des têtes des personnes représentent les images qu'elles ont au sujet de Michel Lemieux. Au centre, c'est Michel Lemieux avec l'image qu'il a de lui-même en rapport avec ce qu'il croit, ce qu'il aime, ce qu'il connaît à propos de son travail, la façon dont il éduque ses enfants et dont il croit pouvoir améliorer son jeu au golf.

Il parle quotidiennement à plusieurs individus, mais seuls quelques-uns parmi ceux-ci sont représentés dans notre illustration. Chaque personnes à laquelle il parle a une image de Michel Lemieux, de son honnêteté, de son intelligence, de son importance, de son apparence, etc. Lorsqu'il parle aux hommes et aux femmes de son cercle, Michel Lemieux a une image de lui-même et les autres en ont une de lui. (Ils ont aussi, bien entendu, une image d'eux-mêmes, mais nous avons dit que nous ne voulions pas compliquer notre illustration.)

Il est très probable que les transactions font principalement intervenir l'image de Michel Lemieux s'adressant aux autres images de lui. Ce que ces gens pensent de lui dépend de la façon dont ils le perçoivent. L'efficacité de Michel Lemieux à communiquer avec ces gens dépend de sa compréhension des images qu'ils se font de lui. Est-ce que le patron lui fait confiance dans son travail? Est-ce que le patron prend des précautions avec lui parce qu'il pense qu'il est moins compétent que lui-même, Lemieux, se perçoit? En parcourant le cercle, nous trouvons dans la tête des gens des images de Lemieux, qui ne sont pas identiques et qui ne correspondent pas forcément aux images que Lemieux a de lui-même. Sa femme et ses enfants peuvent le percevoir différemment, ainsi que ses partenaires de golf. Michel Lemieux a probablement à s'adapter dans ses différents rôles d'employé, de patron, de père, de mari et de golfeur, en fonction des demandes et des attentes que les gens lui manifestent.

Qui est Michel Lemieux?

Est-il ce qu'il croit être dans sa tête ou ce qu'il est dans la tête des autres? Il n'est probablement ni l'un ni l'autre, mais il est un peu toutes ces images, au fur et à mesure qu'il change et que son rôle change. Peut-être n'y a-t-il pas de «vrai» Michel Lemieux, excepté celui qui est perçu par les autres. En recevant le feed-back des autres, il découvre comment les autres le voient; il peut alors choisir comment il veut être et, comme nous l'avons mentionné au chapitre 3, *il découvre qui il est.*

Considérons aussi la question suivante: «Qui s'adresse à qui?» Pensez-vous que ces gens s'adressent au «vrai» Michel Lemieux, ou est-ce l'image de Michel Lemieux qui s'adresse à leurs images? Peut-être n'y a-t-il aucune communication, mais seulement des images dans nos têtes, lesquelles se parlent entre elles.

Le Michel Lemieux idéalisé

Cela nous amène à la troisième étape, une étape encore plus compliquée du processus du jeu des rôles et des comportements. Au-dessus de l'image qu'a Michel Lemieux de lui-même, il y a un petit nuage, lequel contient ce que nous appelons son moi idéal, c'est-à-dire ce que Michel Lemieux aimerait ou voudrait vraiment être. Idéalement Michel Lemieux aimerait se comporter de manière différente. Il voudrait être un meilleur père, un meilleur golfeur, un meilleur employé, un meilleur ami, un meilleur époux. Le nuage représente un désir de devenir, une idéalisation de lui-même.

De la même manière, au-dessus des images de sa famille, de ses amis, et de collègues, nous trouvons le nuage de l'idéalisation que ces derniers se font de lui, c'est-à-dire ce qu'eux aimeraient qu'il soit. Si ses collègues le perçoivent comme un homme acariâtre et mesquin, leurs nuages seront probablement un désir de le voir plus amical et moins mesquin.

Son patron l'imagine (dans la figure géométrique) en retard au travail et il voudrait (dans le nuage) qu'il soit ponctuel et dynamique. La femme de Michel Lemieux a épousé le prince charmant, à partir des idéalisations qu'elle s'est faites au début de leurs fréquentations. Mais, avec le temps, cette image a changé. Elle aimerait qu'il soit davantage attentif à elle et aux enfants, qu'il contribue davantage aux tâches ménagères. Ainsi, quand Michel Lemieux lui dit qu'il va jouer au golf, la réponse de sa femme peut n'avoir aucun lien avec le golf proprement dit et Michel comprendra peut-être difficilement pourquoi elle lui dit qu'elle doit faire le lavage ou rester à la maison. Des problèmes de communication surviennent lorsque l'image qu'on a d'un individu ne coïncide pas avec ce qu'on aimerait qu'il soit ou qu'il fasse.

(Rappelons que nous nous concentrons uniquement sur M. Lemieux et que toutes les autres personnes dans cette situation ont aussi leur «moi idéalisé».)

Michel Lemieux agit en fonction des autres

Certaines idéalisations peuvent être plus prévisibles que d'autres. Si Michel Lemieux est conscient du système de valeurs des gens qui l'entourent, il pourra davantage comprendre leurs idéalisations à son sujet. Dans plusieurs de ses activités, il pourra identifier les règles à suivre pour connaître des interrelations plus positives: un patron devrait le féliciter pour un bon travail et pouvoir le critiquer lorsqu'il commet des erreurs; un mari devrait partager les tâches ménagères et consacrer du temps à sa relation matrimoniale; les golfeurs ne parlent pas lorsqu'un joueur est en train de jouer; les pères partagent des activités avec leurs enfants et, si possible, les aident financièrement; il faut éviter les colères au travail, etc.

Dans plusieurs de ces cas, Michel Lemieux pourra donc deviner assez bien ce que «les autres» attendent de lui. Il pourra certes choisir de se comporter ou non en fonction de ces attentes, mais, au moins, il sera conscient de la façon dont peuvent être perçus ses comportements. Il saura aussi, quels que soit son choix et sa façon d'agir, que les autres le jugeront en se basant (1) sur leurs nuages, c'est-à-dire sur la façon dont ils voudraient qu'il agisse, et (2) sur leurs figures géométriques, c'est-à-dire sur ce qu'ils attendent de lui en fait de comportements. Ce qui fait de ses comportements des événements complexes.

Nombre de conclusions au sujet des rôles que nous jouons, sont contenues dans cet exemple très simplifié de Michel Lemieux. Elles sont énumérées dans l'encadré 8.4. Elles se présentent comme une ligne directrice pour l'observation de nos rôles et interrelations.

Encadré 8.4   Les principes derrière les rôles de Michel Lemieux

1. Plus grande est la différence entre les images que nous avons de nous-mêmes et celles que les autres ont de nous, plus fortes sont les chances d'incompréhension et de feed-back ambigu.

2. Plus grande est la différence entre notre image de nous-mêmes et notre moi idéal, plus grande risque d'être notre insatisfaction envers nous-mêmes et nos comportements.

3. Plus grande est la différence entre les images que les autres se font de nous et leurs idéalisations à notre sujet, moins grandes sont les chances de développer des relations satisfaisantes avec ces gens.

4. Les images de nous-mêmes et les images que les autres se font de nous sont le résultat des comportements que nous adoptons envers eux et vice versa.

    a) Nous prenons conscience de qui nous sommes par le feed-back des autres envers nous.

    b) Les autres se font une idée de qui nous sommes par les réactions qu'ils enregistrent de nos comportements envers eux.

5. Notre idéalisation de nous-mêmes est liée à notre système de valeurs, et les attentes des autres envers nous sont probablement liées à leurs systèmes de valeurs.

    a) La façon dont nous jouons un rôle provient certainement en grande partie de nos idéalisations de ce rôle, à savoir ce que nous croyons que les gens placés dans ce rôle devraient faire.

    b) Nous avons besoin du feed-back des autres non seulement pour qu'ils nous disent comment ils nous perçoivent (leurs images), mais aussi pour savoir comment ils aimeraient que nous nous comportions (leurs idéalisations).

AU-DELÀ DE NOS INTERRELATIONS

Si nous sommes comme Michel Lemieux, nous aimerions communiquer avec les autres avec un minimum de compréhension mutuelle et sans sabotage. Il pourra se produire, à l'occasion, que des gens nous tromperont, mais la plupart d'entre nous désirons des interrelations mutuellement satisfaisantes.

Dans les chapitres suivants, nous suggérerons quelques approches pour améliorer la communication et pour résoudre les conflits. Cependant, vous ne trouverez pas les dix-moyens-de-communiquer-de-façon-infaillible-avec-tout-le-monde; il n'y a pas de recette simple ou d'approche magique, ni de pilule à avaler pour guérir d'une indisposition interpersonnelle. Et cela est particulièrement vrai à l'égard de la confiance, que nous abordons maintenant.

L'ART DE LA CONFIANCE

Qu'est-ce que cela veut dire «faire confiance»? En quoi la confiance est-elle reliée à la communication interpersonnelle? À qui doit-on faire confiance, et quand? Comment peut-on montrer aux autres qu'ils peuvent nous faire confiance? Voilà des questions importantes, auxquelles les réponses ne sont pas simples. Nous présenterons ici une analyse du concept de la confiance basée sur l'analyse à la fois très sensible et controversée qu'ont faite Rossiter et Pearce[8].

Le contexte de la confiance

Selon Rossiter et Pearce, nous ne pouvons faire l'expérience de la confiance que lorsque, dans notre relation avec une autre personne, il y a *contingence, prévisibilité et options de rechange.*

La «contingence» renvoie à l'aspect d'une situation où les résultats des actions d'une autre personne nous affectent de façon significative. Si le comportement d'une autre personne n'a aucun effet sur nous, il n'y a pas nécessité de faire confiance à cette personne et il n'y a pas là, évidemment, le lien essentiel qui peut nous amener à parler de confiance.

La «prévisibilité» renvoie au degré de certitude que nous avons de ce qu'une autre personne fera ou ne fera pas. Nous avons besoin jusqu'à un certain point de prédire le comportement ou les intentions d'une autre personne. Dans les situations où nous avons une prévisibilité faible, c'est-à-dire où nous avons peu de certitude à propos du comportement possible d'une autre personne, nous pouvons entretenir un espoir ou une attente quelconque, mais on ne fait pas encore l'expérience de la confiance.

Finalement, les «options de rechange» impliquent que nous pouvons choisir quelque chose d'autre que la confiance. La confiance n'est vraiment réelle et présente que si elle est choisie.

Si une de ces trois caractéristiques est manquante, nous ne pouvons parler de confiance. Lorsque ces trois caractéristiques sont présentes, la confiance *pourra* se développer. Le mot «pourra» est délibérément souligné ici car, comme nous le verrons, la confiance est une

---

8. Charles M. Rossiter et W. Barnett Pearce, *Communicating Personally*, Indianapolis, Ind., The Bobbs-Merrill Company, 1975, p. 119-145.

option, elle n'est jamais automatique. Si ce qui nous arrive dépend du comportement d'une autre personne, si nous avons des bases pour prédire comment une autre personne se comportera envers nous et si nous avons le choix de notre propre comportement, alors nous sommes dans une situation où la confiance peut apparaître. Pour vérifier si ces trois conditions sont présentes, pensons à ce que nous connaissons des relations homme-femme, patron-employé, ou à d'autres types de relations plus ou moins intimes. Le tableau 8.1 apporte des exemples de situations où nous devons décider de faire confiance ou non.

Tableau 8.1 Situations de confiance.

Caractéristique, et comment vérifier si celle-ci est présente	Un vendeur de magasin vous montre un vélo que vous voulez acheter	Un ami vous propose de le rencontrer à 17h et vous offre de vous reconduire à la maison avec son auto	En conduisant à l'heure de pointe vous arrêtez à un feu rouge et attendez le feu vert
Contingence — ce que l'autre personne fait a-t-il un effet sur moi?	Vous voulez le vélo comme la publicité et le vendeur en parlent; c'est vous cependant qui aurez à assumer votre décision.	Accepter l'offre vous épargnera temps et effort; vous serez dépendant de l'autre.	Arrêter empêchera possiblement une collision. Vous devez faire confiance aux autres derrière vous pour qu'eux aussi s'arrêtent et que ceux sur la voie transversale ne démarrent que lorsque le feu sera vert pour eux.
Prévisibilité — puis-je compter sur l'autre personne?	Vérifiez la réputation du magasin; référez-vous à vos expériences antérieures avec d'autres vendeurs; considérez comment les vélos se comportent sur la route.	Votre ami est-il connu pour sa ponctualité? L'auto de cet ami est-elle fiable? Y a-t-il d'autres facteurs qui pourraient empêcher cet ami de vous rencontrer?	La plupart des automobilistes obéissent aux signaux. Quoique le feu jaune soit dangereux à franchir, les feux rouge et vert sont habituellement prévisibles.
Options alternatives — Puis-je personnellement faire quelque chose pour ce qui est d'avoir confiance ou non?	Vérifiez ce que vous pouvez à propos du vélo; essayez d'obtenir une garantie sur les pièces. Si vous n'êtes pas satisfait et que vous ne vous sentiez pas en confiance, alors n'achetez pas le vélo.	Marchez; prenez l'autobus; demandez à un autre ami, en cas; téléphonez à l'ami juste avant 17h pour confirmer.	Ne conduisez pas; prenez l'autobus. Si vous conduisez vous êtes dépendant des autres, de leur obéissance au code de la route, spécialement à leur respect des feux rouges quand c'est à votre tour d'avancer.

La croyance de base pour faire confiance

Lorsque nous faisons confiance à une autre personne, nous devons prendre un risque; nous augmentons ainsi notre vulnérabilité face à cette personne. En effet, faire confiance à une autre personne, c'est se laisser affecter par son comportement. Pour ce faire, nous devons croire que l'autre veut et peut se comporter de façon à ne pas nous blesser.

Autrement dit, nous faisons confiance à une autre personne lorsque nous croyons qu'elle nous respectera profondément. Cependant, les bonnes intentions sont insuffisantes; les habiletés sont par contre cruciales. L'autre personne est-elle capable de faire ce à quoi nous nous attendons? Après tout, même un ami peut très bien avoir de bonnes intentions (vouloir nous aider à nous soigner, par exemple) mais nous pouvons manquer de confiance et ne pas le laisser faire une chose qui est en rapport direct avec notre problème, si en réalité il n'est pas qualifié pour le faire. L'inverse est également vrai. Même si nous percevons quelqu'un comme très compétent, mais en même temps doutons de ses intentions, nous ne serons pas porté à lui faire confiance.

Comment développer des relations de confiance?

Jouir de la confiance des autres n'apparaît pas par magie; cela ne s'obtient pas simplement en suivant un manuel d'instructions sur les étapes à franchir, du style tout-ce-qu'il-faut-faire-pour-que-les-autres-nous-fassent-confiance. En fait, il n'y a pas de moyen vraiment sûr pour obtenir la confiance des autres. Par contre, s'il est vrai que faire confiance aux autres encourage *quelquefois* les autres à nous faire confiance, l'inverse, c'est-à-dire de ne pas faire confiance aux autres, amène *presque toujours* les autres à ne pas nous faire confiance.

Nous ne pouvons pas obtenir de force la confiance de quelqu'un. Si quelqu'un persiste à ne pas nous comprendre, refuse systématiquement de nous croire bien intentionnés ou compétents, alors que nous le sommes, il y a bien peu de choses que nous puissions faire pour codifier sa perception et son interprétation de ce que nous sommes. Tout ce que nous faisons peut être mal interprété, et tout ce que nous disons peut être retenu contre nous comme «preuve» de cette conception ou de cette perception originale.

La confiance se construit à travers les risques pris un à un, progressivement, par chacun, dans une interrelation. Par exemple, si dans une situation nous nous rendons vulnérables face à une personne et acceptons que cette personne nous affecte fortement, et si l'autre accepte notre engagement initial sans nous blesser mais en se rendant elle aussi vulnérable face à nous, alors une confiance mutuelle peut s'établir. Ainsi, à risque égal mais calculé, chacun se rend un peu plus vulnérable et le processus s'engage, se développe au fur et à mesure qu'ensemble les risques sont partagés.

Rossiter et Pearce prétendent qu'une relation de confiance peut s'établir lorsque trois facteurs sont présents: (1) nous devons faire confiance, même si nous ne sommes pas certains que la confiance est réciproque; (2) les deux personnes doivent vouloir avoir confiance, c'est-à-dire (a) ne pas suivre l'impulsion d'exploiter l'autre et (b) ne pas interpréter la confiance de l'autre envers nous comme un geste de folie; (3) les deux personnes doivent vouloir négocier un processus dans lequel les risques augmenteront progressivement.

Nous l'avons dit au point de départ: nous ne pouvons obtenir la confiance d'un autre par la force. Si quelqu'un ne veut pas nous faire confiance, il trouvera toujours quelque chose pour appuyer l'idée qu'il doit se méfier de nous. Ultimement, tout ce que nous pouvons faire est d'avoir quand même confiance, avec l'espoir que l'autre répondra avec la même attitude à un moment donné. Évidemment, il n'y a aucune garantie que cela se produira car, en même temps que nous prenons des risques qui nous rendent vulnérables, il y a la possibilité que l'autre nous trouve naïfs et essaie même de nous exploiter. Il nous faut, en somme, toujours décider si les risques valent la peine d'être courus et si nous pouvons nous permettre de les courir. En un sens, par conséquent, pour obtenir la confiance de l'autre, nous devons prendre l'initiative et ne pas attendre que ce soit l'autre qui fasse les premiers pas. Si je veux être perçu comme une personne de confiance, nous devons faire le premier geste, nous ouvrir, et cela implique toujours un certain risque.

Mettre sa confiance dans l'autre est aussi une chose difficile. Cela dépend du comportement de soi et de l'autre, ainsi que de l'habileté de cette personne à faire confiance et à prendre des risques. Nous avons peu de contrôle, si toutefois nous en avons un, sur l'habileté d'une autre personne à prendre des risques. Néanmoins, nous pouvons parfois avoir un certain contrôle sur l'ampleur des risques que court l'autre personne, et deviner si elle doit ou non nous faire confiance.

Par exemple, si nos communications ou nos messages sont sûrs, fiables, c'est-à-dire si nous agissons en concordance avec notre discours et que notre comportement non verbal corresponde à nos paroles, les autres peuvent prédire le degré de risque qu'ils courent, et dès lors minimiser leurs chances de se tromper à notre sujet.

Également, nous avons parfois une certaine influence sur les risques que décide de prendre une autre personne. En effet, d'habitude notre façon de répondre ou de réagir affecte beaucoup la décision de l'autre de courir et de continuer de courir des risques avec nous. Par exemple, nous disons à un employé de poursuivre un projet et que, peu importe ce qui arrivera, nous le soutiendrons. Mais, le travail terminé, nous critiquons sévèrement cet employé parce qu'il n'a pas fait exactement ce que nous voulions qu'il fasse. Alors, la prochaine fois, nous ne pourrons nous attendre à ce que cet employé nous croie vraiment. La même chose se produit lorsqu'un père ou une mère encourage son enfant à dire la vérité mais le punit lorsque ce dernier lui avoue une faute. Cet enfant apprendra probablement à ne pas dire la vérité et même à mentir, car il se rendra compte que le risque de dire la vérité n'est pas bien payant pour lui.

Comment décider de faire confiance?

Il y a des moments où nous regrettons d'avoir fait confiance à une autre personne. Par exemple, on a essayé un plan pour devenir riche rapidement, lequel n'exigeait presque aucun effort de notre part, et qui s'est révélé une supercherie. Lorsque quelqu'un semble nous faire confiance, il n'y a pas de moyen sûr de savoir si cette personne veut vraiment bâtir une relation de confiance avec nous ou si elle est seulement en train de jouer le jeu avec l'intention de nous exploiter plus tard.

Nous sommes donc placés devant une prise de décision assez classique: faire confiance alors que nous ne devrions pas, ou ne pas faire confiance alors que nous devrions. Ainsi, si je m'engage dans la direction de la confiance alors qu'il ne le faudrait pas, je serai peut-être perçu par certains comme une personne ouverte, gentille, chaleureuse, et par d'autres comme une personne plutôt stupide, naïve et crédule. D'autre part, si je choisis de ne pas faire confiance tandis qu'il serait bien de le faire, je serai peut-être perçu par certains comme une personne ferme et perspicace, et par d'autres comme une personne distante et trop méfiante.

Comme directeur du personnel, professeur, parent ou ami, vous devez souvent relever ce défi. Est-ce que pour ma part, j'accepterai de mes étudiants et étudiantes leurs histoires les plus farfelues lorsqu'ils veulent éviter de faire un travail ou veulent me le remettre en retard, au risque de passer pour une pâte molle? Ou est-ce que je serai toujours intransigeant face à toutes ces situations pour être certain de m'établir une réputation de professeur difficile à berner? Dans un cas comme dans l'autre, mon comportement influencera les étudiants. Et vous, êtes-vous prêt à laisser à un confrère de classe vos notes de cours pour la fin de semaine? Quand les autres vous demandent de l'argent ou un objet personnel, que faites-vous? Etc.

Il n'y a pas de réponses faciles à ces questions. Mais que ce soit comme ami, parent, collège, directeur, frère ou soeur, employé, étudiant ou professeur, nous devons faire face à cette interrogation qui est une partie essentielle de nos interrelations.

RÉSUMÉ

Les interrelations sont un des aspects les plus importants de la communication humaine, et peuvent être définies comme des rencontres permanentes plutôt que fortuites. Elles ont lieu lorsque les gens passent du temps et font des choses ensemble, lorsqu'ils partagent un environnement ou un milieu, lorsqu'ils échangent des informations ou des sentiments et lorsqu'ils perçoivent qu'ils sont liés aux autres et que les autres les perçoivent ainsi.

Les interrelations peuvent avoir lieu entre amis de même sexe ou des deux sexes, dans les familles, au travail, à peu près n'importe où. Une interrelation peut exister comme une fin en soi; alors les gens n'ont pas d'autres buts.

Parce que les interrelations sont dynamiques et changeantes, il est important de les voir comme un processus, une série de phases identifiables qui surviennent dans des séquences variées. Les phases couvrent la première rencontre (le contact), puis un niveau plus sérieux où chacun s'observe (l'évaluation), puis un niveau encore plus sérieux de l'interrelation (l'engagement). Alors des considérations négatives surgissent (le doute); si elles sont très négatives, elles mettent fin à l'interrelation.

Les rôles sont des patterns de comportements que nous adoptons dans des situations spécifiques. Les autres nous aident à décider de nos rôles, et la négociation des rôles se fait entre les gens sur des questions d'intimité, d'autorité, d'environnement, de profession ou d'emploi, d'âge, de relations familiales et de sexe. La façon de nous adapter à ces rôles sera influencée par le contenu et le style de notre communication avec les autres. L'exemple d'un individu (Michel Lemieux) montre la complexité des rôles dans les interrelations et dégage quelques conclusions sur la façon dont les rôles affectent la communication.

Les interrelations de confiance se développent quand nous sommes affectés significativement par les actions des autres (contingence), quand nous avons la certitude que l'autre personne agira d'une certaine manière (prévisibilité) et quand nous avons d'autres options que la confiance (options de rechange). La confiance est plus difficile à construire qu'à perdre. Elle implique que nous devons courir des risques et la négocier constamment et graduellement.

CHAPITRE

9

LES TRANSACTIONS SOUS TENSION

OBJECTIFS

Après avoir étudié ce chapitre, vous devriez être en mesure de:

1. Comparer le point de vue traditionnel à la façon plus récente de considérer les conflits.

2. Énumérer trois conséquences négatives possible de conflits irrésolus et donner des exemples originaux.

3. Énumérer trois conséquences positives de conflits bien gérés et donner des exemples originaux.

4. Discuter les différences entre les niveaux personnel, interpersonnel et organisationnel dans les conflits.

5. Identifier dans votre expérience de vie deux exemples d'utilisation d'une stratégie d'évitement.

6. Identifier dans votre expérience de vie deux exemples d'utilisation d'une stratégie de désamorçage.

7. Identifier dans votre expérience de vie un exemple pour chaque type de stratégie d'affrontement.

8. Défendre l'utilisation d'une négociation de principes plutôt q'une négociation de positions.

9. Citer trois moyens visant à réduire les comportements défensifs dans votre entourage.

10. Expliquer à quel moment il est pertinent de s'ouvrir dans une stratégie de réduction de tension dans une relation.

11. Distinguer les cinq styles de communication et énumérer leurs caractéristiques.

INTRODUCTION

Des tensions surviennent lorsque les gens communiquent. Lors de la discussion des relations dans le chapitre précédent, nous avons souvent fait référence aux difficultés qui peuvent survenir entre vous et les autres. Même les amis intimes ou les membres d'une même famille ont des opinions différentes des vôtres sur certains sujets. Il serait difficile d'imaginer une relation parfaite où deux personnes seraient d'accord à tout moment. La nature transactionnelle de la communication humaine nous laisse croire qu'il y a des différences entre les individus. Ces différences doivent être résolues d'une quelconque manière si on désire que les gens s'entendent et puissent accomplir des choses ensemble.

Lorsque nous utilisons le terme «tensions», nous référons à la vaste étendue des réactions que les gens peuvent avoir les uns envers les autres, allant du désaccord tranquille et ordonné jusqu'à la guerre ouverte et agressive. De telles tensions impliquent les notions jumelées de «conflit» et de «négociation».

CONFLIT ET NÉGOCIATION

Avez-vous déjà entendu quelqu'un proclamer la parfaite entente qui règne dans son groupe, sa famille, son logement, sa classe, son club, son bureau ou son voisinage? Il irait jusqu'à dire que personne n'est en désaccord, que personne ne s'affronte. «Nous formons tous une grande famille unie.» Quand vous entendez ces propos, êtes-vous porté à (1) douter de leur honnêteté ou (2) douter de leur sensibilité vis-à-vis de ce qui se passe dans le monde? Il serait difficile de trouver un groupe sans problème, sans conflit dans un monde où les gens ont des instincts normaux d'attention à soi-même et un niveau raisonnable de dynamisme et de vitalité.

Le point de vue traditionnel

Traditionnellement, les conflits étaient considérés comme étant mauvais et à éviter. On devait les cacher aux autres et en avoir honte. Les idées sous-jaçentes à cette vision des conflits impliquaient que ceux-ci sont le produit du comportement de quelques individus indésirables. Tout conflit était associé à la colère, à l'agressivité, à une bataille physique ou verbale, à la violence, à des sentiments ou des comportements fondamentalement négatifs. Du côté individuel: «Il n'est pas bon de se battre.» De même, «Il faut éviter les conflits», «Il n'est pas bon de se disputer devant les enfants» ou «Si tu m'aimais, tu comprendrais». Voilà le genre de messages qui nous ont enseigné que les conflits sont fondamentalement mauvais et que seuls les gens mauvais argumentent, entrent en conflit ou se battent.

Sur à une grande échelle, les guerres sont l'expression de conflits entre des nations. Sur une plus petite échelle, les divorces, les séparations, les démissions, les retraits, les guerres de personnalité sont aussi des exemples de relations interpersonnelles conflictuelles parfois destructrices.

Même si la majorité des gens considère encore le conflit comme une transaction négative, un nouveau point de vue est en train d'émerger. Les analystes de la communication suggèrent dorénavant que cette vision négative est souvent incorrecte et, au mieux, limitée.

Le point de vue contemporain

De plus en plus d'auteurs décrivent de nouveaux postulats à propos du conflit et, par le fait même, de la négociation, lesquels ont un effet sur notre vie personnelle, professionnelle et sur les affaires internationales[1]. Ces approches nouvelles sont basées sur la notion que (1) les conflits sont inévitables; (2) qu'ils sont souvent déterminés par des facteurs structuraux ou par la situation aussi bien que par les gens; (3) qu'ils sont souvent prévisibles et compréhensibles et (4) qu'ils font partie intégrante du processus de changement et de développement des relations à l'échelle aussi bien individuelle qu'universelle.

Le conflit est une partie naturelle de toute relation. Il est aussi transactionnel, conformément à la définition donnée antérieurement. Cela signifie qu'un conflit interpersonnel ne peut survenir que si les deux parties le voient. À moins que la situation ne soit perçue comme conflictuelle par nous-mêmes et par les autres qui sont en cause, il n'y a pas de conflit, et bien sûr pas de négociation. Nous devons être mutuellement conscients qu'un conflit existe.

Qu'importe le degré de rapprochement, d'amour, de compatibilité ou de respect entre nous et une autre personne ou un groupe, il y aura toujours des moments où nos besoins, nos pensées, nos sentiments ou nos actions ne correspondront pas à ceux des autres. *Résultat*: conflit!

«Ils vécurent heureux tous les jours de leur vie» est une conclusion de conte de fées. Deux personnes ne peuvent être semblables au point qu'elles sentent, pensent ou agissent toujours de façon identique. Vivre heureux avec des conflits est le lot de relations mûres, réalistes et menées avec habileté.

Les conséquences positives et négatives d'un conflit

Les conflits n'ont pas tous les mêmes résultats. Généralement, les résultats d'un conflit peuvent être perçus comme destructeurs ou constructifs. La façon dont se termine un conflit dépend d'un bon nombre de facteurs, et vos négociations aboutiront à diverses solutions ou à de futurs problèmes.

La vie serait merveilleuse si on pouvait résoudre nos problèmes aussi rapidement que dans les téléromans! Les personnages y vivent des problèmes, entrent en conflit, mais à la fin de l'émission, trente minutes plus tard, tout va pour le mieux dans le meilleur des mondes. La solution aux conflits survient encore plus rapidement dans les messages publicitaires. Au début de la réclame, une personne malchanceuse a des caries dentaires, des cernes autour du col de sa chemise, des taches sur sa verrerie et, de plus, elle est obèse. Cependant, une application rapide du produit-miracle élimine le conflit en moins d'une minute. Une personne à la taille fine peut maintenant recevoir ses invités dans une chemise immaculée et leur servir à boire dans des verres étincelants tout en arborant un magnifique sourire truffé de dents blanches. Les concepteurs d'annonces publicitaires savent que vos pires craintes face à un conflit sont de perdre vos biens matériels ou les personnes que vous aimez. Vous avez appris

---

1. Fred Jandt, *Win-Win Negotiating: Turning Conflict into Agreement*, New York, John Wiley & Sons, 1985; Joe Kelly, *Organizational Behavior*, 3e ed., Homewood, Ill., Richard D. Irwin, 1980; Joyce Hocker Frost et William L. Wilmot, *Interpersonal Conflict*, Dubuque, Iowa, Wm. C. Brown, 1978; Michele T. Myers et Gail E. Myers, *Managing by Communication*, New York, McGraw-Hill Book Company, 1981; Deborah Weider-Hatfield, «A Unit in Conflict Management Skills», *Communication Education*, vol. 30, n° 3, 1981.

dans votre jeunesse que les conflits ont de mauvaises conséquences, à moins que vous n'utilisiez le produit-miracle qui vous fera retrouver vos amis et votre sourire.

Parmi les conséquences négatives d'un conflit non résolu, il y a la possibilité de se faire des ennemis, de blesser des gens qu'on aime et de rendre plus difficiles nos interactions avec eux. À répétition, les disputes et les désaccords tendent à nous épuiser et compromettent l'investissement dans la relation. Nous dépensons une grande quantité d'énergie dans un conflit. Cette énergie pourrait être utilisée de façon plus productive. Nous pouvons, lorsque nous sommes en colère, garder secrète une information qui serait potentiellement utile à quelqu'un. Le conflit peut nous effrayer à un point tel que nous et notre groupe tombons dans le piège du conservatisme extrême et du consensus déraisonnable. Il s'agit du phénomène de «groupthink» tel que décrit dans l'encadré 9.1.

Encadré 9.1   Le «groupthink»

Le terme «groupthink», qui pourrait se traduire par «pensée de groupe», a été emprunté par I. Janis* à la science-fiction. Ce mot décrit en fait de façon critique la prise de décision en groupe. Un film portant le même titre présente ses positions sur le fonctionnement inopérant des groupes. Janis fait remarquer que le phénomène de *groupthink* se produit toujours dans un *groupe uni* dans lequel les membres ont des sentiments très positifs les uns envers les autres et veulent demeurer membres du groupe. Ce sens de la *solidarité* encourage le groupe à rechercher la bonne entente et l'empêche de considérer sérieusement les problèmes qui pourraient entraîner des remises en question. C'est ainsi que les membres d'un groupe uni sont incapables d'utiliser leur *sens critique*.

Selon Janis, les groupes développent une *illusion d'invulnérabilité*. Ils deviennent suffisants et trop sûrs d'eux-mêmes dans leur prise de décision. Ils en viennent à utiliser le «nous» et le «ils» pour se distinguer de leur adversaire commun et ainsi renforcer leur cohésion interne. Ils peuvent aussi s'aider de *stéréotypes* communs qu'ils accolent à leur ennemi. En travaillant ensemble, le groupe peut développer des *rationalisations* communes et fournir les explications les plus triviales au sujet de leur comportement ou de leur décision. Ils se protègent sous le couvert de la *moralité* puisque le soutien du groupe leur permet de dénier toute responsabilité éthique.

Les groupes qui travaillent intimement sur une longue période s'isolent des réalités extérieures. Certaines pratiques de protection des idées peuvent permettre aux membres de se rassurer en se disant que tout le monde pense comme eux. L'illusion de l'unanimité est ainsi créée à l'intérieur du groupe et personne n'exprime de doute, ce qui pourrait détruire l'unité du groupe. Janis recommande que des experts extérieurs au groupe puissent donner leur opinion et surtout que chacun des membres du groupe devienne un évaluateur critique. Chaque membre doit posséder la liberté d'explorer toutes les avenues imaginables. Il doit aussi maintenir la communication ouverte et en venir à des décisions éclairées qui nécessitent une compréhension des responsabilités et des risques qui peuvent survenir.

---

* I. Janis, *Victims of Groupthink*, Boston, Houghton-Mifflin, 1972. I. Janis, «Groupthink», *Psychology Today*, vol. 5, n° 6, novembre 1971, p. 43-48.

Après cette énumération des conséquences négatives, il est facile de comprendre pourquoi les gens essaient d'éviter ou de supprimer les conflits. Cependant, ces derniers peuvent entraîner certains résultats positifs.

Une tension ou un conflit donne souvent aux gens plus d'énergie et plus de motivation. Certaines personnes vivent bien avec la compétition. Un conflit mobilise des énergies qui, autrement, ne seraient pas disponibles. Les conflits peuvent ainsi amener l'innovation, la créativité, le changement. Si tout conflit est supprimé au profit du conformisme et de la sécurité, nous risquons de nous trouver à court d'idées neuves et de créativité, et, sans idée neuve et sans créativité, les groupes ou les relations risquent d'être stagnants, sinon ennuyeux. Les nouvelles idées viennent souvent de points de vue conflictuels qui sont échangés et discutés ouvertement. Les meilleures décisions et les meilleurs engagements résultent souvent d'une plus grande expression individuelle. Un désaccord ouvert peut donner lieu à une exploration des sentiments, des valeurs et des attitudes. Ce partage d'informations personnelles peut ainsi aider à cimenter, à approfondir une relation.

Le conflit peut mettre les divergences en évidence et aider à trouver des terrains d'entente. À la suite d'un conflit il est possible d'en apprendre davantage sur soi, sur les autres et sur nos relations mutuelles. Chaque fois qu'un conflit est reconnu, exploré et débattu, nous en apprenons un peu plus sur la manière de faire face au prochain conflit, de gérer nos relations. Nous apprenons également à juger de la façon dont notre communication influence positivement ou négativement un conflit.

Pour prévoir les conséquences, il peut être utile de savoir d'où viennent les conflits et de connaître quelques caractéristiques du genre de conflit qui nous préoccupe.

Les types de conflits

Alors que les conflits étaient autrefois attribués aux problèmes personnels de certains fauteurs de troubles, les études récentes dans ce domaine les associent à d'autres facteurs. Nous discuterons dans cette section trois types de conflits: les conflits personnels, interpersonnels et organisationnels. Ils sont résumés dans le tableau 9.1 de la page suivante.

Conflits personnels

Les conflits personnels apparaissent quand une personne ressent: (1) des besoins, des désirs ou des valeurs conflictuelles; (2) des manières de satisfaire ses besoins ou ses désirs qui rivalisent entre elles; (3) une frustration qui bloque la satisfaction d'un besoin; (4) des rôles qui ne vont pas bien ensemble.

1. BESOINS CONFLICTUELS

Même si ceux-ci sont décrits comme des conflits qui se produisent en nous, ils auront une influence sur nos relations avec autrui. Dans ce genre de conflit, il faut choisir entre deux possibilités agréables. Devriez-vous aller au cinéma ou jouer aux cartes avec des amis? Devriez-vous acheter cette chaîne stéréo ou garder votre argent pour un magnétoscope? Allez-vous étudier pour préparer votre examen de mathématiques ou celui d'histoire? Devez-vous choisir entre deux amis qui voudraient tous deux vous voir? (À ce conflit, les psychologues

Tableau 9.1   Types de conflits

Type	Origines habituelles	Exemples
Personnel	Besoins conflictuels	Étudier ou sortir avec un ami. (Approche-approche: vous devez ou voulez faire les deux mais vous ne le pouvez pas.) Un travail ennuyeux mais mal rémunéré. (Approche-évitement: une conséquence positive et une autre négative en même temps.) Tricher ou échouer à un examen (Évitement-évitement: il n'y a aucune option désirable.)
	Façons compétitives	Des façons différentes d'arriver au même but. (Pour obtenir une bonne moyenne, devez-vous vous concentrer sur les cours les plus difficiles ou étudier également pour tous vos cours?)
	Frustration provenant d'un obstacle	Une personne ou une circonstance vous empêche d'obtenir une promotion.
	Rôles contradictoires	Votre religion vous recommande d'agir d'une façon et vos amis agissent d'une autre manière.
Interpersonnel	Différences individuelles	Les problèmes de conflit de générations, les pratiques culturelles, les différences entre les sexes.
	Ressources limitées	Comment partager également le gâteau? (Qui prendra la voiture ce soir? Avec qui votre meilleur ami passe-t-il sa soirée?)
	Différenciation des rôles	Pouvez-vous commander à une autre personne? (Qui attend le coup de téléphone de l'autre? Qui décide du film à aller voir? Devez-vous demander la permission pour aller quelque part?
Organisationnel	Structure et niveaux	Est-ce que certains dans le groupe ont tendance à se placer au-dessus des autres? (Est-ce que vos supérieurs agissent sans vous consulter? Un professeur vous donne-t-il des examens imprévus?)
	Fonctions et objectifs	Est-ce que le statut des gens qui vous entourent a un effet sur leur comportement? (Est-ce qu'un de vos directeurs de service vous traite comme si vous étiez une nuisance alors que son travail consiste normalement à vous aider?)
	Ressources (biens, pouvoir, autorité, responsabilité)	Les ressources sur le plan académique incluent des choses comme le temps, l'argent, les choses dont vous avez besoin pour poursuivre vos études, l'autorité, la responsabilité. (Le peu de temps accordé par un professeur pour une rencontre; le nombre limité de notes élevées pour respecter la courbe; les heures d'ouverture de la bibliothèque; le nombre de places disponibles dans un cours.)

donnent le nom d'«approche-approche».) Une façon de se sortir d'un tel con-flit est de redéfinir les options: s'agit-il réellement d'opposés, ou n'y a-t-il pas un moyen de concilier les deux? Faire un retour en arrière et porter un regard neuf sur ce qui *semble* un conflit peut nous aider à formuler d'autres options. Vous pouvez acheter une chaîne stéréo moins chère et commencer à mettre de l'argent de côté pour un magnétoscope; vous pouvez répartir votre temps de façon à étudier les mathématiques et l'histoire.

Il arrive que vous ayez le choix entre ce que vous *voulez* faire et ce que vous *devez* faire; il s'agit là d'un conflit «approche-évitement». Aller au cinéma ou à la bibliothèque? Faire du ski ou affecter cet argent à des choses dont vous avez besoin? Terminer votre travail de session et ne pas voir votre ami ce soir? Allez-vous dire à votre professeure qu'elle s'est trompée et risquer qu'elle soit fâchée? Une grande partie de ce que nous appelons le «stress» de la vie quotidienne provient de ce genre de conflit personnel. Lorsque les conséquences négatives sont vraiment plus lourdes que les conséquences positives, il est plus facile de prendre une décision. Mais s'il y a un équilibre entre les deux types de conséquences, «vous êtes cuit si vous le faites et vous êtes cuit si vous ne le faites pas»; cela pourrait vous immobiliser, vous rendre malade ou prendre une si grande partie de vos énergies que vous n'auriez plus de temps pour autre chose. Dans de telles circonstances, un conseil éclairé et compréhensif d'un proche ou d'un professionnel pourrait vous aider.

Il y a aussi des situations dans lesquelles vous n'aimez aucune des options disponibles. Vous détestez le cours, vous détestez le professeur, mais vous ne pouvez abandonner parce que vous avez absolument besoin de ces crédits pour réussir. Allez-vous dénoncer un étudiant que vous avez vu tricher lors d'un examen et qui, à cause de sa malhonnêteté, obtiendra peut-être une meilleure note que vous? Votre sens de l'éthique pourrait vous pousser à rapporter la tricherie. D'un autre côté, personne n'aime les délateurs, donc vous hésitez à «vendre» la personne aux autorités. La situation peut devenir très difficile lorsque vous militez pour une certaine cause. Si vous êtes un ardent défenseur du «droit à la vie», continuerez-vous à vous associer à une amie qui s'est fait avorter? Si vous ne pouvez supporter la cigarette, allez-vous empêcher un de vos meilleurs amis de fumer dans votre voiture lors d'un long voyage? Allez-vous dire à un ami qui vient de faire un vol à l'étalage de rapporter la marchandise? Une de nos manières favorites de nous sortir de ce dilemme d'«évitement-évitement» est de ne rien faire et d'espérer que la situation ne se reproduira plus ou que le problème se réglera de lui-même.

2. FAÇONS COMPÉTITIVES DE SATISFAIRE SES BESOINS

Au moment où nous nous fixons des buts, nous nous rendons souvent compte qu'il y a plusieurs façons de les atteindre. Quels cours pourront à la fois me plaire et me permettre d'obtenir un diplôme reconnu? Dans quelle carrière puis-je être utile à la société et gagner beaucoup d'argent ou avoir du prestige? Dois-je passer mon temps à étudier une matière que j'aime ou une matière dans laquelle j'ai de la difficulté? Si vous gardez à l'esprit vos buts, vous ferez de meilleurs choix parmi vos options.

3. FRUSTRATION VENANT DES BLOCAGES

Si quelqu'un ou quelque chose s'interpose entre vous et le but que vous voulez atteindre, cela pourra entraîner un conflit personnel. Avez-vous déjà eu un professeur qui semblait s'entêter à vous empêcher de donner le meilleur de vous-même? Il ne vous manque qu'un peu d'argent pour vous offrir la voiture de vos rêves mais vos autres dépenses viennent d'augmenter. Est-ce que la personne que vous désirez de tout coeur s'intéresse plutôt à un de vos amis? Est-ce que l'emploi que vous postulez dépend de votre réussite à un test de qualification? Est-ce que le cours dont vous avez absolument besoin pour obtenir votre diplôme ne s'offre que l'année prochaine? Plusieurs personnes réagissent à la frustration en la reportant sur les autres; il s'agit de «donner un coup de pied au chien». Il est plus facile de blâmer les autres pour les situations désagréables que (a) de changer nos objectifs quand nous rencontrons trop d'obstacles ou (b) de trouver une façon d'aborder le problème autrement que par un affrontement direct, inflexible et entêté.

4. RÔLES CONTRADICTOIRES

Comme nous l'avons mentionné au chapitre 8, les conflits de rôles sont chose assez courante chez les gens associés à des groupes différents qui, de ce fait, doivent adopter des comportements et des valeurs reliées à chacun de ces groupes. Lorsque les groupes ont des valeurs semblables, il y a peu de conflits. Mais si vous êtes membre d'un parti conservateur et que vous vouliez promouvoir une cause libérale, vous faites alors l'expérience d'un conflit personnel. Pouvez-vous avoir de bonnes relations avec vos confrères de classe si vous êtes le «chou chou» du professeur? Pouvez-vous plaire en même temps à vos parents et à vos amis? Les femmes qui luttent pour jouer à la fois les rôles d'épouse, de mère et de travailleuse font face à un des conflits les plus difficiles à gérer; c'est particulièrement le cas de celles qui travaillent dans un monde traditionnellement réservé aux hommes, comme en usine, chez les routiers, à la Bourse et en médecine.

Des rôles contradictoires peuvent apparaître lorsque des femmes occupent des postes traditionnellement masculins. (© Bruce Roberts/Photo Researchers, Inc.)

Conflits interpersonnels

Peu de relations se déroulent tranquillement, sans problèmes, pendant toute la vie. De temps à autre, des conflits surviennent. Comme certains auteurs l'ont déjà remarqué, les conflits interpersonnels apparaissent fondamentalement pour trois raisons: (1) à cause des différences individuelles; (2) à cause des ressources limitées; et (3) à cause de la différenciation des rôles (voir chapitre 8 sur les définitions de rôles).

1. DIFFÉRENCES INDIVIDUELLES

Les différences d'âge, de sexe, d'attitudes, de croyances, de valeurs, d'expériences et de formation contribuent au fait que les gens voient les situations différemment et se perçoivent entre eux comme étant différents. Quelques-unes de ces différences n'importent pas; d'autres importent énormément. Le sexe peut être une différence importante pour une femme qui veut faire partie d'un club athlétique masculin, mais non pour celle qui veut obtenir un permis de conduire. Avez-vous déjà tenté de vous amuser au jeu «Quelques arpents de pièges» avec une personne d'une autre culture ou de jouer une partie de tennis avec un débutant alors que vous jouez très bien? Les conflits de générations découlent-ils des différences d'âge? Est-ce que les gens de la campagne perçoivent le monde comme les habitants de la ville? Connaissez-vous un couple d'amis qui sont si différents que vous vous demandez comment ils font pour être ensemble, et dont l'explication serait de croire que les contraires s'attirent? (Il est possible que ces gens perçoivent mieux leurs ressemblances que leurs différences.)

2. RESSOURCES LIMITÉES

Aucune organisation, aucun groupe, aucune famille ne possède toutes les ressources dont chaque membre a besoin. Les ressources financières, humaines, techniques et même le temps sont toujours limités. Il faut faire des choix, et le juste partage de ces ressources est pour tout le monde une tâche difficile. De plus, parce que tout système possède des ressources limitées, nous risquons fort de voir apparaître de la compétition. En effet, chaque personne, chaque groupe essaie d'obtenir une part du gâteau. Plus le gâteau est petit par rapport aux besoins, plus la compétition risque d'être forte. Les amoureux qui doivent passer la plus grande partie de leur temps au travail ou ailleurs qu'à la maison deviennent très possessifs par rapport au temps qu'ils passent ensemble. Les chambreurs partagent la salle de bains et d'autres pièces en s'adaptant aux besoins et aux habitudes des autres. La question «Qui va porter la culotte dans la maison?» est le fruit d'une constatation de la limite du pouvoir dans une famille. Dans une société comme la nôtre où «le temps c'est de l'argent», vos réunions, vos rendez-vous, vos horaires serrés et les conférences vous font entrer quotidiennement en conflit avec ceux qui dévorent votre temps précieux.

3. DIFFÉRENCIATION DES RÔLES

Les conflits ne surviennent pas uniquement au sujet de ce qu'il y a à faire mais aussi au sujet de la personne qui prend le contrôle, qui reçoit le crédit, qui peut faire des demandes à l'autre. Dans les chapitres précédents, l'accent a été mis sur l'importance d'une découverte et d'une acceptation mutuelle des rôles. Un professeur qui tente un peu trop d'être copain avec ses étudiants peut engendrer des problèmes de rôles; les étudiants s'attendent à une différencia-tion des rôles dans ce genre de relation. Vous pourriez ne pas accepter qu'un ami vous dise comment vous devez vous comporter et joue ainsi au père ou au conseiller. Pouvez-vous supporter un amant qui tente de vous indiquer quelles personnes vous pouvez voir? «Apporte-moi le dictionnaire.» Cette simple phrase peut entraîner différentes réponses selon la personne à qui elle s'adresse. Les réponses peuvent être celles-ci: «Prends-le toi-même» venant d'un frère; «Dis s'il vous plaît» ou «Je suis occupé» ou «Allez, lance» de la part d'un ami. La demande est la même, mais différents rôles vous sont exprimés à travers les différentes réponses.

Conflits organisationnels

Dans plusieurs cas, c'est la structure de l'organisation elle-même qui est une source potentielle de conflit. Plus une organisation grossit et se complexifie, plus il y a possibilité de conflits de rôles.

Dans un collège, le directeur général ne voit pas les choses de la même façon que les étu-diants. Même dans une salle de cours, prise comme exemple d'une organisation, le choix d'une place, les modes d'évaluation et les discussions créent des niveaux d'interactions donnant lieu à des conflits possibles. Dans une grande institution ou compagnie, il arrive que les différents niveaux de la hiérarchie ne se connaissent pas ou ne s'apprécient pas, et il est plus facile de se battre contre les individus qui nous sont inconnus. Le terme impersonnel «ils» pour décrire les groupes d'une faculté, les groupes d'étudiants, les Grecs, les athlètes, met en évidence l'existence de rôles différents, distants et parfois contradictoires.

À l'intérieur de votre classe, de votre compagnie, de votre équipe, de votre famille, vous vous battez pour que les choses soient faites à votre manière. Les professeurs ont-ils accès à des volumes en bibliothèque que vous ne pouvez emprunter? Combien de places parmi vos préférées sont disponibles dans la classe? Est-ce que votre équipe accorde des privilèges aux entraîneurs mais pas aux joueurs? Est-ce que tous les griefs sont traités de la même manière? Avez-vous le droit de garer votre voiture sur le campus? Quelle faculté a droit à des locaux rénovés? Qui obtient ses premiers choix de cours: les plus anciens, ceux qui font un retour aux études, les nouveaux étudiants ou ceux dont le nom de famille commence par A? Les membres d'une famille rivalisent pour le choix d'une émission de télévision, pour l'automobile ou pour le contenu d'une jarre à biscuits.

La distribution inégale du pouvoir, des responsabilités et de l'autorité rend impossible l'absence totale de conflit. Dans un groupe, toutes les personnes sont sensibles à la manière dont elles sont traitées et dont s'effectue la répartition des privilèges et récompenses. Que les différences de traitement soient réelles ou imaginaires n'affecte pas tellement la manière dont les gens réagissent les uns envers les autres. Si les professeurs, les parents ou les patrons *semblent* avoir des favoris, cela est suffisant pour qu'il y ait conflit.

Stratégies de gestion de conflits

L'idée principale de cette discussion, c'est que les conflits sont une réalité de la vie. Ils peuvent être d'une grande utilité lorsqu'ils empêchent la stagnation ou stimulent l'exploration d'idées et de méthodes nouvelles. Les conflits et la mise à jour des différences permettent aussi aux problèmes de faire surface, d'être discutés et résolus. Les structures ou les comportements rigides, qui suppriment la «réalité» des conflits en les ignorant, provoquent souvent des types de conflits encore plus violents. Les personnes plus flexibles et ouvertes à l'expression des différences n'auront sans doute pas à faire face à une telle violence. Si un conflit est abordé et traité de façon appropriée, il peut être bénéfique. La question devient donc: comment les conflits peuvent-ils être traités? Quelles sont les stratégies possibles pour négocier ou maîtriser un conflit?

Nous avons résumé diverses sources[2] en créant trois catégories de stratégies de gestion de conflits. Ce sont (1) l'évitement, (2) le désamorçage et (3) l'affrontement. Ces trois types classiques sont résumés dans le tableau 9.2.

Évitement

Les gens évitent souvent les conflits et même tout ce qui est potentiellement conflictuel. Ils espèrent qu'en laissant le temps passer, la situation conflictuelle disparaîtra; ainsi, ils n'auront pas à y faire face. C'est ce qu'on appelle pratiquer la politique de l'autruche. On est tenté de croire à la magie ou à la délivrance spontanée. Mais le fait de prétendre qu'il n'y a pas de conflit fait rarement disparaître le problème.

Il y a plusieurs façons d'éviter un conflit: ce peut être par le retrait, le déni, la suppression, ou tout simplement l'aplanissement. Certaines personnes quittent les situations conflictuelles en sortant de la pièce, en laissant leur emploi, en s'endormant, en fuyant la maison ou en prétendant avoir autre chose à faire. Certaines personnes apparemment très occupées utilisent d'ailleurs le travail comme moyen de fuir une situation embarrassante. «J'ai tellement de travail à faire que je ne peux pas te voir...», voilà le genre de phrase indicative du malaise de quelqu'un. D'autres personnes deviennent au contraire très accommodantes pour éviter les conflits. «Tout est bien, tout va très bien», diront-elles, alors qu'en réalité quelque chose les dérange. Certaines personnes changent de sujet aussitôt que la conversation s'approche de quelque chose qui pourrait devenir conflictuel. Certaines personnes font constamment des blagues et distraient les autres pour que rien ne soit pris au sérieux.

Les stratégies d'évitement sont utilisées lorsque les gens se sentent menacés par un conflit éventuel et ont l'impression qu'ils ne pourront y faire face adéquatement. Éviter la situation n'amène pourtant pas la solution du problème. Le conflit peut réapparaître sous d'autres formes.

---

2. Robert Blake, H. Shepard et Jane S. Mouton, *Managing Intergroup Conflict in Industry*, Houston, Tex., Gulf Publishing Company, 1964; F. Jandt, *op. cit.* Joseph P. Folger et Marshall Scott Poole, *Working through Conflict: A Communication Perspective*, Glenview, Ill., Scott, Foresman and Company, 1984; Alan C. Filley, Robert J. House et Steven Kerr, *Managerial Process and Organizational Behavior*, 2e éd., Glenview, Ill., Scott, Foresman and Company, 1976.

Tableau 9.2   Stratégies de gestion de conflits.

Type	Comment reconnaître les stratégies
Évitement	Le retrait, le déni, la suppression; prendre la chose à la légère, ne pas faire face à la réalité du conflit, s'en aller, quitter un emploi, faire des blagues, «cessons de discuter», «nous sommes tous dans le même bateau», «je n'ai pas le temps d'en parler», «amusons-nous au lieu de nous battre»... *Conséquences*: Le conflit réapparaîtra probablement sous une autre forme, peut-être plus violemment; il serait surprenant qu'il disparaisse par la simple force de la volonté.
Désamorçage	«Nous reviendrons à ça plus tard...»; demander un petit délai; demander à quelqu'un d'aller chercher plus d'informations, plus d'opinions d'experts, plus de café... *Conséquences*: Vous pouvez obtenir quelques accords mineurs, mais les véritables problèmes resteront irrésolus; au mieux vous pouvez ainsi calmer les plus colériques ou amener ceux qui tiennent des positions trop rigides à reconsidérer celles-ci; au pire, cela revient à adopter une forme de retrait (voir ci-dessus).
Affrontement	
Gagnant-perdant	«Je suis ton patron (ou ton père) et il en est ainsi»; manipuler le vote; intimider; ne pas confondre avec les compétitions athlétiques ou les parties de poker; imposer les règles du jeu; se cacher derrière les réglementations et les politiques pour renforcer sa position. *Conséquences*: Toute forme de créativité dans la résolution du problème est bloquée; il y a de l'amertume et du ressentiment chez les perdants qui n'attendent que le moment propice pour se venger.
Perdant-perdant	S'entendre pour une demi-portion que personne ne veut mais s'assurer ainsi que personne n'obtient plus que l'autre; faire n'importe quoi pour empêcher l'autre de gagner; «si tu ne me laisses pas jouer au centre, je ne joue pas.» *Conséquences*: S'entendre sur des solutions de compromis peut devenir une habitude, ce qui fait que les parties ne négocient jamais leurs différences; les deux parties obtiennent moins que ce qu'ils auraient pu avoir si elles avaient travaillé ensemble.
Gagnant-gagnant	Les négociateurs reconnaissent que le conflit est le symptôme d'un problème qu'il faut résoudre et non pas le combat qu'il faut gagner, et qu'il n'est pas nécessaire que quelqu'un perde absolument. Une négociation ouverte est possible si l'objectif est de résoudre un problème et non pas de déterminer qui a raison. On consacre son temps à définir les différences aussi bien explicites que cachées, à imaginer des solutions de rechange qui satisferont des intérêts communs. Les gens sont à la recherche de positions partagées et non pas seulement contraires. Il faut travailler avec une orientation axée sur le «nous» plutôt que sur l'utilisation du «nous contre ils». *Conséquences*: Ce n'est pas une panacée, mais c'est une solution intéressante aux jeux de pouvoir et aux éternels compromis que nous sommes habitués de voir. Au pire, nous développerions de nouvelles façons de voir nos opposants sans nécessairement résoudre le problème ou comprendre mieux leurs croyances. Au mieux nous atteindrons une solution qui se révélera supérieure à celle qui avait été envisagée par chacune des parties. Nous pouvons développer aussi une plus grande confiance mutuelle, une meilleure compréhension, du respect, et nous engager à conserver l'accord. C'est une stratégie qui nécessite du temps, mais c'est du temps bien dépensé pour chaque participant.

Désamorçage

Les stratégies de désamorçage sont utilisées lorsqu'une personne engagée dans un conflit décide d'arrêter ou de suspendre le «combat» pour permettre aux esprits de se calmer ou au climat de se refroidir un peu.

Dans les stratégies de désamorçage, les gens essaient de trouver un accord sur des points mineurs du conflit et évitent le problème de fond pour amasser plus d'informations, se calmer, prendre du recul et se donner l'occasion de voir les choses dans une perspective différente. Les stratégies de désamorçage permettent de s'entendre sur les points mineurs, mais les questions fondamentales demeurent non réglées, souvent pendant une longue période.

Affrontement

Cette catégorie inclut trois sous-stratégies. Certains auteurs avancent que ces résultats sont possibles lorsqu'il y a affrontement. Suivant l'idée classique qu'un conflit est une guerre, vous pourriez en déduire qu'il y a des gagnants et des perdants. Ainsi, pour présenter ces sous-stratégies, il est normal de commencer par celle qui nous est la plus familière, on nous l'a enseignée depuis notre enfance: certains gagnent et d'autres perdent. On trouve une autre forme selon laquelle chacun perd dans un effort délibéré pour empêcher l'autre de gagner. La troisième possibilité implique que les deux parties gagnent, ce qui apparaît impossible au départ.

GAGNANT-PERDANT: LES STRATÉGIES DE FORCE

C'est la forme la plus commune de l'affrontement. Ces stratégies sont basées sur l'idée que, pour résoudre un conflit, une personne doit gagner; de plus, il est impossible de gagner s'il n'y a pas quelqu'un d'autre qui perd. Je prends la couchette du haut; tu n'as qu'à prendre celle du dessous. Vous voulez aller au restaurant chinois; je tiens à mon idée d'une pizza. Dans plusieurs cas le fait de gagner ou perdre est lié à un contrat: les parties de football, le poker, les élections et les courses de chevaux en sont des exemples. Vous visez le poste de président de l'association étudiante et espérer battre les autres candidats. Mais en traitant un conflit de cette façon, vous éliminez les occasions de faire des compromis ou de faire montre de bonne volonté. Une mère traîne par le bras son enfant de trois ans jusqu'à la voiture; elle est plus forte et possède l'autorité (mais attendez qu'il ait quinze ans, vous remarquerez le changement de l'autorité). Une des caractéristiques de cette stratégie de force est que les perdants n'oublient jamais, et attendent souvent longtemps le revirement de situation qui leur permettra d'exercer une vengeance.

PERDANT-PERDANT: LES STRATÉGIES DE COMPROMIS

Les stratégies où tout le monde perd ne semblent pas, plus que les précédentes, être une façon particulièrement adéquate ou utile de résoudre un conflit. Elles sont néanmoins employées très souvent, en particulier dans les situations où les ressources sont rares. Vous permettez à votre compagnon de chambre de fumer, mais en même temps vous insistez pour ouvrir la fenêtre malgré le bruit intense et le froid glacial qui pénètrent. Personne dans votre équipe ne veut donner de son temps, c'est ainsi que l'on décide de tenir les réunions au petit déjeuner. Mais presque personne ne se présente aux réunions et les personnes qui sont là sont plutôt taciturnes. Les compromis sont des solutions temporaires rarement valables à long terme. On doit continuellement faire de nouveaux compromis et chaque côté prend en note tout ce qu'il a donné dans le passé et combien on lui devra lors de la prochaine négociation.

GAGNANT-GAGNANT: LES STRATÉGIES D'INTÉGRATION

Bien qu'elles soient très rarement utilisées, ces stratégies sont de plus en plus acceptées et recommandées. Ce n'est pas une manière habituelle d'aborder une gestion de conflit; et au début, ces stratégies semblent exiger plus de temps et d'effort que les autres.Les stratégies de résolution de conflit dites gagnant-gagnant sont basées sur les idées qu'un conflit: (1) est le symptôme d'un problème à résoudre plutôt qu'une bataille à gagner, et est donc axé sur la résolution de problème; (2) peut être traité de façon que personne n'ait à perdre complètement. Cette façon de résoudre un conflit implique que les deux parties cherchent à trouver un terrain d'entente plutôt que de s'opposer et de maintenir avec acharnement des positions contraires. Il est préférable de voir le conflit dans les termes «nous ensemble» plutôt que «toi contre moi». Les intérêts mutuels doivent être exprimés ouvertement; et si les deux parties ne possèdent pas la même information, ils doivent constater ce fait et partager l'information. Désaccord n'est pas synonyme de désastre. Un désaccord est une façon d'exposer ouvertement et honnêtement les différences qui sont en jeu.

PRATIQUER LA STRATÉGIE GAGNANT-GAGNANT

Les résultats ou les effets de telles stratégies gagnantes pour les deux personnes sont souvent: (1) une solution meilleure que celle qu'aurait pu trouver une seule partie; (2) une plus grande confiance, une meilleure compréhension et un respect mutuel de tous ceux et celles qui sont mêlés à la situation. Tout cela peut sembler naïf ou irréaliste, mais beaucoup de recherches démontrent que de telles stratégies sont efficaces. Naturellement, une résolution de problème et une négociation à l'intérieur d'un conflit, cela prend du temps. Lorsque beaucoup d'individus sont engagés dans le conflit ou que le problème à régler est vraiment sans conséquence, une telle approche peut être trop coûteuse en temps à investir. Toutefois, plus nous nous basons sur une méthode efficace de résolution, plus nous pouvons devenir compétents. En somme, lorsque nous commençons à penser en fonction de solutions à trouver plutôt que d'arguments à avancer et de points à gagner, nous apprenons à faire confiance à la pensée divergente et parvenons à traiter les conflits différemment. Plutôt que de nous battre contre un ennemi, nous apprenons à résoudre un problème commun avec un associé. Beaucoup d'énergie positive et créatrice est libérée dans ce processus.

Pour pouvoir pratiquer une stratégie gagnant-gagnant, nous devons adopter une certaine attitude et une certaine orientation par rapport au conflit et à l'affrontement. Premièrement, nous devons nous convaincre qu'un conflit est un événement normal dans les relations interpersonnelles, que ce n'est ni un péché ni une menace redoutable pour notre sécurité ou notre bonheur. Deuxièmement, nous devons considérer l'objet du désaccord et la personne avec laquelle nous divergeons d'opinion; nous devons prendre soin autant des personnes que des questions; nous devons être sensibles aux sentiments d'autrui. Troisièmement, nous devons reconnaître qu'utiliser une telle stratégie demande du temps et des efforts et que les conflits ne seront pas résolus d'un seul coup mais bien par l'apport graduel de plusieurs transactions différentes. Quatrièmement, nous devons demeurer ouverts et flexibles face aux options nouvelles, à l'essai de nouvelles approches ou de nouvelles façons de voir le problème plutôt que de nous entêter dans notre argumentation.

L'approche gagnant-gagnant ou, si vous préférez, les stratégies d'intégration pour traiter les conflits vise donc à trouver et élaborer une solution satisfaisante, tout au moins dans une certaine mesure, pour les parties en cause. Avec de la bonne foi, de la bonne volonté, un peu de créativité, un engagement à ne pas imposer unilatéralement une solution qui ne satisferait pas les besoins minimaux des deux côtés, avec de la patience et un peu de temps pour laisser les choses agir, des réponses et des solutions créatrices peuvent habituellement être trouvées. Les considérations suivantes concernant la négociation sont basées sur l'acceptation de la stratégie gagnant-gagnant comme moyen de résolution de conflit.

Gestion de conflits et négociation

Les conflits sont une réalité de la vie sociale et de la vie privée. Au point de départ, la façon dont nous percevons les conflits détermine largement la façon dont nous les approchons, dont nous les traitons, et jusqu'à quel point nous réussissons efficacement à les régler ou non. Si nous percevons les conflits comme une chose mauvaise à éviter à tout prix, nous risquons d'adopter des manoeuvres défensives. Nous pouvons faire comme s'il n'y a pas de conflit, comme si «tout est correct, tout va très bien». Pourtant, conflit et bonheur ne sont pas nécessairement opposés. Certes, éviter les conflits peut paraître une bonne chose à faire à court terme, mais cela est habituellement insatisfaisant à long terme.

Plutôt que de faire l'autruche et prétendre qu'il n'y a pas de conflit, il est préférable de l'aborder directement et d'acquérir les habiletés qui permettent de le traiter efficacement. Traiter un conflit efficacement, devons-nous observer encore une fois, ne signifie pas nécessairement que nous résolvons chaque fois les problèmes à notre entière satisfaction; cela veut dire que nous acquérons autant que possible les habiletés nécessaires pour les maîtriser humainement.

Négociation et communication

Les habiletés nécessaires pour traiter efficacement un conflit sont fondamentalement des habiletés de communication. Ce sont l'habileté à: (1) diagnostiquer la nature d'un conflit; (2) s'engager dans un affrontement; (3) écouter; (4) résoudre un problème. Ce qui suit est une révision de la façon dont ces habiletés sont liées à la communication.

Peut-être êtes-vous familiers avec la prière de Reinhold Niebuhr, laquelle est devenue la devise des Alcooliques anonymes: «Mon Dieu, donnez-moi la sérénité d'accepter les choses que je ne puis changer, le courage de changer les choses que je peux, et la sagesse d'en connaître la différence.» Ces paroles nous semblent appropriées à notre discussion sur les habiletés nécessaires au traitement d'un conflit. Lorsque nous constatons des différences conflictuelles, nous devons nous demander (1) si le problème nous affecte personnellement et s'il a des conséquences pour nous; (2) si le conflit est causé par des différences de valeurs, des différences personnelles ou des différences sur le plan des faits, au sujet desquelles nous pourrions trouver des solutions objectives; et (3) si l'autre personne est désireuse et capable de s'engager dans une approche que nous pourrons négocier dans une perspective gagnant-gagnant.

Certains problèmes peuvent tout simplement ne pas nous affecter directement. Par exemple, si nous croyons que fumer est une mauvaise habitude et que la fumée nous dérange, nous nous permettrons de critiquer une amie qui fume comme une cheminée dans notre entourage. Toutefois, si cette amie ne fume pas en notre présence, alors nous la laisserons faire, bien sûr, car cette fumée ne nous indispose pas.

Il est difficile de changer le système de valeurs de quelqu'un. De toute façon, cela n'est pas toujours nécessaire pour régler des différences interpersonnelles. Si un de nos amis ne valorise pas la ponctualité, il n'est peut-être pas utile de vouloir changer sa vision sur ce point. Si cela devient important pour nous dans cette relation, pour des raisons pratiques, alors il sera peut-être utile et nécessaire de le critiquer là-dessus: «Je sais que tu ne te préoccupes pas autant que moi d'arriver à l'heure, mais au théâtre les portes ferment à 8 heures 15, et si tu n'es pas dans le hall d'entrée avant la fermeture, je rentrerai sans toi et je te verrai à l'entracte.»

À vrai dire, nous pouvons modifier seulement notre propre comportement, et non le comportement d'autrui. Analysons bien les causes du conflit et assurons-nous qu'il y a matière à entreprendre une négociation. Ne nous battons pas sans raison, surtout si nous ne sommes pas engagés directement ou si nous n'entrevoyons aucun résultat positif. Assurons-nous que les sources du conflit sont identifiables, réelles et négociables.

Ici, c'est le *moment* (ou ce qu'on appelle en anglais le *«timing»*) qui est important. Par exemple, si notre patron ou un de nos professeurs est préoccupé, débordé de problèmes ou simplement pressé (d'habitude cela se voit et se sent assez facilement), il ne faut pas lui demander de s'engager dans une discussion ou une entrevue prolongée au sujet d'un problème. Il vaut mieux attendre et fixer pour la rencontre un moment plus approprié. Lorsque nous nous engageons vers un affrontement, il est aussi important de dire clairement et précisément: (1) ce que l'autre personne fait qui nous affecte et (2) ce que nous voudrions que l'autre personne fasse.

Si nous ne savons pas exactement ce que nous aimerions que l'autre fasse ou comment nous aimerions que le problème soit résolu, nous pouvons tout au moins suggérer à l'autre d'explorer le problème avec lui ou elle. Cela permettra peut-être d'arriver à une décision mutuellement satisfaisante. Ne demandons pas à notre ami de cesser de fumer, mais affirmons que la fumée nous indispose et que nous voudrions chercher avec lui une manière de résoudre le problème à la satisfaction mutuelle. Une autre façon d'être sensible à la notion de temps est de parler du problème avec la personne avant de formuler une demande de solution.

L'écoute est un élément important de la collaboration. Une communication efficace ne peut vraiment se produire sans que les gens s'écoutent.

Portons attention autant aux sentiments exprimés qu'aux mots prononcés. L'empathie et l'écoute active ont une place privilégiée dans la négociation. L'écoute est particulièrement difficile lorsque nous traitons des problèmes et des conflits auxquels nous sommes mêlés émotivement. Nous pouvons être tentés de défendre notre point de vue plutôt que d'écouter vraiment les arguments et le point de vue de l'autre. Mais la négociation dépendra de l'audition des deux points de vue.

La résolution de problème est une approche gagnant-gagnant. Répétons-le, nous avons d'abord avantage à traiter un conflit comme un problème à résoudre plutôt que comme une bataille à éviter ou à gagner à tout prix. La volonté mutuelle de retrouver les racines du problème et de gérer les différends est une condition essentielle à la négociation.

Négociation: contenu et processus

La négociation est souvent perçue comme un «brassage d'opinions», que ce soit dans les relations internationales ou dans les affaires domestiques. Cela signifie que les parties en cause doivent arriver à des fins bénéfiques pour tous, bien qu'au départ les buts poursuivis puissent être contradictoires ou compétitifs. Nous savons que les gens entreprennent la négociation avec certains objectifs en tête et qu'ils échangent entre eux selon certaines règles qui auront un effet quelconque sur le résultat final.

Le *contenu* de la négociation réfère à ce dont les gens discutent: leurs idées respectives, leurs demandes, leurs sujets d'intérêt, ce qu'ils veulent gagner et ce qu'ils sont disposés à perdre dans l'échange. Ces questions sont importantes mais ne constituent qu'une partie de la négociation.

Le *processus* est constitué par l'aspect relationnel de la négociation: les styles des négociateurs, leurs méthodes, leurs tendances à attaquer et à se retirer, les règles d'échange de l'information au sujet du contenu[3].

On peut prédire le résultat d'une négociation en mettant en relation les comportements des participants (leurs stratégies) et leurs attentes avant la négociation. Selon une étude de William A. Donohue, ces facteurs semblent avoir un effet important sur le succès de la négociation[4]. L'étude rapporte aussi qu'un premier succès dans une négociation nous prédispose au succès lors de la négociation subséquente.

La réciprocité est un aspect typique de la résolution d'un conflit. Avez-vous une attitude réciproque négative («oeil pour oeil, dent pour dent») ou positive («fais aux autres ce que tu aimerais que les autres te fassent») dans vos négociations? On trouve toujours ces deux attitudes dans les interactions humaines.

Par exemple, on a étudié l'influence du choix d'une stratégie offensive ou défensive par l'une des parties sur les actions entreprises par l'autre partie[5]. Comme on pouvait s'y attendre,

---

3. Fred E. Jandt, *Conflict Resolution through Communication*, New York, Harper & Row, Publishers, 1973; Jandt, *Win-Win Negotiating: Turning Conflict into Agreement*; Gerard I. Nierenberg , «The Art of Negotiating Newsletter», New York, Negotiation Institute, publié huit fois par an; Robert J. Laser, «Practical Negotiating Skills», programme développé et rapporté dans Laser, *Build A Better You*, San Mateo, Calif., Showcase Publishing, 1980; William A. Donahue, «Development of a Model of Rule Use in Negotiation Interactions», *Communication Monographs*, vol. 48, juin 1981, p. 106-120.

4. William A. Donahue, «An Empirical Framework for Examining Negotiation Processes and Outcomes», *Communication Monographs*, vol. 45, août 1978, p. 247-257. Dans cet article, l'auteur étudie les composantes de la situation, du pouvoir social, de l'attente et de la personnalité.

5 Linda L. Putnam et Tricia S. Jones, «Reciprocity in Negotiations: An Analysis of Bargaining Interaction», *Communication Monographs*, vol. 49, septembre 1982, p. 171-191. Les auteurs ont aussi évalué les différences entre hommes et femmes par rapport aux résultats des marchandages. Les résultats semblent contredire la croyance traditionnelle selon laquelle «les femmes sont trop coopératives pour l'art de l'affrontement». Ibid., p. 190.

les chercheurs en sont arrivés à la conclusion qu'il y a une tendance à répondre à une stratégie offensive par une autre stratégie de même type. Ils ont découvert par la suite que dans les situations de pouvoir, il est probable que (1) si vous avez plus à perdre que les autres, vous agirez défensivement et que (2) si vous avez moins de pouvoir et marchandez plus de services, d'argent, de privilèges, de temps ou de points, vous prendrez l'offensive. Si vous avez des faveurs à faire, la négociation vous placera en position défensive et même passive.

SE DÉFENDRE

Une large part de notre communication interpersonnelle dépend de la façon dont nous définissons les situations dans lesquelles nous sommes placés. Ainsi, peut-être sans trop nous en rendre compte, nous évaluons presque toujours le degré menaçant d'une interaction par rapport à la façon dont cette interaction peut affecter notre estime de soi. Effectivement, une grande partie de notre communication avec les autres implique un certain risque, puisque communiquer signifie en quelque sorte présenter une définition de nous-mêmes, de notre rôle, ou de notre situation. Or, cette définition peut être rejetée par les autres. Le climat d'une communication et la manière dont nous pouvons le modifier sont donc des éléments importants de notre perception des risques que nous courons dans une relation. Nous nous comportons selon le sentiment de sécurité que nous éprouvons par rapport à une situation donnée. Si nous ne nous sentons pas en sécurité, nous utiliserons probablement une stratégie défensive pour nous protéger. Peut-être avez-vous fait l'expérience de la situation où, en classe, un professeur incite les élèves à discuter ouvertement pour, aussitôt que la discussion est amorcée, ridiculiser les questions et contredire les arguments que les étudiants amènent. On conçoit aisément comment ce genre de situation peut être stressant et frustrant. Alors, nous apprenons rapidement que le climat n'est ni sain ni ouvert, et notre communication risque fort d'être caractérisée par des stratégies défensives.

La réduction des climats défensifs

La relation professeur-étudiant n'est toutefois pas différente des autres types de relations à deux. En général, les gens, vérifient si le climat est sécuritaire ou non pour eux-mêmes et leurs comportements reposent sur cette conscience des choses. Les stratégies défensives sont simplement l'indication qu'une personne ne se sent pas en sécurité dans certaines situations.

Pourquoi sommes-nous insultés ou blessés? Selon Lecky[6], une insulte est «une évaluation de soi par les autres qui ne correspond pas à une évaluation ou à une opinion que l'on s'est faite de soi». D'autres disent que ce qui est à la base d'une attitude défensive dans une situation interpersonnelle, c'est le fait que notre besoin d'être renforcé par les autres n'est pas satisfait[7]. Ces deux idées semblent se rejoindre dans le fait que lorsque nous pensons à nous d'une certaine manière, nous aimerions que les autres aient la même opinion. Si je me perçois

---

6. Prescott Lecky, *Self-Consistency: A Theory of Personality,* New York, The Shoe String Press, 1961, p. 136.
7. Fritz Heider, *The Psychology of Interpersonal Relations*, New York, John Wiley & Sons, 1982; Kim Giffin et Bobby R. Patton, *Fundamentals of Interpersonal Communication*, New York, Harper & Row, Publishers, 1976.

comme gentil, je veux que les autres le perçoivent également et qu'ils ne me voient pas quand je ne le suis pas. Si j'aime être considéré comme un bon musicien, je m'inquiète de l'éventualité d'être renforcé et soutenu ou non dans cette évaluation de moi-même. Autrement dit, les choses que les autres me voient faire ou ce qu'ils disent de moi contribuent à stimuler ou non les défenses que j'entretiens dans mes relations. En somme, chacun de nous a une image de lui-même à maintenir. Chacun de nous valorise également l'opinion et le soutien de certaines personnes. Il est important d'impressionner certains amis plus que d'autres. Certaines personnes dans notre monde sont plus significatives que d'autres et nous portons une plus grande attention à ce qu'elles pensent et à ce qu'elles disent de nous. Le degré de renforcement (rétroaction positive) des autres dont nous avons besoin, de même que le degré auquel ce besoin est satisfait, détermine jusqu'à quel point nous aurons tendance à agir défensivement dans notre communication. On trouve aussi des situations sociales qui sont stressantes, c'est-à-dire dans lesquelles nous avons peur de voir notre image attaquée si nous ne nous comportons pas comme nous croyons que les autres s'attendent à nous voir agir. Nous pouvons aussi nuire à notre image lorsque nous n'atteignons pas nos objectifs personnels. Lors de ces situations, il est plausible que nous emploierons aussi des stratégies défensives pour nous protéger d'une éventuelle rétroaction négative ou d'un sentiment embarrassant. Nous devons souvent regarder dans les yeux de l'autre pour nous trouver nous-mêmes, mais souvent nous avons peur de regarder[8].

Stratégies défensives

Comment nous défendons-nous? Nos stratégies défensives, lorsque nous réagissons à une menace *réelle*, sont quelque peu différentes de celles utilisées pour répondre à une menace *potentielle*. Dans le premier cas, nous nous ajustons, dans le deuxième il y a de fortes chances pour que nous évitions cette menace.

L'AJUSTEMENT

La meilleure défensive, c'est une bonne offensive, disent certains entraîneurs sportifs. Dans notre comportement verbal, nous agissons souvent de la sorte et nous attaquons les personnes qui nous menacent. Si l'attaque directe est trop risquée ou trop agressive – dire à notre patron d'aller se faire voir, par exemple –, nous utilisons à ce moment une attaque plus indirecte, soit le sarcasme, le ridicule, et doutons des motivations ou de la compétence de l'autre, le dénigrons, l'excluons de notre conversation par l'utilisation d'un quelconque jargon, par des histoires personnelles ou des histoires à double sens ou abordons un sujet face auquel nous savons que l'autre est très mal à l'aise.

En plus de l'agression *verbale*, que nous venons de mentionner, des stratégies comme la *rationalisation*, la *négation*, la *fabulation* et la *projection* sont communément employées. Présentons-les brièvement.

---

8. «Bien sûr, il ne nous est pas possible d'être exacts dans notre évaluation de ce que les autres pensent de nous, mais la corrélation est assez forte pour suggérer que le concept de soi est en bonne partie contrôlé par ce que nous voyons de nous-mêmes dans les yeux d'autrui.» Carl H. Weaver et Warren L. Strasbaugh, *Fundamentals of Speech Communication*, New York, American Book Company, 1964, p. 157. Voir aussi leur chapitre sur les besoins.

Lorsque nous reconnaissons qu'une menace est présente et constatons que nous ne pouvons l'affronter sans perdre la face ou être embarrassé, mais qu'après tout «ce n'est pas vraiment important» pour nous, nous faisons alors de la *rationalisation.*

Un cran plus haut, lorsque nous réagissons directement à une menace et disons qu'elle n'existe «pas vraiment», alors que nous sentons très bien qu'une autre personne menace notre estime de nous-mêmes et continuons à dire qu'elle ne nous en veut pas réellement, que nous l'avons mal interprétée, qu'elle ne ferait jamais une chose pareille, nous passons alors de la rationalisation à la *négation.*

Lorsque nous voulons absolument qu'une situation paraisse meilleure que ce qu'elle est en réalité, que nous voyons seulement les bonnes choses et que nous remplaçons «dans notre tête» ce qui est menaçant par une situation plus agréable, il y a de fortes chances pour que nous soyons en train de faire de la *fabulation.* Nous faisons appel à notre imagination et nous nous convainquons que c'est autre chose qui se passe «vraiment» plutôt que de rester en contact avec la menace elle-même.

Pour ce qui est de la *projection*, qui est un mécanisme complexe, nous l'utilisons quand nous présumons que les autres pensent, ressentent ou disent les choses à partir de «leur» anxiété mais essaient de la cacher. Nous disons alors, par exemple, que l'autre personne n'agit agressivement envers nous que pour masquer ses propres problèmes d'anxiété ou d'agressivité, alors qu'en fait, cela peut être un reflet de nos sentiments d'anxiété et de peur face à la menace que l'autre représente pour nous, mais que nous projetons sur lui ou sur elle.

L'ÉVITEMENT

Lorsque nous sentons une menace venir, il est possible que nous réagissions au moyen de stratégies différentes de celles utilisées après avoir fait l'expérience d'une situation stressante. Une façon d'éviter les blessures à l'image de soi et à notre personnalité sociale est de se retirer ou tout simplement de ne pas se mettre dans des situations embarrassantes. Par exemple, si nous voulons nous inscrire à un cours mais avons un peu peur ou ne savons pas si cela est une bonne décision, nous pouvons tout bonnement attendre un moment plus favorable où nous pourrons courir ce risque avec moins de chances d'erreur. L'adolescent ou l'adolescente qui attend d'avoir le courage suffisant pour proposer une sortie à un ami, est un autre exemple de ce genre de situation. Parce qu'il ou elle a peur d'être refusé, il ou elle résout le problème simplement en ne demandant pas ce rendez-vous. Lillian Ross décrit le comportement d'un groupe de jeunes élèves du Midwest américain qui, lors d'un voyage à New York, refusèrent de manger dans les restaurants. Il inventaient toutes sortes de prétextes pour éviter de manger à l'extérieur; ils semblaient satisfaits de jeûner et aucune excuse parmi celles qu'ils invoquaient n'avait de sens. Il s'est avéré qu'ils voulaient éviter de manger dans les restaurants tout simplement parce qu'ils ne savaient pas comment se servir d'un menu. À partir du moment où on découvrit que les restaurants correspondaient pour eux à une situation dans laquelle ils se sentaient inaptes et embarrassés, il fut facile d'interpréter leur refus de manger à l'extérieur et de prendre les mesures appropriées[9].

Outre l'*évitement physique* dont nous venons de parler, nous pouvons aussi utiliser le *retrait* lorsque les situations menaçantes approchent. Un enfant demandera la permission

---

9. Lillian Ross, *Reporting*, New York, Dodd Mead & Company, 1981.

d'aller aux toilettes pour éviter de s'exprimer devant la classe. Une personne qui a de la difficulté à faire fonctionner une machine distributrice évitera rapidement un éventuel affrontement public avec la machine qui, de toute façon, gagnera .

Nous pouvons aussi éviter certaines situations de manière verbale. Deux stratégies sont alors possibles: *l'invocation de tabous* (normes culturelles) et *le contrôle de l'information*. Dans le premier cas, nous évitons un sujet de peur de dire, de faire ou d'entendre des choses qui nous mettraient dans l'embarras. Par exemple, raconter des histoires sexistes devant une féministe ou des histoires racistes devant un ami africain pourrait être fort gênant pour tout le monde. Parler de l'insensibilité des administrateurs universitaires devant le doyen de notre faculté pourrait être un sujet de conversation périlleux et déplacé. D'un autre point de vue, si nous sommes particulièrement sensibles à un de nos traits physiques (nez, cheveux, taille, etc.), il est fort probable que nous éviterons d'amener la conversation sur ce sujet. Parler du divorce devant des enfants dont les parents viennent tout juste de se séparer est parfois considéré comme un tabou en dehors d'un cadre bien précis. Dans les situations que nous venons de décrire, nous utilisons souvent une des stratégies suivantes: nous changeons de sujet; nous interrompons la conversation en attirant l'attention des autres sur autre chose; nous distrayons la personne qui parle; nous nous immisçons soudainement dans la conversation pour éviter le sujet dangereux; nous faisons des remarques ambiguës; nous pouvons même déclarer que nous ne voulons pas parler de la chose en question. On trouvera souvent le type d'énoncés suivant: «Je ne suis pas sûr que cela puisse s'appliquer dans tous les cas»; «Il me faudrait beaucoup plus d'information (d'expérience ou de connaissances) pour parler de ce sujet».

L'information est aussi une forme de pouvoir. Les gens qui la contrôlent, contrôlent aussi leur environnement et l'interaction entre les gens. En effet, la personne qui peut stratégiquement retenir ou émettre une information a souvent un bon contrôle dans plusieurs situations interpersonnelles. Décider ce que les autres doivent savoir et peuvent savoir est une forme significative de pouvoir et de contrôle en matière de relations interpersonnelles. Dans les bureaux, les institutions, les ministères, «la personne qui est au courant», celle qui reçoit les notes confidentielles et les appels importants annonçant les projets ou les décisions est celle de qui nous cherchons à nous rapprocher; nous voulons connaître les nouvelles avant les autres, nous cherchons à prévoir les coups, etc. En contrôlant l'information dont les autres peuvent avoir besoin, nous dirigeons nos relations interpersonnelles selon nos intentions et au moment qui nous convient. Lorsque nous connaissons les données de base de l'interaction, le contenu des messages, nous pouvons ainsi éviter plus facilement les menaces et les dangers d'une interaction.

QUELQUES ÉLÉMENTS COMMUNS DES STRATÉGIES DÉFENSIVES

Bennis et plusieurs autres chercheurs[10] qui ont étudié les stratégies de défense ont identifié plusieurs éléments communs. Un des éléments des stratégies défensives auxquelles nous recourons est qu'elles ont comme effet de nous faire adopter un type d'approche *rituelle* dans

---

10. Warren Bennis et al., *Interpersonal Dynamics: Essays and Readings in Human Interactions*, édition revue et corrigée, Homewood, Ill., The Dorsay Press, 1979, p. 211-212.

notre communication interpersonnelle, ce qui empêche la spontanéité. Malheureusement, devrions-nous dire, nous avons tendance à dépendre de techniques, de «recettes» ou de comportements stéréotypés pour évoluer avec les gens. Nous abordons chaque nouvelle situation selon notre recette habituellement intégrée et mémorisée, plutôt que de répondre et de réagir naturellement et ouvertement selon le besoin. Bien entendu, certains individus font l'opposé; ils exagèrent tout nouvel élément observé dans une situation et prétendent que les comportements sont acceptables dans n'importe quelle situation. Ces deux types de réaction font preuve d'une rigidité excessive et inappropriée; nous devons reconnaître que différents comportements sont utiles dans différentes situations et qu'aucun n'est toujours bon ou toujours mauvais.

Alors, si nous valorisons une communication libre, honnête, directe et basée sur la confiance, que pouvons-nous faire pour favoriser un tel climat de transactions? Encore une fois, insistons sur le fait qu'une personne ne peut se sentir en sécurité dans une relation qu'à partir de sa perception de cette relation. Ainsi, si nous ne pouvons contrôler la perception des gens, peut-être pouvons-nous contrôler les stimuli de leur perception. Nous pouvons nous présenter, nous montrer de façon non menaçante. Les autres doivent alors faire un effort pour nous percevoir ainsi.

Défenses provoquées et réduites

Un bon chercheur et praticien dans le domaine de la communication, Jack Gibb, a montré dans un article comment certaines catégories de comportements sont susceptibles de provoquer des défenses chez des gens[11]. Examinons ces comportements.

ÉVALUATION OU DESCRIPTION

Toute communication qui ressemble à une évaluation, un jugement ou un blâme aura très probablement comme effet d'accentuer l'attitude défensive des individus. Si nous pensons que les autres nous jugent, nous critiquent, nous nous sentirons sans doute menacés; le fait d'être évalué, même positivement, peut être menaçant. En effet, même si dans beaucoup de cas cela est surprenant, les gens ont tendance à être mal à l'aise et même à réagir de façon défensive face à des compliments ou une appréciation positive[12]. Leur réaction devient souvent une espèce de déni du compliment, ou même une autocritique:

«Je ne peux pas l'accepter...»

«Oh, c'est vraiment pas grand-chose...»

«Toi aussi, tu serais certainement capable de...»

«C'est surtout grâce à...»

«Tu n'es pas sérieux...»

---

11. Jack Gibb, «Defensive Communication», *Journal of Communication*, vol. 11, septembre 1961.
12. Richard E. Farson, «Praise Reappraised», *Harvard Business Review,* septembre-octobre 1963.

Ces énoncés sont plutôt défensifs. Ils indiquent que la situation est perçue comme difficile. Certaines personnes deviennent tellement troublées face à un compliment qu'elles en rougissent et adoptent un comportement non verbal tout à fait incohérent. Cet inconfort s'explique en partie du fait qu'il s'agit d'une évaluation et qu'elle est ressentie comme telle. À moins d'avoir une relation de confiance déjà établie avec la personne qui nous complimente, nous risquons de douter des intentions de la personne qui nous fait le compliment. La pensée que nous n'exprimons pas alors est souvent quelque chose comme: «Que veut de moi cette personne? Pourquoi me complimente-t-elle?» Il est possible, également, que nous anticipions qu'un élément négatif suivra l'élément positif; c'est le pot qui vient après les fleurs, ou la peur d'être «pris en sandwich» que tout le monde connaît. En somme, c'est la crainte qu'on ne nous amadoue pour mieux nous critiquer. Tout le monde a fait l'expérience de cette technique. Cela pourrait prendre la forme suivante:

> *«Tu as fait une magnifique peinture, ma chérie,(compliment) mais tu es tellement malpropre. Tu ne devrais pas répandre de la peinture partout comme tu le fais (critique). Bon, vas-y, chérie, montre ta belle peinture à papa (compliment).»*

Devant ce genre de comportement, des enfants et même des adultes ne savent pas comment réagir et deviennent confus. Ils apprennent alors à attendre la critique lorsqu'ils reçoivent un compliment.

Pour éviter le plus possible de faire des évaluations ou d'y réagir, il est préférable de décrire, de faire des remarques aussi peu moralisantes ou critiques que possible, de poser des questions ou de demander de l'information plutôt que d'évaluer ou de dire des choses qui, à la limite, vont dans le sens d'une évaluation plus ou moins directe. Trop souvent le climat se détériore entre parents et enfants, professeurs et étudiants, mari et épouse à cause de ces questions d'apparence naïve comme «Pourquoi as-tu fait cela?» mais dites d'un ton qui révèle une accusation.

CONTRÔLE OU APPROCHE D'UN PROBLÈME

Toute communication utilisée pour dominer les autres risque de trouver sur son chemin de la résistance. Les gens qui se sentent dominés par la communication de quelqu'un résisteront à cette personne. Le degré de défense qui apparaîtra est lié au degré de doute que nous entretenons relativement aux motifs qui nous portent à douter. Plus ceux-ci sont nombreux, plus nous aurons une attitude défensive. Nous avons grandi, cependant, dans une culture où le contrôle est souvent bien enrobé. «Si tu restes debout trop tard, chéri, demain tu seras fatigué»; en termes plus clairs, cela signifie: «Je veux que tu ailles te coucher tout de suite». Ou encore «Étais-tu chez toi hier soir?» peut signifier: «J'aurais aimé que tu me téléphones, hier soir». Que ce soit un message personnel, un message politique ou un message des media, le message est souvent une tentative pour contrôler l'autre, pour tenter de changer les gens. C'est cela qui rend plusieurs messages dangereux et menaçants. Un moyen de se prémunir contre ces stratégies de contrôle et de les prévenir est de viser les problèmes et non les personnes, d'aborder et de partager les difficultés éprouvées dans l'interaction.

RUSES OU SPONTANÉITÉ

Lorsque nous ne voulons pas que nos motifs soient connus, alors nous employons des ruses, des détours avec les autres. Cependant, lorsque nous avons l'impression qu'on nous joue un jeu, nous devenons défensifs. On a tous horreur d'être trompé et personne n'aime être manipulé. D'ailleurs, nous sommes habituellement sensibles à l'idée que les autres se feront de nous si nous avons la naïveté de nous laisser tromper. Néanmoins, si nous restons spontanés et flexibles dans nos relations avec les autres et n'adoptons pas des attitudes sétréotypées ou des ruses obscures, nous ne provoquerons pas de comportements défensifs chez les autres.

MANQUE D'INTÉRÊT OU ENGAGEMENT

Tout comportement qui véhicule ouvertement un manque d'élan ou de chaleur communique aux autres que nous manquons d'intérêt. Une attitude détachée et nonchalante donne même aux autres l'impression d'être rejetés. Effectivement, même un air neutre peut donner à une personne l'impression qu'elle n'existe pas ou qu'elle n'est pas acceptée. La défensive s'installe alors, basée sur le rejet ou sur la peur d'être rejeté. Cette attitude est beaucoup plus répandue qu'on le ne croit. Une façon de dépasser ce problème est de s'engager avec les autres, de faire preuve d'empathie, de trouver un niveau d'échange par rapport aux idées, habiletés et comportements des autres personnes. Comme nous l'avons vu au chapitre 8, une bonne écoute est importante, car elle peut nous engager dans notre relation avec quelqu'un.

ATTITUDE SUPÉRIEURE OU PARTAGE

Une autre attitude qui fait apparaître nos défenses est celle où quelqu'un manifeste un sentiment de supériorité. L'arrogance, la distance, une attitude hautaine ou condescendante sont des attitudes qui envoient le message que la personne n'est pas disposée à partager d'égal à égal ou ne veut pas développer une relation profonde. Évidemment, il est difficile de communiquer dans cette situation. L'égalité dans les relations interpersonnelles, c'est le partage des ressemblances et des différences sans une évaluation constante de l'autre, sans une rivalité continuelle pour avoir la meilleure part sur chaque idée et dans chaque échange.

ATTITUDE DOGMATIQUE OU FLEXIBILITÉ

Certaines personnes ont une manière presque classique de faire émerger les défenses chez nous; ce sont celles qui ont besoin d'avoir raison, de gagner leur point plutôt que de chercher à résoudre le problème; elles ont tendance à imposer leur point de vue comme étant le seul acceptable. Il est difficile de communiquer avec de telles personnes à moins d'être exactement du même avis qu'elles. Elles sont si dogmatiques que si nous ne sommes pas entièrement d'accord avec elles, nous serons jugés et dévalués pour n'avoir pas les «bonnes » idées. Au contraire, les individus qui ont des idées de rechange, qui n'ont pas une seule vision d'une situation et qui sont capables de concevoir qu'ils ne sont pas les seuls à avoir des idées, qui sont donc prêts à écouter les autres et délaisser leur «vérité», sont des individus qui favorisent une communication non défensive. Avoir raison ne signifie pas que les autres ont tort ou que les idées des autres sont mauvaises; il y a souvent une part d'erreur dans les meilleures idées.

EN BREF: PROVOCATION OU RÉDUCTION DES DÉFENSES

Il est important de garder à l'esprit que les comportements qui provoquent les attitudes défensives sont de sérieux obstacles à une communication interpersonnelle efficace. Les personnes qui communiquent de façon dogmatique ou qui jugent les autres, qui ont besoin de dominer ou de manipuler les autres, qui ne veulent pas établir des relations basées sur la confiance mutuelle rendent la communication interpersonnelle difficile. Une fois les attitudes défensives éveillées, les gens ont tendance à utiliser (dans l'interaction) des rituels et des comportements visant à les protéger. En retour, les comportements ritualisés tendent à renforcer, chez l'autre personne, la motivation à se comporter de la façon qui a déclenché ces comportements ritualisés. Les deux personnes sont alors prises dans un cercle vicieux, autrement dit la prophétie se réalise d'une interaction où l'un agit «comme ça» parce que l'autre est «comme ça», et inversement. Leurs comportements se nourrissent l'un l'autre, chacun stimulant les défenses de l'autre. Il n'y a aucune issue à ce duel d'attaque-défense-protection. Ce genre de rencontre ne sera satisfaisante pour personne, car les comportements qui provoquent les attitudes défensives sont perçus comme des attaques directes à l'estime de soi.

Ouverture de soi

Êtes-vous une personne facile à connaître? Vous dévoilez-vous avec vos amis, vos relations? Aimez-vous que les autres sachent qui vous êtes, comment vous vous sentez, ce que vous pensez? Depuis combien de temps avez-vous besoin de connaître quelqu'un pour lui parler de vos croyances religieuses, de vos fantasmes et de vos peurs secrètes? Que vous manque-t-il pour courir le risque de révéler certaines de vos pensées intimes?

L'ouverture de soi peut prendre plusieurs formes. Nous pouvons partager nos expériences intimes, nos sentiments et réactions par rapport à une personne ou à une situation, nos opinions sur les choses en général (politique, religion, éducation, etc.). Nous pouvons partager nos valeurs et croyances: la façon dont nous serions prêts à mourir, qui nous voudrions être ou devenir. Nous pouvons également partager nos intérêts, nos réalisations, nos aptitudes, nos talents. Nous pouvons aussi, évidemment, partager à propos des choses que nous détestons ou que nous voudrions changer.

L'ouverture de soi est habituellement à la base de saines relations. Cacher des choses à quelqu'un peut nuire à cette relation. De plus, cacher qui nous sommes et ce que nous ressentons, de peur d'être blessés ou rejetés, peut nous conduire à la solitude. Plusieurs auteurs en psychologie humaniste ont émis ces idées et soutiennent l'importance de l'ouverture de soi. Par exemple, plus nous nous ouvrirons à une autre personne, plus cette personne nous appréciera et risquera de s'ouvrir également à nous. En somme, le degré de notre ouverture détermine celui de l'ouverture de l'autre personne. En termes plus directs, l'ouverture de soi provoque l'ouverture de l'autre.

Certaines recherches en psychologie sociale nous font comprendre l'ouverture. Il est démontré que l'ouverture est une activité reliée à l'interaction et non pas un trait de personnalité que l'on a en naissant. Les facteurs suivants influencent la façon dont nous nous ouvrons. Qui commencera en premier à se dévoiler? Quel genre d'information est dévoilé en premier lieu et qu'est-ce qui le sera en dernier? À quel rythme le processus d'ouverture

L'ouverture de soi aux autres est à la base des relations saines. (© Peter Vandermark/Stock, Boston)

s'effectue-t-il entre les gens? Par exemple, trop en dire trop rapidement paraît aberrant et ne rien dire du tout est perçu comme hautain. L'attirance personnelle semble liée à l'ouverture. Vous vous confiez davantage aux gens que vous aimez. D'autres études suggèrent, à l'inverse, que nous apprenons à aimer davantage ceux à qui nous nous confions[13]. Il apparaît qu'à certaines conditions, l'ouverture intime de soi peut engendrer une plus grande attirance entre des sujets expérimentaux, alors que l'ouverture moins personnelle ne crée pas cette attirance. D'après vous, aimez-vous davantage les gens ou les gens vous aiment-ils davantage si vous pouvez aborder facilement avec eux des sujets personnels?

La recherche sur l'ouverture de soi montre aussi que la personne qui s'ouvre facilement est probablement consciente de l'importance de l'interaction avec les autres. Elle semble également flexible, possède une bonne capacité d'adaptation et se révèle peut-être un peu plus intelligente que les personnes qui ne veulent pas s'ouvrir. Elle aura aussi tendance à percevoir la nature humaine comme généralement bonne plutôt que fondamentalement mauvaise. Ces énoncés sont bien sûr des généralisations et ne sont pas nécessairement vrais pour toutes les personnes qui s'ouvrent.

Pratiquer la révélation de soi, c'est être ouvert, désireux de se faire connaître tel qu'on est, sans masque. La révélation de soi et l'ouverture de soi sont fondées sur l'honnêteté et l'interaction authentique; c'est pourquoi elles sont un préalable à toute relation signifiante. En plus d'être ouverts aux autres, nous voudrons certainement être réceptifs à l'ouverture des autres. Nous nous intéresserons aux autres, à ce qu'ils disent, à ce qu'ils pensent, à ce qu'ils sentent. Cela ne veut pas dire que nous nous immiscerons inopinément dans leur vie, mais signifie que nous voudrons simplement les écouter.

---

13. John H. Berg et Richard L. Archer, «The Disclosure-Liking Relationship», *Human Communication Research*, vol. 10, n° 2, hiver 1983, p. 279.

L'ouverture de soi est-elle toujours appropriée?

L'ouverture de soi n'est certes pas toujours appropriée. À certains moments ou dans certaines circonstances, une ouverture de soi trop grande, trop hâtive ou avec les mauvaises personnes peut avoir de fâcheuses conséquences. Il est important de voir et de sentir dans quelles situations l'ouverture de soi est souhaitable et quand elle ne l'est pas. «S'ouvrir» dans une situation inappropriée risque d'apeurer certaines personnes et nous risquons de notre côté d'être blessés dans l'aventure. Lorsque nous livrons à quelqu'un nos pensées intimes ou des secrets bien gardés, notre confident possède des informations auxquelles sont rattachées certaines responsabilités. Voici quelques recommandations qui peuvent vous aider à déterminer si les situations se prêtent à l'ouverture de soi. Souvenez-vous que vous décidez vous-même du moment et du contenu de votre ouverture et des conditions dans lesquelles elle doit se faire. Nous pourrions favoriser l'ouverture de soi:

1. Lorsqu'elle n'est pas un fait isolé mais s'insère dans une relation déjà amorcée.
2. Lorsque l'autre personne réagit en s'ouvrant elle-même.
3. Lorsque l'ouverture de soi concerne ce qui se passe entre nous et une autre personne dans le moment présent. (Évitez de faire référence au passé ou de conserver des inquiétudes, des préoccupations, des frustrations ou d'autres sentiments dans le but de les déverser plus tard sur l'autre personne.)
4. Lorsque l'ouverture se fait sur des aspects positifs plutôt que négatifs (les personnes trop négatives à propos d'elles-mêmes sont souvent considérées comme étant mal adaptées)[14].
5. Lorsqu'elle permet d'améliorer une relation.
6. Lorsque nous sommes conscients de ses conséquences possibles sur l'autre personne. (Par exemple, ne tenez pas les autres responsables de tous vos problèmes à moins qu'ils ne veuillent bien en assumer la responsabilité.)
7. Lorsqu'elle est graduelle. (Ne vous délestez pas sur l'autre personne en lui donnant trop de choses à assimiler d'un coup.)
8. Lorsqu'il existe une confiance mutuelle. (Les deux personnes en question doivent assumer les risques liés à l'ouverture de soi.)

Quel contenu est approprié?

Qu'êtes-vous prêt à confier aux autres? La réponse dépendra de plusieurs facteurs. Un premier facteur est sans doute le degré d'intimité partagée avec l'autre personne. L'objectif que vous poursuivez est un autre facteur, de même que les sentiments rattachés au risque que vous courez. Le niveau de l'ouverture dépend donc de l'émotivité liée à l'information à partager, des normes culturelles qui prévalent, des sentiments éprouvés envers l'autre, de votre

---

14. T.E. Runge et Richard L. Archer, «Reactions to the Disclosure of Public and Private Self-Information», *Social Psychology Quarterly*, vol. 44, n° 4, décembre 1981, p. 357-362.

perception de la relation et enfin de l'ampleur du risque que vous êtes prêt à courir. Le tableau 9.3 donne un aperçu des informations à transmettre et des conditions dans lesquelles l'ouverture pourrait se faire.

Tableau 9.3 Niveaux d'ouverture

Contenu de l'ouverture	Niveau de risque	Conditions de l'ouverture	Exemples
Information disponible de nature générale ou publique.	Minimum. Seulement laisser savoir à l'autre que vous savez.	Peut être faite entre étrangers aussi bien qu'«entre amis.»	Des données neutres ou sans conséquence: «Je viens de voir un film» . «Le Président apparaît à la télé ce soir.»Même si le contenu n'est pas révélateur ou significatif, il peut paver la voie à une véritable ouverture qui viendra plus tard.
Les préférences que vous avez; ce que vous aimez ou n'aimez pas.	Faible.	Utilisée si vous voulez obtenir ce que vous désirez ou éviter quelque chose que vous détestez.	«Je préférerais une bière.» «Jouons au tennis plutôt que d'aller nous baigner.» «Pourriez-vous fermer la porte plus doucement?» «Je préférerais regarder le hockey à la télé.»
Les pensées ou les idées que vous avez à propos de choses politiques, de livres, de cinéma.	Risque plus grand.	Il y a plus de différences individuelles et certaines personnes peuvent réagir négativement à ce que vous dites.	«J'ai vraiment détesté ce film.» «Mon cours d'histoire présentait une vue très globale des idées libérales.» Le Président n'aide pas les pauvres.»
Vos sentiments, vos émotions, vos valeurs, vos réactions, votre foi et vos jugements.	Risque plus grand.	Vous pouvez apporter des données objectives sur le sujet, mais vos sentiments sont si personnels qu'ils sont difficiles à partager.	«En quoi croyez-vous?» «Je crois que les étudiants d'aujourd'hui sont plus amoraux que ceux d'autrefois.» «Je m'oppose à toute consommation d'alcool.» «J'ai peur de mourir.»

Qu'y a-t-il à gagner avec l'ouverture de soi?

Nous croyons qu'une ouverture de soi bien pratiquée peut être bénéfique à notre communication. Les retombées positives incluent: (1) une plus grande précision dans la communication et l'ajout de sentiments au matériel superficiel que nous partageons avec l'autre; par exemple: «Je viens de voir un film qui m'a déprimé»; (2) une meilleure connaissance de l'autre d'un point de vue plus intime; exemple: «Réaliser la profondeur des sentiments partagés pour ainsi accroître la prévisibilité de notre communication»; (3) la connaissance de soi; exemple: «Quand l'autre nous reflète les impressions et sentiments générés par nos propres comportements, nous nous découvrons comme personne».

L'ouverture de soi est un élément important dans l'établissement de bonnes relations. Nous devons toutefois être sensibles à nos besoins et à ceux des autres. L'ouverture de soi faite de manière sensible peut nous faire accomplir un pas de géant hors de la solitude. Nous sommes notre propre instrument pour apprendre comment communiquer, partager et aimer.

Une façon d'évaluer les répercussions de l'ouverture de soi est de se centrer sur ce qui arrive au moi en mettant de côté ce qui se produit chez autrui. Premièrement, nous donnons une partie de nous-mêmes. Deuxièmement, nous apprenons à nous reconnaître davantage. Troisièmement, nous apprenons à évaluer notre moi avec plus de précision et de prédiction.

Styles de communication

Il n'y a pas deux personnes qui agissent exactement de la même manière, et une personne n'agit jamais tout le temps de la même manière. Il y a toutefois certaines choses stables dans la communication humaine. Même si la plupart des gens sont capables de communiquer de différentes façons, ils choisissent souvent de communiquer avec les autres de la manière qui leur est la plus familière. On peut appeler «styles» ces manières caractéristiques d'aborder les situations interpersonnelles. Évidemment, les individus mettent au point leur propre style et, quoiqu'il soit possible d'avoir plusieurs styles, chaque personne tend à répéter son style préféré dans toutes les situations.

Avant d'aller plus loin et d'identifier certains styles courants de communication, soulignons trois faits importants:

1. Plusieurs styles sont disponibles à chacun de nous. Il y a différentes façons de répondre aux situations interpersonnelles et, à un moment ou l'autre, nous devons être capables de les utiliser.
2. Chaque style est efficace dans certaines situations données.
3. C'est l'utilisation d'un style particulier sans discrimination (dans toutes les situations) qui crée les problèmes interpersonnels.

Notre description des styles de communication est basée sur certaines descriptions effectuées par Virginia Satir[15]. Voici les cinq styles qu'elle décrit: (1) le style critique ou agressif; (2) le style apaisant ou non affirmatif; (3) le style calculateur ou intellectuel; (4) le style indirect ou manipulateur et (5) le style pondéré ou affirmatif.

---

15. Virginia Satir, Center City, Minn., *Peoplemaking*, Hazelden Foundation, 1976.

Le style critique ou agressif

La personne qui utilise un style critique ou agressif tend à être revendicatrice face aux autres. Elle agit en surface et on peut être sûr qu'elle trouve facilement les points faibles, les fautes des autres et qu'elle les relève. La personne qui critique veut souvent se montrer supérieure ou jouer au patron. À l'extrême, elle devient tyrannique et fait son chemin aux dépens des droits et des sentiments des autres. Elle envoie souvent le message que les autres sont stupides de ne pas la croire ou que leurs sentiments et idées ne comptent pas pour elle. Dans les relations interpersonnelles, le but premier de cette personne est de gagner, de dominer et de forcer les autres à perdre. Elle s'assure souvent la victoire en humiliant, en dégradant ou en contrôlant les autres de façon que personne ne puisse exprimer ou défendre ses droits. Ce type de comportement fonctionne malheureusement souvent et procure aux personnes qui y recourent un défoulement émotif et un sentiment de pouvoir. Par leur style de communication, les personnes critiques réussissent même à obtenir ce qu'elles veulent sans nécessairement devoir faire face à des réactions négatives directes de la part des autres. Par exemple, un patron peut être craint, particulièrement s'il a du pouvoir sur nous, et nous blâmer régulièrement pour nous amener à agir comme il l'entend. Devant un tel abus de pouvoir ou de contrôle, nous n'affronterons pourtant pas ouvertement cette personne.

À long terme, évidemment, les conséquences du style critique peuvent être négatives. Habituellement, ceux ou celles qui utilisent ou manifestent ouvertement ce style ne réussissent pas à établir des relations intimes et sont plutôt constamment sur leurs gardes, car ils ont le sentiment qu'ils doivent se protéger des attaques et des manoeuvres possibles des autres. Malheureusement, nous apprenons à agir de la même manière envers eux. Alors ils ont le sentiment d'être coupés des autres, incompris et mal aimés. Ce sont des gens solitaires, délaissés.

Le style critique comme tel n'est toutefois pas toujours non fonctionnel. Il y a parfois des moments où une certaine critique ou évaluation peut et doit être faite, des situations où certains ordres ou directives doivent être donnés, où certaines limites de comportement doivent être posées. Comme nous le verrons plus loin, cependant, ces critiques et ces évaluations sont plus efficaces et mieux acceptées lorsqu'elles sont faites sur un ton moins blâmant et dans un style plus affirmatif.

Le style apaisant ou non affirmatif

Les individus apaisants essaient toujours de plaire aux autres. Ils s'excusent souvent, comme s'ils ne pouvaient rien faire par eux-mêmes et pour eux-mêmes. Ils recherchent constamment l'approbation de quelqu'un. Les «apaisants» ne veulent pas exercer leurs droits, leurs besoins, leurs sentiments; ils préfèrent les ignorer. Ils sont incapables d'exprimer de façon directe ce qu'ils veulent. Lorsqu'ils expriment leurs sentiments ou leurs idées, ils s'en excusent ou s'effacent tellement que les autres finissent par ne pas tenir compte d'eux. Ce profil du style non affirmatif fait que la personne qui l'adopte ne compte pas beaucoup; on peut même tirer avantage d'elle. Et c'est en fait ce qui se produit souvent. Par son manque total d'affirmation, elle devient exploitée et victime; mais elle se rend elle-même victime. Effectivement, les apaisants se respectent tellement peu eux-mêmes qu'ils apprennent aux autres à ne pas les respecter. Leur but fondamental est d'apaiser et d'éviter les conflits à tout prix. De telles personnes ont par exemple beaucoup de difficulté à dire « non» à une demande, car elles veulent toujours plaire. Évidemment, à long terme, elles ne réussissent à faire plaisir à personne, car elles veulent plaire à tout le monde. Elles craignent toujours de heurter les sentiments des autres. Elles ne peuvent dire non ou affirmer leurs besoins, car elles sont trop sensibles aux opinions et aux dires des autres.

Le style calculateur ou intellectuel

Les gens qui adoptent ce style sont ceux qui ont toujours recours aux intellectualisations pour traiter les situations interpersonnelles. Une personne de ce style a une allure calme et réfléchie, elle semble à l'aise. Les sentiments ne peuvent et ne doivent pas être montrés. Elle croit qu'il vaut mieux cacher ses émotions car, fondamentalement, celles-ci interfèrent et distraient selon elle des choses importantes. Ce style demande que nous donnions la priorité à la logique et à la rationalité. Les individus qui dépendent de ce style se méfient des émotions et sentiments, aussi bien des leurs que de ceux des autres. «Si les gens étaient raisonnables et se servaient de leur tête, il y aurait moins de problèmes», disent-ils. Néanmoins, ces rationalistes se sentent souvent vulnérables, mais ils dissimulent leurs peurs en présentant un air distant et réservé qui empêche les autres de se rapprocher d'eux. Étant donné qu'ils considèrent en général les autres individus comme étant imprévisibles et irrationnels, ils choisissent souvent une profession ou une occupation qui ne les met pas trop en contact avec les autres, où leur statut et leur autorité les tiendront à distance des autres.

Le style indirect ou manipulateur

Ce style est basé sur la volonté de ne pas s'engager dans des situations interpersonnelles. «Évitons les situations menaçantes» est la devise de telles personnes. Les individus adoptant ce style élaborent toutes sortes de stratégies pour manipuler les autres ou esquiver les rencontres et les communications désagréables. Lorsqu'ils ne peuvent éviter ces rencontres, leur style d'interaction est caractérisé par des manoeuvres de diversion ou par la manipulation des sentiments des autres. Ainsi, un patron peut amener son employé à faire des heures supplémentaires, c'est-à-dire le manipuler par des phrases culpabilisantes du genre: «Comment peux-tu me refuser, après tout ce que j'ai fait pour toi?» La tactique est possible entre le mari et la femme, ou entre le père ou la mère et l'enfant; on y dit alors: «Comme tu es ingrat envers moi!»

Le style pondéré ou affirmatif

Les gens affirmatifs sont capables de défendre leurs droits, d'exprimer leurs sentiments, leurs pensées et leurs besoins d'une manière ouverte et honnête. Leur ton de voix, leurs gestes, leur contact visuel, tout leur comportement tend à être en accord avec ce qu'ils disent. D'abord, la personne affirmative ne revendiquera jamais ses droits aux dépens de ceux des autres. Elle a du respect pour elle-même et pour les autres, elle est ouverte au compromis et à la négociation. Le message fondamental d'une personne adoptant ce style de communication est: «Voici ce que je pense de cette situation» et n'implique aucune domination ou humiliation des autres auxquels elle laisse la possibilité de penser ou de voir les choses différemment. L'affirmation implique le respect et non la négation des différences. Le but de l'affirmation est de mieux communiquer et résoudre les problèmes. Ainsi, lorsqu'un conflit de droits ou de besoins apparaît, une personne qui utilise ce style de communication ne nie pas le conflit mais travaille à le résoudre (de façon mutuellement satisfaisante) avec l'autre personne qui est en cause.

L'affirmation de soi et la communication affirmative ne garantissent pas que les choses vont aller à notre manière; toutefois, elles ont la plupart du temps des conséquences positives. Ces comportements, lorsque nous les adoptons, augmentent habituellement notre estime de soi et notre confiance en nous-mêmes. Nous nous sentons bien de pouvoir dire ce que nous pensons sans avoir peur. Que les autres soient d'accord avec nous, qu'ils fassent ou non ce que nous aimerions les voir faire, tout cela est secondaire. Par exemple, il est possible qu'après avoir demandé à notre patron une augmentation de salaire, nous ne l'obtenions pas. Par contre, si nous avons fait notre demande de façon affirmative, c'est-à-dire en expliquant nos droits et les raisons qui motivent cette augmentation, au moins nous serons fiers d'avoir exprimé et affirmé ce que nous croyons. Si le patron nous donne l'augmentation de salaire, ce sera là d'autant plus satisfaisant d'avoir abordé directement le problème que nous ne nous serons pas plaints, n'aurons pas cherché à manipuler l'autre, et n'aurons pas davantage été inutilement agressifs.

On trouve maintenant plusieurs livres qui expliquent utilement la manière de pratiquer ce style de communication affirmative. Nous vous suggérons de consulter la bibliographie à la fin de cet ouvrage. De plus, si après avoir pris connaissance des exercices de ce volume vous croyez avoir davantage besoin d'appui dans l'acquisition de cette habileté, il est fort possible que près de chez vous, dans votre collège ou votre université, on offre des ateliers pour vous aider à acquérir cette habileté qu'est l'affirmation de soi. Renseignez-vous.

Rappelons que: ce qui est fondamentalement intéressant avec la communication affirmative (l'affirmation de soi), c'est que ce style de communication est le plus susceptible d'engendrer la confiance, le respect de soi et des autres, lesquels sont des ingrédients essentiels à une communication interpersonnelle efficace.

Sommaire des styles

Tous ces styles de communication peuvent se manifester concrètement dans des situations telles que l'achat d'un vêtement, le choix d'un collège, une demande d'augmentation de salaire, mais aussi dans les situations quotidiennes de notre vie interpersonnelle. Par exemple, lorsque nous essayons de déterminer une rencontre avec un ami, nous pouvons utiliser ces styles: «Le seul endroit où je veux aller est au café Z...» (énoncé agressif; pas de compromis ou de discussion possibles); «Je peux te rencontrer n'importe où, n'importe quand, ça dépend de toi...» (énoncé apaisant; signifie presque: «Je ne suis pas tellement important, je ferai tout ce que tu voudras»); «Si nous avons chacun cinq minutes, nous pouvons nous rencontrer à mi-chemin entre chez toi et chez moi, et ensuite nous devrions...» (énoncé intellectuel, logique, analytique; toute la décision est basée sur des facteurs extérieurs aux gens eux-mêmes; aucun emploi du je); «Ça va être difficile de trouver du temps pour une rencontre; je ne suis pas sûr si je veux prendre un café...» (énoncé manipulateur; tentative de prendre le contrôle en suggérant que la rencontre ne vaut pas la peine); «Ça va, dans mon horaire, d'accord pour le café. De plus, j'aime bien les beignes du café Z.» (énoncé affirmatif; dit comment la personne qui parle se sent et laisse la discussion ouverte). N'est-ce pas ce dernier énoncé qui est le plus efficace sur le plan de la communication?

Pour un autre exemple de ces styles de communication et de leur signification, voir le tableau 9.4.

Tableau 9.4 Les styles de communication

À l'intérieur de ce tableau, le contenu de la question pourrait être à peu près n'importe lequel. Vous pourriez demander une augmentation de salaire, demander à une autre personne d'acheter une voiture avec vous, décider de voyager avec quelqu'un, ou vous pourriez prendre toute autre décision, qu'elle soit importante ou non. Nous suggérons à titre d'exemple cette question: «Quel film devrions-nous aller voir?»

Style	L'énoncé	La traduction (ce qui est vraiment dit)
Agressif	«Il n'y a qu'un seul bon film en ville; c'est celui-là que nous irons voir.»	«Nous faisons ce que je dis ou rien.»
Apaisant	«Nous irons voir le film que tu veux, cela ne me dérange pas. De toute façon je ne sais jamais ce qui est bon ou mauvais.»	«Pauvre moi; je suis vraiment désemparé.»
Intellectuel	«Les critiques affirment que ce nouveau film québécois est bien dirigé, bien joué, bien tourné et que tout le monde devrait se faire un devoir de le voir.»	«Je n'ai pas vraiment de sentiment à propos de cela, seulement des recommandations d'autrui.»
Manipulateur	«Je ne suis pas sûr de vouloir aller au cinéma ce soir.»	«Insiste un peu; je voudrais être en bonne position pour décider en faisant le difficile.»
Affirmatif	«Je suis très intéressé par le dernier film d'Yves Montand. Qu'en penses-tu?»	«Voici ce que je veux. Que veux-tu?»

RÉSUMÉ

Dans nos relations, la communication nous permet d'établir des différences et des ressemblances sur ce que nous savons, sur ce que nous voulons, sur la façon dont les choses doivent se faire et sur ce que nous attendons des autres. Les tensions proviennent de notre communication et peuvent prendre la forme de conflits ou de comportements défensifs ou ritualisés.

Traditionnellement, les conflits étaient considérés comme étant mauvais et à éviter. Les gens qui étaient en conflit étaient considérés comme déviants, fauteurs de troubles; ils étaient un poids pour l'autorité des parents, des professeurs, des patrons ou des entraîneurs. Récemment, nous en sommes venus à considérer le conflit comme étant inévitable et potentiellement bénéfique. Il est possible qu'un conflit soit fonctionnel et utile en permettant une certaine croissance, un changement positif.

Les types de conflits englobent les préoccupations personnelles, interpersonnelles et organisationnelles. Pour y faire face, les stratégies d'évitement, de désamorçage et d'affrontement sont utilisées. L'affrontement se manifeste de trois façons que nous appelons «gagnant-perdant», «perdant-perdant» et «gagnant-gagnant»; dans le dernier cas, il prend la forme d'une résolution de problème et d'une négociation. Les négociateurs d'expérience gèrent un conflit avec une compréhension et une attention à la fois aux besoins reliés au contenu (le sujet de l'accord ou du désaccord) et aux besoins reliés au processus (comment se traitent les participants pendant la négociation).

Les comportements défensifs apparaissent comme des réactions naturelles aux tensions et aux situations qui nous menacent ou nous frustrent. En plus des stratégies pour résoudre les conflits, il existe des stratégies pour réduire les défenses qui peuvent nuire au développement de relations enrichissantes. L'ouverture de soi est un facteur de réduction de tension qui, employé de façon appropriée, peut être d'une grande utilité. Nous avons suggéré à quel niveau l'ouverture doit se faire et quelles sont les règles à suivre.

Dans nos relations, nous développons certaines manières de communiquer que nous avons appelées des «styles». Un éventail de styles sont disponibles à n'importe qui, chacun des styles possède son utilité dans la communication et les problèmes viennent de l'application routinière et sans discernement d'un seul style.

CHAPITRE

10

LES OUTILS INTERPERSONNELS: METTRE LA COMMUNICATION EN MARCHE

OBJECTIFS

Après avoir étudié ce chapitre, vous devriez être en mesure de:

1. Comparer l'écoute avec l'audition et citer une façon de confondre les deux.
2. Énoncer trois mythes concernant l'écoute et donner des exemples de la façon dont ils se manifestent dans les comportements humains.
3. Énumérer et expliquer au moins quatre moyens d'améliorer l'écoute.
4. Définir l'attention manifeste en relation avec l'écoute.
5. Définir l'écoute active et donner un exemple original de son utilisation dans vos relations.
6. Expliquer l'importance de bien préparer le terrain avant de donner un feed-back.
7. Citer et expliquer au moins trois façons d'améliorer l'utilisation du feed-back dans les relations.
8. Énumérer et définir les quatre composantes de l'approche scientifique.
9. Décrire dans vos propres mots comment l'approche journalistique peut rendre vos transactions plus efficaces.
10. Énumérer et illustrer les six techniques proposées par le spécialiste de la sémantique Alfred Korzybski, lesquelles peuvent rendre notre langage plus près du monde empirique.

INTRODUCTION

Ce chapitre présente quelques habiletés que nous utilisons dans nos interactions avec autrui. De fait, plusieurs habiletés ont été suggérées dans les chapitres précédents, comme le fait de gérer les conflits, de porter attention à nos perceptions, de faire la distinction entre les observations et les inférences, pour n'en nommer que quelques-unes.

Par contre, pour la première fois, nous mettons l'accent sur notre participation à l'amélioration de notre communication. Ainsi, nous vous encourageons à commencer par l'habileté la plus importante, toujours nécessaire mais généralement très peu développée, c'est à dire, l'habileté à écouter. Dans les pages suivantes, nous vous proposons un nouveau regard sur l'écoute, et il vous appartient de décider si vous voulez faire l'effort pour vous améliorer. Le feed-back est lié à l'écoute comme s'il s'agissait des deux côtés d'une médaille. Vous pouvez aussi améliorer vos habiletés à donner et recevoir un feed-back, ce qui peut vous permettre d'enrichir vos relations avec les autres, avec votre entourage.

Pour débuter, nous vous suggérons un ensemble de quatre points de base de la communication interpersonnelle qui sont reliés à tout ce que nous avons vu jusqu'à présent. À partir d'ici, vous prenez les choses en main et décidez de quelle façon vous dirigerez vos communications

Premier point. Nous apprenons en découvrant par nous-mêmes plutôt qu'en nous laissant dire ce qu'il faut faire. C'est pour cette raison que nous avons favorisé une approche de laboratoires qui vous fournissent des données sur la communication et des exercices, des jeux et des activités interactives qui vous offrent des occasions de découvrir ce qui se produit dans vos contacts avec les autres.

Deuxième point. La communication ne se fait pas au hasard. C'est une activité délibérée qui peut être prévisible si nous connaissons bien les facteurs en jeu. En outre, nous pouvons prédire les circonstances dans lesquelles la communication n'apportera pas les résultats escomptés; cela est dû au fait que les gens portent attention aux choses qui correspondent à leur identité et à leur environnement culturel. Nous aborderons plus loin le pourquoi de notre communication, mais pour le moment nous nous concentrerons sur le quoi, c'est-à-dire sur l'utilisation de symboles, perceptions, observations, inférences, significations et habitudes verbales.

Troisième point. Notre communication peut sûrement s'améliorer. Nous perdons trop de temps en ambiguïtés et malentendus qui n'existeraient pas si nous exercions certains contrôles et faisions des bilans. Nous sommes trop souvent à la remorque des propagandistes, des publicitaires, des amis et des ennemis qui en connaissent peut-être plus que nous sur la communication et le comportement humain mais qui utilisent souvent ces connaissances à notre désavantage.

Quatrième point. Personne d'autre que nous-mêmes ne peut nous aider dans notre communication. Puisque la communication est quelque chose qui débute à l'intérieur de nous, nous sommes les premiers organismes affectés par ce qui est vu, entendu, senti, touché ou goûté. Nous devons être prêts à réagir à tout ce qui nous parvient et nous le faisons en ignorant, en écoutant, en rejetant, en acceptant ou en utilisant les bruits, les visions et les sensations. Pour comprendre nos propres comportements de communication et ceux des autres, le point de départ devrait être la connaissance de nous-mêmes et de nos relations avec les stimuli qui

nous entourent. L'importance des changements que nous voulons apporter à nos comportements ne dépend que de nous.

S'il s'avère nécessaire de modifier quelque peu nos comportements, les directives et les
suggestions contenues dans cette section seront utiles. Elles l'ont été pour plusieurs personnes
dans des situations d'atelier ou de laboratoire. Les suggestions ne fonctionnent pas pour tout
le monde, parce qu'il existe des différences dans notre besoin d'adapter notre communication.
Nos réactions à ces suggestions sont différentes selon qu'elles nous apparaissent sensées ou
simplistes. Certaines suggestions peuvent nous stimuler, d'autres nous décourager. Il n'existe
pas de «voie royal» pour la réussite de la communication, ou de formule magique pour ouvrir
la porte de la communication efficace. Vous remarquerez que tout ce qui suit s'appuie sur le
quatrième point, exige un effort de notre part. Personne ne peut vous donner une pilule pour
l'amélioration de la communication ou ajouter l'ingrédient «meilleure communication» que
vous ajouteriez à vos céréales du petit déjeuner. L'effort est nécessaire; seuls les charlatans
vous vendront des programmes qui vous permettront de vous transformer instantanément en
un grand communicateur sans que vous ayez besoin de faire un effort ou d'être motivé.

L'ÉCOUTE ET LA RÉTROACTION

Les sortes d'écoute

Bien entendu, si personne n'écoute, tout effort de communication sera inutile. La communication est un processus transactionnel qui implique une écoute et, évidemment, cela ne peut
se faire si l'interaction demeure à sens unique.

L'écoute est donc cruciale, non seulement l'*écoute délibérée* qui vise à saisir le contenu
du message, comme le dit Kelly[1], mais aussi, comme l'a dit Rogers[2], la compréhension du
contexte et des sentiments qui s'y rattachent: c'est ce qu'on appelle l'*empathie* ou l'*écoute
active*.

Comment nous sentons-nous lorsqu'on ne nous écoute pas? Nous avons tous vécu
l'expérience où ce que nous étions en train de dire n'était pas vraiment écouté par notre
interlocuteur ou lui importait très peu. Cela est plutôt désagréable, n'est-ce pas?

On peut dire sans crainte de se tromper qu'en général nous ne savons pas écouter. Certes,
nous avons des oreilles, et la majorité des gens n'ont pas de problème auditif comme tel.
Toutefois, nous n'écoutons pas bien. Plusieurs problèmes de communication interpersonnelle peuvent se ramener simplement à ceci: nous ne savons pas comment écouter efficacement.

Daniel Katz[3], un spécialiste en communication, écrivait il y a quelques années que les
barrières physiques à la communication étaient presque toutes disparues, par contre, les
barrières psychologiques étaient toujours présentes. Nous pouvons communiquer assez bien

---

1. Charles M. Kelly, «Empathic Listening», *in* R. Cathcart et L. Samovar (dir.), *Small Group Communication*, Dubuque, Iowa, Wm.C. Brown, 1974.
2. Carl Rogers, «Communication: Its Blocking and Facilitating», *Northwestern University Information*, vol. 20, 1952, p. 9-159.
3. Daniel Katz, «Psychological Barriers to Communication» d*ans* Wilbur Schram (dir.), *Mass Communication*, Urbana, The University of Illinois Press, 1960, p. 316.

avec les astronautes qui vont sur la Lune; on nous dit que, bientôt, nous pourrons téléphoner à peu près n'importe où sur la terre, et en même temps, voir notre interlocuteur. Les «miracles» technologiques ne surprennent plus. En fait, tout cela fait à ce point partie de la vie courante qu'à moins que l'événement ne devienne vraiment très spécial ou n'atteigne l'affectivité des gens, nous ne réagissons plus beaucoup.

Toutefois, si les barrières physiques à la communication sont disparues, les barrières psychologiques restent. Il est encore difficile de comprendre nos enfants, nos étudiants, nos professeurs, nos parents ou nos amis. Nous avons encore énormément de difficulté à nous comprendre mutuellement et, pour ne citer qu'un exemple, nous savons que la plupart des mariages se terminent par un divorce ou une séparation.

Le problème

Commettez-vous souvent de petites erreurs en écoutant un ami qui vous donne un rendez-vous, en prenant une commande ou en achetant au magasin un article pour quelqu'un d'autre? Selon Rebecca B. Rubin: «Il arrive trop souvent que les étudiants ne soient pas suffisamment attentifs en classe pour être capables d'identifier les idées principales d'un cours ou de comprendre la matière présentée. Il arrive trop souvent que les étudiants ne comprennent pas les consignes des travaux données oralement, sans parler des critères d'évaluation[4].»

Puisque l'éducation dépend tellement d'un professeur qui parle et d'étudiants qui écoutent, il semble nécessaire d'accorder une attention considérable à l'écoute comme aide à l'apprentissage. Peut-être est-il déjà trop tard. Les entreprises, les industries et les agences mettent maintenant l'accent sur le besoin d'habiletés d'écoute chez leurs employés. En déplorant que les gens ne savent pas bien écouter, ils jettent en partie le blâme sur les maisons d'enseignement à l'intérieur desquelles l'habileté et l'art de l'écoute ont depuis longtemps été délaissées.

Au moins une partie du problème de l'écoute provient d'une définition étroite dans laquelle cette notion nous apparaît comme le moyen d'accumuler des données ou du contenu. Les conférenciers ont tendance à croire que «tout individu qui a deux oreilles peut écouter» et que l'auditeur saisira le message qu'il a voulu transmettre au moyen de ses mots et de ses intonations.

L'écoute est un des ingrédients majeurs du processus de communication. Un grand manque d'habileté dans cette sphère est souvent responsable de plusieurs problèmes entre les gens.

Le mathématicien Norbert Wiener[5] a écrit: «Le langage est un jeu d'équipe entre le narrateur et l'auditeur contre les forces de la confusion». La communication interpersonnelle est sans espoir si les partenaires ne font pas d'efforts.

4. Rebecca B. Rubin, «Assessing Speaking and Listening Competence at the College Level», *Communication Education,* vol. 31, n° 1, janvier 1982, p. 19.
5. Norbert Wiener, *The Human Use of Human Beings*, New York, Avon Books, 1967.

Le manque d'écoute

Quelques statistiques peuvent nous donner une idée de l'ampleur du problème. Pendant plusieurs années, Ralph Nichols et ses associés[6] ont fait des études pour vérifier l'habileté des gens à comprendre et se rappeler ce qu'ils entendaient. Plusieurs milliers d'étudiants, de gens d'affaires et de professionnels furent testés. À chaque personne, on faisait écouter un bref discours et on vérifiait ce qui était retenu du contenu. On arriva aux conclusions suivantes:

1. Immédiatement après avoir écouté, peu importe l'effort fourni, les gens ne se souvenaient que de la moitié de ce qu'ils avaient entendu.

2. Les études de l'Université du Minnesota, confirmées par d'autres de l'Université de la Floride et de l'Université du Michigan[7] démontrent qu'après un laps de temps de deux mois, les gens ne se souvenaient que de 25 % de ce qui a été dit. En fait, les gens oublient, en l'espace de 8 heures, au moins le tiers de ce qu'ils ont entendu.

Pour résumer simplement, nous pouvons dire que lorsque quelqu'un nous parle, nous perdons la moitié de son discours et, deux mois plus tard, il ne nous en reste que le quart. Lorsqu'on pense au temps que nous employons à parler et à écouter, il semble y avoir un gaspillage incroyable.

Quelques causes du manque d'écoute

Les raisons d'une écoute aussi faible sont nombreuses et complexes. Très souvent, nous n'écoutons pas parce que nous n'aimons pas la personne qui parle ou parce qu'elle nous ennuie. Toutefois, la mauvaise écoute est souvent involontaire. Pour comprendre davantage ce phénomène, nous devons écarter ici trois mythes assez tenaces qui obscurcissent constamment notre compréhension de ce processus.

PREMIER MYTHE: L'ÉCOUTE EST UN PROCESSUS NATUREL

Malheureusement, ce qui est naturel est souvent perçu comme synonyme d'inné ou d'acquis d'avance. Croire que l'écoute est naturelle dans ce sens, c'est avoir tendance à penser que nous n'avons pas besoin de l'apprendre. La respiration est un processus naturel; comme ce fut normalement la première chose faite à la naissance, en principe, personne n'a eu besoin de nous l'apprendre. L'écoute, par contre, telle que nous l'entendons ici, n'est pas un processus naturel. C'est là, hélas, qu'intervient le mythe: nous continuons à considérer l'écoute comme un phénomène naturel, inconscient, automatique, qui n'a pas besoin d'apprentissage. En la percevant ainsi, nous mettons une barrière à toute amélioration volontaire de notre capacité d'écoute. En effet, pourquoi apprendre quelque chose que nous connaissons déjà? Comment peut-on modifier ce qui est naturel, inné, automatique? L'écoute, nous disons-nous, est une fonction que nous possédons et dans laquelle nous excellons ou non.

---

6. Ralph Nichols et Leonard Stevens, «Listening to People», *Harvard Business Review*, vol. 35, n° 5, 1957.
7. J. J. Kramar et T. R. Lewis, «Comparison of Visual and Non-Visual Listening», *Journal of Communication*, 1951, p. 16.

Rankin[8] a été le premier à nous donner quelques statistiques souvent citées et retestées au fil des années. Il calcula que nous passons 70 % de notre temps d'éveil dans la communication; 45 % de ce temps est consacré à l'écoute. Nous passons 30 % de notre temps à parler, environ 16 % à lire et seulement 9 % à écrire. (D'autres études rapportent que nous apprenons 85 % de ce que nous savons simplement en écoutant.) Avec le développement de nouvelles technologies auditives de plus en plus utilisées telles que les téléphones, les émetteurs radio, les cassettes d'enregistrement, les disques compacts, etc., le temps passé à lire et à écrire décroît de façon constante.

DEUXIEME MYTHE: IL N'Y A PAS DE DIFFÉRENCE ENTRE ENTENDRE ET ÉCOUTER

Même si Clevenger[9] souligne que la relation entre le fait d'entendre et celui d'écouter est complexe et qu'il est parfois difficile de distinguer les deux processus, ceux-ci demeurent généralement distincts. Malheureusement, pour la plupart nous traitons ces deux processus comme s'ils n'en constituaient qu'un. Ce fait est peut-être inconscient, mais c'est ce que nous faisons chaque fois que nous croyons que nos paroles sont comprises et mémorisées instantanément par les autres. Pourtant, il n'est jamais garanti que l'autre nous écoute vraiment. Le fait d'exposer à des étudiants des faits et des idées lors d'une conférence ne garantit aucunement qu'ils apprendront quelque chose. Ils entendront des sons émis par le professeur, mais on ne peut être assuré qu'ils auront écouté et retenu l'information.

Le fait d'entendre est un processus naturel. Pourvu que notre oreille ne soit pas endommagée et que notre cerveau fonctionne normalement, nous entendons les sons à partir d'une certaine intensité.

Mais nous pouvons écouter lorsque nous le voulons. Nous pouvons faire taire intérieurement selon notre volonté tout ce que nous ne voulons pas «entendre». Écouter est un processus cognitif dont nous avons le contrôle. Pourquoi alors décidons-nous parfois d'«éteindre le poste»? Fondamentalement, le problème vient du fait que nous pensons beaucoup plus vite que nous ne parlons. Un discours moyen est de 125 mots à la minute. Cela est plutôt lent pour le cerveau humain qui peut en traiter 800 à la minute. En regard de l'écoute, cette différence existant entre la vitesse du débit et celle de la pensée signifie que notre cerveau travaille avec des centaines de mots en plus de ceux entendus. Il en résulte que notre cerveau continue à penser à grande vitesse alors que les mots lui arrivent lentement. Nous pouvons donc écouter et avoir encore du temps pour nos propres pensées! L'utilisation plus ou moins efficace et structurée de ce temps en surplus est la clef de la qualité d'écoute de quelqu'un.

---

8. Paul T. Rankin, «Measurement of the Ability to Understand the Spoken Language», thèse de doctorat inédite, Université du Michigan, 1926.
9. Theodore Clevenger et Jack Matthews, *The Speech Communication Process*, Glenview, Ill., Scott, Foresman and Company, 1971, p. 65-80.

TROISIÈME MYTHE: NOUS AVONS UN AUDITOIRE UNIFORME DEVANT NOUS

Les deux mythes précédents concernaient la personne qui écoute et ses difficultés. Le troisième mythe a trait à la personne qui parle et à ce qui rend difficile pour les autres une écoute attentive.

Lorsque nous parlons à plusieurs personnes à la fois, nous présumons que toutes nous entendent de la même manière. Ce postulat est basé implicitement sur l'idée que nous parlons à une foule ou à un auditoire uniforme et que chaque individu de cet auditoire est identique et réagira de la même façon à ce qu'il entend. Premièrement, est-il besoin de le dire, il n'y a pas deux individus identiques. Ces individus qui sont là pour nous écouter ont des intérêts différents, des besoins différents, des raisons et des motivations différentes. Certains sont amis, d'autres ennemis, certains sommeillent et d'autres sont très présents. Certains sont contents d'être là, d'autres pensent qu'ils seraient mieux ailleurs et ont hâte de s'en aller. Certains sont à l'aise, d'autres sont très anxieux. Ces différences individuelles feront qu'une personne sera «distraite» ou non, qu'elle retiendra telle partie de ce qui est dit plutôt qu'une autre. Nous comprenons alors pourquoi une personne affirme dogmatiquement qu'elle a entendu «ça et ça» et qu'une autre dit avoir entendu autre chose, voire le contraire. Nous avons ainsi l'impression que divers orateurs on parlé même si, en fait, il n'y en avait qu'un. Peut-être chacun a-t-il entendu la moitié de ce que l'autre a perdu?

Une écoute plus efficace

Si l'écoute est une caractéristique personnelle, comment pouvons-nous l'améliorer? Comment pouvons-nous acquérir de meilleures habitudes? Ce n'est pas par des lectures ou des explications que nous deviendrons meilleurs. L'écoute est une habilité et, comme toute habilité, il faut la pratiquer pour qu'elle soit acquise ou maintenue. Tout ce que nous pouvons faire dans ce volume est de souligner les points qu'il faut surveiller; il revient à chacun de pratiquer et d'exercer cette observation. Chacun devra essayer et essayer encore. Au fur et à mesure que chacun intégrera nos suggestions dans son comportement, peut-être trouvera-t-il cela plus facile. Toutefois, les progrès se font lentement et, au début, on trouve même qu'il n'y en a aucun. Sans la volonté de changer et d'affronter cette difficulté, les habitudes resteront les mêmes.

Par commodité, nous avons regroupé ici nos suggestions en quelques catégories de comportements à surveiller. La première concerne la différence de vitesse entre les paroles et la pensée.

Utiliser le temps disponible plus efficacement

Plutôt que de se laisser aller aux pensées qui n'ont rien à voir avec le sujet discuté, il faut essayer de penser et de se concentrer sur ce qui est dit. Il faut avoir en tête l'utilisation maximale du temps pendant lequel on communique.

Précéder la pensée de l'interlocuteur

Essayer de deviner où l'interlocuteur veut en venir et prévoir ce qu'il dira. Cela est facile quand nous sommes face à quelqu'un qui parle clairement. Toutefois, beaucoup de gens ne sont pas structurés et ne s'expriment pas toujours clairement. Cela rend la tâche de l'écoute difficile, mais si nous désirons saisir ce qu'une personne nous dit, nous devrons peut-être faire nous-mêmes le travail d'organisation.

Résumer ce que l'autre dit

Il faut être capable de retrancher les points saillants du discours de l'autre. La plupart des gens qui parlent – conférenciers, professeurs, etc. – ont tendance à se répéter et s'éloignent facilement du sujet principal. Comme écoutants, nous devons démêler ce qui est important de ce qui est remplissage ou soutien du discours. Certes, la personne qui parle peut quelquefois nous aider à faire ces distinctions en répétant elle-même que tel ou tel point est important, mais, la plupart du temps, nous devons nous fier à nous-mêmes pour opérer cette sélection et résumer son discours tout en respectant les éléments importants.

Identifier les arguments de l'autre

Il faut aussi être capable, dans plusieurs occasions, de se questionner sur les sources et la validité du discours de l'autre. L'argumentation de l'autre nous paraît-elle complète, valide, convaincante? Sommes-nous capables d'identifier la logique ou les illogismes d'un discours, les paradoxes de celui ou celle qui parle?

Écouter à deux niveaux

Effectivement, pour être vraiment efficaces, nous devrons écouter deux «postes» ou deux choses à la fois, c'est-à-dire *écouter à deux niveaux.* Le premier est le contenu de la discussion, les mots, le sujet lui-même. L'autre niveau, c'est le non-verbal, c'est-à-dire les divers signes émis en même temps que le discours: le ton de la voix, les gestes, les expressions du visage, les postures et autres subtilités du langage corporel.

Ce genre d'écoute, cette lecture entre les lignes est très difficile. Cela prend beaucoup de sensibilité et de patience, car les gens ont d'innombrables façons d'ériger des défenses et de se cacher derrière des mots ou des masques. Seuls la patience et le désir de consacrer du temps au décodage des dimensions subtiles de la communication peuvent nous amener à bien comprendre les autres.

Devenir conscient des émotions

Les êtres humains ne sont pas des machines. Ils ont des sentiments et des émotions qui jouent un rôle fondamental dans leur communication interpersonnelle. Il y a ce que nous aimons et ce que nous détestons, ce dont nous avons peur et ce dont nous nous sentons coupables, ce que nous aimons entendre et ce que nous éprouvons comme une menace. Le résultat, peut-être inconscient, est que nous avons tendance à écouter ce qui nous plaît et à ne pas entendre ce qui nous déplaît.

Lorsque nous sommes en désaccord avec une personne qui parle, nous sommes portés à préparer mentalement une réplique plutôt que d'écouter. Nous entendons les premières phrases, les premiers arguments, nous nous faisons une idée de ce que la personne dit. Nous décidons alors que nous ne sommes pas d'accord et nous préparons notre réplique pendant que l'autre parle encore; nous attendons impatiemment qu'il ait fini pour prendre la parole à notre tour. Quelquefois, nous n'attendons même pas et interrompons notre interlocuteur sans lui laisser la chance d'exprimer tout à fait son idée. Malheureusement, de cette façon, nous ne pouvons être certains de ce qui est dit.

Les gens les plus difficiles à écouter sont ceux avec qui nous sommes en désaccord. Nous n'avons aucune difficulté à écouter quelqu'un qui vante nos mérites, mais bien écouter un professeur qui nous dit que notre travail ne mérite guère plus qu'un pauvre D s'avère un tâche beaucoup plus difficile.

Éviter d'être distrait

Nous savons que les périodes d'attention des enfants sont courtes. Plus l'enfant est jeune, plus ces périodes sont courtes. En fait, la plupart des adultes ont également une capacité d'attention assez faible et ont de la difficulté à se concentrer sur la même chose pendant une longue période. Naturellement, cela varie d'une individu à l'autre, mais même un conférencier brillant a du mal à retenir l'attention plus de 50 minutes. Nous sommes donc facilement distraits. Les sources de distractions viennent: (1) de l'intérieur de nous, de nos rêves éveillés; (2) de l'extérieur, de l'environnement (bruits, température, lumière, etc.); (3) de la personne qui parle. Cette dernière catégorie demande une explication.

Nous sommes souvent distraits par l'accent de la personne qui parle, par ses gestes, par son habillement, etc. Certains individus iront même jusqu'à être incapables (ou refuseront) d'écouter un genre particulier de personnes. Ou encore, leur écoute sera conditionnée par leurs préjugés à propos de tel ou tel genre de personnes.

En plus des distractions physiques créées par l'apparence de nos divers interlocuteurs, l'utilisation du langage lui-même être une cause du manque d'écoute. La plupart des gens réagissent à certaines expressions ou à certains mots chargés affectivement, qui déclenchent habituellement des émotions fortes. Celles-ci varient évidemment selon les personnes. Si nous parvenons à identifier ces mots et ces expressions, ils perdront alors de leur effet lorsque nous les entendrons de nouveau et nous pourrons, par conséquent, rester ouverts au discours des autres.

L'attention manifeste

Il n'est pas suffisant d'écouter. Il faut aussi qu'on nous perçoive comme étant à l'écoute. Autrement dit, la personne qui parle doit avoir l'impression que nous sommes en train de l'écouter. C'est ce que nous appelons ici «l'attention manifeste» («attentiveness»)[10].

---

10. Robert W. Norton et Lloyd S. Pettegrew, «Attentiveness as a Style of Communication», *Communication Monographs,* vol. 46, n°1, mars 1979, p. 13 et suivantes.

Encadré 10.1   L'attention manifeste

À force de travailler avec les gens, nous en sommes venus à croire, même si ce n'est pas toujours vrai, que si la personne à qui nous nous adressons est vraiment attentive, nous en arriverons à une entente. Si nous n'arrivons pas à l'entente prévue, nous avons tendance à montrer du doigt le manque d'écoute de l'autre plutôt que les différences d'opinions, les mauvais arguments, les ressources compétitives ou d'autres facteurs. L'incident raconté plus bas est réellement arrivé à l'un des auteurs; il est relié au principe de l'attention manifeste confondue avec l'accord tacite.

> *Un étudiant s'est présenté à mon bureau avec une longue liste de raisons pour ne pas passer l'examen final. À la fin de notre entretien, j'ai refusé d'accéder à sa demande, même si j'avais pris des notes et pouvais réciter chacun de ses arguments. Il dit ensuite à un ami que je ne l'avais pas écouté. D'autre part, je suis allé au bureau d'un doyen et je lui ai demandé son appui pour un projet. Je lui ai décrit dans les moindres détails les avantages et les coûts minimes reliés au projet. Le doyen, après avoir révisé soigneusement ma proposition et passé une heure à me poser des questions, me dit non. Plus tard, je me suis surpris à dire à un autre membre de la faculté que j'avais un excellent projet, mais le doyen ne m'avait pas écouté.*

L'emploi d'un style attentif de communication ajoute à l'efficacité du communicateur. Il y a exception si, dans certaines situations, nous nous efforçons tellement de paraître attentifs que nous parlons très peu, ce qui pourrait être perçu comme une faiblesse sur le plan du leadership. En général, il est aussi important de «sembler écouter» que d'écouter réellement. La recherche de Norton et Pettegrew les amène à conclure que le style attentif implique aussi bien l'envoi que la réception de messages. Nous devons faire savoir à l'autre que nous le suivons activement, habituellement en parlant et en ajoutant des données ou nos propres exemples. (Voir la section qui porte sur le feed-back, plus loin dans le chapitre). En ce sens, l'attention manifeste n'est pas strictement un comportement d'écoute, elle implique aussi des actes et des paroles.

L'écoute active

Il existe une autre dimension que les gens qui pratiquent la relation d'aide connaissent bien et que Carl Rogers[11] a su mettre en évidence pour ajouter au phénomène de l'écoute dans les relations interpersonnelles: c'est l'écoute *active*. Pour lui, d'ailleurs, elle est plus qu'une

---

11. Carl Rogers, «Communication: Its Blocking and Facilitating», *Northwestern University Information*, vol. 20, 1952, p. 9-15.

dimension ou une technique, elle reflète toute une attitude de vie et une orientation fondamentale dans nos relations avec les gens. Cette attitude suggère qu'*écouter, c'est avoir la créativité nécessaire pour trouver un sens réel à ce qu'une autre personne nous communique.* Cela implique un respect fondamental des autres personnes, souligne l'importance d'accorder notre attention, notre temps et notre énergie à les comprendre.

Qu'est-ce qu'avoir une écoute active? De façon très simple, *c'est écouter une personne sans porter de jugement sur ce qu'elle dit et lui refléter ce qu'elle communique, de façon à lui indiquer que nous avons bien saisi ses sentiments.* Cela semble facile. Toutefois, les implications de cette méthode sont énormes. Lorsque nous ne jugeons pas et montrons que nous comprenons les sentiments de l'autre, nous lui disons implicitement qu'il est libre d'aller plus loin, qu'il peut en dire plus, qu'il ne court pas avec nous le risque d'être jugé ou rejeté. Nous diminuons l'attitude défensive qui, autrement, est toujours présente et qui nous sert normalement devant la menace. Une fois que cette menace est réduite ou éliminée, une communication efficace peut alors s'ensuivre. Du fait de refléter ce que l'autre dit, nous aidons à bâtir un climat de confiance, un climat où l'autre se sent accepté, en sécurité et où il ne se sent pas jugé.

Nous voulons tous être écoutés et compris. Quand la chose n'est pas possible, nous avons le sentiment de ne pas valoir la peine qu'on nous écoute. Nous l'avons déjà dit: quelle est la plainte que l'on trouve le plus fréquemment? Ne pas être écouté. «Je ne peux pas parler à mes parents, ils n'écoutent jamais»; «Je ne peux pas parler à mon fils, il ne m'écoute pas»; «Je laisse tomber ce travail: tu ne m'écoutes jamais. C'est comme si je n'existais pas.»

Écouter une autre personne est un des plus beaux cadeaux que nous puissions lui faire. La capacité d'écouter est une qualité remarquable, qui demande beaucoup de sensibilité et qui est un des plus grands talents. C'est sans nul doute l'habilité qui rend une communication interpersonnelle efficace, réussie et gratifiante. Notre façon d'écouter influence les autres, c'est-à-dire détermine comment les autres choisiront en retour de nous écouter. En cela, l'écoute est un véritable processus transactionnel.

La complexité de l'écoute

Vous devriez maintenant avoir l'impression que l'écoute, en tant que partie de la communication, est un facteur aussi complexe qu'important dans les interactions avec autrui. Nous aurons sans doute de plus en plus de cours sur l'écoute dans nos écoles à tous les niveaux. Nous mettrons l'accent sur l'évaluation de la qualité de l'écoute des gens et sur des travaux ayant comme sujet l'écoute, car l'écoute est une habileté au même titre que la lecture, l'écriture et la parole.

Nous considérons, en général, que l'écoute consiste non pas seulement à entendre, mais aussi à comprendre, à porter une attention manifeste, à analyser ce qui est entendu et à agir selon ce qui a été entendu. L'évaluation critique a aussi une place importante. Nous devrions être capables d'identifier les raisons qui font qu'un interlocuteur est compréhensible et qu'un autre, lui, ne l'est pas. Par la compréhension, nous pouvons identifier les points principaux, les détails, certaines information sur le but de l'orateur et cetaines relations entre tous ces éléments. La compréhension inclut aussi la capacité de résumer et de faire un compte rendu des données de base. Un aspect un peu délaissé de l'écoute est celui qui consiste à faire le point sur les raisons qui poussent la personne à s'exprimer, sur les techniques de persuasion utilisées et sur la relation entre les motifs et les méthodes de l'orateur.

En plus de ces habiletés complexes, il y a la dimension du feed-back. Le feed-back est la réponse spécifique à la transaction parler-écouter. Une façon de donner un feed-back à son interlocuteur est de suivre correctement les directives qui ont été enregistrées et comprises. Donner et recevoir du feed-back fait partie intégrante de notre communication. Cela devient la phase d'action de notre écoute; cela rend opérationnelles les transactions d'expression et d'écoute.

Apprendre à donner et à recevoir du feed-back

Un des éléments essentiels pour réduire les barrières à la communication est sans contredit de savoir faire un usage optimal du feed-back.

Nous avons tous besoin de nous exercer à donner les indications claires sur la façon dont nous recevons les messages, comme nous devons nous habituer à observer comment les autres réagissent et répondent à nos propres messages.

Pour commencer, disons que tout être humain a besoin de relations interpersonnelles. Personne dans une institution, une organisation ou ailleurs n'opère dans un vacuum. Même un ermite retiré dans sa montagne a un certain contact avec l'environnement; s'il communique peu verbalement, il reçoit tout au moins, lorsqu'il a faim ou froid, un processus de rétroaction interne qui l'incite à s'ajuster à son environnement.

Évidemment, peu de gens sont des ermites. Par contre, pour ces mêmes raisons et de nombreuses autres, chacun doit s'ajuster aux messages qu'il reçoit continuellement des gens et de l'entourage. Certes le nombre de messages que nous envoyons et que nous recevons peut varier. Notre capacité de réagir de façon appropriée à quelqu'un peut aussi varier d'une personne à l'autre. Dans cette veine, nous apprenons à identifier les gens qui peuvent envoyer des messages clairs, qui peuvent réagir correctement à ce que nous leur disons, qui sont capables de saisir une information complexe ou qui ont de la difficulté à s'ouvrir à de nouvelles idées. Une grande partie des habiletés nécessaires à une bonne performance scolaire est liée, par exemple, à la capacité de bien recevoir et de bien donner du feed-back. Une personne compétente à ce niveau réussit souvent à mieux saisir les indices donnés par les professeurs et améliore ainsi son rendement. À l'opposé, un professeur doit aussi être compétent à ce niveau et répondre à un indice de non-compréhension dans le visage d'un étudiant en demandant à celui-ci «ce qui n'est pas clair dans ce qui vient d'être expliqué». La personne sensible arrive donc, grâce à cette habileté, à prédire quelle partie de son message est confuse. Après quoi elle peut redire et clarifier en d'autres termes cette partie du message sans que nous ayons à le lui demander, car elle anticipe bien la confusion de celui ou de ceux qui l'écoutent.

En communication, les gens ont besoin de partager les significations des mots et des messages. Il est important qu'ils sachent que la communication est une transaction, c'est-à-dire qu'elle intervient entre les gens selon certaines règles sur lesquelles ils se mettent d'accord. Une de ces règles, par exemple, est de percevoir si quelqu'un nous regarde de manière agressive après que nous lui avons fait une remarque, et d'être conscients de ce qui a rendu cette personne agressive. Le corollaire évident de cette règle est que si la personne devant nous sourit, acquiesce et continue de nous écouter, c'est là un indice que nous pouvons continuer dans le même sens. Nos transactions sont donc affectées par le genre de feed-back que nous recevons – négatif, ce feed-back nous amène à arrêter ou changer; positif, il nous encourage habituellement à continuer. Au chapitre 6, nous avons discuté la signification des mots. Si les significations varient d'une personne à l'autre, il en va de même des émotions. Il est alors très important, en communication, d'être conscient à la fois de l'émotion et du contenu véhiculés par un message.

Nous avons tendance à prétendre quelquefois que nous avons compris alors qu'en réalité, nous n'avons pas compris. Il n'est pas bien vu de demander quelque chose comme «Que voulez-vous dire par...?» et nous évitons plutôt d'avoir l'air stupides. Comme résultat, cependant, nous risquons de manquer d'importants messages et de donner du feed-back qui soit faux. Ici, deux facteurs sont importants: premièrement, nous devons essayer de donner un feed-back honnête de notre compréhension, et, deuxièmement, nous devons faciliter aux autres l'expression de ce qu'ils ne comprennent pas. En somme, leur fournir les conditions pour qu'ils puissent nous dire qu'ils ne nous ont pas bien compris. Si nous pouvons réduire l'anxiété d'une autre personne afin qu'elle puisse nous poser des questions, par exemple en spécifiant d'avance qu'il est possible que nous ne soyons pas tout à fait clairs pour elle, il est souhaitable de le faire. D'ailleurs, avec cette méthode, nous recevons sans doute du feed-back plus honnête. D'autre part, nous devrons parfois ravaler un peu notre fierté et admettre que nous ne comprenons pas quelqu'un, pour ainsi permettre à cette personne de nous donner un feed-back honnête.

Encadré 10.2   Feed-back

1. Le feed-back est une information dont nous avons besoin pour savoir si les résultats effectifs de notre communication sont les mêmes que ceux que nous désirions obtenir au départ.
2. Le feed-back est essentiel à la survie et à la croissance.
3. Au mieux, le feed-back est un processus non évaluatif de partage d'information avec une autre personne qui respecte son droit et sa liberté de l'accepter ou de le rejeter, d'agir en fonction de ce qui lui est dit ou de ne pas le faire.
4. Le feed-back ne correspond pas à un bombardement en règle de la part d'un groupe comme cela nous l'est présenté de façon stéréotypée à la télévision.
5. Le feed-back ne consiste pas à forcer quelqu'un à correspondre à nos attentes ou nos visions préconçues.
6. Le feed-back n'est pas seulement une demande de changement de comportement. Dans les relations humaines, il peut s'agir du début d'une acceptation mutuelle.

Préparer le terrain

Préparer ainsi le terrain, nous annoncer et prévoir l'effet de nos messages, tout cela augmente la possibilité d'obtenir du feed-back. En fait, par une telle préparation, nous facilitons le processus de rétroaction. Par exemple, nous pouvons faire commencer une phrase par «Si tu n'as pas de projets ce soir...» ou par quelque chose comme «Parlons du travail de la semaine prochaine...». Ces phrases indiquent à la personne qui écoute que nous nous attendons à une réponse; elles indiquent aussi dans quelle direction nous voulons orienter les échanges.

Cette préparation que nous venons de décrire ne se fait pas de façon isolée, évidemment, mais elle est une activité qui fait partie du système de la rétroaction dans son ensemble. La préparation aide à anticiper l'action. Ce peut être un projet intrapersonnel comme «Que ferais-je si...?» ou «Si la chaise est libre à côté de Suzanne, je m'assoirai là, car j'ai quelque chose d'important à lui dire», ou encore «Si papa ne veut pas me prêter l'auto pour que j'aille à ma soirée, je lui dirai..». Ainsi, quand la communication démarre vraiment, elle est déjà mieux engagée et elle est difficile à interrompre. Au niveau interpersonnel, le même phénomène se déroule: deux étrangers assis côte à côte lors d'un voyage en autobus feront un certain nombre de tests pour vérifier s'ils ont le goût de parler ensemble et, si oui, de quoi ils peuvent parler. L'exploration et la préparation dans la communication permettront d'obtenir des réponses plus appropriées.

Au-delà du contenu

Nous avons mentionné plus haut que, en plus du contenu, l'émotion était en cause dans un processus de rétroaction. L'attention portée aux feed-backs nous aidera à vérifier *qui nous sommes* en relation avec les autres, en plus de ce qui est dit. Rappelons-nous que nous découvrons qui nous sommes en observant les réactions des autres à notre égard. En améliorant l'habilité à donner et à recevoir du feed-back, nous pourrons peut-être mieux satisfaire ces besoins interpersonnels. Les suggestions qui suivent, tirées de l'expérience des groupes, tiennent compte de ces besoins.

Effectivement, dans les ateliers et sessions où une formation à donner et recevoir des feed-backs a été offerte, il a été démontré que notre vision de nous-mêmes et de notre interaction avec les autres était significativement améliorée par le fait de recevoir des feed-backs[12] . Le fait de recevoir des feed-backs n'est toutefois pas suffisant. Nous devons aussi savoir quoi en faire, c'est-à-dire comment en redonner si besoin est et comment en recevoir de façon intelligente. Voici donc ces suggestions sur l'habileté à donner et recevoir du feed-back.

---

12. Gail E. Myers, Michele T. Myers, Alvin Goldberg et Charles E. Welch, «Effects of Feedback on Interpersonal Sensitivity in Laboratory Training Groups», *Journal of Applied Behavioral Science*, vol. 5, n° 2, 1969, p. 175-185. Voir aussi Charles A. O'Reilly et John C. Anderson, «Trust and Communication of Performance Appraisal Information: The Effect of Feedback on Performance and Job Satisfaction», *Human Communication Research*, vol. 6, no 4, été 1980, p. 290-298.

Concentrer le feed-back sur le comportement plutôt que sur la personne

Habituellement, il est plus facile d'observer un de nos comportements que ce qu'une autre personne dit que nous sommes. Nos comportements, nos actions nous appartiennent momentanément; il est plus facile d'accepter une remise en question de ceux-ci par des feed-backs précis qu'à la suite d'une évaluation globale de nous-mêmes. Si, dans une situation, quelqu'un vous traite de «malhonnête», il est presque impossible de tolérer une telle accusation, une telle critique portant directement sur vous comme personne. L'effet d'un tel feed-back engendre des conflits plutôt qu'un échange. D'autre part, si quelqu'un critique un *comportement*, vous pouvez plus facilement accepter la responsabilité de celui-ci. Après tout, vous n'êtes pas que le produit d'un héritage génétique (qui vous rendrait malhonnête, dans notre exemple) et, pour cette raison, vous ne devez pas à être blâmé, d'autant plus que, de cette manière, vous ne pourriez pas non plus penser à vous changer.

1. Pour décrire des comportements, il est préférable d'utiliser des adverbes (fortement, gentiment, sincèrement, agressivement, honnêtement).

2. Il est préférable de ne pas utiliser d'adjectifs liés aux qualités d'une personne ou à sa personnalité (gentil, sincère, frustré, mal engueulé).

3. Les comportements d'une personne incluent à la fois ce qu'elle fait bien et ce qu'elle fait mal. En décrivant des comportements, cependant, nous essayons de nous centrer sur des comportements que la personne peut améliorer. En somme, décrire à quelqu'un son comportement est une manière d'appuyer cette personne, de l'aider à changer si elle le veut; cela n'est ni évaluatif ni sélectif, mais porte sur ce qui se passe.

Concentrer le feed-back sur des observations plutôt que sur des inférences

1. Une observation est une chose qui peut être faite et partagée avec d'autres, alors qu'une inférence est une interprétation ou une conclusion personnelle que nous tirons d'un phénomène. Si nous accompagnons nos observations d'une foule d'inférences, nous risquons alors d'obscurcir le feed-back. Nous devons donc faire attention et différencier les moments où nous communiquons ces inférences qui, en somme, sont des extensions de nos observations.

2. Faire une observation, c'est en quelque sorte traduire ce qui se passe plutôt que ce qui s'est passé ou ce que nous avons remarqué pendant une certaine période. Dans les groupes de formation en relations interpersonnelles, on utilise le terme «ici et maintenant» pour maintenir les participants dans une interaction centrée sur ce qui se passe, c'est-à-dire centrée sur des observations que chacun peut faire. Toute l'expérience et toute la recherche à l'intérieur de ces groupes démontrent bien comment un feed-back est plus efficace et approprié lorsqu'il est lié à une observation ici et maintenant. Quand il est effectué dans cette dimension, il est plus actualisé, plus concret et généralement plus acceptable pour la personne qui le reçoit.

3. Les observations devraient finalement être faites en fonction de degré et non en fonction de dichotomie – de noir ou blanc, de bon ou méchant. Les nuances aident à garder en

mémoire la «quantité» d'un comportement, laquelle est souvent plus réaliste que les catégories fermées qui traduisent souvent des évaluations ou des jugements purement subjectifs. Les comportements sont toujours des entités actives, reliées à d'autres comportements, et situées dans un continuum plus ou moins grand, mais rarement polarisés de façon statique.

Concentrer le feed-back sur une description plutôt que sur un jugement

1. Comme c'est le cas des feed-backs qui portent sur des comportements plutôt que sur la personne elle-même, l'utilisation d'une description permet d'éviter l'évaluation de l'autre personne ou de ses actions. Décrire, c'est essayer de rester le plus neutre possible, alors que les jugements favorisent évidemment le parti pris.

2. Nous devons essayer de nous concentrer sur le «quoi» plutôt que sur le «pourquoi». Encore une fois, le «quoi» d'un comportement est habituellement quelque chose d'observable par les autres et qui peut être vérifié avec exactitude. Le «pourquoi» d'un comportement, au contraire, est habituellement quelque chose d'inféré, ce qui nous amène dans le domaine des «intentions» ou des «motifs» et, de là, encore plus loin dans une sphère d'émotivité souvent dangereuse. Certes, il est parfois utile d'explorer le «pourquoi» de certains comportements, mais cela devrait se faire avec le plein consentement de la personne qui est sujette à voir son comportement analysé.

3. Nous avons tendance à aimer jouer au «psy», mais nous devons avant tout avoir constamment à l'esprit que notre analyse du comportement d'une autre personne peut davantage porter la marque de nos propres aberrations que de celles de l'autre personne. Trop se concentrer sur le «pourquoi» risque fort de nous faire rater le «quoi» des choses, qui, en définitive, est l'élément important d'un système de rétroaction.

Concentrer le feed-back sur un partage d'idées et d'informations plutôt que sur les conseils

1. Nous avons besoin de partager la responsabilité des résultats du feed-back et être prêts à aider les autres plutôt qu'à les diriger.

2. Une information qui vise à dire aux autres quoi faire n'en est pas une en réalité, car elle ne laisse pas à l'interlocuteur la liberté de déterminer ce qui est le mieux pour lui. Donner des conseils empêche trop souvent l'autre d'apprendre à régler lui-même son problème et l'empêche d'effectuer ses propres choix.

3. Explorons des possibilités au lieu de proposer des solutions. Le fait de se concentrer sur la variété des réponses possibles ou disponibles aide davantage une personne que le feed-back de type monolithique où il n'y a qu'un comportement possible. Trop souvent, nous avons en main des solutions à proposer avant même d'avoir eu un exposé du problème de l'autre. Lorsque nous offrons une solution toute faite à partir de notre expérience, nous nions le fait que le problème de l'autre peut être quelque peu différent.

Concentrer le feed-back sur ce qu'il peut produire chez la personne qui le reçoit

1. Si le feed-back ne fait plaisir qu'à nous, il est fort possible que nous soyons en train non pas d'aider l'autre, mais de lui imposer nos vues.

2. Être conscient de la quantité de feed-backs que l'autre est capable de recevoir. Éviter les feed-backs trop longs qui finissent par se perdre. Il faut savoir saisir si l'autre en a assez, s'il n'est plus capable d'en prendre (même si les feed-backs ont toutes les qualités précédentes). À un certain point, il faut déterminer si nous ne sommes pas en train de ne satisfaire que nos propres besoins au détriment de ceux des autres.

3. Des réactions émotives peuvent survenir lorsque des feed-backs sont déplacés, c'est-à-dire présentés à un moment ou à un endroit non appropriés. Cela sera d'autant plus vrai que le domaine abordé touchera un comportement. Même s'il est important d'émettre notre feed-back, ne pas perdre de vue la personne qui le reçoit.

LES APTITUDES TRANSACTIONNELLES

Une approche plus scientifique

Voici un certain nombre de façons dont nous pouvons analyser de manière un peu plus critique notre propre communication et celle des autres. Elles sont basées sur l'idée qu'une approche plus scientifique de l'utilisation des symboles peut nous amener plus près du monde empirique et nous permettre d'éviter certains pièges du langage qui ont été discutés dans les sections précédentes.

Décrire

Les énoncés comme «il boit beaucoup» ou «Elle est une mauvaise enseignante» ne sont pas des descriptions, mais des évaluations. Pour rendre ces mêmes énoncés plus descriptifs, nous devrions montrer ce que la personne fait: «Au party, il a bu huit verres de scotch» ou «Elle n'explique jamais assez et elle m'a coulé à l'examen». Ces observations ont en fait directement contribué à nos évaluations. En termes scientifiques, c'est ce qu'on appelle une «définition opérationnelle». Une partie de celle-ci consiste à décrire ce qu'une autre personne pourrait également observer et à laisser de côté les jugements de valeur. D'ailleurs, un énoncé évaluatif en dit souvent plus long sur la personne qui porte le jugement que sur le sujet lui-même. «Il boit beaucoup» exprime notre système de valeur au sujet de l'alcool, sans toutefois expliciter que l'individu dépasse la norme que nous croyons correcte; cela traduit donc quelque chose de nous-mêmes.

Pour décrire, nous devons essayer de nous en tenir le plus possible aux faits. Afin, répétons-le, qu'une autre personne ne partageant pas notre système de valeurs puisse elle aussi observer les faits. Comme un bon expérimentateur le sait, il y a toujours danger de fausser une expérience simplement à cause des observations à effectuer. Werner K. Heisenberg, un physicien renommé, disait que toute expérimentation scientifique pouvait être dénaturée simplement par le fait que des observations sont faites. Soyons conscients de cela aussi sur le plan du langage. Nous avons tendance à nous immiscer dans chacune de nos observations et, de là, dans nos énoncés sur les personnes et les choses.

Quantifier

Il est souhaitable de penser et de parler en fonction de quantités plutôt qu'en termes abstraits et ambigus. Que veut dire «loin» quand nous disons d'un ami qu'il n'habite pas loin? Que veut dire «épicé» lorsque nous parlons d'un mets épicé? Que veut dire «cher» ou «fragile» lorsque nous parlons d'un objet?

Nous ne pouvons suivre une recette de cuisine seulement avec des termes vagues, et un ingénieur ne construit pas un pont pour supporter «plusieurs voitures». Néanmoins, nous essayons souvent de travailler avec d'autres personnes et de nous comprendre en décrivant notre monde personnel à l'aide de termes vagues – «plusieurs», «quelques», «certains», «lourd», «grand», «gros», «bientôt», ou «j'arriverai de bonne heure». L'ambiguïté de notre langage, ajoutée au fait que chacun de nous a son horloge, son thermomètre et ses autres mesures personnelles (subjectives), engendre souvent une confusion inutile.

Personnifier

Notre communication est imprégnée, que nous le voulions ou non, et toujours dans une proportion plus ou moins grande, de notre «touche personnelle», de notre moi. («Moi, je crois que...», «Selon moi...»). Notre langage est l'expression rendue des choses perçues. «C'était un bon film», par exemple, est un énoncé de l'effet qu'a produit un certain film sur nous. Étant donné que nous utilisons alors des critères personnels mais pas nécessairement partagés par les autres, il est important de se rappeler que c'est là un énoncé personnel, même si nous ne le disons pas explicitement par des expressions comme «Selon moi...» ou «À mon avis...». Ainsi, si nous affirmons de façon péremptoire que les chiens sont de bien meilleurs animaux domestiques que les chats, il ne faut pas se surprendre si des gens commencent à argumenter avec nous sur ce sujet. C'est pourquoi il est très utile d'insérer dans notre langage des expressions comme «c'est là mon opinion» ou «à mon goût».

Lorsque nous utilisons des jugements de valeur, il est approprié de se rappeler que ces jugements n'appartiennent qu'à nous. Les autres ne sont pas nécessairement d'accord avec nos évaluations de ce qui est bon, mauvais, chaud, froid, sincère, souple, salé, honnête, beau ou riche.

Clarifier

Un autre comportement verbal qu'il ne faut pas avoir peur de pratiquer est de demander aux autres ce qu'ils veulent dire par un mot, une expression. Évidemment, il faut aussi s'attendre à ce que les autres fassent la même chose avec nous. Cela signifie, entre autres, que nous ne devons pas nous gêner de demander aux autres les significations non seulement des mots bizarres qu'ils emploient, mais aussi des termes aussi communs que grand, petit, gros, bientôt, tard, honnête, penser, voir, entendre. Il est fort possible qu'un mot utilisé par quelqu'un évoque pour nous une image très différente de celle qu'a en tête la personne qui l'utilise. Si nous nous rappelons que les mots ont plusieurs significations, qui varient selon l'utilisateur, nous veillerons sans doute souvent à obtenir des clarifications de la part des autres comme nous devrons souvent donner des définitions claires aux autres.

Une approche journalistique: poser des questions

Une autre façon d'examiner de manière un peu plus critique nos communications est d'emprunter quelques éléments à l'approche journalistique traditionnelle et de poser des questions. Bien que les questions qui suivent soient écrites comme si nous recevions la communication, nous pouvons évidemment faire les mêmes vérifications lorsque c'est nous qui envoyons les messages.

Qui parle?

Est-ce quelqu'un qui a pu observer directement les choses ou simplement quelqu'un qui en a entendu parler? La personne a-t-elle un parti pris dans sa manière de rapporter les choses? Fait-elle des énoncés de faits ou porte-t-elle des jugements? Jusqu'à quel point ses sources d'informations sont-elles fiables? Autrement dit, qui a fait les observations sur lesquelles l'information est basée?

Que dit la personne?

La personne accorde-t-elle les mêmes significations que nous aux mots et aux symboles qu'elle utilise? Quel est le contenu concret du message? Qu'est-ce qui n'est pas clair dans le message? Il est important de regarder d'un oeil critique la substance du message en fonction des mots et du langage utilisés et de bien vérifier les significations qui sont attachées à ces mots et à ce langage.

Quand la personne a-t-elle observé les faits qu'elle rapporte?

Que veut dire «récemment» ou «il y a longtemps»? L'information est-elle directe, de première main ou vient-elle d'un tiers? Le temps associé à ce que cette personne nous communique a-t-il une place importante dans le message communiqué?

Où la personne était-elle quand l'événement s'est produit?

Est-ce que ce sont des observations personnelles qui nous sont transmises? La personne était-elle en cause dans l'événement? De plus, l'endroit où une personne choisit de nous communiquer quelque chose, c'est-à-dire si elle le fait en groupe, en face à face, en privé ou en public, peut être un facteur significatif dans la communication.

Pourquoi la personne nous informe-t-elle de cela?

Quel est le but visé, quel résultat obtiendra cette personne en nous communiquant cette information ou ce message? Y a-t-il des actions requises ou des attentes particulières en rapport avec à ce message? Le message ou l'information devaient-ils absolument être transmis?

Comment la personne communique-t-elle?

Est-ce qu'il y a quelque chose au-delà des mots, dans le message communiqué? La personne est-elle consciente de ce qu'elle communique au delà des mots et de son langage proprement dit? L'information est-elle de bonne source? Comment savons-nous que ce que la personne nous communique est exact?

Une approche sémantique générale

Dans l'établissement d'un système adapté du langage, qui s'appelle la «sémantique générale», Alfred Korzybski[13] a postulé un continuum «extension-intention» que nous appelons ici le «continuum symbolique-empirique». Korzybski a parlé de cinq moyens techniques d'aider les gens à rendre leur langage plus près du monde empirique, c'est-à-dire plus près de la réalité et plus exact. Il recommande d'utiliser soit ouvertement, soit silencieusement ces moyens quand nous communiquons avec les autres et même lorsque nous réfléchissons à notre communication.

Datation

D'abord, il est fort pertinent d'utiliser des dates dans nos communications, que ce soit mentalement pour se le rappeler à soi-même, ou explicitement pour rappeler aux autres que les choses changent avec le temps. Effectivement, si les personnes et les choses sont en mouvement, il est alors important d'indiquer notre compréhension de ce processus, sinon nous avons tendance à croire que tout est statique. Par exemple, vous n'êtes pas *aujourd'hui* la même personne que vous étiez en 1975. La reconnaissance de cette différence est importante pour vous-même comme pour les autres. Nous avons tendance à réagir face à quelqu'un que nous n'avons pas vu depuis longtemps comme si cette personne n'avait pas changé et comme si nous-mêmes n'avions pas changé. Un ex-détenu sait très bien ce que c'est que de se sentir traqué par des gens qui agissent comme si la vie n'évoluait pas et comme s'ils ne changeaient jamais. Nous reconnaissons pourtant bien la nature du changement lorsque nous cherchons à nous procurer une nouvelle carte routière, un annuaire téléphonique, une liste d'adresses qui soit à jour. Nous ne penserions pas planifier un voyage touristique à partir d'une carte routière vieille de 20 ans.

Nos références verbales devraient viser la même chose, car les phénomènes et les personnes de notre environnement ont aussi besoin d'être révisés. Avoir la conscience de ce que nous venons de dire, donc «dater» nos expériences, devrait se refléter dans notre langage.

---

13. Alfred Korzybski, *Science and Sanity*, 4e édition, Lakeville, Conn., The International Non-Aristotelian Library Publishing Company, 1958.

Indexation

Rechercher les différences entre les prétendues similitudes. Nous pouvons éviter les stéréotypes, distinguer ce qui a l'air pareil, adoucir nos attitudes et réduire notre dogmatisme en faisant un effort pour ne pas tout mettre dans le même panier ce qui à première vue est semblable. Cette pratique consiste à «indexer». Nous devons nous rappeler que dans le monde empirique il n'y a jamais deux choses identiques et nous en tenir le plus possible au monde des différences. La structure de notre langage devrait autant que possible représenter ces différences comme nous les percevons, même si l'abstraction entre en ligne de compte. Ainsi, un nom générique est-il parfois utile (ex.: professeur, étudiant), mais il est aussi essentiel de marquer souvent les différences et d'indexer (soit: professeur X, professeur Z, étudiant X, étudiant Z), car chacun a des qualités différentes.

Et caetera

Ce petit moyen technique, s'il se révèle parfois impropre, n'en demeure pas moins très utile pour marquer l'idée que nous ne pouvons tout dire. De là la pertinence de l'utiliser souvent dans le langage parlé. Korzybski suggère que nous reconnaissions bien les limites de nos observations et souligne que l'utilisation de ce procédé aide à indiquer plus clairement que nous laissons des choses de côté. Par exemple, «Qui s'instruit s'enrichit» devrait probablement être suivi d'un «etc.», tout aussi bien après le mot «instruit» qu'après le mot «enrichit», car s'instruire n'est certainement pas le seul facteur qui produit l'enrichissement, comme l'enrichissement n'est certainement pas le seul résultat lié à l'instruction. En somme, ces formules lapidaires sont risquées. Dans la même veine, nous devons nous méfier des «toujours», «jamais», «tout le monde».

Guillemets

Ce moyen peut nous rappeler que les mots sont utilisés de façon personnelle, et que les significations ne sont alors pas toutes couvertes. Les mots abstraits sont souvent mis entre guillemets par les auteurs lorsque leur signification est particulière ou spécialisée, et que l'auteur veut attirer l'attention sur ce fait. L'utilisation de guillemets dans notre façon de penser et de parler nous aide à nous rappeler que nos significations peuvent être dans certains cas différentes de celles données par d'autres. Il n'est pas rare, d'ailleurs, de voir les gens faire un geste avec l'index des deux mains pour signaler à leurs auditeurs qu'ils emploient un mot dans un sens particulier. Par exemple, nous dirons souvent quelque chose comme «Elle a dit qu'elle serait là (ouvrir les guillemets) de bonne heure (fermer les guillemets)», pour marquer le mot dans le contexte. D'ailleurs, dans le langage verbal, nous pouvons obtenir le même résultat avec un mot ou une locution en l'accompagnant d'une expression du visage particulière.

La «vérité» pour vous peut ne pas être la «vérité» pour un autre. Des mots tels que «réalité», «preuve», «crime», «Dieu», «éducation», «liberté» évoquent certainement des significations différentes pour chaque personne. Ces mots peuvent en outre, refléter une signification différente en vertu de leur utilisation historique ou chronologique. Ainsi, en sciences, les «vérités» d'aujourd'hui ne sont pas nécessairement les mêmes qu'au temps de Newton ou de Galilée.

Traits d'union

Les traits d'union, contrairement au mot «union», indiquent que nos mots divisent souvent le monde en deux parties qui s'opposent. Cela est souvent inapproprié. Ce moyen aide néanmoins à éviter une polarisation trop marquée de notre langage et de notre pensée, lesquels ont facilement tendance à tout diviser en opposés. Bon-mauvais, corps-esprit, espace-temps avec un trait d'union sont peut-être une manière d'indiquer une relation entre les termes sans faire de dichotomie, car ils nous aideront à percevoir une complémentarité des termes plutôt que leur exclusion réciproque. Notre langage est accablé par tous ces points de vue et approches qui divisent tout en catégories mutuellement exclusives. Avec nos étiquettes et notre langage, nous tombons facilement dans le piège de diviser le monde entre ceci et cela, entre blanc et noir, sans laisser de place pour le gris. Pourtant, pour indiquer un statut ou les qualités d'une personne ou d'un groupe, on emploie maintenant très souvent des termes comme «socio-économique» et «physico-chimique». Cette façon d'écrire les termes (même si, maintenant, ils fusionnent souvent en un seul mot) permet d'attirer l'attention sur les qualités ou éléments «sociaux» qui interagissent avec les qualités, éléments et facteurs «économiques» ou «psychologiques», lesquels ne doivent plus être considérés comme opposés.

Identité des personnes et des choses

Un des procédés les plus inutiles de notre langage consiste à parler comme si les choses, les personnes ou les événements possédaient des qualités intrinsèques. La structure du langage nous oblige souvent à identifier, c'est-à-dire à décrire les qualités des choses pour ensuite réagir à ces choses sur la base de ces étiquettes. Le verbe «être», en ce sens, représente souvent une solution facile. Nous dirons «Jean est paresseux», laissant alors supposer que «Jean possède en lui-même une qualité appelée paresse». Cela cache en réalité le fait que cet énoncé ne représente que notre perception de Jean et, en outre, une seule chose parmi toutes celles qui le concernent.

Mais alors, si nous ne devons pas utiliser le verbe être dans cette phrase, que pouvons-nous y substituer pour rendre compte plus exactement de la réalité de cette situation? En définitive, un énoncé représente ou devrait représenter notre perception d'une personne. «Jean me semble paresseux» serait déjà, croyons-nous suivant l'approche sémantique suggérée ici, un meilleur énoncé, car il traduit non pas une certitude impossible à atteindre, mais une tentative personnelle de refléter quelque chose. Nous sommes alors nous-mêmes conscients comme observateurs ou observatrices que nous parlons de *notre perception* de Jean, et non de la manière dont il «est en réalité». Un énoncé encore plus descriptif du comportement de Jean devrait cependant fournir plus d'informations, c'est-à-dire les observations qui nous ont amenés à évaluer ainsi son comportement. Autrement dit, émettre par exemple que «Jean ne veut jamais sortir les ordures et que cela m'ennuie» fournit des informations plus concrètes et est davantage exact, tout en spécifiant de quelle façon ce comportement m'affecte. Cela implique aussi que le comportement ne-pas-sortir-les-ordures n'est qu'un comportement particulier et ne représente pas nécessairement toute l'attitude ou tous les comportements de Jean. D'autre part, l'étiquette «paresseux», à elle seule, implique que Jean est comme cela et qu'il ne peut être différent ou agir autrement.

Évidemment, il est plus facile de dire «Jean est paresseux» que «Jean ne sort jamais les ordures et cela m'ennuie». Par contre, considérant la complexité de tout être humain et de la plupart des transactions interpersonnelles, de tels énoncés d'identité, aussi pratiques soient-ils, n'apparaissent que comme des simplifications outrancières de ce qu'ils représentent, et nous induisent donc en erreur.

RÉSUMÉ

Ce chapitre lance d'abord un défi aux personnes qui veulent prendre ne main leur communication en leur disant que si elles ont à coeur de développer certaines habiletés ou de changer certaines habitudes de communication, ce chapitre pourra les aider en ce sens.

L'habileté la plus utilisée par tous et dont les communicateurs abusent le plus est l'écoute. Le problème de l'écoute est envisagé dans une perspective sociale et chacun de nous est invité à observer ses propres défaillances sur le plan de l'écoute. Les trois mythes à propos de l'écoute sont les suivants: l'écoute est un processus naturel; entendre et écouter sont la même chose; nous parlons à un auditoire indifférencié. Des guides pour une écoute plus efficace sont suggérés et sont résumés dans l'encadré 10.3. Le terme d'«attention manifeste» a été défini comme faisant partie intégrante de l'écoute et comme une façon d'aider à comprendre les transactions et à les améliorer. L'écoute active est présentée comme une technique visant à refléter les pensées et les sentiments d'autrui.

Encadré 10.3   Les habitudes d'écoute

Nous pouvons améliorer nos habitudes d'écoute en nous rappelant les points qui suivent:

1. Prendre le temps de bien réfléchir à ce qui vient d'être dit. La personne parle à un rythme plus lent que notre vitesse d'absorption des idées et de réflexion.
2. Aller au devant de l'orateur, essayer de prévoir ce qu'il va dire.
3. Faire des résumés internes de ce qui vient juste d'être dit.
4. Identifier les preuves et les arguments de la personne qui parle.
5. Éviter de se laisser submerger par nos émotions qui viennent interférer avec notre attention. Laisser venir les idées nouvelles et différentes sans nous imposer de limites.
6. Aller au-delà des distractions causées par l'apparence physique de la personne qui parle, par sa façon d'utiliser le langage, par ses habitudes verbales; aller au delà des distractions causées par l'environnement.

Apprendre à donner et recevoir des feed-backs peut influencer notre relation avec les autres. Ce qu'il faut faire lorsque nous utilisons le feed-back inclut le fait de se concentrer sur les comportements plutôt que sur les personnes, sur des observations plutôt que sur des inférences, sur des descriptions plutôt que sur des jugements, sur le partage d'idées plutôt que sur la distribution de conseils et sur ce que le feed-back peut produire chez la personne qui le reçoit.

Les habiletés de transaction incluent une approche plus scientifique en décrivant, quantifiant, personnifiant et clarifiant. Une approche journalistique suggère un examen critique aussi bien des sources d'information que de leurs buts et significations. Une approche sémantique générale inclut des moyens techniques recommandés par Korzybski pour rendre la communication plus empirique. Ces moyens incluent la datation, l'indexation, l'expression «et caetera», les guillemets et les traits d'union. L'identité est un autre élément discuté.

Toutes ces recommandations sont basées sur le principe que nous avons souvent exprimé: vous êtes responsable de votre propre communication et si vous voulez faire les choses différemment, voici quelques suggestions qui se sont révélées utiles pour d'autres personnes.

CHAPITRE

11

LA COMMUNICATION DANS LES GROUPES

OBJECTIFS

Après avoir étudié ce chapitre, vous devriez être en mesure de:

1. Décrire des caractéristiques communes à tous les groupes.
2. Comparer les différents types de groupes pour ce qui est des buts poursuivis et de leur intérêt pour l'individu.
3. Faire la différence entre la dimension du contenu et celle du processus dans la communication en groupe.
4. Observer la participation, l'interaction et la direction de la communication dans le fonctionnement d'un groupe.
5. Énoncer et illustrer les fonctions reliées à la tâche et celles reliées au maintien du groupe.
6. Identifier les comportements efficaces et dysfonctionnels chez les membres d'un groupe.
7. Commenter les caractéristiques associées au leadership.
8. Évaluer les différents styles de leadership.
9. Décrire et discuter la séquence des étapes d'une prise de décision.
10. Donner des exemples de comportements appropriés de leadership dans la prise de décision.

INTRODUCTION

On trouve des groupes partout: des petits, des grands, des groupes formels, des groupes informels, des associations auxquelles nous nous joignons volontairement, des comités auxquels nous devons participer par obligation, des groupes pour le plaisir, pour le travail, pour le prestige ou tout simplement par nécessité. Nous ne vivons pas et ne pouvons vivre complètement isolés. Comme l'a fait remarquer le sociologue Glenn Vernon[1], «la plus grande partie de notre comportement individuel implique une interaction avec les autres».

Dans ce chapitre, nous traiterons les caractéristiques présentes dans les «groupes» de *deux personnes ou plus*. En effet, nous tenons à souligner le fait que pour nous les rencontres de deux personnes, le travail et l'échange entre deux partenaires, font également partie de notre discussion. Quoique les groupes de deux personnes et les autres groupes plus larges (6, 10, 14, 40 ou 60 personnes) possèdent des caractéristiques propres, il y a des processus importants qui apparaissent chaque fois que des gens sont en interaction dans une situation interpersonnelle. Tous les auteurs ne s'entendent pas sur la définition d'un groupe et de sa grandeur. Certains incluent les groupes de deux, d'autres, tel Fisher[2], disent que ceux-ci se situent quelque part dans le continuum «individu», «petit groupe», «organisation» et «société», cette dernière étant le plus grand groupe de personnes qui puisse être défini.

CARACTÉRISTIQUES DES GROUPES

Quelles sont les caractéristiques présentes dans les «groupes» de deux personnes ou plus? Par exemple, qu'est-ce qui différencie un comité travaillant à un projet d'un couple qui sort ensemble pour la première fois ou d'un groupe de personnes qui attend l'autobus? Est-il suffisant de trouver un certain nombre de personnes ensemble en même temps dans un même endroit pour pouvoir parler d'un groupe? La réponse qu'on nous apporte toujours dans les ouvrages sur ce sujet est claire, c'est *non*: «Il ne suffit pas de réunir quelques personnes dans un lieu donné pour constituer un groupe» ou, dit autrement: «Le groupe est différent de la somme des individus qui le composent». En fait, il doit y avoir un lien entre les gens concernés. Pour Bales[3], l'ingrédient important est une sorte de *conscience psychologique*. Les gens doivent au moins être conscients les uns des autres pour se rappeler plus tard que chacun était présent. Avec Krech et Crutchfield[4], outre la conscience psychologique, le concept d'*interaction* devient essentiel. Cela signifie que les gens doivent non seulement être conscients de la présence des autres, mais exercer par le langage ou la communication non verbale une influence réciproque les uns sur les autres. Paul Hare[5] a également donné une définition de ce qui constitue un groupe. C'est celle-ci que nous présenterons un peu plus en détail dans ce chapitre. Chez cet auteur, l'interaction est toujours le facteur principal de sa définition, mais

1. Glenn H. Vernon, *Human Interaction*, New York, The Ronald Press Company, 1965.
2. B.A. Fisher, *Small Group Decision Making*, New York, McGraw-Hill, 1974.
3. R.F. Bales, *Interaction Process Analysis*, Cambridge, Mass., Addison-Wesley Press, 1950.
4. D. Krech, R. Crutchfield et E. Balachey, *Individual in Society*, New York, McGraw-Hill, 1962.
5. Paul Hare, *Handbook of Small Group Research*, New York, The Free Press, 1962.

«quatre autres caractéristiques typiques de la vie en groupe émergent dès que le groupe de développe» (voir la définition dans l'encadré 11.1). Enfin, pour Saint-Arnaud[6] et son équipe du laboratoire de recherche sur le groupe optimal à l'Université de Sherbrooke, le groupe se caractérise aussi par l'interaction et l'interdépendance des éléments qui le composent. Leur théorie, en plus de synthétiser les précédentes, croyons-nous, développe bien et explicite davantage cette notion d'interaction. Pour eux, celle-ci se manifeste autour de deux pôles: dans les relations entre les membres et dans la perception d'une cible commune. (Voir la définition plus complète dans l'encadré 11.2.) Tout cela nous donne déjà une idée de la diversité, des subtilités et de l'évolution des définitions et de la recherche dans ce domaine. Mais avant d'entreprendre cette présentation, n'oublions pas, que nous avons choisi d'inclure les groupes de deux personnes dans notre discussion des caractéristiques d'un groupe.

Encadré 11.1

Pour Hare

Il y a en somme cinq caractéristiques qui différencient le groupe d'une collection d'individus. Les membres du groupe sont en interaction les uns avec les autres. Ils partagent un but commun et un ensemble de normes, ce qui oriente et limite leurs activités. Ils élaborent aussi un ensemble de rôles et un réseau d'attractions interperson-nelles, qui permettent de les différencier des autres groupes.

D. Hare, *Handbook of Small Group Research*, New York, Free Press of Glencoe, 1962. Traduction de Y. Saint-Arnaud, *Les Petits Groupes: participation et communication*, Montréal, P.U.M., 1978, p. 23.

Encadré 11.2

Pour Saint-Arnaud

Un champ psychologique produit par l'interaction de trois personnes ou plus, réunies en situation de face à face dans la recherche, la définition ou la poursuite d'une cible commune; interaction de chacune de ces personnes avec cette cible commune et interaction des personnes entre elles.

Yves Saint-Arnaud, *Les Petits Groupes: participation et communication*, Montréal, P.U.M., 1978, p. 26.

---

6. Yves Saint-Arnaud, *Les Petits Groupes: participation et communication*, Montréal, les Presses de l'Université de Montréal, 1978.

Interaction

Pour que nous puissions vraiment parler d'un groupe, nous venons de le voir, les membres d'un groupe doivent être en interaction les uns avec les autres. Interaction signifie non seulement interaction verbale, mais peut renvoyer également à la communication non verbale. Nous pouvons interagir les uns avec les autres par les expressions de notre visage (sourires et divers contacts visuels), par nos gestes (poignée de main, divers signes de tête ou des mains), par nos mouvements et postures (démarche et allures diverses). Ainsi, dans son sens le plus large, nous pouvons parler d'interaction ou de communication lorsque les gens ont conscience d'exister dans l'univers ou le champ de l'autre ou des autres.

Par exemple, lorsqu'un professeur donne un cours, il parle et les étudiants sont censés écouter. Toutefois, tous sont quand même en interaction, car ils sont dans le champ les uns des autres. Peut-être certains étudiants n'écoutent-ils pas vraiment, mais ils restent quand même dans la classe; la présence du professeur agit en quelque sorte sur eux pour définir la situation. Évidemment, certains étudiants peuvent aussi parvenir à se couper complètement des paroles du professeur et s'absorber dans leurs réflexions et fantaisies les plus diverses. Alors, bien sûr, il n'y a plus d'interaction entre ces étudiants et le professeur et nous ne pouvons plus parler de communication dans le sens où nous l'entendons ici.

Partage d'un but ou cible commune

Les membres d'un groupe partagent au moins un but, sinon plusieurs, lesquels déterminent la direction du groupe. C'est ce que Saint-Arnaud appelle dans sa théorie la *cible commune*. Effectivement, l'interaction ne se fait généralement pas au hasard des événements, elle a un but. Les gens interagissent et communiquent entre eux pour une infinité de raisons qu'il est impossible de nommer ici. Un but commun qui peut être atteint par l'interaction est cependant l'agent primordial permettant le passage d'une quantité d'individus à un groupe. Mais un but commun sans interaction n'est pas suffisant.

Prenons l'exemple d'une dizaine de personnes qui attendent l'autobus. Elles partagent un même but – prendre l'autobus –, toutefois elles n'ont pas besoin d'entrer en interaction pour atteindre leur but, alors elles ne forment pas un groupe. Un groupe-classe doit interagir avec le professeur, même si ce n'est qu'en écoutant, pour atteindre ses buts d'apprentissage. Si l'interaction est coupée, soit lorsque les étudiants « décrochent» intérieurement, les buts ne peuvent être atteints.

De plus, le but d'un groupe influence le genre d'interaction qu'il y aura dans ce groupe. Si des gens se rassemblent pour une séance de relaxation ou une rencontre sociale, le genre d'interaction sera évidemment très différent de celui d'une séance d'information au sujet d'un contrat, d'une grève ou de la mise à pied éventuelle d'une personne du groupe. Enfin, si les buts d'une ou de plusieurs personnes ne sont pas compatibles, la communication sera difficile et, à certaines occasions, l'idée même de former un groupe avortera.

Système de normes

Les membres d'un groupe développent presque toujours, de façon perceptible ou non, un système de normes qui à son tour établit plus ou moins la manière dont les relations interpersonnelles et les activités se dérouleront ou doivent se dérouler. En fait, les normes sont des règles de comportement; ce sont les «il faut» et «il ne faut pas» de la communication interpersonnelle, c'est la façon «correcte» d'agir, acceptée et légitimée par les membres d'un groupe. Les normes, particulièrement dans les grands groupes, peuvent être formelles ou officialisées par une série de règlements écrits — interdiction de fumer, signaux de circulation, cahier disciplinaire — mais, dans les plus petits groupes, ces normes et règles peuvent tout simplement être informelles. Par exemple, dans un petit groupe, il peut être jugé très approprié d'utiliser un vocabulaire spécifique. La règle informelle (informelle parce qu'elle n'est pas écrite et n'a pas besoin de l'être) est que tel langage est correct et normal. Toutefois, ces mêmes personnes, dans un groupe différent, n'utiliseront pas ce vocabulaire, car elles savent que ce serait inapproprié.

En fait, les normes spécifient le genre de comportements auxquels les membres d'un groupe s'attendent de la part des autres membres du groupe. Ainsi, les normes régularisent le comportement des uns envers les autres, en ce sens qu'elles reflètent ce que le groupe considère comme étant approprié. Par exemple, certains groupes se meuvent dans une atmosphère très compétitive où les gens parlent vite, s'interrompent, etc. Dans d'autres groupes, ce genre de comportements peut être jugé très inapproprié et déplacé. Dans certains groupes, l'atmosphère est très formelle, sérieuse, affairée et ne suscite pas de rapprochements entre les membres. D'autres groupes, par contre, élaboreront des normes très différentes où les contacts, le plaisir, l'humour auront une grande place et seront encouragés, contrairement au formalisme qui sera ridiculisé. Ces différences deviendront encore plus manifestes lorsque nous aborderons la section portant sur les types de groupes.

Les normes, comme nous le constatons, sont un aspect très important de la communication de groupe. Tout groupe de personnes qui interagissent ensemble pendant un certain temps élabore des normes qui lui sont propres; ces normes constituent une pression qui s'exerce sur tous les membres qui désirent rester intégrés au groupe.

SYSTÈMES INTERNE ET EXTERNE

Les normes élaborées à l'intérieur d'un groupe peuvent ou non aller de pair avec les normes élaborées par l'environnement auquel ce groupe appartient. Les groupes, comme les individus, n'existent pas en vacuum. Homans[7] nomme cela le «système interne» (les normes mises au point à l'intérieur du groupe lui-même) et le «système externe» (les normes provenant de l'environnement extérieur).

Par exemple, un groupe d'étudiants peut adopter la norme de permettre que des personnes fument dans une classe, alors qu'un règlement interdisant de fumer est affiché. Le système externe, soit le collège ou l'université, requiert qu'on ne fume pas dans les classes alors que le système interne, soit le comportement des étudiants entre eux, le permet ou bien le tolère. Les systèmes externe et interne n'ont pas nécessairement besoin d'être en accord l'un avec l'autre. Par contre, les étudiants n'iraient sans doute pas en classe en habit de gala; dans ce cas, les systèmes interne et externe sont en accord.

---

7. G.C. Homans, *The Human Group*, New York, Harcourt, Brace and Company, 1950.

CONTRÔLE SOCIAL ET PRESSION DE GROUPE

L'existence de normes joue un rôle fondamental dans le développement de la communication interpersonnelle. Les groupes non seulement se créent des règles de comportements, mais adoptent aussi un puissant système de pression qui vise à influencer les membres à se conformer à ces règles. Ce processus par lequel les individus doivent subir une certaine pression au conformisme par rapport à des comportements assez précis s'appelle le *contrôle social* ou la *pression de groupe*. Il est particulièrement fort lorsque les individus membres éprouvent un grand désir d'appartenance au groupe. La plupart des gens ont besoin d'appartenir à certains groupes. Plus ce besoin est fort, plus ils ont tendance à se conformer aux normes du groupe, de peur d'être rejetés ou ridiculisés s'ils ne le font pas.

Les modes en rapport avec l'habillement, pour ne citer que cet exemple, font partie des systèmes de normes. L'allure d'un étudiant ou d'une étudiante, même si la norme ne va pas à l'heure actuelle dans un sens précis à l'intérieur de ce groupe, tend à être différente de celle des gens d'affaires, des personnes qui travaillent dans les banques ou les compagnies d'assurances. La norme chez les premiers est peut-être plus souple et moins sévère mais, dans chaque cas, des pressions se font sentir; peut-être aimerait-on, chez les uns, porter cravate et talons hauts et, chez les autres, pouvoir se rendre au bureau en jeans et en T-shirt, mais dans les deux cas on ressent bien les normes implicites de son milieu. Dans chaque cas aussi, il est fort possible qu'une certaine peur d'être rejetés ou ridiculisés influence le comportement des individus.

Rôles stabilisés

Lorsque l'interaction entre les membres d'un groupe se prolonge pendant un certain temps, une série de rôles se stabilisent. Un rôle est la norme comportementale d'un individu. C'est ce qu'un individu a tendance à faire dans des circonstances déterminées.

Les types de rôles sont toutefois assez nombreux. Certaines personnes sont susceptibles de jouer des rôles de leadership, alors que d'autres sont davantage portées à jouer des rôles de participation ou de soumission. Certaines personnes aiment raconter des histoires et sont reconnues pour être des personnes qui favorisent le plaisir et la détente. D'autres personnes aiment être bien informées; c'est à de telles personnes que nous faisons parfois appel dans les discussions. D'autres encore sont habiles lorsqu'il s'agit de prendre des décisions, d'être efficaces, alors que d'autres, enfin, ont beaucoup d'habileté et de patience lorsqu'il faut tempérer une discussion ou régler un conflit.

Mais les rôles, dans un groupe de deux ou de plusieurs personnes, sont d'abord peu définis habituellement, à moins de l'être très formellement par l'environnement dans lequel ce groupe fonctionne (une relation professeur-étudiant, par exemple). Ce n'est qu'au fur et à mesure que les membres d'un groupe se rencontrent et travaillent ensemble que les rôles deviennent mieux définis et plus établis. Les gens, entre eux, détectent vite les individus qui parlent beaucoup par rapport aux membres qui restent silencieux, les expressifs par rapport aux plus discrets, ou les membres qui travaillent par rapport à ceux qui ont tendance à ne rien faire. Lorsque des personnes de sexe différent sont en cause, des types de relations s'établiront rapidement. Ces rôles sexuels, nous le savons et Margaret Mead[8] l'a souligné, ne sont pas innés, mais sont conditionnés culturellement. Certains comportements de rôles, dès lors, sont attendus des hommes et des femmes. En somme, retenons à propos des rôles qu'une fois qu'ils sont établis et assimilés par les individus, il devient très difficile de les changer ou de s'en départir.

Ainsi, lorsqu'une personne est restée longtemps silencieuse dans un groupe, il devient très difficile pour elle de briser la glace; peut-être même les autres membres du groupe trouveront-ils suspect qu'elle le fasse! La raison à cela est que lorsque les gens nous ont identifiés à un rôle et qu'ils nous ont de plus stéréotypés dans ce rôle (nous sommes nous-mêmes habitués à jouer ce rôle), il est alors plus facile pour tout le monde d'anticiper, de prédire et de comprendre nos comportements ou attitudes. Cela permet en outre à la communication de rester dans des sentiers connus. Évidemment, quelqu'un sort parfois du rôle prescrit et le scénario est rompu. Ce qui est habituel ne se produit pas. Le groupe doit faire face à un changement de rythme, surprenant pour chacun, voire menaçant pour quelques-uns. Des recherches[9] ont ainsi montré que plusieurs femmes subissent des pressions pour «moins» fonctionner intellectuellement ou ne pas travailler «trop fort», car si elles le font elles risquent d'être impopulaires ou d'être perçues par les hommes comme des femmes manquant de «féminité». Effectivement, dans notre culture, il semble que les capacités intellectuelles aient été liées à la virilité. Selon ce discours, il n'appartient pas vraiment au rôle «féminin» de s'aventurer dans le domaine intellectuel. Les femmes devraient donc, semble-t-il, jouer leur rôle féminin traditionnel et ne pas menacer ni rivaliser avec les ego masculins. Évidemment, un grand nombre de femmes et d'hommes remettent aujourd'hui en question ces définitions stéréotypées des rôles. Dans plusieurs groupes, par exemple, ces enjeux doivent souvent être clarifiés.

Parfois, cependant, un changement de rôle est encouragé; par exemple, lorsqu'un habituel blagueur décide de travailler un peu plus dans son groupe. Mais, parfois aussi, nous résistons au changement; par exemple, lorsqu'un père ou une mère habituellement très autoritaire décide d'être copain avec un enfant, ou lorsqu'un étudiant veut «jouer au professeur» dans la classe avec ses collègues.

Les rôles ne sont donc pas statiques même s'ils ont tendance à être stables. Les gens ont des manières de s'adapter aux situations et aux environnements qui changent et, pour cela, ils modifient souvent leurs rôles. Ainsi, la petite Suzanne qui est très tranquille en classe peut devenir une vraie fureur avec ses amis. Nous devons modifier nos rôles habituels, nos comportements familiers pour nous adapter à des groupes qui ont des normes différentes des nôtres.

Dans la section sur le fonctionnement des groupes, nous verrons quels sont les différents rôles qu'il est possible d'observer dans les groupes en action.

---

8. Margaret Mead, *Moeurs et Sexualité en Océanie*, Paris, Plon, 1971.
9. Mira Komarovsky, «Cultural Contradictions and Sex Roles», *The American Journal of Sociology*, 1946, vol. 52, n° 3, p. 184-189.

Réseaux d'attraction et de rejet

Sur la base des sentiments positifs et négatifs des individus les uns envers les autres se développe un réseau d'attraction et de rejet interpersonnel. (Nous utilisons ici le terme «rejet» pour marquer une attitude peut-être extrême, cette attitude n'étant pas toujours aussi forte. Elle peut être faite davantage d'antipathie, d'indifférence, de neutralité ou tout simplement de distance.) En fait, lorsque deux personnes se rencontrent pour la première fois, les impressions qu'elles retirent jouent un rôle important sur les sentiments qu'elles auront l'une envers l'autre. Bien qu'ils ne l'admettent pas forcément, les individus ressentent toujours des sentiments face aux autres, même après une seule rencontre brève. Plusieurs individus accordent beaucoup d'importance à la raison et n'osent pas trop admettre qu'ils ont des sentiments, qu'ils sont des êtres émotifs. Toutefois, les sentiments et émotions font autant partie de la vie et de l'humain que la raison. Nous aimons certaines personnes, n'aimons pas certaines autres, et d'autres enfin nous laissent plutôt indifférents (mais jamais tout à fait). Évidemment, à mesure que notre interaction avec quelqu'un progresse, nos premières impressions peuvent changer. Nous pouvons aimer quelqu'un qui de prime abord nous était antipathique ou vice versa. Ne nous sommes-nous jamais entendus dire à quelqu'un, après quelques mois ou quelques années d'une solide amitié: «Lorsque je t'ai rencontré pour la première fois, je ne t'aimais pas du tout et tu m'énervais»?

TYPES DE GROUPES

Les gens ne laissent pas leurs émotions derrière eux lorsqu'ils entrent dans un groupe. Quand ils s'engagent dans des discussions rigoureuses, logiques et exigeantes sur le plan intellectuel, ils continuent de fonctionner normalement comme des êtres humains possédant un éventail de peurs, de joies, de besoins, d'anxiétés, de fiertés, etc. Pour bien saisir ce qui se passe dans un groupe, les membres devraient être conscients de l'interdépendance de la tâche et du processus. Les catégories qui suivent devraient être placées sur un continuum selon un arrangement suggéré par Barnlund et Haiman[10] pour décrire les types de groupes. En d'autres mots, ces groupes semblent exister dans notre société, individuellement ou combinés. Ces catégories sont conçues pour attirer notre attention sur un système nous permettant de classifier les divers groupes en fonction des activités qui les animent. Les types de groupes sont présentés dans une séquence qui reflète le passage d'un intérêt pour les processus socio-émotifs vers une plus grande place accordée à la tâche.

Les groupes informels

Ils peuvent se former n'importe quand et à n'importe quel endroit. Ils apparaissent spontanément. Ils ne véhiculent que très peu d'informations nouvelles mais les interactions verbales qui s'y déroulent peuvent ressembler à des conversations mondaines très prévisibles. Les groupes informels constituent la colonne vertébrale des lignes informelles de communication dans les organisations. Le fait que vous preniez votre pause café avec telle ou telle

---

10. D.C. Barnlund et F. Haiman, *Dynamics of Discussion*, Boston, Houghton-Mifflin, 1960.

personne détermine ce vous savez à propos de ce qui se passe. Dans ces groupes, les gens (1) tentent d'établir des relations chaleureuses; (2) laissent de côté les communications d'ordre pratique et (3) remplissent les silences, ou évitent l'isolement et l'anonymat. La température, les sports, les émissions de télévision, les films récents sont parmi les sujets abordés le plus fréquemment. Les groupes informels se caractérisent par des échanges non dirigés vers un but déterminé à l'avance, sans validation rigoureuse de l'exactitude de ce qui vient d'être communiqué. Ils permettent d'échanger des expériences personnelles sans qu'elles soient documentées comme dans les rapports de recherche. Ils fournissent l'occasion de vérifier les sentiments d'autrui et de savoir comment les autres réagissent aux nôtres. La communication dans ces groupes est pauvre en contenu mais riche quant aux processus ou à l'aspect socio-émotif. Cela ne diminue en rien la valeur des groupes informels. Ils pourraient être le lien principal entre nous et la société extérieure; ils permettent d'établir la personnalité des individus, le développement de contacts intimes et de l'expression de soi. Ces groupes sont cependant moins bien étudiés que les autres qui suivent.

Les groupes de catharsis

Les groupes de catharsis se manifestent dans les situations où les gens sont en contact proche et intense: dans le dortoir du collège, dans les salles de cours durant un examen, près des casiers, autour de la machine à café, dans les assemblées syndicales, etc. Leur but est de ventiler les sentiments ou servir d'exutoire pour les tensions et les frustrations. Ils sont semblables aux groupes informels en ce qui concerne la quantité de contenu, mais leur fonctionnement est moins aléatoire et les membres sont moins portés à être polis dans leurs interventions. Il existe alors une plus grande conscience de ce qui lie le groupe. Voici quelques exemples de groupes de catharsis: les Alcooliques anonymes, les regroupements de victimes d'abus sexuels, les comités de relations humaines. Les conséquences positives provenant d'une participation à ces groupes peuvent être (1) la réduction de l'hostilité ou du niveau de colère; (2) une meilleure compréhension de nos motivations personnelles et de nos buts; (3) le développement d'un comportement social plus adapté et de réactions plus appropriées et (4) une incitation à mieux se connaître et à adopter de meilleures attitudes. Dans les organisations, ce type de groupe agit comme une soupape de sûreté qui permet aux gens de ventiler leurs frustrations quotidiennes reliées au travail. Même si rien ne débouche sur le plan des actions, le fait de laisser sortir le trop-plein peut nous permettre de nous sentir mieux.

Les groupes d'apprentissage

De façon informelle, les groupes d'apprentissage apparaissent lorsque les gens s'assemblent pour partager de l'information. De façon informelle, ces groupes incluent les classes, les séminaires, les écoles, les colloques, les groupes de formation. Un groupe qui travaille ensemble pour apprendre peut (1) s'entraider pour assimiler l'information; (2) développer l'habitude d'évaluer les idées de façon critique; (3) encourager la pensée originale et les façons innovatrices et créatrices d'aborder les idées ou les informations. Si on les compare aux groupes informels et aux groupes de catharsis, les groupes d'apprentissage impliquent (1) une plus grande attente de résultats de la part des membres; (2) des définitions plus claires des problèmes et des objectifs à atteindre; (3) un plus grand partage d'information ou de connaissances générales sur le sujet; (4) une préparation plus spécifique pour l'activité d'apprentissage; (5) des déclarations qui sont plus pertinentes et mieux appuyées par des faits. Les groupes d'apprentissage sont généralement associés aux maisons d'enseignement, aux colloques, aux réunions de vente, aux clubs de passe-temps, et aux autres réunions dans lesquelles les personnes peuvent trouver de nouvelles idées et parler objectivement de problèmes auxquels ils font face.

On peut s'attendre à quelques-uns des résultats suivants lors d'une participation à un groupe d'apprentissage: (1) une meilleure définition du problème, de l'événement ou de l'activité, etc.; (2) un enrichissement des connaissances sur le sujet; (3) une plus grande habileté à manipuler certaines données; (4) une plus grande capacité à travailler avec des gens; (5) des changements dans les attitudes et les valeurs. Nous voulons mettre l'accent sur le fait que l'apprentissage se produit selon des dimensions socio-émotives aussi bien que sur la tâche ou sur des dimensions informationnelles. Les gens n'acquièrent pas seulement plus de connaissances dans leur apprentissage, ils peuvent aussi devenir plus habiles dans un travail, plus ouverts, moins porteurs de préjugés et plus sensibles. En résumé, nous pouvons apprendre sur le plan cognitif, sur le plan des habiletés et au niveau affectif.

Les groupes d'élaboration de politiques

Les groupes d'élaboration de politiques sont normalement formés lorsque quelque chose va mal ou lorsqu'un changement est envisagé. Ils sont composés d'individus autorisés à prendre des décisions ou à recommander des façons de procéder. La démocratie a été définie comme «un gouvernement de comités». Si on a conféré une autorité à un groupe au sujet d'un problème particulier, il devient *un groupe assigné*. D'autres peuvent constituer un groupe selon leur propre initiative; ils s'immiscent dans la situation et prennent le contrôle; ce sont *des groupes de fait*. Nous attendons de ces groupes qu'ils élaborent soigneusement des recommandations qui plairont aux personnes qui auront à les subir et à celles qui sont dans une position supérieure. Les groupes d'élaboration de politiques sont plus formels que ceux présentés précédemment. Ils auront probablement un agenda à respecter ainsi que certaines règles et procédures; ils auront à traiter leurs affaires de façon systématique, mais ils pourront prendre leur temps pour les besoins socio-émotifs de leurs membres. Certaines contraintes extérieures pourraient être imposées telles qu'un but précis à atteindre ou la nécessité d'en arriver à des décisions opérationnelles. Comparativement aux groupes dont il a été question auparavant, l'interaction et la communication seront caractérisés par (1) un plus grand sens des responsabilités; (2) le sérieux du but; (3) une communication contrôlée et orientée; (4) une évaluation critique des idées d'autrui; (5) une attention particulière aux contraintes extérieures. Une conséquence de la participation à des groupes d'élaboration de politiques est sans doute le développement des habiletés de prise de décision. Ils peuvent aussi permettre le développement de nouvelles techniques ou de nouveaux systèmes pour en arriver à des décisions politiques lorsqu'il y a révision et exploration des délibérations qui ont eu lieu.

Les groupes d'action

Ces groupes diffèrent des groupes d'élaboration de politiques de par la nature de leur tâche. Le groupe de politiques peut engager une organisation dans une direction ou une position importante ou permanente. Le groupe d'action, pour sa part, doit mettre à exécution la politique ou accomplir certaines actions qui auront des conséquences. Le groupe s'occupe du comment et du quand de l'application de la politique et doit supporter les résultats de son action. Les groupes d'action impliquent (1) des questions complexes concernant la compréhension et la mise en place des politiques et des programmes; (2) des discussions sérieuses qui peuvent être très longues; (3) un accent mis sur les données, les faits, l'objectivité et la tâche; (4) une pression fréquente dans les délais pour mettre les plans à exécution; (5) une coordination avec d'autres groupes et l'instauration d'un mécanisme de suivi; (6) des décisions concrètes, spécifiques et tangibles; (7) peu d'attention aux besoins personnels des membres ou aux fonctions de maintien du groupe; (8) peu de digressions dans la tâche à accomplir. Voici quelques exemples de groupes d'action: un comité travaillant à la réorganisation du programme d'études d'une université, un groupe travaillant à l'introduction d'un nouveau produit sur le marché, le comité de recrutement d'un collège, les organisateurs de la campagne électorale d'un politicien, une équipe médicale, une équipe de représentants.

Sommaire

Il n'est pas nécessaire de considérer les groupes présentés comme des entités distinctes et séparées. Il se pourrait qu'ils n'existent pas sous leur forme pure. Ce qui pourrait être observé, c'est une émergence de caractéristiques provenant de divers types. Un groupe peut même passer d'un type à un autre. Ils est donc important de voir ces types le long d'un continuum et non comme s'ils étaient dans des boîtes ou des emballages séparés.

Il est utile de pouvoir identifier la nature du groupe auquel nous appartenons pour les raisons suivantes:

1. Cela peut nous permettre de déterminer le style de leadership le plus approprié.

2. La nature et la quantité de l'interaction entre les membres est déterminée par le type de groupe.

3. Cela peut nous servir à établir un agenda approprié pour le groupe, c'est-à-dire aucun pour un groupe informel mais un agenda très structuré pour un groupe d'action.

4. La communication sera particulière dans chaque type de groupe: aléatoire et sans remise en question dans le groupe informel, mais très concise, appuyée, probablement écrite ou enregistrée dans le groupe d'action.

5. Nous pouvons concevoir des attentes plus réalistes quant à la performance du groupe de telle sorte que nous risquons moins d'éprouver de la frustration si le groupe ne produit pas selon nos espoirs.

Le groupe informel fera peut-être très peu de chose pour réformer les règlements de votre collège ou de votre organisation, tout comme les groupes d'action sont peu utiles pour satisfaire les besoins socio-émotifs des membres qui participent à la discussion.

FONCTIONNEMENT DES GROUPES

Quoi observer dans les groupes?

Nous passons beaucoup de temps avec d'autres et dans des groupes de toutes sortes, mais il est rare que nous prenions le temps de nous arrêter, d'observer ce qui se passe entre les gens et d'analyser le comportement des membres d'un groupe. Que pouvons-nous observer dans un groupe? Que devons-nous chercher à découvrir si nous voulons comprendre la communication interpersonnelle entre deux ou plusieurs personnes? C'est ce que nous tenterons maintenant d'expliquer.

CONTENU ET PROCESSUS

Imaginons un comité de personnes qui travaillent à l'organisation d'une soirée de fête au collège ou un couple qui est en train de décider ce qu'il fera durant la fin de semaine. La communication entre ces gens se déroulera à deux niveaux distincts. Si nous observons de quoi les gens parlent, nous focalisons alors le *contenu*, soit le sujet dont le groupe discute. Si nous focalisons la façon dont le groupe travaille (le *comment*), nous observons alors le processus, soit ce qui se passe entre les membres du groupe pendant cette discussion. Cette distinction est importante pour l'étude de la communication dans les petits groupes. Le contenu et le processus de la communication sont parfois appelés «niveau de tâche et niveau socio-émotif»; on parle aussi de communications ayant fonction de «tâche et maintien». En fait, que nous parlions de deux niveaux ou de deux types de communication, l'un et l'autre se déroulent en même temps dans un groupe. Alors, à quoi renvoie cette distinction entre les deux aspects de la communication de groupe?

Le contenu de la communication

Dans la section précédente sur les types de groupes, nous avons vu que lorsque les gens se rassemblent pour former un groupe, ils ont un but ou une cible et ils le font pour certaines raisons. Le but peut être purement social (une fête, un dîner ou un rendez-vous d'amis); des gens peuvent se rassembler pour organiser des activités, prendre des décisions (c'est le comité typique); pour obtenir de l'information ou faire un travail concret (une classe ou une équipe de travail).

Le but déclaré est directement relié au contenu de la communication dans le groupe. Ainsi, si le but d'un groupe est d'organiser une soirée, les échanges verbaux et l'interaction verbale seront concentrés sur la planification de cette soirée. La conversation pourra toucher des sujets comme le genre de musique qu'on désire entendre, le lunch qu'on servira et le prix que l'on demandera pour lui ou la façon de décorer la salle s'il y a lieu. Ce sera là le contenu de la communication, laquelle sera liée directement au but déclaré du groupe.

Le processus de la communication

Il y a toutefois une autre dimension de la communication de groupe qui n'est pas liée directement au contenu verbal de l'interaction mais qui est liée à la façon dont le groupe traite ce contenu verbal portant sur la tâche ou le but. Le processus implique la manière dont les membres interagissent les uns avec les autres, dont ils traitent les sentiments issus de leurs interactions et dont ils maintiennent le groupe comme entité fonctionnelle. Lorsque deux amis décident de leurs activités pour la fin de semaine, des sentiments entre les deux émergent. Chacun essaiera, plus ou moins consciemment, de faire une certaine impression sur l'autre, de maintenir une certaine image qu'il croit appropriée et d'influencer ou de toucher l'autre favorablement. Tout cela fait partie du processus de la communication.

Dans la plupart des cas, cependant, nous accordons peu d'attention au processus, même lorsque les choses vont mal et que c'est alors que le groupe pourrait trouver la principale cause de son inefficacité et focaliser ses efforts. Effectivement, c'est cette sensibilité au processus de groupe qui permet d'identifier beaucoup de problèmes de communication interpersonnelle et de les traiter plus efficacement. Et, puisque le niveau du processus de la communication est présent dans tous les aspects d'une interaction, sa compréhension est utile pour chacun. Plus particulièrement, que pouvons-nous rechercher et observer pour reconnaître le niveau du processus?

LA PARTICIPATION – QUI PARLE?

C'est probablement là l'aspect du processus de la communication le plus facile à observer. Qui sont les membres qui parlent le plus dans le groupe? Qui sont ceux qui parlent peu? En portant attention à la quantité et à la fréquence des interactions verbales de chacun dans la situation, nous pouvons avoir une idée assez claire de la structure du groupe et des dimensions de la domination ou du leadership. Dans plusieurs groupes, il n'y a que quelques membres qui parlent souvent (ce sont vraisemblablement toujours les mêmes), mais une observation attentive peut permettre d'enregistrer des changements sur le plan de la participation. Certains membres, silencieux pendant un certain temps, deviennent à un moment donné plus volubiles. Il y a habituellement des raisons à ces changements, car la communication ne se fait jamais au hasard. Ces raisons doivent être comprises si nous voulons être en mesure de prédire à quel moment de tels changements sont susceptibles de se produire.

L'attitude face aux membres silencieux sera importante. Leur silence est-il interprété ou doit-il s'interpréter comme un consentement par rapport au sujet discuté, un désaccord, un manque d'intérêt, de l'hostilité, de la peur, de la gêne? Même lorsqu'il n'y a que deux personnes en cause, nous trouvons un certain type de participation, soit une quantité et une manière significatives d'être en relation avec l'autre.

En nous référant au système de Bales, nous pouvons observer différentes façons d'interagir sur le plan du processus. Les quatre catégories de base sont: (A) réactions positives; (B) informations et réponses; (C) questions; (D) réactions négatives. À l'intérieur de chacune de ces aires, nous retrouvons des descriptions encore plus précises des interactions possibles. Lorsque nous observons un groupe qui communique, nous sommes en mesure d'enregistrer les progrès de ses activités. Nous pouvons déterminer le partage des réactions négatives et positives, la partage des questions et réponses, le partage des interventions qui visent à contrôler et celles qui visent à influencer, etc. Il n'est pas question dans ce chapitre de maîtriser parfaitement le système de Bales, mais il est fort intéressant de le connaître pour devenir un peu plus conscient du genre d'interactions que l'on peut rencontrer, et dont on fait sans doute l'expérience à l'intérieur des groupes auxquels on participe.

Tableau des catégories de Bales

(attitudes possibles de la part des membres d'un groupe en réunion)

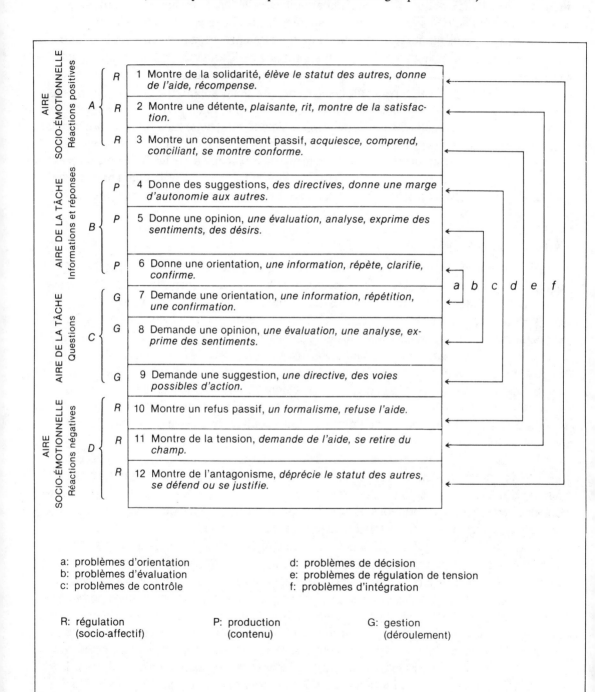

a: problèmes d'orientation
b: problèmes d'évaluation
c: problèmes de contrôle

d: problèmes de décision
e: problèmes de régulation de tension
f: problèmes d'intégration

R: régulation
(socio-affectif)

P: production
(contenu)

G: gestion
(déroulement)

Il y a une foule d'autres systèmes de mesure des interactions verbales. Leur usage pour analyser et évaluer les processus des groupes de deux ou plusieurs personnes est toujours fort révélateur sur le plan pratique et pour la recherche. Nous pourrions, par exemple, enregistrer simplement le nombre total de communications faites par chacun des membres d'un petit groupe lors du premier quart d'heure d'une réunion. À cette fin, rappelons-nous qu'une communication est habituellement définie comme un énoncé ou un propos ininterrompu.

Tableau 11.1

Nombre de communications faites par chacun des membres du groupe lors des quinze premières minutes de la réunion.

Harold	15
Jean	4
Marie	2
Pierre	18
Suzanne	8

Le tableau 11.1 indique que la plus grande partie de cette conversation s'est tenue entre Pierre et Harold avec l'appui de Suzanne, alors que Marie et Jean ont peu contribué à la conversation. Évidemment, une telle analyse est assez superficielle et n'explique en rien le retrait de Marie et de Jean.

Il ressort de cet enregistrement un point intéressant: bien que les membres silencieux soient habituellement très conscients de leur faible participation, les plus volubiles sont souvent surpris de constater la grande quantité de leurs interventions. Ces derniers savent donc qu'ils apportent une contribution, mais ne se rendent pas toujours compte du degré relatif ou de la qualité de leur participation. Une telle évaluation simplement quantitative peut alors leur être utile. Elle peut aussi être utile pour faire la comparaison entre deux groupes.

LA DIRECTION – QUI PARLE À QUI?

La direction du réseau de communication est également importante. Les membres du groupe parlent-ils à d'autres membres en particulier ou au groupe en général? Les membres du groupe ont-ils tendance à toujours s'adresser à la même personne?

À la figure 11.1, les petites pointes sur chaque flèche représentent le nombre de fois qu'un membre a parlé et à qui il s'adressait. Sur ce schéma, il est évident que c'est Harold qui a le plus parlé, qu'il s'adressait à Bernard et à Jocelyne, et qu'il a été la personne du groupe qui a reçu le plus de messages de la part des autres membres. Une telle compilation révèle qu'Harold est probablement dans une position de leadership, car *les leaders de groupes sont souvent ceux ou celles qui parlent le plus et à qui on s'adresse le plus.*

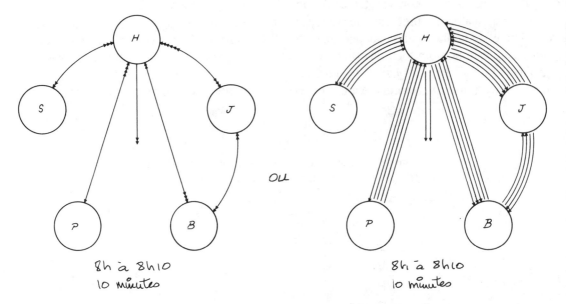

Figure 11.1 Enregistrement d'interactions: direction de la communication. Les flèches indiquent le nombre et la direction des interactions verbales. L'un ou l'autre système peut être utilisé.

Il est aussi intéressant de noter que la figure identifie un sous-groupe au sein du groupe: Harold, Bernard et Jocelyne supportent non seulement la communication, mais ils le font entre eux, ignorant plus ou moins les autres membres du groupe.

L'ATMOSPHÈRE DU GROUPE

La façon dont un groupe travaille donne une impression générale qui crée une atmosphère facilement observable. Évidemment, les individus diffèrent quant au genre d'atmosphère qu'ils aiment retrouver à l'intérieur des groupes. Ainsi, dans un groupe, la communication interpersonnelle peut être amicale, ouverte. Une atmosphère chaleureuse, où les conflits et les sentiments désagréables sont réduits, se dégagera alors. À l'opposé, nous trouvons une atmosphère remplie de conflits, de désaccords et de provocations entre les individus.

En effet, il arrive à certains moments, que les membres d'un groupe n'aiment pas être ensemble et ne veuillent pas participer à la tâche ou au but du groupe. Des membres qui font partie d'un comité parce qu'ils y sont obligés, comme des étudiants qui sont dans une classe parce qu'ils sont forcés d'y suivre le cours en question, peuvent évidemment devenir apathiques et s'éloigner de l'interaction. Si plusieurs membres d'un groupe ont ces sentiments, l'atmosphère risque d'être pénible et de s'en ressentir. À l'inverse, le processus de groupe peut être tel qu'il facilite l'interaction en créant un bon climat et en respectant les sentiments des gens. Le bavardage permet aussi de remplir cette fonction et de détendre des atmosphères parfois trop tendues. En effet, prendre du temps pour parler de choses autres que celles liées à la tâche immédiate, ou permettre à certains moments les pointes d'humour, constitue souvent un signe de relations positives entre les gens. Cela permet aussi d'établir un fonctionnement plus amical dans le travail. Pour parler tous ces cas, la théorie du groupe optimal de Saint-Arnaud[11] présente clairement en deux tableaux les différents climats du rassemblement et de l'énergie disponible dans le système groupe (voir les *tableaux* 11.2 et 11.3).

Quantité d'énergie	Énergie résiduelle
Manque d'énergie	Climat d'inertie
Énergie suffisante	Climat d'éveil
Excès d'énergie	Climat d'anarchie

Tableau 11.2   Les climats du rassemblement.

Le tableau qui suit propose neuf catégories pour décrire les climats de base d'un système groupe: chaque climat résulte de la présence dans le groupe des différents types d'énergie décrits.

Quantité d'énergie	Énergie disponible dans le système groupe:		
	Production	Solidarité	Entretien
Manque d'énergie	Climat d'apathie	Climat de réserve	Climat de dispersion: – de confusion – défensif
Énergie suffisante	Climat d'efficacité	Climat de solidarité	Climat d'harmonie
Excès d'énergie	Climat de fébrilité	Climat d'euphorie	Climat laborieux

Tableau 11.3   Les climats du système groupe.

---

11.   Yves Saint-Arnaud, *Les Petits Groupes: participation et communication*, Montréal, les Presses de l'Université de Montréal, 1978.

Les fonctions interpersonnelles

Il est possible d'analyser la communication interpersonnelle sur le plan de ses fonctions. Ces fonctions sont liées aux rôles que les individus jouent dans une situation interpersonnelle quelconque. Certaines de ces fonctions sont concentrées principalement sur la tâche, d'autres sont axées davantage sur le processus, alors que d'autres, enfin, parce qu'elles ont vraiment des effets négatifs sur la communication, sont dites *dysfonctionnelles*.

Ces fonctions de tâche et de processus peuvent être accomplies par une ou plusieurs personnes. Dans la plupart des groupes, une sorte de spécialisation s'établit (sans doute en partie à cause de la tendance des rôles à se stabiliser dont nous avons déjà parlé) et certaines personnes ont ainsi tendance à remplir des fonctions de tâche alors que d'autres accomplissent davantage des fonctions portant sur le processus. De façon stéréotypée, dans la famille nord-américaine par exemple, les maris-pères se spécialisent dans les fonctions de tâche (prise de décision, bricolage, etc.) et les épouses-mères se consacrent davantage aux processus et aux relations (modération des conflits entre enfants, expression des sentiments de tendresse et d'affection, etc.). Pour ce qui est des types de groupes autres que la famille, nous vous présentons ici dans les encadrés 11.3 et 11.4 des listes de fonctions déterminées de tâche, de processus.

Encadré 11.3

«FONCTIONS DE TÂCHE»: comportements des membres qui sont nécessaires à l'accomplissement des tâches du groupe.

1. «Donner et rechercher l'information»: demander ou amener du matériel objectif et des faits concrets; rechercher et donner l'information pertinente à la tâche et au but du groupe.

2. «Donner et rechercher les opinions et les idées de chacun»: rechercher et amener nos croyances, nos évaluations par rapport aux faits; favoriser le fait que chacun puisse exprimer ses idées et surtout ses valeurs à propos de ce qui est amené et discuté.

3. «Amorcer l'activité»: commencer les discussions, proposer des tâches, des buts, des solutions; définir le problème ou un de ses aspects; suggérer de nouvelles idées, de nouvelles définitions du problème ou une nouvelle organisation des choses ou du matériel.

4. «Clarifier et élaborer»: donner des exemples et des illustrations; paraphraser, interpréter; essayer de voir comment les choses peuvent tourner; clarifier les confusions; indiquer les enjeux et les alternatives perçus.

5. «Coordonner»: montrer les relations entre les idées et les suggestions qui ont été amenées; essayer de regrouper certaines idées ou de rassembler les efforts des membres du groupe.

6. «Résumer»: synthétiser si possible en termes simples et concis les informations, les opinions ou les suggestions et solutions qui ont été amenées et discutées.

7. «Vérifier le consensus»: faire une tentative ou un test pour voir si les membres sont près d'arriver à une conclusion ou s'il y a encore des désaccords; vérifier directement avec chacun s'il est prêt à fonctionner comme le groupe le souhaite.

Adult Leadership, 1953, p. 1, 8, 17-18. Reproduit avec l'autorisation de l'éditeur.

Encadré 11.4

«FONCTIONS DE MAINTIEN»: comportements qui aident à construire et à renforcer le groupe comme unité de travail.

1. «Créer et encourager un bon climat»: collaborer au développement et au maintien d'une atmosphère amicale, détendue, tolérante et permissive; aider à réduire les blocages et inhibitions de certains membres; faciliter l'interaction en répondant aux autres; renforcer les autres et leurs idées, accepter les contributions des autres.

2. «Garder le réseau de communication ouvert»: aider chacun à contribuer et à participer; percevoir les indications non verbales, les signes et les désirs de participer.

3. «Harmoniser»: réduire les malentendus, les désaccords, les incompréhensions et les conflits possibles; prévoir les tensions ou sentiments négatifs et modifier la situation si possible; montrer les différences et les similitudes lorsque cela est nécessaire peut éviter des problèmes; jouer un rôle de médiation entre parties opposées ou hostiles l'une à l'autre.

4. «Proposer des compromis»: lorsque notre idée ou notre statut est mêlé à un conflit, offrir un compromis à notre propre position; admettre l'erreur et maintenir la cohésion du groupe.

5. «Exprimer les sentiments»: être sensible aux sentiments et aux humeurs des individus du groupe et les exprimer; partager ses propres sentiments; exprimer nos réactions personnelles face aux idées, problèmes et solutions amenés; vérifier les réactions des autres membres du groupe et faire preuve d'empathie.

6. «Établir des standards et des critères»: favoriser l'émergence et l'utilisation de standards pour travailler au contenu ou aux processus; voir à l'application de ces standards pour l'évaluation du fonctionnement et du processus.

7. «Évaluer»: soumettre les décisions ou les résultats obtenus à un examen en fonction du but qu'il y avait à atteindre.

Adult Leadership, 1953, p. 1, 8, 17-18. Reproduit avec l'autorisation de l'éditeur.

Efficacité des groupes

Plusieurs mythes sur l'inefficacité des groupes sont issus d'expériences amères vécues par les individus qui ont perdu une quantité énorme de temps dans des réunions et des assemblées et qui en sont sortis avec la conviction qu'il doit y avoir une autre façon de procéder. La meilleure manière serait simplement de mieux diriger les réunions, de changer nos attentes au sujet de ce qu'un groupe peut faire ou d'agir sur les facteurs dysfonctionnels.

L'encadré 11.5 contient différentes caractéristiques observées dans les groupes efficaces. Celles-ci peuvent devenir autant de points de repère pour nous aider à modifier le fonctionnement d'un groupe. (Le lecteur et la lectrice sont aussi invités à revoir l'encadré 9.1 portant sur le phénomène du *«Groupthink».*)

Encadré 11.5   Caractéristiques d'un groupe efficace

Douglas McGregor, un psychologue du Massachusetts Institute of Technology, à partir de ses observations dans de grandes entreprises, a décrit les groupes efficaces et créatifs de la façon suivante:

1. L'atmosphère est plutôt informelle, confortable et détendue.

2. Il y a beaucoup de discussions auxquelles tous participent, mais ces discussions demeurent toujours pertinentes à la tâche.

3. La tâche et l'objectif du groupe sont bien compris et acceptés par les membres. Il y a eu discussion sur ce sujet jusqu'à ce que tous aient compris et se soient engagés à défendre les buts poursuivis.

4. Les membres s'écoutent les uns les autres. Chaque idée est reçue et écoutée. Les gens n'ont pas peur d'être ridiculisés et d'amener des idées même si, de prime abord, ces idées semblent saugrenues.

5. Il y a des désaccords. Les désaccords ne sont pas supprimés ou télescopés par une action prématurée du groupe. Les raisons de ces désaccords sont examinées et le groupe essaie de les résoudre plutôt que de dominer les dissidents.

6. La plupart des décisions sont prises par consensus où il apparaît que tous sont d'accord. Les votes formels sont réduits au minimum; le groupe n'accepte pas la majorité simple comme base d'action commune.

7. La critique est fréquente mais franche et relativement indulgente. On voit peu d'attaques personnelles, ni ouvertement, ni de façon camouflée.

8. Les gens sont libres d'exprimer leurs sentiments aussi bien que leurs idées, à la fois sur le problème et sur le fonctionnement du groupe.

9. Lorsqu'on décide d'une action, les responsabilités sont claires et elles sont acceptées par ceux et celles qui les prennent.

10. Le responsable, l'animateur ou quelque autre personne ne domine pas le groupe, comme le groupe ne dépend pas indûment de cette personne. En fait, le leadership est souple et peut à certains moments passer d'une personne à l'autre selon les circonstances. Il n'y a pas de bataille pour le pouvoir. L'enjeu n'est pas de contrôler le groupe mais de réaliser les buts.

11. Le groupe est conscient de ses propres opérations.

D. McGregor, *The Human Side of Enterprise*, McGraw-Hill, 1960. Reproduit avec l'autorisation de l'éditeur.

Les groupes de travail devraient se pencher sur leur efficacité. Il est trop facile de se réunir pour se réunir. Certains comportements dysfonctionnels de la part d'individus peuvent grandement nuire au fonctionnement général. Il appartient à chacun de prendre conscience de ses propres agissements et de modifier ses comportements pour le bien-être de son groupe.

Encadré 11.6

«COMPORTEMENTS DYSFONCTIONNELS»: attitudes ou gestes de certains membres qui n'aident pas le groupe et qui peuvent même nuire sérieusement à son travail et à ses objectifs.

1. «Agresser»: chercher à obtenir un statut en critiquant ou en blâmant inutilement les autres; faire preuve d'hostilité envers d'autres personnes; mépriser le statut ou l'estime de soi de certains individus.

2. «Bloquer systématiquement»: interférer constamment; faire fréquemment prendre des tangentes au groupe; se citer et parler d'expériences ou de sujets aucunement liés au problème; argumenter sans but pour le plaisir de choquer certains; rejeter des idées sans les avoir considérées.

3. «S'auto-confesser»: utiliser le groupe et son climat d'acceptation pour tester les autres; exprimer des sentiments et des points de vue qui n'ont vraiment aucun rapport avec les sentiments ou la tâche du groupe.

4. «Rivaliser»: n'utiliser le groupe et les autres que pour être le meilleur, la personne qui parle le plus, celle qui obtient le plus de feed-back.

5. «Rechercher la sympathie»: essayer d'amener les autres à être sympathiques à nos problèmes ou infortunes; nous plaindre de notre situation toujours pire que celle des autres; sous-estimer ouvertement nos propres idées pour obtenir de la valorisation des autres.

6. «Juger de façon biaisée»: ne proposer ou n'appuyer que les idées et suggestions liées à nos préoccupations et en accord avec notre seul point de vue, notre seule philosophie personnelle; faire du «lobbying», de la pression.

7. «Distraire de façon ou en temps inapproprié»: faire le clown, faire de l'humour douteux ou non nécessaire; interrompre sciemment le travail des autres.

8. «Rechercher l'attention»: ne viser qu'à être le centre d'attention par des idées extrêmes ou des comportements inhabituels.

9. «Se retirer»: agir indifféremment ou passivement; exiger ou montrer un formalisme excessif qui empêche tout contact ou échange réel; rêver de façon éveillée face aux autres; chuchoter ou aborder des sujets parallèles avec d'autres membres pour finalement former un sous-groupe.

Dans la classification et description faite ci-haut, nous devons avant tout nous garder de blâmer quiconque pour de tels «comportements *dysfonctionnels*». Il est beaucoup plus utile face à de tels gestes ou attitudes de les envisager comme des symptômes qui montrent une certaine difficulté qu'a le groupe à satisfaire les besoins de certains membres. De plus, nous pouvons et devons penser que ce qui apparaît comme un «blocage» pour certains peut être au contraire perçu comme de une «clarification» ou une «médiation» par d'autres.

Adult Leadership, 1953, p. 1, 8, 17-18. Reproduit avec l'autorisation de l'éditeur.

Il est possible également que les membres agissent en fonction de *besoins cachés*. Les individus se joignent à un groupe pour des raisons et dans un but avoués ou non. Habituellement, la raison que les gens donnent est proche de celle que donné officiellement le groupe. Par exemple, des étudiants diront qu'ils veulent participer à l'action communautaire parce qu'ils veulent aider des personnes plus défavorisées. Cette raison est probablement très vraie, mais elle n'est sans doute pas suffisante pour expliquer le comportement de ces étudiants, car la motivation de chaque individu est habituellement plus complexe. En fait, il y a peut-être une foule de motifs sous-jaçents qui expliquent ce comportement des étudiants, et ces motifs peuvent être plus ou moins conscients chez chacun. (À la motivation extrinsèque, diraient ici certains psychologues, doit s'ajouter une vision de la motivation intrinsèque.)

Ainsi, dans l'exemple précédent, l'organisation communautaire en question peut être très populaire dans le milieu étudiant et il peut être avantageux d'y appartenir. Peut-être également un étudiant est-il seul, ne connaît-il personne, et l'organisation devient alors un moyen pour lui de connaître des gens et de se faire des amis en même temps qu'il contribuera à un domaine qu'il aime. Peut-être un autre individu se perçoit-il des habiletés de leader et joint-il alors l'organisation dans le but d'y atteindre un poste élevé et d'exercer de l'influence. Ces motifs, qui s'ajoutent à la motivation initiale officielle, sont ce que nous appelons les *programmes cachés*. Lorsqu'un groupe se rencontre, il a un but, un programme, une raison officielle d'agir, mais chaque membre a aussi la plupart du temps, son propre programme caché qui représente la raison et la manière pour lesquelles il utilise le groupe pour satisfaire ses besoins personnels.

Ces besoins et programmes cachés se manifesteront d'une manière ou d'une autre à travers l'interaction du groupe et, dans une large mesure, ils pourront expliquer *comment* et *pourquoi* les membres agissent et réagissent comme ils le font entre eux. Ce que les individus font sur le plan de la tâche s'explique souvent par ce qui se passe sur le plan du processus. Si deux membres d'un groupe ne réussissent pas à se mettre d'accord, nous pouvons nous demander si ce n'est pas parce que l'un d'eux veut absolument gagner et établir son leadership sur les autres. Le problème du contenu devient alors secondaire en réalité, car ces deux personnes argumenteraient sur n'importe quel autre problème. Elles ne tiennent pas vraiment à résoudre le problème, mais désirent plutôt sortir victorieuses de l'argumentation pour jouer un rôle et influencer le groupe.

LEADERSHIP

Le thème du leadership a connu, ces dernières années, des heures de gloire, mais aussi des heures sombres au cours desquelles il était mal vu de parler de développement de leader, comme s'il y avait là un danger. Certaines attitudes négatives envers la notion de leadership sont peut-être attribuables à l'abus de pouvoir observé chez certains leaders. Hitler possédait beaucoup de leadership. Cela n'implique pas forcément que le leadership soit synonyme de despotisme. Il apparaît également excessif de croire que le leader du groupe est celui qui possède le plus grand nombre de qualités ou de talents qui lui sont conférés par on ne sait quelle source divine ou magique.

Dans son étude sur les petits groupes, Golembiewski[12] constate que l'étude du leadership est attaquée de toutes parts, par toutes les disciplines. Malheureusement, déplore-t-il, le sujet est aussi dans un état de confusion lamentable. Cela est dû, selon lui, aux facteurs suivants: le manque d'unanimité autour du sujet étudié, c'est-à-dire sur la matière à étudier, sur la nature du leadership; une tendance à voir l'étude du leadership séparément de celle de la communication, de l'interaction, du changement ou des problèmes de statut, etc.; une dichotomie entre les théories qui considèrent le leadership comme étant issu des organisations et des systèmes et celles qui abordent ou traitent le leadership comme étant la contribution d'un individu à un groupe.

Éléments essentiels du leadership

Chacun possède sa propre représentation mentale, sa propre intuition de ce qu'est un leader. Si nous vous demandions d'observer attentivement un groupe d'enfants dans la cour de récréation d'une école, il est fort probable qu'après quelques minutes vous pourriez identifier un ou des leaders dans ce groupe. Lorsque nous sommes introduits dans un nouveau groupe de travail, il est relativement facile de reconnaître les leaders informels après une ou deux journées de travail. Mais qu'est-ce qu'un leader? Qu'est-ce qui nous permet d'identifier un leader? S'il est facile de déceler la présence d'un leader, il semble par contre beaucoup plus difficile de définir ce qu'est le leadership. L'observation systématique de la participation et des interactions dans un groupe, telle que proposée précédemment, peut mettre en lumière certaines caractéristiques qui se manifestent de façon assez constante chez les individus qui sont reconnus comme détenteurs de leadership.

L'INFLUENCE

Comme le mentionne Bergeron[13], l'*influence* constitue un élément essentiel de toute définition du leadership. Dans un groupe, c'est l'individu qui semble avoir le plus d'influence sur les comportements des autres qui apparaît aux yeux de tous comme celui qui possède le plus de leadership. En fait, il s'agit du seul point sur lequel tous les auteurs semblent d'accord.

Comme nous l'avons souligné, l'influence et la participation se retrouvent souvent chez les mêmes membres d'un groupe. Cela n'est toutefois pas toujours le cas. Effectivement, certaines personnes parlent peu et captent quand même beaucoup l'attention du groupe. Par contre, d'autres parlent beaucoup mais sont peu écoutés.

Trouver qui est écouté semble être une façon de découvrir les membres influents d'un groupe. Chercher ceux ou celles dont les idées sont adoptées par le groupe permet également de cerner les membres influents de ce groupe.

Certains membres peuvent n'avoir aucune influence dans le groupe; peut-être n'essaient-ils pas d'influencer les autres ou essaient-ils énormément mais sans toutefois y parvenir. Nous pouvons aussi observer des changements quant à l'influence dans un groupe lorsque la discussion ou le problème change, lorsque de nouveaux membres se joignent au groupe ou lorsque d'autres s'en vont.

---

12. R.T. Golembiewski, *The Small Group*, Chicago, The University of Chicago Press, 1962.
13. J.L. Bergeron *et al, Les Aspects humains de l'organisation,* Chicoutimi, Gaëtan Morin Éditeur, 1979.

Parfois, plusieurs membres deviennent des rivaux pour ce qui est de l'exercice de l'influence dans le groupe et il s'ensuit une bataille pour le leadership. Il est intéressant, alors, d'observer les effets d'une telle bataille sur les membres du groupe. Certains se sentiront obligés de prendre parti, et il y aura alors tout un jeu d'alliances et de complicités, jeu fort subtil et même risqué.

Bales[14] a démontré que, pour être perçu comme leader, il était nécessaire non pas d'être aimé, mais bien d'exercer une influence réelle sur le groupe en apportant des idées et en guidant les discussions. Par contre, il serait faux de croire que toutes les formes d'influences constituent un signe de leadership. Par exemple, lors de notre observation des enfants dans la cour de récréation, nous pourrions identifier «la petite terreur» qui, à grands coups de poings, tente d'imposer sa loi aux autres enfants. De fait, cet enfant exerce une influence réelle, mais peu d'observateurs seraient tentés de le décrire comme un leader du groupe. Il en va de même du patron qui tente de se faire respecter en congédiant tout simplement les employés insubordonnés. Le patron utilise son pouvoir, exerce une influence, mais n'est pas reconnu par ses employés comme un leader.

Pour parler de véritable leadership, il faut que l'influence pratiquée soit jugée positive par le groupe et qu'elle puisse, en conséquence, entraîner des comportements délibérés et volontaires de la part des membres. «Exercer un leadership, c'est beaucoup plus convaincre, persuader et orienter que menacer, prescrire et imposer.»[15] C'est là que se manifestent les habiletés de communication interpersonnelle de la personne qui veut assumer le leadership.

ÉLABORATION ET RÉALISATION DES OBJECTIFS

Pourquoi les membres du groupe acceptent-ils ainsi de se laisser influencer par un individu? À quel niveau s'exerce l'influence? Autrement dit, quel est le contenu de la communication qui peut ainsi mobiliser le comportement de plusieurs membres d'un groupe?

La réponse se situe dans une des raisons fondamentales qui contribuent à l'existence des groupes, soit le partage d'un but ou d'une cible commune (voir la première section de ce chapitre). Le leader d'un groupe est souvent celui qui prend l'*initiative* de proposer tel ou tel but au groupe. «Ce serait bien de jouer au football». «Je propose la solution suivante concernant l'utilisation du matériel...» Chez les enfants, le leader accepté du groupe est souvent celui qui a les meilleures idées. Dans le monde professionnel, c'est celui qui élabore les objectifs les plus souhaitables.

Cet esprit d'initiative doit aussi se combiner à une capacité de *mobiliser les énergies* des membres en vue d'atteindre l'objectif. L'individu qui laisse tomber son idée à la vue du moindre obstacle n'assume pas un rôle de leadership. Le leader est plutôt celui ou celle qui sera en mesure de mener l'équipe au but fixé, malgré la difficulté de la tâche, les embûches rencontrées. Il faut donc que le leader puisse utiliser positivement les forces de son groupe. Les vrais leaders sont aussi capables d'obtenir des autres un dépassement et un effort

---

14. R.F. Bales, «The Equilibrium Problem in Small Groups» *dans* T. Parsons, R.F. Bales et E.A. Shils (dir.), Working *Papers in the Theory of Action,* Glencoe, Ill., The Free Press, 1953.
15. J.L. Bergeron *et al., op. cit.,* p. 232.

supplémentaire lorsque la situation l'exige. Souvent, ce sont eux qui fournissent le modèle de comportement en ne comptant pas le temps dépensé ou les énergies consacrées à la réalisation de l'objectif.

Lorsque les objectifs sont atteints, le leader augmente son influence ou son pouvoir personnel; les membres accordent de plus en plus de crédibilité à ses idées ou ses opinions. Au contraire, lorsque le groupe subit un échec, c'est souvent le leader qui en paie la note. Les équipes de sport professionnel nous fournissent un bon exemple du sort réservé aux entraîneurs qui ne mènent pas l'équipe à la victoire. Le succès ou l'échec vécu détermine en partie qui sera le prochain leader dans les situations similaires auxquelles fera face le groupe.

Les styles de leadership

Notre vision des mots «leader» et «leadership» conditionne notre mode de fonctionnement dans les groupes, de même que nos attitudes face à notre façon d'exercer de l'influence. Cette influence peut prendre plusieurs formes: elle peut être positive ou négative, elle peut amener l'appui et la coopération des autres ou entraîner leur adversité. La façon dont une personne tente d'influencer les autres peut constituer le facteur crucial pour déterminer la disponibilité et l'acceptation des autres à être influencés. En général, selon les définitions mais aussi selon la pratique, nous pouvons dire que trois styles de leadership ressortent fréquemment des groupes: le style autocratique (ou orientation directive), «laissez-faire» (ou orientation non directive), le style démocratique (ou orientation participative).

STYLE AUTOCRATIQUE

Est-ce que quelqu'un impose sa volonté, ses valeurs ou ses décisions aux autres membres du groupe? Est-ce toujours la même personne qui dirige l'action, prend les initiatives, amène le groupe à s'organiser? Y a-t-il quelqu'un qui évalue ou juge les autres membres du groupe? Lorsque ce type de comportement ou d'attitude se révèle de façon prépondérante dans un groupe, nous pouvons alors dire qu'il s'y exerce un style de leadership autocratique.

Ce style produit des résultats, mais souvent au prix de l'harmonie et de l'engagement personnel des autres membres du groupe. Il peut aussi engendrer de l'hostilité, du mécontentement, une perte d'individualité ou même une désaffection massive. Mais, nous le répétons, il peut entraîner une quantité de travail surprenante, voire supérieure à d'autres formes de leadership, particulièrement dans le cas où les décisions doivent se prendre rapidement ou encore lorsque les membres eux-mêmes préfèrent ce type de fonctionnement.

STYLE «LAISSEZ-FAIRE»

Y a-t-il des membres du groupe qui attirent l'attention par leur manque d'engagement, d'intérêt pour le travail du groupe? Y a-t-il un ou des membres qui suivent les décisions du groupe sans faire valoir leurs idées dans un sens ou dans l'autre? Si nous répondons oui à ces questions, il est fort possible que nous soyons placés devant un leadership de style laissez-faire au sein du groupe.

Les groupes de «laissez-faire» sont différents des groupes démocratiques. Ils sont sans leader véritable, et parfois sans direction et sans but précis. Ils se caractérisent souvent par une atmosphère très relâchée et une faible quantité de travail. À première vue agréable, ce style, à long terme, risque cependant de réduire la motivation et peut aussi engendrer de l'insatisfaction sur le plan des résultats ou du but à atteindre. Il y a une tendance à trop reporter les décisions et les activités. C'est un style qui ne peut se pratiquer qu'en présence d'un groupe très mûr capable d'autocontrôle et possédant une grande expertise et une grande autonomie sur le plan de la tâche.

STYLE DÉMOCRATIQUE

Y a-t-il quelqu'un qui tente d'amener chacun à discuter et à participer aux décisions? Est-ce que chacun peut exprimer ses opinions ouvertement et directement sans être évalué ou jugé par les autres? Est-ce qu'on y est ouvert aux idées et même aux critiques? Quand il y a de la tension dans le groupe, est-ce que l'on tente de résoudre le conflit rationnellement et calmement? Des réponses affirmatives à ces questions révèlent la présence possible du style démocratique de leadership.

Dans ces groupes, la motivation et l'initiative au travail semblent plus élevées que dans les autres groupes. Il est possible aussi que nous y retrouvions plus d'originalité et de créativité, des efforts mieux organisés, une tendance à partager et à se renforcer mutuellement. Il y a habituellement une plus grande satisfaction des participants, quoique la productivité dans son ensemble puisse ne pas être aussi grande que dans un groupe placé sous l'influence autocratique.

SOMMAIRE DES STYLES

Les premières études sur les groupes de travail confirment les généralisations que nous venons de mentionner. (Pour un meilleur exposé et résumé de ces styles de leadership, des recherches et des analyses dans ce domaine, on peut se référer à Goldberg[16].) Dans tout cela, toutefois, nous devons faire bien attention de ne pas croire que les groupes sont toujours menés avec le même style de leadership. Les comportements dans un groupe varient, et il est fort possible qu'à l'intérieur d'un fonctionnement de groupe nous retrouvions des styles variés ou mixtes de leadership. Cependant, le leadership s'exerce toujours à partir des postulats que les gens adoptent à propos de celui-ci.

PRISE DE DÉCISION EN GROUPE

Cette section constitue une mise en application des notions abordées précédemment. La prise de décision est présentée comme une illustration du fonctionnement d'un groupe.

Dans un groupe, plusieurs types de décisions doivent être prises. Que ce soit pour décider avec son ami quel film aller voir ou qui choisir comme président d'un club, *de nombreuses décisions sont prises sans que les effets sur les autres individus en cause soient toujours considérées.* Ainsi, certaines personnes tentent d'imposer leur propre point de vue aux autres, alors que d'autres veulent que tout le monde participe au processus de prise de décision.

---

16. A.A. Goldberg et C.E. Larson, *Group Communication*, Englewood Cliffs, N.J., Prentice-Hall, 1975, chap. 6.

Des décisions peuvent être prises de plusieurs façons. Parfois une personne prend une décision et agit sans même demander ou vérifier l'opinion des autres. Lorsque votre ami décide d'emblée quel film vous devez voir ensemble ou qu'un individu décide du sujet qui doit être discuté, ces personnes ne décident-elles pas unilatéralement du programme à suivre? On peut se demander alors quel effet cela produit sur vous ou sur les autres personnes d'un groupe.

Habituellement, lorsqu'une suggestion est faite dans un groupe, elle est appuyée par certains. Observer qui appuie peut mettre à jour certains sous-groupes, cliques ou amitiés privilégiées; il résulte ce qu'on appelle des «enclaves» dans le groupe, c'est-à-dire des situations où seuls deux ou trois membres prennent les décisions concernant le groupe. Ici encore, nous pouvons nous demander comment cela affectera le groupe et chacun de ses membres.

D'autre part, nous savons qu'il y a parfois une majorité qui «force» la décision des autres. Cela peut se faire de façon formelle ou informelle: en ne tenant pas compte des objections de certains, en demandant un vote, etc. Par exemple, lorsqu'un membre dans un groupe affirme hâtivement à un autre que «tout le monde veut aller à la brasserie du coin», et que tout le monde s'y retrouve, il est fort possible qu'on ait ignoré l'opinion de certains et peut-être même la vôtre au point de départ. On a quelque peu forcé la situation et la prise de décision.

À d'autres moments, c'est plutôt le contraire, et l'on veille à ce que tout le monde qui est en cause participe au processus de prise de décision. C'est évidemment la «méthode du consensus», mais un consensus, comme vous l'avez peut-être déjà découvert lors de vos expériences de groupe, est difficile à atteindre parce qu'il implique la plupart du temps des compromis (ce qui est souvent perçu comme «mauvais» par certains) et demande qu'on discute honnêtement des raisons qui poussent chacun à adopter une idée ou une opinion.

Finalement, il y a parfois des situations où quelqu'un qui amène une suggestion ne reçoit absolument aucune réponse ou aucune sorte d'attention de qui que ce soit. Par exemple, le fils demande à son père: «Peux-tu me prêter l'automobile ce soir?» reçoit cette réponse laconique: «Finis ton travail scolaire». Il ne reçoit pas vraiment de réponse à ce qu'il dit. C'est un fiasco. Les effets produits par ce genre d'absence de réponse ou de feed-back réel peuvent varier. Le fils, dans notre exemple, peut essayer encore («D'accord, papa, mais est-ce que tu peux me la prêter, après?»), il peut se mettre en colère et se retirer dans sa chambre en claquant la porte, ou il peut devenir apathique et ronger son frein. Dans un groupe de cinq ou dix personnes, les mêmes phénomènes peuvent se produire lorsqu'un membre ne reçoit aucune réponse à ses interventions: sachant cela, nous pouvons mieux interpréter l'apathie ou l'hostilité de certaines personnes dans les groupes. En somme, redisons-le, il est important d'observer les effets d'une prise de décision, afin d'en éviter les aspects négatifs.

Quand prendre une décision de groupe?

Les groupes se forment pour certaines raisons. Certains groupes (informels) se forment simplement pour préparer de futures associations. D'autres groupes (d'action) se forment pour mener à terme des activités étendues. La prise de décision est une raison qui explique souvent la formation de groupes. Les groupes sont la base des relations entre les leaders et les subordonnés, et la communication sous forme de discussion est la façon de procéder pour en arriver à des décisions.

Les leaders arrivent rarement à des décisions de manière isolée. Puisque les décisions prises affectent un grand nombre de personnes, et pas seulement le leader, il est normal de faire participer les autres aux activités d'identification, de recherche d'information, de mise en place et d'évaluation des décisions. Le leader qui prend seul les décisions peut présenter certaines caractéristiques reconnues socialement – assurance, fermeté, goût du risque, conviction, force de volonté – mais peut passer outre à deux aspects importants des groupes. Premièrement, les groupes possèdent des ressources qui sont disponibles pour le leader qui veut arriver à prendre une bonne décision; deuxièmement, il a été démontré que les subordonnés sont plus stimulés pour mener à terme les décisions s'ils ont été mêlés au processus de prise de décision.

La qualité du leadership est reliée à la qualité des décisions prises. Les groupes efficaces sont ceux qui prennent de bonnes décisions. L'aptitude à utiliser les ressources des membres – leur savoir, leur jugement, leur énergie créatrice, leurs efforts physiques, leur temps, leur bonne volonté – peut distinguer le groupe efficace de celui qui ne l'est pas.

Trois facteurs dictent l'utilisation de la prise de décision en groupe: les forces du leader, les forces des membres du groupe et les forces de la situation.

FORCES DU LEADER

En classe, le leader est le professeur; dans une entreprise, le leader est le gestionnaire.

1. Quel est le système de valeurs du leader ou ses attitudes à propos des groupes et leur habileté à prendre des décisions?

2. Est-ce que le leader a confiance dans les aptitudes des subordonnés à contribuer à une prise de décision?

3. Quelles sont les tendances du leader en regard des styles de leadership? Est-il autoritaire, permissif, flexible?

4. Le leader se sent-il en sécurité dans une situation incertaine de discussion de groupe?

5. Est-ce que le leader a vraiment l'intention d'écouter les opinions du groupe même si certaines sont impopulaires ou font partie des biais, des préjugés ou des croyances du leader?

FORCES DES MEMBRES DU GROUPE

Dans une classe, les membres du groupe sont les étudiants; dans une entreprise, ce sont les employés de différents niveaux.

1. Quels sont les traits de personnalité des membres?

2. Quelles sont les attentes du groupe sur le comportement du leader?

3. Quels sont les besoins du groupe concernant leur participation à la décision?

4. Est-ce que les membres sont intéressés par le sujet? Est-ce que cela les touche?

5. Qu'est-ce que les membres connaissent du sujet? Quel est leur niveau de compréhension ou leur habileté à comprendre la matière?

6. Quelles sont les connaissances des membres concernant les facteurs en jeu dans un processus d'interaction de groupe?

7. Quelle est l'étendue ou quel est l'équilibre des aptitudes de communication des membres du groupe?

FORCES DE LA SITUATION

Dans une classe, la situation inclut le cours lui-même, l'université, etc.; dans une entreprise, elle inclut les facteurs internes et externes comme les autres éléments d'une organisation plus grande, l'économie, les pourvoyeurs, les clients, etc.

1. Quel genre d'organisation avons-nous maintenant et quels sont les plans pour le futur?

2. Quelle fut l'efficacité de ce groupe dans des situations similaires et dans ses relations avec d'autres parties de l'organisation?

3. De quel genre de problème s'agit-il? Peut-on envisager une solution? Provient-elle de ce groupe spécifique?

4. Quelles sont les limites de temps?

5. Quelle est la grandeur du groupe?

6. Quels sont les arrangements matériels qui faciliteront l'interaction?

7. Y a-t-il d'autres ressources disponibles pour le groupe, telles que des prédictions, des rapports à jour, des analyses informatisées, des résultats de recherche, des comparaisons avec d'autres actions, des précédents, des consultants, des experts, des figures d'autorité?

LES INDIVIDUS CONTRE LES GROUPES

Même s'il semble y avoir d'excellentes raisons pour utiliser les groupes dans le but d'en arriver à des décisions, ce n'est pas dans tous les cas que les prises de décision en groupe sont supérieures aux efforts individuels. Par exemple, si le temps disponible pour en arriver à une décision est très limité, un individu seul aura l'avantage de pouvoir prendre une décision plus rapidement. Les groupes exigent du temps. Si on ne considère pas cet important facteur, les attentes ne seront pas comblées. Les groupes peuvent, cependant, apporter une plus grande variété de ressources à la discussion avec les énergies combinées et le savoir-faire des membres. De plus, un individu travaillant seul a peu de chances de vérifier ses hypothèses ou les différentes options, pendant que les membres d'un groupe peuvent évaluer chacune des recommandations ou des idées des autres selon leur validité, leur objectivité, leur profondeur, leur clarté, etc.

La prise de décision perçue comme un processus

Pour comprendre de quelle manière les groupes ou les individus en arrivent à prendre des décisions, il est impératif que nous considérions la nature dynamique de la prise de décision. Une attitude néfaste qu'ont plusieurs personnes à propos de la prise de décision est de penser qu'il faut rechercher *la bonne réponse* . Goldberg et Larson[17] nous mettent en garde contre «le mythe de l'exactitude» lorsqu'on cherche à trouver la décision correcte ou à répondre au problème correctement. Ils suggèrent que des décisions absolues ne sont pas apportées au groupe pour qu'il en décide, au contraire, les décisions sont recherchées à partir de données, de l'expérience et de l'expérimentation, etc.

Les membres du groupe deviennent frustrés lorsqu'ils font face à d'autres personnes qui ont des décisions ou des solutions différentes des leurs. Ils vivent dans un monde irréaliste s'ils pensent en arriver à une seule solution correcte, parfaite, n'entraînant que des conséquences positives et dont l'acceptation est universelle et l'application permanente.

Que recherchons-nous alors dans un processus de prise de décision? Nous devons voir cela comme un processus dans lequel (1) les individus confrontent un éventail d'idées et de solutions dans une discussion ouverte; (2) des jugements peuvent être formulés et exprimés en relations avec les solutions proposées; (3) les jugements exprimés ne sont pas traités comme exacts ou inexacts (vrais ou faux) mais sont plutôt évalués pour leur adéquation ou leur pertinence; (4) une solution ou une décision meilleure peut émerger parmi plusieurs autres parce qu'elle concilie les points de vues opposés.

Ainsi, la prise de décision est une activité ou un processus dans lequel les gens confrontent leurs idées dans un déferlement d'échanges de communication. La prise de décision est un moyen, non une fin.

Nous décrirons maintenant une séquence qui peut s'avérer utile pour la prise de décision en groupe et nous ferons une prédiction des différentes étapes à travers lesquelles passent les groupes dans leur recherche d'une solution ou dans une prise de décision. Nous attribuerons à ces deux séquences une dimension tâche et une dimension socio-affective pour montrer qu'un leader peut aider effectivement un groupe à déterminer une décision.

Séquence de la prise de décision

Depuis que John Dewey[18] a proposé une série d'étapes dans la pensée réflexive, les théoriciens ont apporté des raffinements à cette séquence. La proposition en six étapes recommandée ici a ses racines dans la description de Dewey sur la façon dont la plupart des gens affrontent les problèmes ou les questions du choix de solutions:

1. Les gens commencent par reconnaître les facteurs qui constituent le problème.
2. Ensuite, ils examinent le problème pour trouver sa nature, son ampleur et ses implications.
3. Puis ils cherchent une solution possible ou des voies potentielles pour sortir de la situation.
4. Ils comparent ensuite les solutions disponibles en vue de prédire les meilleures conséquences.
5. Finalement, ils choisissent la solution, la décision ou l'action qu'ils croient être la meilleure, s'ils suivent ce traitement systématique.

17. Goldberg et C. Larson, *Ibid.,* p. 142 et suivantes.
18. Dewey, *How we Think,* Washington, D.C., Heath & Co.,1910.

La séquence recommandée plus loin et résumée dans le tableau 11.2 inclut une étape supplémentaire qui nous amène à faire un retour sur n'importe quelle étape du processus. Cela étant compris, regardons les étapes comme visant à: (1) clarifier et définir le problème; (2) générer les solutions; (3) évaluer les solutions; (4) choisir la meilleure solution; (5) appliquer la solution; (6) évaluer les résultats.

Étape	Tâche
1.	Clarifier et définir le problème.
2.	Générer les solutions.
3.	Évaluer les solutions.
4.	Choisir la meilleure solution.
5.	Appliquer la solution.
6.	Évaluer les résultats.

Tableau 11.4 Les six étapes du processus de décision.

ÉTAPE 1: CLARIFIER ET DÉFINIR LE PROBLÈME

Trouvez d'où vient le problème et ce qui le rend important pour le groupe. Voyez si vous pouvez énoncer le problème en termes simples et concrets, et amenez le groupe à s'entendre sur l'énoncé. Certains membres seront tentés de suggérer des solutions à cette étape, mais cela est prématuré. À moins que le groupe n'en soit venu à une définition claire du problème, il ne semble pas approprié de proposer des solutions à ce moment. Quand les groupes ont de la difficulté à s'entendre sur une solution dans les étapes suivantes, la meilleure technique est de retourner à l'étape de la définition du problème, qui est probablement le point faible. Les solutions viennent plus rapidement que la clarification du problème. Évitez absolument de passer tout de suite aux solutions, même si vous en générez un douzaine qui semblent bonnes. Quelques-uns accuseront peut-être le leader de perdre du temps et diront: «Nous savons tous quel est le problème...» mais ils auront cependant de la difficulté à le définir. Ces personnes sont des ventriloques qui parlent pour les autres personnes qui ne connaissent peut-être pas le problème. Il peut arriver que la définition du problème vienne de l'extérieur du groupe; si cela se produit (comme des ordres provenant des supérieurs, ou une demande émanant d'un autre groupe), assurez-vous que tous les membres possèdent les mêmes données, convergent vers la définition du problème ou de la demande et ne se posent plus de questions sur le sujet. Si un besoin de clarification se manifeste, prenez le temps de le faire. Le temps passé à cette étape sera un bon investissement même si les gens sont pressés d'en venir aux solutions et aux recommandations.

ÉTAPE 2: GÉNÉRER LES SOLUTIONS

Trouvez toutes les solutions que vous pouvez. C'est le temps du «remue-méninges». Ne perdez pas de temps à argumenter sur la valeur de telle ou telle solution ou sur la possibilité de les appliquer. Ne faites que mettre sur papier ou qu'inscrire sur un tableau le plus grand nombre de solutions que le groupe puisse générer. Les membres doivent se sentir libres de proposer les solutions les plus farfelues sans crainte du ridicule ou de l'opposition. Personne n'a besoin de défendre sa solution personnelle à ce stade. L'efficacité du groupe est représentée à cette étape par sa facilité à générer et non par une compulsion à justifier.

ÉTAPE 3: ÉVALUER LES SOLUTIONS

À cette étape, les individus peuvent défendre les solutions qu'ils préconisent. C'est le temps de laisser paraître vos propres idées si vous croyez que telle ou telle solution a plus de mérite. La logique et les faits doivent être mis en valeur au fur et à mesure que le groupe considère, questionne, appuie, met à l'épreuve les solutions avancées. Un groupe sera efficace à cette étape s'il est capable d'adopter une attitude non défensive, de façon à établir un climat qui permettra à chacun d'appuyer les solutions des autres aussi bien que ses propres solutions. Les membres silencieux devraient être encouragés à parler. Évitez les votes prématurés et la mise à l'écart de certaines solutions. Recherchez le consensus plutôt que de passer à un vote à main levée. Cela peut se faire en examinant tout doute qui se manifeste et en encourageant les individus qui ont des doutes à articuler clairement leurs préoccupations plutôt que de permettre aux «grandes gueules» et aux «hauts placés» d'écraser ou d'écarter du revers de la main toute forme d'opposition. Évitez les discussions qui peuvent mener à des votes divisés ou à la formation de clans. Encouragez la compréhension des implications positives des solutions qui ont la faveur aussi bien que la compréhension des incertitudes concernant leur valeur.

ÉTAPE 4: CHOISIR LA MEILLEURE SOLUTION

Assurez-vous que la meilleure solution colle au le problème défini et aux besoins du groupe, et ne soit pas simplement la plus populaire ou la plus facile à adopter. Le genre de sujet que vous traitez et les normes du groupe détermineront si vous voterez ou si vous parviendrez à un consensus. En arrivant à la meilleure solution, assurez-vous qu'elle est (1) comprise par tous les membres contestataires; (2) qu'elle est appropriée au problème identifié; (3) qu'elle est applicable; (4) qu'elle est à l'intérieur des limites de la compétence et des responsabilités de ce groupe; (5) qu'elle est la conséquence d'un processus de prise de décision approprié et satisfaisant.

ÉTAPE 5: APPLIQUER LA SOLUTION

Décidez avec le groupe quelle personne sera responsable de l'application de la solution. La délégation des actions ou des devoirs est importante ici. Un groupe qui en est arrivé à une solution pourrait tout simplement croire que «quelqu'un» l'appliquera. Cela arrive rarement s'il y a eu consentement direct. Les gens qui ont pris la décision devraient également participer à son application. Si ces responsabilités sont connues d'avance, cela aide à raffiner les choix de solutions et, après que le choix est fait, à cimenter le groupe qui doit assumer les conséquences de sa décision. Il est important de s'attarder au "qui", "quand" et "comment" de l'implantation de la solution. Un échéancier et une liste des ressources disponibles sont requis pour compléter le processus de prise et d'application de la décision.

ÉTAPE 6: ÉVALUER LES RÉSULTATS

Il y a une tendance à cette étape à se contenter d'évaluer les solutions. Il est aussi important d'évaluer de quelle façon le groupe a passé à travers les autres étapes, a survécu au processus de prise de décision et comment la participation s'est manifestée. Des recommandations pour le développement du groupe peuvent être pertinentes. Si les membres se sont découragés ou s'ils ne peuvent se rallier, cherchez-en les raisons. Votre groupe doit évaluer son propre travail lors des étapes préliminaires. L'évaluation est une attitude aussi bien qu'une activité. Elle requiert un généreux sens de l'ouverture pour regarder à la fois le contenu des sessions de groupe et les comportements socio-affectifs des gens qui ont interagi, et particulièrement les fonctions de leadership.

Le rôle du leader dans la prise de décision

Comme catalyseur, facilitateur, directeur ou gestionnaire, le leader pourra aider le groupe à franchir les étapes d'une façon qui convienne à ses besoins et habiletés et à ceux du groupe. Au stade de la confrontation, le leader est à la fois responsable de l'accomplissement de la tâche et du maintien des fonctions socio- émotives. Il est rare que les deux types de fonctions soient accomplis par la même personne, même de la part d'un leader très habile. Mais quelqu'un doit prendre en charge ces fonctions et le leader efficace doit se préoccuper de leur accomplissement.

Le leadership socio-émotif

Nous avons décrit les étapes reliées à la tâche dans la prise de décision en groupe. La plupart des discussions sur les six étapes se sont faites en termes reliés à la tâche. Lorsque les fonctions reliées à la tâche sont complétées, qu'arrive-t-il à l'aspect socio-émotif? Ce qui suit, dans le même ordre, ce sont des fonctions de maintien auxquelles on doit porter attention au fur et à mesure du déroulement de la tâche. Elles sont résumées dans le tableau 11.5.

Étape	Contenu socio-émotif
1.	Vérifier la cohésion du groupe.
2.	Encourager un climat de soutien.
3.	Vérifier les ressources.
4.	Vérifier le consensus.
5.	Encourager l'engagement public.
6.	Évaluer les résultats.

Tableau 11.5

ÉTAPE 1: VÉRIFIER LA COHÉSION DU GROUPE

Faites participer à la discussion du problème tous les membres qui le veulent. Pour éviter de blâmer les autres ou de jouer à l'autruche, définissez de quelle manière s'est manifesté le problème. Guidez délicatement le groupe à l'écart des réponses faciles et prématurées, et aidez le groupe à discuter le problème sans trop réglementer la participation. Recherchez les sentiments à propos du problème autant que les faits. (Les membres sont-ils intéressés? Le sujet les affecte-t-il? Y a-t-il des valeurs difficile à discuter? Quel niveau de confiance existe entre les différents membres et ont-ils confiance dans les habiletés du groupe à régler le problème qui vient d'être identifié?)

ÉTAPE 2: ENCOURAGER UN CLIMAT DE SOUTIEN

Amenez les membres à s'exprimer le plus possible. Encouragez un climat de soutien pour générer le plus grand nombre de solutions. Récompensez les suggestions créatrices. Ne supportez pas les réactions négatives aux suggestions. Une ou plusieurs personnes devraient écrire les solutions au tableau au fur et à mesure qu'elles sont émises. Encouragez la spontanéité. Passez rapidement d'une suggestion à une autre.

ÉTAPE 3: VÉRIFIER LES RESSOURCES

Allez à la recherche des ressources: «Qui sait quoi?» «Qui peut faire quoi?» «Est-ce que les solutions répondent aussi bien aux valeurs personnelles qu'aux buts ou à la structure de l'organisation?» Incitez le groupe à envisager les solutions les plus appropriées plutôt que de chercher «la seule bonne» solution au problème. Assurez les membres qu'ils sont à la recherche non pas du Graal mais de la réponse la plus adéquate dans les circonstances. Est-ce que les membres sont ouverts les uns envers les autres? À ce stade, il est très important que chacun puisse émettre son commentaire.

ÉTAPE 4: VÉRIFIER LE CONSENSUS

Visez le consensus. Dirigez l'attention loin du vote. Découragez la formation de clans ou les applaudissements qui visent à intimider. Tirez de l'obscurité tout membre silencieux (à ce stade, le silence ne signifie pas nécessairement le consentement), encouragez l'expression tant des sentiments que des positions intellectuelles. Encouragez la discussion des conséquences psychologiques et sociales de même que de celles d'ordre économique ou physique.

ÉTAPE 5: ENCOURAGER L'ENGAGEMENT PUBLIC

Encouragez le groupe à faire des promesses envers les membres et non pas seulement envers le patron. Les engagements doivent être faits ouvertement et devant tous les autres membres. Soyez précis à propos des dates, des noms et des responsabilités. Vérifiez avec les individus qui ont été nommés s'ils ont bien compris leurs responsabilités. N'assignez pas des responsabilités aux membres absents. Les membres silencieux sont potentiellement contre les idées émises; amenez-les dans l'action et recueillez leur témoignage.

ÉTAPE 6: ÉVALUER LES RÉSULTATS

Comme nous l'avons recommandé plus tôt, encouragez les membres à évaluer la tâche sans s'accuser mutuellement d'avoir de mauvaises intentions. Évaluez les conséquences socio-émotives aussi ouvertement que les normes du groupe le permettent. Insistez pour que le groupe reconnaisse que des activités de tâche et des activités socio-émotives se sont déroulées en même temps: «Nous avons engendré des solutions et nous nous sommes entendus sur la meilleure, mais nous avons aussi, au fil de la discussion, suscité beaucoup de sentiments concernant chacun de nous et la tâche.» Est-ce que le groupe peut parler de la réunion avec l'espoir qu'il fera un meilleur travail la prochaine fois?

RÉSUMÉ

Les attitudes les plus fréquentes sur l'efficacité des groupes ne sont pas toutes favorables. Ce ne sont pas toutes les personnes en position d'autorité qui croient que les groupes et les réunions sont des moyens efficaces de prendre des décisions ou de résoudre des problèmes. Dans une société d'interdépendance, cependant, il est impératif que les gens travaillent en groupe. L'existence de groupes est une nouvelle façon de vivre. De plus, le travail en groupe peut se révéler supérieur à ce qu'il a déjà été pour certaines personnes lorsque ses responsables, c'est-à-dire les leaders et les membres, recherchent de nouvelles manières d'améliorer son fonctionnement. Toute personne peut s'enrichir au contact des nombreux écrits relatifs à la dynamique des groupes aussi bien que des nouvelles techniques ou méthodes d'amélioration et de facilitation des communications dans les groupes. Tous les membres des groupes devraient aussi connaître l'importance du rôle qu'ils ont à accomplir.

CINQUIÈME PARTIE

MANUEL
DE
LABORATOIRE

INTRODUCTION AU MANUEL
DE LABORATOIRE

COMMENTAIRES GÉNÉRAUX

Le manuel de laboratoire, tout comme le texte qui a précédé, procède sans doute de manière différente de ce que vous connaissez déjà. Les autres volumes ont tendance habituellement à être remplis d'informations que l'on vous demande d'acquérir. Le matériel qui suit, en plus des informations qu'il contient, vous mettra en face d'un apprentissage pratique. La méthode dont nous parlons, et qui accompagne ce texte, est fondée sur le principe que *les gens apprennent mieux les choses en les découvrant et en les faisant par eux-mêmes plutôt qu'en les apprenant de manière purement théorique.*

Nous croyons qu'il est essentiel, dans l'étude de la communication, que les étudiants fassent leurs propres expériences de la communication et de leur habileté à communiquer avec les autres. Nous avons besoin de prendre du temps pour vivre et observer comment la communication se manifeste autour de nous. Ainsi, une situation de laboratoire, ou une classe réservée à cette fin, est un lieu propice à l'expérimentation de la communication humaine; c'est aussi un endroit intéressant pour en observer les limites.

Une autre raison nous pousse à croire qu'il est nécessaire d'avoir des expériences pratiques de communication. Il n'existe qu'une seule personne qui puisse changer notre style de communication et améliorer nos habiletés à communiquer: *soi-même.* Personne ne peut changer nos habitudes de communication à notre place. Dans la situation de laboratoire nous pouvons nous permettre d'essayer de nouveaux comportements et nous pouvons raffiner certaines habiletés que nous possédons déjà. Nous sommes les seuls à pouvoir découvrir nos forces et nos faiblesses et les seuls à pouvoir décider de changer.

POURQUOI UN LABORATOIRE DE COMMUNICATION?

L'apprentissage en laboratoire n'est pas nouveau en soi. Tout étudiant de biologie ou de chimie a déjà consacré un certain nombre d'heures à des travaux pratiques. Quoique les laboratoires soient plus récents en sciences humaines et en sciences sociales, on découvre de plus en plus la nécessité de passer par des expériences pratiques pour l'apprentissage des notions que ces sciences véhiculent. Dans un laboratoire de communication, il n'y a évidemment ni tube, ni éprouvette, ni microscope. Les «appareils» utilisés seront plutôt l'expression verbale et le langage non verbal; l'«expérimentation» sera celle que fera chaque participant à travers son «expérience». L'«observation» portera à la fois sur soi et sur les autres, elle sera donc «observation-participation». Le «matériel» se composera des idées, des opinions, des valeurs, des sentiments, que ce soit à certains moments en participant directement soit à d'autres moments en restant un peu à l'écart pour observer. Comme nous l'avons dit, vous essaierez d'apprendre à mieux communiquer avec les autres et vous pourrez voir la conséquence de vos comportements tout en bénéficiant, nous l'espérons, d'un environnement structuré et protégé. Dans ce genre de situation, vous vous impliquerez sans doute personnellement et les autres en feront autant. Vous soulèverez des problèmes d'identité et d'aliénation, de coopération et de compétition, de conflit et d'entraide. Vous discuterez des rôles, des normes, des manipulations, des valeurs, des stratégies que chacun utilise pour atteindre ses buts. Vous découvrirez aussi probablement les masques que chacun porte pour se protéger. Vous pourrez examiner et devenir davantage conscient de vos valeurs et de vos manières de communiquer et ainsi voir comment celles-ci vous servent et vous affectent.

Finalement, nous espérons que vous découvrirez que la communication humaine est en définitive beaucoup plus liée à nos attitudes et à notre état d'esprit qu'à toutes les belles paroles et les beaux discours concernant la communication.

QUESTIONS DE DISCUSSION

Un des aspects intéressants et importants de ce manuel de laboratoire est, à notre avis, qu'il propose un grand nombre de questions et de sujets de discussion à élaborer en groupe ou en classe. Ces discussions attirent l'attention sur les principes et les aspects de la communication présentés dans la partie théorique et soulevés par les exercices. Elles ont donc comme fonction d'aider à faire les liens avec la théorie d'une part et avec vos expériences réelles d'autre part.

Il existe cependant un problème souvent rencontré dans l'apprentissage en laboratoire: même si plusieurs exercices sont faits, que les jeux de rôles sont exécutés, que les résolutions de problèmes sont accomplies, l'objectif le plus important de toutes ces activités est négligé. Le transfert des apprentissages vécus en laboratoire aux comportements et aux attitudes de la vie de tous les jours n'est pas effectué. Il est pourtant fondamental que ces apprentissages faits en laboratoire soient généralisés et intégrés dans la vie réelle. C'est pourquoi les discussions qui suivent les exercices et dont nous parlons présentement ne doivent pas être escamotées; elles sont importantes et devraient être développées, détaillées et approfondies. Ces discussions doivent viser à faire ressortir ce que chaque personne a perçu, senti et compris dans le jeu ou l'exercice. Les discussions sont des moments privilégiés où les participants communiquent ce qu'ils ont découvert et non des moments où le professeur ou l'animateur intervient pour tout expliquer. Ce dernier sait sans doute beaucoup de choses à propos de la communication, mais son rôle consiste avant tout à fournir un cadre pour faire vos propres découvertes; il ne peut vous transférer artificiellement son savoir ni découvrir les choses à votre place. Les apprentissages les plus durables sont ceux que nous faisons par nous-mêmes. En fait, les questions de discussion sont plus que des exercices supplémentaires, elles sont des aides directes à l'apprentissage de la communication. Elles vous aideront à clarifier beaucoup de choses par rapport à votre style personnel de communication ainsi qu'à intégrer pleinement les notions mises en évidence dans les jeux et exercices. Il est donc très important pour un groupe en laboratoire de toujours se donner un temps de discussion après la réalisation des jeux et exercices.

ACTIVITÉS ET EXERCICES EN CLASSE OU EN PETITS GROUPES

Comme nous l'avons dit, ce n'est qu'en interaction et en mouvement avec les autres que nous pouvons vraiment sentir et comprendre tout l'impact de la communication orale. La qualité dynamique de la communication humaine ne peut être saisie en restant assis, en lisant des volumes ou en faisant seul des travaux théoriques sur le sujet. Ce n'est pas dans la solitude mais dans l'interaction que nous pouvons démontrer et apprendre les principes de la communication. C'est ainsi que dans les exercices de laboratoire, l'emphase sera mis sur les échanges d'idées et d'impressions entre les participants, incluant le professeur ou l'animateur. Ces échanges demanderont de vous mettre «en mouvement» c'est-à-dire qu'ils requerront que vous deveniez vraiment actif pour commencer et réaliser le jeu de rôles, la tâche ou le projet proposé.

Les activités proposées sont regroupées en relation avec le contenu des chapitres théoriques. Certains exercices tentent donc d'élaborer et parfois de démontrer certains principes théoriques, par contre, l'arrangement de ces exercices demeure arbitraire, et votre professeur ou votre animateur pourra changer et ajouter, selon les circonstances et les besoins du groupe, la séquence ou le contenu des différents exercices suggérés.

En fait, le fondement des activités de groupe est de vous amener à penser et à échanger sur différents problèmes et à différents niveaux de communication. Votre communication verbale avec les autres est constamment essentielle pour intégrer les notions théoriques, pratiquer et améliorer, si ce n'est modifier, vos habiletés de communication.

Les feuilles de feed-back

Des feuilles de feedback accompagnent chacun des prochains chapitres. Si, comme il est fort probable, vous utilisez ce livre dans le cadre d'un cours organisé avec un groupe d'étudiants, ces feuilles seront un bon moyen de vous aider à interagir et à exprimer vos réactions par rapport au groupe et au cours. Donnés honnêtement, ces feed-backs peuvent refléter le degré de cohésion, de fonctionnement et d'évolution de votre groupe.

La mise en commun et un rapport au groupe devraient se faire fréquemment à partir des feuilles de feed-backs. Pour tirer le maximum des feuilles de feed-back, vous devrez assumer vos commentaires et les partager avec les autres, plutôt que d'agir de façon anonyme comme il est souvent tentant de le faire. En effet, si vous prenez avantage du secret et de l'anonymat pour donner vos feed-backs sur le groupe ou par rapport à des personnes en particulier, le résultat ne sera pas celui escompté. Il s'agit donc ici d'un instrument mis à votre disposition pour approfondir vos relations et faire une réussite de vos rencontres de laboratoire. Ces feuilles, remplies consciencieusement et partagées honnêtement, peuvent aider votre groupe à progresser et peuvent avoir un effet surprenant sur vos relations avec les autres.

Les discussions de cas

Souvent, dans les chapitres théoriques, nous avons donner des exemples, sous forme d'anecdotes et de petites histoires, pour illustrer des principes de communication. Un cas, d'une certaine façon, c'est une anecdote un peu plus longue. De plus, les cas de ce manuel sont conçus comme des problèmes de communication d'autrui mais que l'on vous demande de résoudre en espérant que les solutions que vous trouverez pour ces cas et situations vous aideront à résoudre vos propres cas et situations problématiques.

Vous pouvez discuter de ces cas en petits groupes, ce que nous recommandons assez souvent, mais vous pouvez aussi les discuter en composant un séminaire devant la classe. Vous trouverez les indications sur la manière de monter et diriger un séminaire au prochain paragraphe. Vous trouverez aussi, un peu plus loin, quelques points de repère sur la manière dont les groupes peuvent aborder et discuter d'un cas problème, ainsi que les phases qu'un groupe a tendance à traverser pour résoudre un problème. Ces notes descriptives pourront vous être utiles et également pourront vous servir à structurer vos discussions.

Les séminaires

Un séminaire peut se faire avec un leader, sans leader ou avec une combinaison des deux. Ce qu'il faut éviter dans ces discussions c'est que chaque participant fasse sa petite intervention et retombe ensuite dans le silence. Il faut susciter l'interaction des idées, même la confrontation, et voir à ce que les membres de l'auditoire participent presque autant que les personnes directement impliqués dans le séminaire. Il faut aussi éviter de trop planifier le sujet au préalable, afin que la spontanéité soit présente lors du débat. Le temps de planification est là pour bien choisir le sujet, en fixer les limites et définir un peu le vocabulaire qui sera utilisé pendant les échanges. Une personne pourra présenter à l'auditoire le sujet de discussion et expliquer brièvement les limites et le vocabulaire sur lesquels le groupe de discussion s'est mis d'accord. Le rôle de cette personne, ou ce modérateur pourra être aussi d'ouvrir le débat et d'en faire la synthèse à la fin, tout en assurant les droits de parole à chacun et faisant respecter les limites de temps. L'idée dans ces débats est de stimuler la réflexion et la discussion et non nécessairement d'arriver à des conclusions ou à un consensus. En fait, votre discussion devra peut-être même arrêter à un moment où le climat de groupe est très chaud, où le problème est loin d'être résolu, et où de nouvelles questions sont posées. Les bons sujets de séminaire viendront de vos expériences personnelles et des difficultés de la vie quotidienne: «Comment faire face à un problème de communication à l'école ou au travail?», «Comment devrait-on enseigner la morale aux enfants?» sont des exemples de sujets qui impliquent tout le monde.

La famille, la vie étudiante, les droits civils, les valeurs religieuses, les problèmes scolaires sont des réalités où chacun se sent habituellement concerné.

Notes sur les discussions de cas

1. Nous pouvons amorcer les discussions de cas avec les points suivants:

a) Les détails du cas et leurs relations;

b) Les inférences des participants quant à l'origine du problème et à la motivation des gens impliqués dans le problème;

c) Des illustrations et des exemples tirés de l'expérience personnelle des gens qui discutent du problème;

d) L'expression des sentiments face à ce qui compose le problème lui-même.

2. Ce qui peut être analysé dans un cas:

a) Le contenu des messages:
Ce qui est dit et a déjà été dit. Est-ce que chaque personne impliquée possède entièrement ou partiellement cette information?

b) Le genre de messages qui a été envoyé:
Est-ce qu'il y a des messages écrits et verbaux? Les messages sont-ils clairs ou ambigus? Comment cela est-il relié au développement de la situation et du problème?

c) Le lieu et le contexte de la situation:
Dans quel contexte le problème s'est-il développé: au travail, dans la famille, en face à face? Quel genre de communication a prévalu et prévaut entre les gens im pliqués: stressée, détendue, formelle, informelle?

d) Les émetteurs et récepteurs:
Quel est le statut des gens impliqués? Comment cela affecte-t-il la communication? Quels sont les sentiments, les opinions ou les attitudes des gens? Leur communication?

e) Les pressions extérieures:
La situation se développe-t-elle dans un environnement particulier où certaines règles et normes dictent les comportements des gens? La communication entre les partenaires dans la situation problème se fait-elle directement ou à l'aide d'un intermédiaire?

Comment un groupe résout un cas problème

Pour arriver à une solution satisfaisante d'un cas problème, un groupe aura tendance à passer par certaines étapes dans ses discussions.

ÉTAPE 1: L'étape de la condamnation et de l'évaluation agressive

Les participants prennent parti: ils ont tendance à imputer la responsabilité du problème à une personne ou à une autre (habituellement, cela se fait en relation avec les propres biais des personnes qui évaluent les personnages impliqués dans le cas problème). La tendance à cette étape est de simplifier à outrance la situation en blâmant.

ÉTAPE 2: L'étape de la frustration et du rejet

Les participants se plaignent qu'ils n'ont pas assez d'informations pour comprendre et résoudre le problème. Ils hésitent. Il est pourtant assez évident que dans la vie, nous devons très souvent décider et agir à partir d'informations partielles et incomplètes. Le groupe devra alors effectuer cette prise de conscience.

ÉTAPE 3: L'étape des perceptions élargies

Les participants commencent à poser des questions et essaient de comprendre davantage la situation et les personnes impliquées. On fait une analyse plus poussée de l'histoire et des antécédents du problème, des pressions et des différents facteurs qui influencent et entrent en jeu dans la situation.

ÉTAPE 4: L'étape des suggestions et des solutions de rechange

Les participants considèrent différentes possibilités de résolution du problème. Des suggestions ou solutions sont amenées tout en envisageant les conséquences et les répercussions possibles.

Les jeux de rôles

Dans cette section de laboratoire, plusieurs des cas présentés peuvent être montés en sketches ou petites pièces de théâtre. En effet, souvent, croyons-nous, une idée ou un incident peut être mieux perçu si on le met en scène et si on le joue plutôt que de se contenter d'en parler. Dans tout groupe, il y a toujours des personnes qui aiment faire des sketches ou jouer de petits rôles; ces gens se prêteront volontiers aux activités de jeux de rôles que nous vous proposons. Vous n'aurez pas besoin de grande mise en scène ou de répétition, les jeux de rôles que nous vous suggérons requièrent plutôt que vous vous exprimiez spontanément dans la situation présentée. Certes, au début, il est nécessaire de choisir des rôles, d'identifier qui les jouera et de clarifier un peu la situation ou le cas que le groupe veut voir jouer. Mais, après cela, les acteurs jouent selon ce qu'ils sont, ce qu'ils pensent et ce qu'ils ressentent spontanément dans la situation. Il n'y a pas de texte écrit d'avance. En fait, dans les exercices de jeux de rôles, il y a quelques décisions techniques à prendre au départ et quelques directives à donner mais, ensuite, les acteurs «inventent» le contenu.

La technique du jeu de rôles est fort stimulante et peut mener votre groupe assez loin. En voici quelques éléments fondamentaux.

Le réchauffement (temps de planification) est la période que l'on prend au départ pour définir la situation problème qui sera jouée et pour assigner les rôles. C'est en quelque sorte le moment que l'on prend pour motiver l'équipe, se «mettre dans le bain». La performance qui suivra sera d'autant plus intéressante, facile et spontanée, que chaque acteur comprendra bien le rôle et le caractère du personnage qu'il interprétera. On aura habituellement un directeur pour coordonner les rôles et la mise en scène. On pourra aussi décider d'élaborer le problème en plus d'un acte et alors jouer aussi une solution. Enfin, il est possible de faire appel à des techniques supplémentaires telles que:

— l'*alter ego* – une personne se tient derrière un des acteurs et, à certains moments, en plaçant sa main sur l'épaule de ce dernier, intervient à sa place en exprimant certaines pensées ou certains sentiments non encore communiqués dans l'échange;

— le *soliloque* – un acteur se retire un peu du jeu et communique certaines de ses pensées ou certains de ses sentiments cachés. Il peut alors pour ce faire changer un peu sa voix et donner d'autres indices qu'il communique des pensées et des sentiments cachés;

— les *extensions* – comme avec les *alter egos*, plusieurs acteurs se tiennent derrière l'acteur principal et représentent différents moments de sa vie ou différents points de vue: une femme telle qu'elle est maintenant et telle qu'elle était un an auparavant; un homme tel qu'il est comme père, comme patron ou employé, comme membre d'un club, etc.

Votre professeur ou votre animateur principal connaît sans doute les techniques du jeu de rôles et vous pouvez faire appel à lui pour mieux vous aider à structurer la situation.

Les observations de l'interaction

Une des choses intéressantes et profitables pour un groupe est d'assigner une ou des personnes qui observeront les discussions et l'interaction des membres entre eux. Plusieurs techniques, grilles d'observation ou mesures d'interaction sont disponibles pour ce genre de travail et quelques-unes sont décrites au chapitre 11 de cette section.

Vous pouvez dès le début de votre cours ou session prendre connaissance de ces grilles et thèmes d'observation. Voici quelques indications pertinentes au sujet du rôle d'observateur. Nous tenons tout d'abord à souligner que le rôle d'une personne qui observe n'est pas d'évaluer ou de critiquer mais d'aider et d'améliorer le fonctionnement du groupe. Effectivement, l'avantage d'avoir une personne qui observe, c'est qu'elle n'est pas directement impliquée dans la discussion. Par ce léger recul, l'observateur peut prendre du temps pour mieux enregistrer et mieux voir les comportements et la communication dans le groupe. Le rôle de cette personne est donc de fournir de l'information qui, de prime abord, n'est pas disponible aux membres de ce groupe. Cette personne peut concentrer ses observations sur plusieurs aspects: l'effort du groupe, la pertinence des discussions, le développement du problème, les solutions offertes, la clarté des points de vue exprimés, les axes et le réseau de communication, les comportements des membres (langage utilisé, performance, flexibilité, écoute, ton de voix, signes non verbaux, attitudes et émotions face à la tâche). Cette personne peut aussi se concentrer sur le «niveau émotif» de la communication entre les membres et décrire le climat et le niveau d'énergie qu'elle a pu observer à différents moments. En fin de compte, la personne observatrice cherchera à communiquer aux autres ses observations de façon pertinente et aidante, en décrivant et rapportant de façon dynamique les faits les uns après les autres.

L'observation en cercles

Une autre façon d'observer dans groupe est d'avoir un autre groupe autour de celui qui réalise une activité. On s'installe en quelque sorte en cercle autour du groupe de travail déjà formé en cercle.

Certaines discussions de groupe se prêtent bien à ce genre d'arrangement, et la quantité d'observations ainsi possibles peut donner lieu, après le travail, à une séance de feed-backs fort intéressante. On peut organiser ces cercles de façon que chaque personne du groupe de travail soit observée par une personne du cercle extérieur; on a alors des arrangements en paires. Les feed-backs peuvent donc après coup se donner de façon personnalisée. Grâce à cet arrangement, on peut, après la discussion ou le jeu de rôles, inverser les rôles; les observateurs deviennent alors les membres du groupe de travail.

L'autre type d'observation en cercles est que le groupe extérieur observe «en vrac» tout ce qui se passe dans le groupe de travail. Le danger est alors de n'enregistrer que l'action principale et de négliger ainsi d'importantes observations qui pourraient être plus précises et plus individuelles.

Le système des cercles, spécialement lorsque les rôles sont inversés après une discussion ou un jeu de rôles, fournit selon nous une compréhension qui favorise un bon climat de groupe. Il a le désavantage d'accentuer un peu trop le climat d'observation et peut-être de diminuer la spontanéité des personnes. Cependant, les personnes du groupe de travail, après quelques minutes, oublient habituellement qu'elles sont observées et sont concentrées sur leur propre interaction de groupe.

L'observation vidéo

L'enregistrement vidéo d'une interaction de groupe est un moyen technique qui ne peut, bien sûr, toujours être utilisé. Mais, employé au moment opportun, il fournit des observations et des feed-backs très stimulants pour les membres d'un groupe. Si au cours de votre session vous pouvez disposer d'un tel matériel et d'une personne pour l'actionner, l'écoute de cet enregistrement vous fournira, sans nul doute, des feed-backs, impossibles à obtenir autrement, sur vous-même et sur le groupe. Ce moyen crée un petit effet-choc facile à surmonter, qui ne peut que vous rendre mieux conscient de votre style de communication.

Dans les institutions d'enseignement, ces appareils vidéo sont habituellement disponibles; n'hésitez donc pas à organiser une telle séance d'observation pour votre groupe.

SUGGESTIONS DE TÂCHES ET PROJETS

En plus de vos activités courantes de groupe, il existe une foule d'autres occasions où vous pouvez explorer la communication interpersonnelle. Votre animateur et vous-même pourrez donc choisir en temps et lieu certaines tâches ou certains projets supplémentaires.

Le journal personnel, le journal de bord, l'album

Il est possible que votre professeur ou animateur vous suggère de tenir un journal de ce que vous vivez sur le plan de votre communication interpersonnelle. Ce journal pourra contenir vos observations et vos impressions sur votre vécu et vos relations avec les autres. Même si nous n'avons pas refait explicitement cette suggestion à tous les chapitres, il peut être intéressant de le faire de façon continue.

Vous pouvez modifier le style du journal et l'adapter à vos goûts; comme vous pouvez l'utiliser tel quel. Par exemple, vous pouvez enregistrer des événements vécus dans votre groupe pour vous en rappeler ou les analyser. Vous pouvez aussi monter un genre d'album, c'est-à-dire un cahier où vous faites des collages de photos, de citations, d'articles de journaux et de magazines, etc. et où vous y ajoutez des commentaires.

Par ces suggestions, nous voulons tout simplement vous inciter à amasser et conserver un matériel qui concerne votre vie psychologique et relationnelle et qui peut contribuer à mieux vous connaître.

Le cas problème de communication

Une autre sorte de tâche que vous pourrez accomplir est l'élaboration d'un cas à partir de votre expérience ou de l'expérience des autres. Le but de ce type de tâche est de vous permettre de décrire et d'analyser un problème ou un incident de communication. Le cas devrait présenter un problème relativement complexe qui n'est pas encore entièrement résolu. Si le problème est trop simple et sans complication, il ne présentera qu'un exemple intéressant à lire, mais qui ne fait pas appel à l'analyse créative. Pour cette raison, le cas devrait présenter les évaluations et les erreurs d'analyse ou de perception qui sont apparues, tout en illustrant les principes et les concepts présentés dans le cours.

La démarche devrait contenir les trois parties suivantes:

1. *La description du problème*. Cette partie devrait être suffisamment détaillée pour permettre un jeu de rôles. Le cas n'a pas à être d'une importance capitale pour l'avenir du monde, mais il peut représenter certaines tragédies issues de nos difficultés et erreurs de communication. Il est facile de puiser dans nos relations avec les autres telles que nous pouvons les observer pendant une certaine période. Le cas problème est un rapport objectif des choses. Travaillez avec quelque chose que vous connaissez de près, c'est-à-dire le genre de complications interpersonnelles que nous vivons tous les jours. Traitez ce cas à la troisième personne même si vous l'avez vécu personnellement. Essayez de minimiser les jugements ou les biais personnels ainsi que les inférences. Cette première partie n'est que la description des événements: ce qui est arrivé à qui, quand, comment. Cela peut prendre l'allure d'une narration, d'un dialogue ou de toute autre forme.

2. *L'analyse*. Dans cette partie vous analyserez les difficultés de communication selon les comportements étudiés dans le cours et dans ce volume. Vous pouvez faire des recommandations sur la manière dont ces comportements auraient pu être évités ou améliorés si certains principes présentés dans le volume avaient été appliqués. À ce stade, vous pouvez parler de vos sentiments personnels et proposer des solutions par rapport au cas.

3. *Vos réactions*. Faites part des réactions que vous avez eues face à la réalisation de cette tâche depuis le début (le moment où vous avez pris conscience des directives et que vous avez décidé du cas que vous alliez présenter) jusqu'à la remise finale de votre texte. On vous demande ici vos réactions face à la tâche, et non vos réactions face au cas ou aux personnes impliquées dans le cas.

La feuille d'appréciation personnelle

À la fin de chaque série d'exercices et de suggestions de tâches, vous retrouverez une feuille d'appréciation personnelle (FAP) qui vous pose des questions sur vos propres comportements et ceux des autres autour de vous. Cette feuille est conçue pour vous aider à réfléchir non seulement sur ce qui se passe dans votre groupe, mais aussi sur votre communication dans la vie de tous les jours. On a constaté, chez les personnes qui les ont effectués, que ces exercices pouvaient être utiles pour observer et intégrer leurs aptitudes de communication. Comme nous l'avons déjà dit, nous sommes les seuls à pouvoir modifier notre style et nos habitudes de communication. Nous devons donc prendre certains moyens pour vérifier et contrôler les changements que nous tentons d'effectuer et les résultats que nous atteignons.

Autres tâches

Chaque section suggère différentes tâches: écrire, faire des listes, étudier des situations ou des événements extérieurs, etc. Certaines de ces tâches vous seront possiblement demandées par votre professeur ou votre animateur pour vous aider à établir un contact avec le monde extérieur et en faire l'intégration par rapport à ce que vous apprenez dans le livre.

Vous remarquerez que ces tâches sont centrées sur l'intégration des théories et du texte contenu dans ce volume. Ces tâches essaieront de vous amener à penser à la communication en ce qu'elle est un processus dynamique affectant tout ce que vous faites et tout ce que vous êtes.

FEUILLE DE FEED-BACK

EXERCICES

SUGGESTIONS DE TÂCHES

FEUILLE D'APPRÉCIATION PERSONNELLE

© McGraw-Hill, Éditeurs

FEUILLE DE FEED-BACK (Chapitre 1)

1. Évaluez la productivité de la session de cette semaine pour vous.

   1   2   3   4   5   6   7   8   9   10

   Non productive   Très productive

2. Évaluez comment à votre avis les autres perçoivent la session de cette semaine.

   1   2   3   4   5   6   7   8   9   10

   Non productive   Très productive

   Commentaires:

3. Commentez votre contribution dans le groupe. Avez-vous trop parlé, pas assez?

4. Commentez les activités de votre groupe pendant la session de cette semaine. Qu'avez-vous aimé et moins aimé? Qu'est-ce qui a été utile pour vous et pourquoi?

5. Avez-vous d'autres commentaires, critiques, questions, suggestions?

EXERCICE 1-1

QU'EST-CE QUE LA COMMUNICATION? (Discussion)

Faites la liste de toutes les choses qui selon vous sont des façons de communiquer. Faites ceci d'abord individuellement, ensuite en petits groupes de six ou sept où vous comparerez vos listes. Finalement, composez, toujours en petits groupes, une liste que vous allez présenter aux autres sous-groupes de la classe. (Votre liste inclura sans doute des points comme «la parole», «les gestes», «le toucher», «les vêtements».)

Discussion

A. Lorsque les listes sont comparées, les sous-groupes ou la classe entière peuvent discuter des éléments communs qui font des différents points de chacune des listes des façons de communiquer.

B. Classifiez les points en les écrivant sur un tableau pour que chacun puisse bien les voir et essayez de distinguer les points liés 1) au contenu et 2) au processus de la communication. Y a-t-il des points qui peuvent être placés dans les deux catégories?

C. Discutez l'axiome: «On ne peut pas ne pas communiquer» en relation avec la liste de points que vous considérez être de la communication.

EXERCICE 1-2

FORCES ET FAIBLESSES DE MA COMMUNICATION (Discussion)

Dressez une liste d'au moins cinq comportements, habitudes ou tendances qui sont vos points forts ou forces de communication. Ensuite, écrivez quelques-unes de vos faiblesses de communication.

En petits groupes de quatre ou cinq, partagez vos listes de points forts. Une manière efficace et intéressante de faire cela est que chaque membre du sous-groupe communique à tour de rôle aux autres membres de son groupe une des forces qu'il a écrite sur sa liste. Ensuite les membres dressent une liste représentant le groupe. (Les répétitions devraient être notées, car dans les sous-groupes chacun devrait reconnaître les forces partagées par plusieurs membres.)

Refaites la même démarche à propos de vos faiblesses de communication.

Discussion

A. Quelles similitudes retrouvez-vous entre les différentes listes de sous-groupes?

B. Les gens peuvent-ils identifier les habitudes et les comportements qui leur sont utiles ou nuisibles?

C. Les points, tels qu'établis, ont-ils surpris certaines personnes dans les sous-groupes? Quelqu'un a-t-il eu de la difficulté à déterminer ses forces et à en parler aux autres de son sous-groupe? Y a-t-il des désaccords sur ce que certains avaient indiqué comme des faiblesses?

D. Quelles sont les forces qui ont été mentionnées individuellement qui relèvent seulement de la personne elle-même? Quelles sont les forces qui dépendent également de la relation avec les autres?

E. Quelles sont les faiblesses mentionnées qu'il est possible selon vous de neutraliser ou de modifier de manière à les transformer en forces?

EXERCICE 1-3
QUI SAIT QUOI? (Projet de groupe)

Formez de petits groupes de quatre à sept personnes. Le but de cet exercice est de découvrir qui dans le groupe sait certaines choses et qui est capable de faire certaines choses. Autrement dit, il s'agit d'essayer de trouver les talents, les aptitudes et les intérêts des membres du groupe. Pour chacune des situations suivantes, demandez aux autres d'amener de l'information sur leur propre aptitude à réaliser les activités suggérées ainsi que comment ils se sentent par rapport à la possibilité de participer à ces activités.

1. Un groupe qui organise une fête;
2. Un groupe qui résout un problème de logique difficile;
3. Un groupe qui veut faire une création collective de théâtre;
4. Un groupe qui se sert de matériel à dessin pour faire un exercice de relations interpersonnelles;
5. Un groupe qui organise la venue de conférenciers et qui doit rencontrer beaucoup d'autres gens et groupes pour faire cela.

Discussion

A. Les besoins de communication dans un groupe sont nombreux et différents selon les situations. Lesquelles semblent nécessiter des capacités cognitives et lesquelles semblent nécessiter davantage d'habiletés relationnelles?

B. Quel rang (de 1 à 5) donneriez-vous à ces activités si vous aviez à les classer? Choisissez celle que vous aimeriez le mieux; le moins; la deuxième en préférence; l'avant-dernière et, finalement, celle du milieu. Combien de personnes ont choisi chacune des activités comme leur premier choix? Comme leur dernier choix?

EXERCICE 1-4
QUESTIONNAIRE POUR SE CONNAÎTRE* (Discussion)

Quelqu'un lit à voix haute les énoncés incomplets qui suivent. Vous avez une minute pour compléter chacun des énoncés. Écrivez spontanément.

---

* Adapté de Elwood Murray et coll., *Speech: Science-Art*, Indianapolis, The Bobbs-Merrill Company, 1969. Avec permission des auteurs et de l'éditeur.

1. Je suis une personne _____

2. Je suis bien dans ma peau quand _____

3. Dans dix ans je voudrais _____

4. Ce collège est _____

5. Samedi soir prochain je voudrais _____

6. Mes trois personnages, vedettes ou héros préférés sont

   a) _____

   b) _____

   c) _____

Discussion

A. En petits groupes, discutez de vos réponses et surtout de votre manière de compléter les énoncés, c'est-à-dire de vos impulsions premières et de la raison de ces réponses.

B. Après une quinzaine de minutes en petits groupes, tout le groupe peut discuter du genre d'information qui a été échangée par les réponses données aux énoncés. Avez-vous davantage appris sur les activités ou sur les gens eux-mêmes? Cela suggère-t-il que nous parlons toujours de nous-même, même lorsque nous parlons d'autre chose?

EXERCICE 1-5
DONNER DES DIRECTIVES (Projet de groupe)

1. Formez de petits groupes de cinq à six personnes. À l'intérieur de chaque groupe ainsi formé, assignez une personne pour «prendre des directives»; celle-ci, au point de départ, ne participe pas au travail du groupe et doit même se retirer.

2. Vous devez élaborer une série de directives qui permettront la réalisation d'une tâche assez banale; nous vous suggérons d'enseigner à la personne qui vient de se retirer *comment mettre son manteau* (ou son gilet). Pour ce faire, vous prenez d'abord dix minutes pour élaborer une série de directives que vous communiquerez oralement à la personne qui prendra les ordres. Vous devez faire comme si cette personne n'a jamais vu de manteau (ou de gilet) de sa vie, ne sait à quoi cela peut servir et, de surcroît, ne comprend aucun mot que vous utilisez pour nommer le vêtement. Cette personne sera complètement dépendante de ce que vous lui direz et elle ne fera rien de plus ou de moins que ce que vous lui direz.

3. Lorsque comme groupe vous avez l'impression de savoir exactement quoi dire pour que la personne puisse réussir la tâche avec succès, vous rappelez cette personne dans le groupe et vous lui donnez les directives en question. La personne qui prend les ordres et directives se tient debout à côté d'une chaise et un manteau est accroché au dossier de cette chaise. Commencez à lui dire quoi faire... en tenant compte des directives précédentes.

4. Variations à l'exercice:

   a) Utilisez un jeu de blocs Lego et donnez les directives pour assembler un modèle relativement complexe que vous avez déjà choisi ou esquissé et pour lequel vous avez planifié et déterminé les directives qu'il vous faut donner à la personne pour qu'elle réussisse cet assemblage. (Il ne faut pas montrer de dessin ou de photo à la personne dirigée mais s'en tenir à des directives orales.)

   b) Donnez un crayon et du papier à la personne sous vos ordres et amenez-la à dessiner un objet ou une figure quelconque (quelque chose qui ne soit ni trop simple ni trop complexe). N'utilisez que des directives verbales; les membres du groupe donnent à tour de rôle une de ces directives sans la répéter.

   c) Dites (commandez) à la personne volontaire comment s'asseoir sur une chaise. Encore une fois, cette personne s'en tient uniquement aux directives qu'on lui donne, comme si elle ne connaissait pas les mots utilisés ou l'action à faire.

Discussion

A. Lorsque vous donnez des ordres ou des directives à quelqu'un, quelles connaissances cette personne possède-t-elle selon vous? Dans votre langage, qu'est-ce qui peut être souvent mal interprété, d'après vous? Comment faites-vous pour comprendre clairement ce qui se passe dans un processus de communication?

B. Si une personne veut délibérément faire des erreurs ou ne pas comprendre, est-ce que le langage habituel ou les attitudes sociales habituelles lui permettent de «mal communiquer»?

C. Savez-vous quels sont les comportements et l'information que vous avez acquis par l'imitation de directives verbales tout aussi bien que non verbales?

D. Lorsque les choses ne vont pas bien dans l'émission ou la réception de directives, quelle est la réaction prévisible des gens impliqués? Comment cela affecte-t-il la communication?

EXERCICE 1-6

PARLER OU NE PAS PARLER (Discussion)

Identifier trois situations où vous voulez parler (communiquer) avec les autres (par exemple, demander l'aide d'un vendeur pour trouver la bonne grandeur de vêtement).

1. _____

2. _____

3. _____

Identifier trois situations où vous ne voulez pas parler (communiquer) avec les autres (par exemple, être questionné en classe et ne pas savoir la réponse)

1. _____

2. _____

3. _____

Lorsque vous avez identifié les six situations, soyez prêt à discuter de vos actions dans chaque circonstance. (Par exemple, lorsque vous avez besoin d'aide pour trouver un vêtement à votre taille, vous essaierez d'abord de trouver le vendeur ou la vendeuse afin de ne pas demander à un autre client; ensuite vous essairez d'avoir l'attention de ce vendeur ou cette vendeuse; puis vous lui direz ce que vous voulez; enfin vous lui donnerez la chance de vous répondre ou de vous diriger vers les bons rayons du magasin.)

Avez-vous certaines habitudes dans des situations comme celles-là? Faites-vous toujours usage des mêmes mouvements et du même langage? Est-ce que vos stratégies varient en fonction des différentes situations? Pouvez-vous prédire comment vous allez agir?

SUGGESTION DE TÂCHE 1-1
MOTS À VIVRE

Dans la tradition orale, le folklore et la sagesse populaire, de même que dans certains livres de citations ou de dictons, on retrouve plusieurs maximes, dictons ou épigrammes au sujet de la communication. «Le silence est d'or» ou «Les enfants devraient se taire» sont des exemples de ces maximes. Par contre, plusieurs de ces dictons ont aussi leur contraire. Ainsi, on retrouve des choses comme: «Il faut parler pour se faire comprendre» ou «Laissez parler les enfants, la vérité sort de leur bouche» qui suggèrent évidemment l'opposé des deux premières.

1. À partir des sources et des références dont vous disposez (livres, fichier personnel, interviews avec d'autres, etc.), dressez une liste de maximes ou dictons populaires à propos de la communication.

2. Essayez de voir si vous pouvez trouver des *opposés* à ces dictons populaires ou paroles sages et comparez-les à votre première liste.

3. Collectionnez de telles maximes touchant la communication - spécialement celles qui ont un opposé. Jouez intérieurement avec ces maximes et dictons et voyez comment ils peuvent vous affecter et influencer votre communication.

4. Expliquez pourquoi selon vous certaines maximes ont des opposés.

SUGGESTION DE TÂCHE 1-2
À L'AFFÛT

Écoutez certaines conversations entre des gens (les membres de votre famille pendant le souper, des étrangers dans un autobus, etc). Sans identifier les gens que vous avez écoutés, faites un bref résumé d'une de ces conversations dans laquelle vous n'étiez pas impliqué et tentez d'analyser celle-ci en fonction du principe de la poule et de l'oeuf. Comment en êtes-vous venu à vous intéresser à la séquence des échanges entre les gens que vous avez «épiés» et «observés»? Qu'avez-vous entendu et que croyez-vous avoir perdu dans les échanges de cette conversation? Laissez-vous aller à spéculer sur les autres éléments d'information qui ont été échangés et comment ceux-ci ont pu affecter la communication.

À un autre niveau d'analyse de cette conversation, essayer aussi d'analyser le schéma de cette communication en fonction d'une relation d'égal à égal ou d'une communication où les partenaires ne communiquaient pas d'égal à égal.

SUGGESTION DE TÂCHE 1-3
JOURNAL PERSONNEL, JOURNAL DE BORD, ALBUM

Cette suggestion peut être un projet très intéressant pendant tout le temps que durera votre cours de relations humaines ou de communication interpersonnelle. En fait, cette suggestion, soit la rédaction d'un journal de bord ou de notes personnelles, est, croyons-nous, une bonne façon d'intégrer ce qui se passe dans un groupe. Il s'avère souvent très profitable et utile de mettre sur papier nos pensées, nos émotions, nos réactions, nos fantaisies, nos associations, qui accompagnent notre travail, notre présence dans un groupe et nos interactions.

1. Le *journal personnel* peut être la collection de différentes observations et impressions personnelles à propos de nous-même. Il peut contenir des observations et impressions à partir de nos contacts (ou de l'absence de contact) avec les autres. Il est composé de notes ou de brèves réflexions qui décrivent le genre de réaction ou de réponse (intérieure et extérieure) que nous avons face à notre environnement.

2. Le *journal de bord* est un peu différent du journal personnel. Effectivement, il vise à consigner par écrit de façon plus précise les rencontres et les échanges faits pendant un laps de temps précis et les impressions que ces communications nous ont laissées. Il est plus factuel que le journal personnel mais, néanmoins, il peut inclure nos réactions et nos analyses de façon assez approfondie.

3. L'*album* , pour sa part, est habituellement une collection de nos impressions face aux autres et de leurs habitudes de comportement envers nous. Des bandes dessinées, des coupures de journaux, des photos de magazines divers, et autres peuvent être utilisées pour retenir les pensées et actions de diverses autres personnes avec lesquelles nous nous sentons des affinités ou auxquelles nous voulons nous identifier.

Enfin, vous pouvez peut-être faire un mélange des trois formules que nous venons de suggérer.

SUGGESTION DE TÂCHE 1-4
ÉVALUATION DE MES HABILETÉS À COMMUNIQUER

Vos propres expériences de communication vous ont sans nul doute déjà fourni une grande quantité d'informations sur vos habiletés personnelles à communiquer. Votre perception de vous-même à cet égard influence fortement ce que vous faites et comment vous le faites. Dans cette tâche, nous vous suggérons de répondre aux trois questions suivantes:

1. Jusqu'à quel point suis-je efficace à communiquer dans une situation où je suis face à un grand nombre de personnes?
2. Jusqu'à quel point suis-je efficace à communiquer dans les petits groupes (comités, équipes de travail, etc.)?
3. Jusqu'à quel point suis-je efficace à communiquer dans une situation de face-à-face, seul avec une autre personne?

DIAGRAMME 1-1
Étendue et niveaux de la communication

Étendue	Niveau intellectuel	Niveau des habiletés	Niveau émotif
Intrapersonnel	Lire, écouter, observer	Surmonter les accents	Développement de l'image de soi
	Assimiler des données sensorielles	Mémoriser	Acquisition de valeurs
	Reconnaissance des mots	Pratique de prononciation	Expression de besoins
	Acquisition de langues	Organiser des données et s des argument	Écoute et observation artistique
	Cueillette de données	Résoudre des casse-tête	Concepts de soi et des autres
	«Entreposage» de données dans le cerveau	Développement de l'ouïe et de la vue	Anticipation des plaisirs
	Planification, anticipation	Définitions de problèmes	Inquiétude
Interpersonnel	Donner des instructions	Habiletés pour converser	Partager des sentiments
	Rapporter des observations	Habiletés pour écouter	Persuader à propos de valeurs
	Prendre des directives	Faire une entrevue	Discuter à propos d'expressions artistiques
	Communiquer des données	Diriger un groupe ou une organisation	Faire de la musique
	Persuader logiquement	Vendre des produits	Vendre à haute pression
	Débattre, argumenter	Mouvements et gestes	Faire part d'inférences
	Écouter des données	Adapter le comportement à un feed-back	
Communication publique personnelle (Communication de masse étendue socio-culturelle)	Rapports publics	Discours politique	Actions de groupes sociaux
	Procédures judiciaires	Discours public	Situations de panique
	Pratiques parlementaires	Organisation de données de communication	Mouvements de masse ou de foule
	Rapports d'informations et de nouvelles	Débat, forum, discussion technique	Performances en musique, théâtre, cinéma
	Élaboration de lois	Rapports, synthèses, etc.	Expositions d'art
	Productions documentaires		Interprétation orale
	Écriture non fictive		

Le tableau a pour en-tête principal « NIVEAUX » au-dessus des trois colonnes Niveau intellectuel, Niveau des habiletés et Niveau émotif.

Ce diagramme établit une liste de comportements à différents niveaux de communication en les reliant à l'étendue de leur influence. Nous pourrions ajouter beaucoup d'autres exemples à cette liste. Pour des besoins d'étude, la communication humaine peut s'identifier par son niveau ou par son étendue, mais le lecteur doit rester conscient que certaines de ces activités de communication, dans leur application dans la vie courante, peuvent naturellement impliquer plusieurs niveaux et couvrir plusieurs étendues. Nous devons nous rappeler que la communication est un processus et réaliser que ce diagramme n'est là que pour arrêter momentanément ce processus afin de pouvoir le regarder et l'analyser. Ces actes de communication, dans la réalité, ne se présentent pas dans des systèmes aussi bien définis excepté dans les volumes et les diagrammes comme celui-ci.

Note: Il est essentiel que vous répondiez à ces questions à partir de votre propre point de vue et non à partir de la façon dont vous croyez que les autres vous perçoivent. Vous n'avez pas besoin de demander à qui que ce soit une évaluation ou une perception de votre efficacité. Toutefois il pourrait être intéressant que d'autres lisent vos réponses à ces questions.

CHAPITRE 1
FEUILLE D'APPRÉCIATION PERSONNELLE

1. Racontez brièvement une de vos expériences de communication et quel en avait été le résultat.

2. Indiquez une relation que vous avez vécue avec quelqu'un qui est:
   a) égale et décrivez comment elle l'est;

   b) inégale et décrivez comment elle l'est

3. Connaissez-vous des situations où vous devez choisir un certain point pour commencer à communiquer (la question de la poule et de l'oeuf)? Donnez un exemple d'une de ces situations. À partir d'où commencez-vous à raconter cet événement et jusqu'où remontez-vous dans l'histoire de cet événement? Dans une de vos relations avec quelqu'un, pouvez-vous identifier le dernier comportement ou la dernière interaction qui vous a marqué?

Votre nom _____

FEUILLE DE FEED-BACK

EXERCICES

SUGGESTIONS DE TÂCHES

FEUILLE D'APPRÉCIATION PERSONNELLE

© McGraw-Hill, Éditeurs

FEUILLE DE FEED-BACK (Chapitre 2)

1. Évaluez la productivité de la session de cette semaine pour vous.

   1   2   3   4   5   6   7   8   9   10

   Non productive   Très productive

2. Évaluez comment à votre avis les autres perçoivent la session de cette semaine.

   1   2   3   4   5   6   7   8   9   10

   Non productive   Très productive

   Commentaires:

3. À ce moment -ci, jusqu'à quel point vous sentez-vous à l'aise dans votre groupe? Pourquoi?

4. Si vous ne vous sentez pas à l'aise et en confiance dans le groupe, pouvez-vous identifier pourquoi?

5. Vous êtes-vous senti à part des autres dans les activités de cette semaine? Si oui, avez-vous l'impression que d'autres l'ont remarqué?

EXERCICE 2-1

UN CAS D'ACCIDENT (Discussion)

Jean Hébert attend l'autobus pour se rendre à son travail. Pendant qu'il attend, il est témoin d'un accident impliquant une automobile bleue conduite par un jeune homme de 19 ans et une automobile blanche conduite par une jeune femme de 26 ans accompagnée de deux enfants. Jean, un peu plus tard, arrive à son travail et décrit l'accident à son collègue, Harold.

«J'attendais à l'arrêt d'autobus lorsque, à l'angle de la rue, j'ai vu une auto bleue arriver assez rapidement. L'auto m'a semblé rouler assez vite. Le conducteur était un jeune gars d'environ 19 ans qui fréquente probablement l'université et il était probablement en chemin pour s'y rendre. De toute façon, il ne devait pas tellement porter attention à sa conduite et à la route parce que, à un passage où il devait arrêter, il est entré en collision avec une autre voiture. Il a frappé le derrière de l'autre voiture, et le coffre de celle-ci a été passablement renfoncé. Le gars, lui, n'a eu aucune blessure, mais la femme, elle, a été ébranlée, et un des enfants est allé donner contre le pare-brise et s'est cassé une dent. Ça n'a pas été un accident grave, mais cela démontre quand même jusqu'à quel point il faut être attentif et prudent au volant d'une voiture.»

Harold, en revenant chez lui le soir, raconte, à son tour, cet accident à sa femme.

«Jean a vu un gros accident ce matin. Il attendait l'autobus, et un jeune étudiant fou est arrivé à toute vitesse dans la rue. Jean a dit qu'il allait à 90 km/h au moins. Il devait être en retard à ses cours et complètement distrait. Il écoutait sans doute la radio ou de la musique sur un lecteur de cassettes. Une femme était arrêtée à l'intersection, et il lui a carrément enfoncé le coffre de son automobile sans même avoir le temps d'appliquer les freins. La femme est sortie de son automobile complètement hystérique. Un de ses enfants saignait beaucoup et avait des dents cassées. On devrait enlever le permis de conduire à des gars comme ça. S'ils ne peuvent faire plus attention au volant d'une voiture, ils ne méritent pas d'avoir un permis.»

Comment la femme d'Harold réagira-t-elle le lendemain quand elle lira dans la rubrique des faits divers du journal que, lors de cet accident, les policiers ont jugé que la femme en question voulait s'engager dans un virage interdit, qu'elle n'avait utilisé aucune signalisation pour indiquer ses intentions et qu'en fait elle aurait dû être dans l'autre voie pour céder le passage?

Discutez des implications de cette histoire.

Discussion

A. Pour la personne qui n'a pas vu l'événement ou l'accident, est-ce possible d'imaginer ou de reconstituer les détails qui faisaient partie ou non de l'événement?

B. Quand nous relatons des incidents, avons-nous simplement comme but de fournir des informations? Par exemple ne voulons-nous pas préciser notre point de vue sur la façon de conduire des autres ou sur les jeunes universitaires? Peut-être voulons-nous choquer ou impressionner les autres par des détails sanglants et horribles?

C. Comment se caractérise l'objectivité de la perception de chacun: 1) comment Jean relate-t-il l'incident dont il a été témoin à Harold, 2) comment Harold raconte-t-il à sa femme ce que Jean lui a dit et 3) comment l'incident, après avoir été évalué par les agents de police à la suite de l'observation des faits et des témoignages des impliqués, est présenté par le journaliste?

D. Si vous êtes l'agent d'assurances de l'une ou de l'autre des parties en cause, sur quel ensemble de perceptions pourrez-vous compter?

EXERCICE 2-2
D'ACCORD OU PAS D'ACCORD SUR CERTAINES PERCEPTIONS (Projet de groupe).

1. Indiquez si vous êtes en accord ou en désaccord avec les énoncés énumérés au tableau 2-1. À gauche de la feuille, inscrivez un A si vous êtes en accord et un D si vous êtes en désaccord avec l'énoncé.

2. Dans un deuxième temps, en groupe de 6 à 10 personnes, essayez d'atteindre un consensus pour chacun des énoncés. Indiquez le consensus du groupe à droite de la feuille.

Tableau 2-1

Réponses Individuelles (A) (D)		Consensus du groupe (A) (D)
— —	1. La perception d'un objet physique dépend davantage de l'objet lui-même que de la personne qui l'observe.	— —
— —	2. La perception est de prime abord un phénomène interpersonnel.	— —
— —	3. Le fait que des hallucinations et des rêves peuvent être aussi vifs dans l'esprit d'une personne que ses perceptions réelles à l'état d'éveil indique que la perception dépend très peu de la réalité extérieure.	— —
— —	4. Les réactions face à ce que nous percevons généralement dépendent de notre apprentissage et de la culture.	— —
— —	5. Nous avons tendance à voir ce que nous voulons voir et ce que nous nous attendons à voir, indépendamment de la réalité.	— —
— —	6. Étant donné la nature aléatoire de la perception, nous ne pouvons jamais dire la «vraie» nature de la réalité.	— —
— —	7. Quoiqu'il puisse y avoir une réalité «extérieure» nous ne pouvons jamais vraiment la connaître.	— —
— —	8. Par l'observation attentive et scientifique nous pouvons éliminer la nature aléatoire de nos perceptions.	— —
— —	9. Les instruments scientifiques, quoiqu'ils repoussent les limites de nos perceptions humaines, ne la rendent pas plus réelle.	— —
— —	10. Ce que nous percevons n'est rien de plus qu'une métaphore de la réalité.	— —
— —	11. La perception est une réponse physique à une réalité physique. C'est lorsque nous commençons à parler et à vouloir communiquer nos perceptions que nous commençons à les déformer.	— —
— —	12. Si nous faisons attention, nous pouvons voir le monde tel qu'il est.	— —
— —	13. Nous réagissons à notre environnement à partir de ce que nous percevons de cet environnement et non à partir de ce que cet environnement est vraiment.	— —

Discussion

A. Si vous n'êtes pas d'accord sur tous les points (ce qui est très normal), qu'est-ce que cela révèle de votre aptitude à communiquer entre vous ce que vous «voyez» ou «entendez», indépendamment du fait que vous pouvez être à des endroits différents ou communiquer avec des personnes différentes? Est-ce que vos attitudes perceptuelles de base n'ont pas un effet sur ce que vous percevez et la façon dont vous percevez?

B. Aviez-vous déjà pensé à ces idées sur la perception avant de répondre aux énoncés de l'exercice? Vous est-il venu de nouvelles idées en travaillant sur cette liste d'énoncés? Lesquelles?

C. Puisque vous avez d'abord répondu individuellement à ces énoncés, avez-vous trouvé difficile de changer certaines de vos réponses lorsque le moment de faire un consensus de groupe est venu? Aurait-il été plus simple de discuter en groupe sans que vous ayez d'abord répondu individuellement? En d'autres termes, est-ce que dans la vie de tous les jours vous participez à des groupes en ayant des idées préconçues? Que peut-il se passer au moment d'une discussion objective lorsque plusieurs personnes ont des idées fermes, déjà établies? Lorsque des gens arrivent dans un groupe avec des idées préconçues et une manière déterminée de voir le fonctionnement du groupe, n'est-ce pas là ce que nous pouvons appeler des «agendas cachés»?

D. Comment le groupe en est-il venu à se mettre d'accord sur les énoncés? Comprenez-vous bien maintenant ce que le terme «consensus» signifie? Si non, échangez encore sur la signification de ce terme et la façon dont un groupe de personnes peut l'envisager concrètement.

EXERCICE 2-3
PREMIERES IMPRESSIONS (Jeu)

Votre professeur ou votre animateur vous distribue une feuille sur laquelle vous trouvez une description d'un individu. Lisez cette description et, de la liste suivante de qualificatifs, sélectionnez ceux qui correspondent le plus à l'image et à l'idée que vous vous faites de cet individu. Choisissez un adjectif dans chaque paire.

1.	Généreux	Mesquin
2.	Perspicace	Naïf
3.	Malheureux	Heureux
4.	Irritable	Bon caractère, bonne humeur
5.	Humoriste	Maussade
6.	Sociable	Asocial
7.	Fiable	Non fiable
8.	Populaire	Impopulaire
9.	Arrogant	Modeste
10.	Rude	Doux, humain

11.	Belle allure	Repoussant
12.	Stable	Instable
13.	Frivole	Sérieux
14.	Renfermé	Loquace
15.	Égocentrique	Altruiste
16.	Créatif	Borné, rigide
17.	Fort	Faible
18.	Malhonnête	Honnête

Discussion

A. Vu les différentes perceptions, les vôtres et celles des autres, face à la personne décrite, quelles sont les implications de ces différences sur l'évaluation que nous faisons de nos proches?

B. Avez-vous tendance à juger les autres à partir de quelques caractéristiques habituellement significatives pour vous? Au contraire, vous efforcez-vous de prendre en considération plusieurs facteurs avant d'évaluer quelqu'un et de vous en faire une opinion?

C. Y a-t-il des mots clés dans vos descriptions des autres, des mots que vous employez souvent, ou encore des mots qui dénotent pour vous un préjugé favorable ou défavorable envers certains aspects des gens?

D. Comment décririez-vous votre meilleur(e) ami(e) à vos parents? Comment décririez-vous votre ennemi(e) ou quelqu'un que vous n'aimez pas du tout?

EXERCICE 2-4

COMBIEN Y A-T-IL DE CARRÉS? (Projet de groupe)

En travaillant individuellement, comptez le nombre de carrés que vous percevez dans le diagramme suivant. Lorsque vous avez terminé et inscrit le nombre de carrés que vous percevez, joignez-vous à d'autres et comparez votre réponse à la leur, c'est-à-dire le total auquel vous arrivez. Après discussion, mettez-vous d'accord avec les autres sur un nombre.

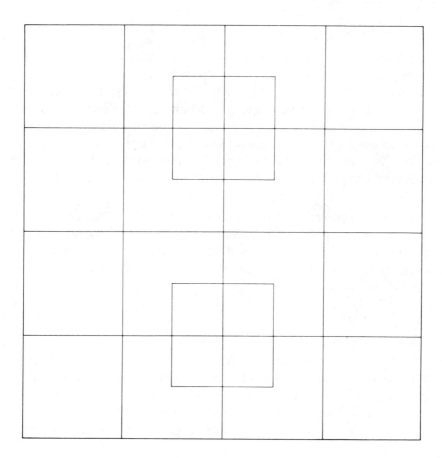

Discussion

A. Si tout le monde n'a pas donné la même réponse du premier coup, comment expliquez-vous les différences? Les gens ont-ils tous la même conception des carrés ou voient-ils les mêmes objets de façon quelque peu différente?

B. Si vous n'avez compté qu'une fois avant de donner votre réponse, votre nombre aurait-il été différent si vous aviez recompté deux ou trois fois? Que se passe-t-il lorsque vous prenez davantage de temps pour envisager un problème, un événement ou pour interagir?

Ne réussissez-vous pas alors à vous faire une idée plus complète et plus précise, n'approfondissez-vous pas ainsi vos relations avec les autres? En somme, quels sont les effets de vos premières impressions ou réactions face aux choses et aux personnes?

C. Les définitions des choses (les carrés dans ce cas-ci) affectent-elles votre perception et peuvent-elles expliquer en partie les différences perceptuelles qui existent entre les gens?

SUGGESTION DE TÂCHE 2-1
PERCEPTION DANS LE DOMAINE DES ARTS

1. Il existe plusieurs films, romans ou pièces de théâtre où l'intensité dramatique repose presque entièrement sur des différences de perception. Nous pouvons penser à des films classiques comme *Douze hommes en colère*, *L'oeil du spectateur*, à presque toutes les tragédies de Shakespeare ou aux comédies de Molière, etc. En fait, il y a une quantité énorme de productions artistiques qui peuvent vous permettre d'étudier des différences de perception. À vous de choisir. Lorsque vous aurez choisi une pièce où les personnages ont des «différends perceptuels», faites-en le résumé et essayez de voir et d'expliquer comment effectivement la perception de chacun des personnages devient le pivot central de l'action.

2. Lisez le texte *Différend au sujet d'un éléphant* au chapitre 2 et tentez de trouver un groupe de personnes que vous connaissez qui vivent actuellement le même type de problème par rapport à la définition d'une situation ou d'un objet. Imaginez un dialogue entre ces gens et comment ils généralisent leur perception partielle de la situation ou de l'objet.

SUGGESTION DE TÂCHE 2-2
COUPURES DE JOURNAUX

Amassez et examinez les comptes rendus d'un même événement par divers journaux. Essayez également de trouver des analyses ou différents rapports plus approfondis de ce même événement. À partir de ces sources et de votre point de vue, identifiez les barrières et les difficultés de communication présentes dans cette situation.

Préparez-vous comme si vous aviez à défendre un parti ou à juger de la situation en question.

SUGGESTION DE TÂCHE 2-3
INTERVIEW

Choisir une des deux situations:

1. Essayez d'obtenir une interview avec un artiste professionnel (peintre, sculpteur, musicien, etc.) pour connaître son point de vue sur «l'art comme moyen de communication». Enregistrez et communiquez aux autres les résultats de votre interview.

2. Rencontrez un professeur pour parler avec lui de la façon dont il perçoit son rôle sur le plan de la communication dans une classe. Communiquez au groupe le résultat de cette rencontre.

Dans votre compte rendu de ces interviews, vous pouvez décrire dans quel contexte vous avez rencontré l'artiste ou le professeur et comment cela a pu affecter votre interview.

SUGGESTION DE TÂCHE 2-4
UN INCIDENT DE PERCEPTION

Repensez à ce qui vous est arrivé depuis une semaine: aux choses les plus banales comme aux choses les plus importantes, aux moments heureux comme aux moments plus tristes parmi les choses insatisfaisantes de cette dernière semaine, certaines sont-elles dues à une communication inadéquate? Si oui, est-ce que des différences ou des distorsions perceptuelles entre vous et les autres sont à l'origine de ces difficultés?

Résumez et analysez brièvement sur papier les conséquences que ces différences ou distorsions perceptuelles ont eues sur vous-même et sur les gens impliqués.

Soyez prêt à parler d'un de ces incidents avec des gens de votre groupe et voyez comment votre «cas» peut ressembler à celui des autres.

CHAPITRE 2

FEUILLE D'APPRÉCIATION PERSONNELLE

1. Racontez brièvement un événement qui est arrivé dernièrement et où une perception fausse de quelque chose a provoqué un désaccord ou un malentendu entre vous et quelqu'un. Cet événement peut être assez banal, car c'est souvent en essayant de se mettre d'accord sur des choses très simples de la vie quotidienne que des perceptions erronées engendrent le plus d'agressivité interpersonnelle ou de malentendus.

2. Si vous reconnaissez qu'une différence de perception peut être à l'origine d'un problème entre vous et une autre personne, comment pouvez-vous amener l'autre à voir et aborder le problème sur le plan des *perceptions interpersonnelles*? Soyez précis.

3. Citez un incident récent où vous avez été mal perçu. Quel a été ou est encore le résultat de cette erreur? Cela s'est-il réglé ou peut-il se régler?

Votre nom _____

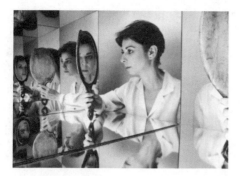

FEUILLE DE FEED-BACK

EXERCICES

SUGGESTIONS DE TÂCHES

FEUILLE D'APPRÉCIATION PERSONNELLE

FEUILLE DE FEED-BACK (Chapitre 3)

1. Évaluez la productivité de la session de cette semaine pour vous.

    1   2   3   4   5   6   7   8   9   10
    Non productive   Très productive

2. Évaluez comment à votre avis les autres perçoivent la session de cette semaine.

    1   2   3   4   5   6   7   8   9   10
    Non productive   Très productive
    Commentaires:

3. En relation avec le thème de cette semaine, avez-vous eu à jouer des rôles que vous n'avez pas aimés? Si les gens vous ont assigné certaines «identités», comment vous sentez-vous et quelles sont vos réactions par rapport à celles-ci?

4. Avez-vous aimé travailler avec votre groupe? Pourquoi?

5. Avez-vous d'autres commentaires, critiques, questions, suggestions?

EXERCICE 3-1

«JE SUIS» (Projet de groupe)

Cet exercice répond de façon positive à la question «Qui suis-je?» Sa structure permet aux participants de se vanter et d'être fiers d'eux, ce que la société décourage habituellement. La plupart d'entre nous n'apprécions pas les fanfarons ou les vantards. La plupart d'entre nous ne sommes pas habitués à vanter nos accomplissements, nos bons côtés ou nos mérites. Pendant un moment, nous allons vous demander d'aller contre cette norme qui dit que les gens ne devraient pas se vanter.

Le groupe peut se diviser en sous-groupes de 4 à 6 personnes, de façon qu'il soit facile d'entendre tout le monde. La première chose à faire est de penser et de mettre sur papier cinq choses positives sur soi-même - non pas des choses que d'autres pensent de nous, mais *que nous pensons de nous-mêmes*. Ce dans quoi nous réussissons bien, des habiletés dont nous sommes fiers ou certains de nos traits de caractère sont en fait des éléments qui peuvent nous définir d'un point de vue positif. Après quelques minutes où chaque membre du groupe a pu réfléchir et noter ainsi des aspects positifs de lui-même, un membre commence à communiquer aux autres un de ses points. Dans le sens des aiguilles d'une montre, tous les membres du sous-groupe à tour de rôle communiquent aux autres un de leurs points forts. Après un premier tour, on en fait un autre: chacun communique toujours aux autres une de ses bonnes réalisations personnelles ou un des aspects qu'il trouve positif de lui-même. Lorsque tous les membres ont ainsi communiqué au moins quatre ou cinq points, les membres de chaque sous-groupe se consultent pour choisir pour chacun un point précis qu'ils communiqueront alors aux membres d'un autre sous-groupe ou du groupe entier.

Discussion

A. Est-il difficile de changer votre habitude qui est de ne jamais vous vanter? Comment vous êtes-vous senti quand vous avez pensé et relevé vos points positifs? Vous a-t-on appris, étant enfant, à être plutôt modeste et effacé par rapport à vos connaissances et vos habiletés?

B. Est-ce que le fait d'entendre les autres faire des énoncés positifs à propos d'eux-mêmes vous a facilité la tâche? Est-ce que cet exercice vous renseigne sur la façon dont les normes peuvent se modifier dans la société?

C. Pourquoi la vantardise n'est-elle pas approuvée dans notre culture? Est-ce que toutes les cultures sont semblables à ce sujet? En connaissez-vous qui au contraire favorisent et encouragent l'expression des succès personnels?

D. Si nous ne sommes pas censés faire état ouvertement et fièrement de nos succès ou de nos habiletés, comment pouvons-nous nous attendre à ce que les autres les connaissent? Y a-t-il un canal de communication ou une pratique spéciale qui permette aux autres de connaître nos succès et nos habiletés? Est-ce que la possibilité de se vanter plus ouvertement ne pourrait pas changer notre concept de soi et nous aider à développer de meilleurs sentiments envers nous-mêmes.

EXERCICE 3-2
SI VOUS ÉTIEZ... (Jeu de rôles)

Voici un exercice qui vise à vous faire assumer un rôle différent de celui que vous jouez habituellement. Nous sommes tous à un certain degré assez conscients de la façon dont les rôles s'élaborent et de ce que nous attendons d'une personne dans une situation ou une relation donnée; voici votre chance d'essayer un nouveau rôle, c'est-à-dire d'agir comme une autre personne. Choisissez une des situations suivantes et jouez-en le rôle principal devant les membres de votre groupe. Parlez comme le ferait cette personne.

1. Le Premier ministre du Canada souhaite la bienvenue au Premier ministre d'un pays étranger à son arrivée à l'aéroport.

2. Vous venez d'être choisi athlète de l'année dans votre discipline. Vous vous avancez pour recevoir votre trophée et prononcer vos remerciements au microphone devant l'auditoire.

3. Vous êtes un romancier célèbre invité au Salon du livre pour lancer et autographier votre dernier roman. Par le fait même, vous devez faire un bref discours sur la façon dont vous en êtes venu à obtenir un tel succès.

4. Voici un jeu de rôles pour deux personnes ou plus. Un parent vient d'apprendre que son enfant de 12 ans doit subir une grave et délicate opération chirurgicale aux yeux. Ce parent, plutôt que de laisser le médecin annoncer cette nouvelle à l'enfant, choisit d'assumer lui-même cette tâche. Une autre personne du groupe joue le rôle de l'enfant qui pose des questions, exprime ses peurs, etc.

5. Vous avez été choisi pour représenter et accueillir officiellement un groupe d'étrangers en visite d'affaires et vous prononcez l'allocution de bienvenue avant le repas au grand hôtel. (Les autres membres de votre groupe jouent les rôles de ces gens d'affaires.)

6. Vous devez faire l'introduction au discours du maire de la ville à l'occasion de l'ouverture des jeux intercités de la province.

7. Vous êtes un sportif professionnel célèbre (joueur de hockey, de baseball, de soccer, de tennis ou autres) et vous êtes à votre ancien collège pour faire un discours et lancer une campagne de financement.

8. Voici un jeu de rôles pour deux personnes. Une personne joue le rôle d'un doyen de faculté ou d'un directeur de collège, lequel rencontre un leader étudiant afin de discuter de récents actes de vandalisme survenus dans l'institution. L'affrontement se produit.

9. Vous êtes un chef d'orchestre ou un metteur en scène célèbre qui rencontre ses musiciens ou ses comédiens pour la première répétition d'un grand spectacle.

10. Voici un jeu de rôles pour deux personnes. Une personne joue le rôle d'un avocat réputé qui vient de décider de se lancer en politique et l'autre, celui d'un annonceur de radio qui l'interviewe.

Discussion

A. Le groupe examine si les jeux de rôles suggérés ont été joués de façon à correspondre aux attentes et à l'idée que les membres se faisaient de ces rôles. Échangez aussi vos idées quant à la manière que vous auriez adoptée pour jouer ces rôles différemment de ceux qui les ont joués. Pourquoi ces différences?

B. Où avez-vous puisé vos idées par rapport aux rôles que vous avez joués? Vous êtes-vous senti à l'aise dans ces rôles? Étiez-vous à l'aise d'observer les autres jouer un rôle?

C. Identifiez certains des rôles que vous jouez chaque jour et déterminez si vous avez besoin d'améliorer ou de pratiquer certains aspects de ces rôles. Que croyez-vous pouvoir ou devoir changer à l'intérieur de ces rôles?

EXERCICE 3-3

LA FENETRE DE JOHARI (Dyade en mouvement)

(Reportez-vous au diagramme et à la discussion du chapitre 3.)
Commencez cet exercice seul en dressant une liste pour chacune des aires suivantes:

«Cinq choses que je connais de moi-même et que je suis certain que les autres connaissent et voient de moi» (aire libre);
«Cinq choses que j'aimerais que les autres connaissent ou voient de moi, mais que je suis, de prime abord, certain qu'ils ne connaissent pas ou qu'ils ne voient pas de moi» (aire cachée);
«Cinq choses que je ne connais pas de moi de prime abord, mais que je crois que les autres pourraient m'aider à découvrir» (aire aveugle).

Quand vous avez terminé votre liste personnelle, trouvez un partenaire pour former une dyade et comparez vos listes avec celui-ci. Chacun de vous ensuite choisit un point plus important pour vous dans chaque catégorie et répond à la question:

«Que puis-je faire pour aider les autres à me connaître davantage et pour moi-même me connaître davantage?»

Soyez précis dans votre réponse à cette question. Entraidez-vous à exprimer de quelle façon vous pourriez orienter votre communication interpersonnelle pour arriver à mieux vous laisser connaître et vous connaître vous-même.

S'il reste du temps, il peut aussi être intéressant et profitable de présenter et de communiquer *un de vos points personnels* au groupe et d'engager ainsi une interaction à partir de ce point. Vous pouvez alors recueillir de l'information et des réactions de la part des autres.

Discussion

A. En revoyant les quatre aires de la fenêtre de Johari, il faut se rappeler que celles-ci varient en fonction des différentes relations ou situations. Notre fenêtre personnelle a des proportions différentes pour chaque aire selon le degré de confiance, d'ouverture et de maturité que nous avons atteint dans chacune de nos relations.

B. Vérifiez les énoncés de «l'aire libre» pour voir comment les membres de votre groupe connaissent ou ne connaissent pas ce que les autres connaissent d'eux-mêmes. Vérifiez aussi si les «inconnus» le sont effectivement.

C. Lorsque vous pensez à vous faire connaître des autres, quels moyens de communication avez-vous à votre disposition? Et lorsque vous voulez vous connaître davantage, comment procédez-vous pour obtenir un feed-back des autres? Y a-t-il des normes sociales ou des difficultés particulières qui empêchent ce processus d'échanges?

D. Dans votre groupe, y a-t-il des personnes qui vous connaissent davantage intimement? Quelles sont les personnes qui à votre avis ne savent rien de vous ou qui ne vous connaissent absolument pas? (Faites la même réflexion.)

E. Comment l'ouverture des différentes aires peut-elle favoriser selon vous l'établissement de meilleures relations interpersonnelle? Est-il plus facile d'interagir lorsqu'il y a partage des expériences? Pourquoi y a-t-il différents niveaux d'interaction entre les gens?

SUGGESTION DE TÂCHE 3-1
QUI VOUS A DIT QUOI? (Confirmation et négation de soi)

Cette tâche doit se faire d'abord par écrit et peut être ensuite utilisée comme point de départ d'une discussion de groupe. Effectivement, si vous travaillez avec d'autres sur cette tâche, il sera sûrement intéressant de noter comment les comportements par lesquels vous vous êtes senti confirmé et les situations où vous vous êtes senti nié peuvent avoir été aussi les mêmes chez les autres.

1. Essayez de vous rappeler un incident de votre enfance où vous avez reçu de l'attention, du support ou un compliment pour ce que vous aviez fait. Dans cette situation où vous vous êtes senti affirmé et confirmé, comment était votre estime envers vous-même? Est-ce que cet incident a encore des effets sur vous dans votre manière de ressentir le même genre de situation? Qui était la personne qui vous avait ainsi soutenu et confirmé dans votre action? Comment vous sentiez-vous face à cette personne?

2. Essayez de vous rappeler un incident de votre enfance où on vous a ignoré, c'est-à-dire où vous avez senti qu'on ne tenait pas compte de quelque chose que vous aviez à coeur. Quel fut l'effet de ce comportement sur votre estime personnelle? Ce comportement de négation de vous-même a-t-il encore des effets sur vous et sur votre manière d'envisager certaines choses? Qui était la personne qui vous a ainsi ignoré? Comment vous sentiez-vous et qu'avez-vous ressenti face à cette personne?

SUGGESTION DE TÂCHE 3-2
LES RÔLES QUE NOUS JOUONS

Dressez une liste la plus exhaustive possible des points, comportements ou attitudes que, selon vous, les gens attendent de vous dans votre rôle *d'étudiant*. Comment savez-vous si vous réussissez ou non dans ce rôle? Comment vous sentez-vous par rapport aux critères que vous utilisez vous-même pour vous évaluer?

Identifiez un rôle que vous avez à jouer, autre que celui d'étudiant, et dressez encore une fois une liste aussi exhaustive que possible des comportements qui font partie selon vous de ce rôle. Si ce rôle en est un que vous jouez volontairement, dites pourquoi vous l'avez choisi. S'il en est un que vous êtes forcé de jouer, dites pourquoi et comment vous y êtes forcé.

SUGGESTION DE TÂCHE 3-3
LES RÉFÉRENCES LITTÉRAIRES

Trouvez un résumé écrit de l'histoire de Pygmalion, comme la pièce de théâtre du même titre de George Bernard Shaw ou la comédie musicale *My Fair Lady* qui utilise la même histoire. Il est particulièrement intéressant pour nous dans cette histoire de remarquer que c'est un professeur de langue (Higgins) qui, en introduisant des changements au langage de la jeune fille de la rue, réussit à transformer celle-ci en «femme du monde». Le but de Higgins était de montrer que «le langage fait la personne».

Selon vous, cette histoire ne suggère-t-elle pas que nous pouvons devenir ce que nous croyons être? Discutez en groupe de «l'effet Pygmalion» et de la façon dont il est lié à d'autres comportements que nous pouvons anticiper.

SUGGESTION DE TÂCHE 3-4
LE CHANGEMENT DE RÔLES

Écrivez un bref essai à partir d'une expérience où on vous avait assigné un rôle dans lequel vous ne vous sentiez pas à l'aise, un rôle que vous vouliez changer ou même un rôle que vous ne vouliez pas jouer du tout. (Un exemple classique de ce genre de rôle est celui où, entre 16 et 20 ans, le jeune adulte est maintenu dans un rôle «d'enfant» par ses parents qui ne veulent pas ou qui ont de la difficulté à lui laisser prendre toute son autonomie.) Décrivez le rôle que vous auriez aimé jouer, le rôle que vous vous sentiez obligé de jouer, comment vous avez effectué des changements et jusqu'à quel point vous avez réussi à effectuer ces changements.

SUGGESTION DE TÂCHE 3-5
RÔLES A LA TÉLÉVISION

Faites un bref rapport sur un téléroman que vous avez vu récemment en analysant les éléments suivants:

1. Parmi les comportements des personnages, lesquels ont fait en sorte que vous les aimiez, les détestiez, les trouviez ridicules ou que vous ayez cru en eux?
2. Les personnages utilisaient-ils un langage non verbal particulier dans leur rôle?
3. Comment un auteur de téléroman fait-il pour réussir à établir la crédibilité de ses personnages?

CHAPITRE 3

FEUILLE D'APPRÉCIATION PERSONNELLE

1. Indiquez ici quelque chose que vous avez récemment découvert à propos de vous-même et comment cela s'est produit. Était-ce le résultat d'une feed-back reçu de la part de quelqu'un?

2. Y a-t-il quelque chose que vous aimeriez dire à quelqu'un de votre groupe à propos d'un de ses comportements et que vous êtes certain que cette personne ne sait pas d'elle-même? Sans nécessairement dire ce que c'est ou qui est cette personne, pouvez-vous suggérer une manière de laisser savoir cette chose à cette personne?

3. Est-ce que votre motivation par rapport à votre groupe s'est modifiée depuis les dernières semaines de rencontre? Que peut-on faire pour augmenter la motivation de quelqu'un (peut-être vous) dans ce groupe?

Votre nom _____

Les options interpersonnelles: qui devrais-je être?

FEUILLE D'APPRÉCIATION PERSONNELLE

FEUILLE DE FEED-BACK (Chapitre 4)

1. Évaluez la productivité de la session de cette semaine pour vous.

   1   2   3   4   5   6   7   8   9   10
   Non productive   Très productive

2. Évaluez comment à votre avis les autres perçoivent la session de cette semaine.

   1   2   3   4   5   6   7   8   9   10
   Non productive   Très productive
   Commentaires:

3. Avez-vous observé une ou des personnes silencieuses dans votre groupe? A-t-on fait quelque chose pour les encourager à parler et à participer davantage?

4. Comment la présente appréciation vous est-elle utile? Pourrait-elle l'être davantage? De quelle manière?

5. Devenez-vous plus à l'aise dans votre travail avec les autres personnes de votre groupe? Voudriez-vous changer de groupe ou préférez-vous rester avec les mêmes personnes

EXERCICE 4-1

VALEURS, DISCOURS ET COMPORTEMENTS (Jeu de rôles)

En petits groupes, montez un sketch dans lequel vous tenterez de démontrer comment les valeurs, le discours et le comportement de quelqu'un peuvent être inconséquents. Par exemple, le sketch peut mettre en scène un père qui dit à son fils de ne jamais tricher en classe, mais qui, à certains moments, parle de la façon dont il réussit à frauder le ministère du Revenu. Votre sketch peut se diviser en deux actes: le premier situera le personnage (son comportement et ses énoncés) et un deuxième acte présentera ses gestes inconséquents. Vous pouvez choisir toute situation tirée de votre expérience ou d'événements publics.

Discussion

A. Est-il difficile d'identifier les vraies valeurs des gens à partir de leur discours?

B. Est-il plus facile de voir les inconséquences des autres que les nôtres? Lorsque vos gestes sont différents de votre discours, vous est-il facile de réduire votre dissonance? Avez-vous tendance à vous expliquer, à vous justifier ou à rationaliser vos comportements face aux autres?

C. Dans votre sketch, est-ce que les observateurs ont pu reconnaître facilement les inconséquences du personnage? Êtes-vous suffisamment familier avec les inconséquences entre valeurs, discours et comportements pour les reconnaître rapidement? En d'autres termes, pouvez-vous prévoir les situations où de telles inconséquences peuvent se produire dans votre entourage et chez les autres autour de vous? Quelle est votre habileté à prédire vos comportements et ceux des autres. Ces derniers peuvent-ils prédire les vôtres?

EXERCICE 4-2

COMPORTEMENT INCONSÉQUENT (En mouvement)

Chaque membre du groupe met sur papier un incident où son comportement n'a pas été en accord avec ses valeurs ou son discours et se prépare à présenter cet incident aux autres. Chaque personne décrit ensuite brièvement cet incident aux autres membres de son groupe en évitant d'en «analyser» les raisons. Un énoncé assez bref est habituellement suffisant. Par exemple: «J'ai fait campagne publiquement pour l'élection de X et je ne suis pas allé voter».

Discussion

A. Êtes-vous capable d'identifier les moments où votre comportement n'est pas en accord avec vos valeurs ou votre discours? Chaque personne peut intervenir sur ce sujet.

B. Y a-t-il certaines inconséquences qui se répètent pour vous dans votre vie? Êtes-vous seul dans votre groupe à connaître le même genre d'inconséquences?

C. Échangez vos points de vue sur les raisons de ces inconséquences. Retrouvez-vous en général les mêmes raisons d'une personne à l'autre pour «expliquer» celles-ci?

EXERCICE 4-3

VOUS ÊTES EXPERT EN MOTIVATION (Discussion)

Dans les brèves histoires de cas qui suivent, vous retrouverez chaque fois le besoin de motiver quelqu'un. Si vous voyez des moyens de motiver cette personne, expliquez-les. Décidez-vous par exemple de vous référer d'abord à une théorie de la motivation (Maslow, etc.) et ensuite d'intervenir pour résoudre le cas? De quoi a besoin cette personne, selon vous, pour être motivée?

Cas 1. Suzanne arrive en retard à son travail depuis assez longtemps. Étant donné que plusieurs personnes du bureau dépendent d'elle pour travailler, ses retards nuisent au bon fonctionnement des autres et du bureau. En tant que supérieur immédiat, vous savez pourtant que Suzanne a reçu, il y a six mois, une bonne augmentation de salaire en guise d'appréciation de ses bons services au bureau depuis trois ans. Vous voulez qu'elle soit plus ponctuelle ou au moins qu'elle arrive en même temps que les autres de la section dont elle est responsable. Que lui dites-vous?

Cas 2. Claude est commis-vendeur dans le rayon des sports d'un grand magasin où vous êtes agent de personnel. Vous avez reçu une plainte du service de la comptabilité disant que les factures de Claude comportent souvent, depuis quelque temps, des erreurs et font ainsi perdre temps et argent au magasin. Claude a également été accusé par le chef de son rayon de manquer d'attention envers ses clients. Vous parlez à Claude de sa performance tout en voulant le conserver comme employé, car, depuis six ans, il a été un employé productif.

Cas 3. Vous êtes éditeur d'un quotidien et six journalistes travaillent pour vous; un de ceux-ci est assez âgé et presque à la retraite alors qu'un autre est très jeune et à peine sorti de l'université. Tous les six sont des journalistes intelligents, bien informés, rapides à saisir les nouvelles et à rédiger leurs articles. Dans les dernières semaines toutefois, le journaliste le plus âgé de l'équipe a négligé son travail, n'a pas réussi à bien couvrir son secteur et n'a produit que des articles médiocres. Certes, ce dernier est près de la retraite, mais il veut, lorsque sa retraite arrivera dans 18 mois, continuer à faire de la pige pour d'autres journaux et périodiques. Entre temps, il est aussi une excellente personne-ressource pour montrer le métier et faire profiter de son expérience aux plus jeunes. En somme, vous voulez qu'il maintienne son rendement habituel pour l'exploitation du journal et pour lui-même.

Pour rendre les choses pires, Jacqueline, la jeune nouvelle, a elle aussi subitement perdu de l'intérêt pour son travail et n'a fourni que de piètres articles de reportage. Alors qu'au début de son engagement, il y a un an, sa productivité et la qualité de son travail étaient excellentes, celles-ci ont diminué à un point tel que vous avez l'impression qu'il ne vous reste plus que quatre journalistes sur six pour faire tout le travail.

Les deux pertes de motivation du cas n° 3 ont-elles des liens entre elles? Pour motiver ces deux personnes différentes ne devez-vous pas d'abord déterminer ce qui est advenu de leur intérêt et de leur motivation du départ? Quelle approche suggéreriez-vous pour les stimuler?

Discussion

A. Si vous discutez de ces cas en petits groupes, est-ce que chacun de ces groupes amène des recommandations et des solutions différentes?

B. Comparez ces recommandations d'un groupe à l'autre et essayez d'en venir à un accord sur l'approche et les solutions les plus efficaces.

C. Au fil de vos discussions et recommandations sur les différents cas, essayez de voir jusqu'à quel point ce que vous proposez est fondé sur des stéréotypes touchant la façon dont les travailleurs et employés doivent être traités ou sur ce que sont habituellement les gens dans les emplois décrits. Du fait que ces descriptions étaient brèves, est-ce que vous avez eu tendance à vous rabattre sur des images stéréotypées concernant ces gens? Examinez si dans la vie réelle vous ne prenez pas souvent des décisions fondées sur des stéréotypes. Avez-vous tendance à attribuer aux gens des rôles typiques et conventionnels, ce qui vous amène à les traiter davantage selon le rôle que vous leur attribuez plutôt que comme des individus?

EXERCICE 4-4

L'INVESTISSEMENT ET LA COHÉRENCE PERSONNELLE (Discussion)

Pour vérifier votre investissement et votre cohérence personnelle face à une attitude ou une valeur qui vous est importante, essayez d'identifier en groupe une ou deux situations communes qui susciteraient pour vous toutes les réactions suivantes:

1. Vous seriez curieux d'entendre ce qu'on vous dit d'une certaine personne et vous écouteriez vraiment plus attentivement. («Si on nous parlait de X, nous serions vraiment attentifs.»);

2. Vous seriez ennuyé d'entendre quelqu'un parler contre cette chose à laquelle vous croyez et à laquelle vous attachez une valeur importante;

3. Vous argumenteriez fortement et seriez même agressif si ce sujet était abordé de façon à vous contredire;

4. Vous iriez jusqu'à être violent physiquement au sujet de ce propos ou cette valeur;

5. Vous risqueriez votre vie et seriez prêt à mourir pour cette cause.

Discussion

A. Étant donné que l'exercice précédent était un projet de groupe, avez-vous trouvé difficile de vous mettre d'accord sur les points qui étaient également importants pour tout le monde?

B. Sur quels genres de points avez-vous plus de facilité à vous mettre d'accord comme groupe: les points qui suscitent les réactions les plus fortes ou ceux qui suscitent moins de réactions? Pourquoi?

C. Est-ce que l'éventail de réactions présentées décrit vos réactions à des attaques contre vos croyances ou vos valeurs? Vous arrive-t-il d'entendre des commentaires sur des sujets qui ne vous intéressent absolument pas? Comment réagissez-vous alors?

D. Individuellement, y a-t-il des valeurs dans la société qui n'ont aucun intérêt pour vous? Que faudrait-il pour vous y intéresser?

E. Jusqu'à quel point vos réactions sont-elles liées directement à celles des autres? Dans le groupe, avez-vous été affecté par d'autres qui avaient le même point de vue que vous?

EXERCICE 4-5
CONSULTANT EN RELATIONS ETHNIQUES (Projet de groupe)

Vous avez été nommé pour siéger à un comité national sur les relations ethniques et raciales. Votre tâche est de faire des recommandations au bureau du Premier ministre sur les manières de réduire les tensions raciales dans votre pays. Ce comité, formé de cinq ou six membres (autres personnes de votre groupe), se rencontre pour élaborer ses vues et préparer un rapport au Premier ministre. Considérant que vous êtes des citoyens engagés socialement et intéressés à faire entendre votre voix au plus grand nombre de gens possible, préparez un plan d'action qui soit le plus étendu et le plus large possible. En plus, au fur et à mesure que vous élaborez ensemble ce plan, essayez de bien vous mettre d'accord sur les raisons qui motivent vos recommandations et sur les conséquences qu'elles peuvent engendrer. Lorsque chaque sous-groupe a communiqué ses recommandations aux autres, vous pouvez analyser à travers les différentes suggestions quels sont les comportements et les valeurs que les groupes recommandent le plus souvent.

Discussion

A. À travers vos recommandations, quelles valeurs sociales encouragez-vous ou attaquez-vous?

B. Pensez-vous réellement que toutes les valeurs sont entièrement représentées par le discours ou les comportements des gens directement impliqués dans les problèmes ethniques? Au contraire, croyez-vous que certaines valeurs restent cachées? En somme, y a-t-il des choses au sujet des tensions et des préjugés ethniques et raciaux qui sont difficiles à reconnaître ouvertement et qui restent non avouées?

C. Dans vos conseils au Premier ministre, tenez-vous compte de l'influence réelle et du pouvoir qu'il a de réaliser vos idées? Que sera selon vous le message (discours) de celui-ci lorsqu'il prendra connaissance de votre plan et de vos idées? Qu'est-ce qui sera et pourra être fait concrètement, c'est-à-dire sur le plan des comportements, par rapport à tout ceci?

EXERCICE 4-6
STÉRÉOTYPER, LA FORMATION D'ATTITUDES (Discussion)

Dans la partie théorique de ce chapitre, nous avons avancé l'idée que stéréotyper est une manière commode de classer les choses ou les personnes à partir de caractéristiques communes, mais que cela se fait au détriment des caractéristiques individuelles de ces choses ou de ces personnes. En somme, nous nous servons davantage de ce que nous savons ou pensons d'une catégorie que des caractéristiques et différences individuelles. Cette façon de faire devient donc un raccourci, une façon de réagir sans avoir à faire l'effort de prendre des décisions face aux gens, aux choses et aux événements. Pouvez-vous voir la relation qui existe entre les stéréotypes et la formation des attitudes? Dépendez-vous d'attitudes fondamentales pour choisir vos comportements? Jusqu'à quel point êtes-vous d'accord avec l'énoncé qui dit qu'un stéréotype est en réalité une «attitude figée et rigide»?

Pour cet exercice, un sous-groupe de quatre à six personnes se voit assigner un des sujets suivants qu'il présentera sous forme de discussion aux autres. La démarche peut donc être de donner d'abord quelques minutes à chaque membre du sous-groupe pour qu'il présente sa position ou ses vues personnelles sur le sujet. Ensuite, on peut ouvrir la discussion entre les membres du sous-groupe et enfin permettre aux autres personnes, qui ne font pas partie du groupe proprement dit, de poser des questions et d'intervenir.

1. Comment peut-on relier le problème des stéréotypes au système d'évaluation dans nos écoles actuelles? Comment réagissez-vous lorsque vous entendez des commentaires tels que : «C'est une excellente étudiante. Elle a toujours des A» ou «C'est un étudiant médiocre qui n'a que des D à son dossier?» Que sous-entendent ces remarques et quelles en sont les conséquences?

2. Pensez à un stéréotype quelconque que vous entretenez par rapport à un groupe religieux ou politique particulier. Essayez d'expliquer comment vous avez développé un tel stéréotype et comment il influence votre comportement envers les gens ainsi visés dans ce groupe. Décrivez avec précision les effets de ce stéréotype sur votre comportement.

3. Est-il possible de ne jamais classer un individu? Défendez votre point de vue. Utilisez si possible des exemples tirés de votre expérience personnelle.

4. Dressez une liste d'attitudes que vous avez déjà eues, ou que vous avez encore, et que vous considérez comme des stéréotypes. Comment se sont-elles formées? Pourquoi? Qu'est-ce qui vous les fait percevoir comme des stéréotypes?

Discussion

A. Est-il difficile d'admettre que nous avons des stéréotypes? Évitez-vous de parler de certaines choses où vous pourriez être accusé d'avoir des partis pris ou des préjugés fondés sur des stéréotypes?

B. Est-il plus facile pour vous de parler du système d'évaluation scolaire que des valeurs religieuses? Pourquoi?

C. Comment la présence des autres a-t-elle affecté votre participation à la discussion?

SUGGESTION DE TÂCHE 4-1
DICTONS DE SAGESSE ET DE FOLKLORE

Dressez une liste aussi longue que vous le pouvez de dictons, proverbes, adages, maximes, etc., qui mettent en évidence des comportements renfermant des inconséquences entre le discours et l'action. Votre liste peut comprendre des énoncés comme : «Faites ce que je dis, ne faites pas ce que je fais», «Il ne fait que parler de bataille» ou encore «Restez sobre, buvez Laurentide».

Vous pouvez partager cette liste avec d'autres et souligner les inconséquences présentées dans vos listes.

SUGGESTION DE TÂCHE 4-2
ÉCHELLES D'ATTITUDES

Rendez-vous à la bibliothèque et consultez différentes références (livres, revues, etc.) sur la mesure des attitudes. Choisissez une échelle d'attitudes, décrivez-la sur papier et essayez même de voir un type de recherche dans laquelle elle pourrait être utilisée. Dites ce que vous percevez comme étant les avantages et les désavantages de cette échelle et expliquez comment les auteurs de cette échelle croient vraiment mesurer ce qu'ils veulent mesurer.

ou

Prenez des notes sur les méthodes de recherche concernant les attitudes, le genre de résultats obtenus par ces recherches, et faites une présentation orale sur ce sujet.

ou

Trouvez dans des magazines populaires, journaux et revues de vulgarisation psychologique des articles touchant le domaine des attitudes et croyances. Amenez-les dans votre groupe pour les discussions et interrogez votre professeur sur ce sujet avant de faire vous-même une présentation officielle dans votre groupe. Tentez de découvrir l'origine d'une de vos attitudes et encouragez les autres membres de votre groupe à faire de même.

SUGGESTION DE TÂCHE 4-3
LEURS ATTITUDES ET NOS ATTITUDES

Faites une description des valeurs et attitudes d'un groupe de gens que vous connaissez, mais dont les valeurs et attitudes diffèrent du groupe auquel vous vous identifiez. Décrivez également les valeurs et attitudes de votre groupe.

Analysez les différences d'attitudes entre ces deux groupes et essayez de voir l'origine de ces différences. Ainsi, est-ce que l'autre groupe a des origines culturelles, un type d'éducation tout à fait différent des vôtres? Est-ce que cela permet de cerner et de mieux expliquer vos différences? Soyez prêt à présenter verbalement une comparaison entre les valeurs et attitudes de ce groupe et celles du groupe auquel vous vous identifiez.

CHAPITRE 4

FEUILLE D'APPRÉCIATION PERSONNELLE

1. Avez-vous fait face récemment à une situation où vous avez changé d'opinion sur une chose ou quelqu'un à partir de ce qu'une autre personne avait dit de vos valeurs ou de vos croyances? Racontez brièvement cette situation.

2. Si vous aviez des questions ou étiez perplexe quant à l'opinion de quelqu'un face à une de vos propres opinions, comment clarifieriez-vous cette situation?

3. Que veut dire le mot «hypocrite» pour vous?

Votre nom _____

FEUILLE DE FEED-BACK

EXERCICES

SUGGESTIONS DE TÂCHES

FEUILLE D'APPRÉCIATION PERSONNELLE

FEUILLE DE FEED-BACK (Chapitre 5)

1. Évaluez la productivité de la session de cette semaine pour vous.

   1   2   3   4   5   6   7   8   9   10
   Non productive   Très productive

2. Évaluez comment à votre avis les autres perçoivent la session de cette semaine.

   1   2   3   4   5   6   7   8   9   10
   Non productive   Très productive
   Commentaires:

3. Pouvez-vous vous rappeler que quelque chose ait entravé la bonne communication dans votre groupe? Est-ce que quelque chose a nui à la compréhension ou au travail au sein de votre groupe?

4. Avez-vous remarqué une personne restant plutôt silencieuse dans votre groupe?

5. Pouvez-vous donner un exemple de difficultés dans vos communications reliées à l'usage ou au sens différent d'un même mot donné par différentes personnes de votre groupe?

EXERCICE 5-1

QU'AVEZ-VOUS VOULU DIRE? (Projet de groupe)

Voici un exercice de définitions de termes. Il se fait assez bien en groupes de sept à neuf personnes. Une personne fait un énoncé pouvant être contesté par les autres à propos d'un événement actuel ou d'un point de vue philosophique ou politique. Les autres membres du groupe, de façon à créer un jeu, 1) lui demandent de définir tous ses termes et 2) définissent eux aussi ces termes, ce qu'ils y associent et les significations qu'ils leur donnent.

Évidemment, pour continuer à définir les expressions et les termes employés en premier lieu, on doit utiliser encore d'autres termes. Alors, à leur tour, ces mots deviennent sujets à des questions et des définitions. Rendus au point où la personne cible perd patience ou ne peut plus rien ajouter verbalement à ses définitions, d'autres prennent alors la relève pour faire une autre déclaration sujette à controverse et définissent leurs termes face aux autres.

Discussion

A. En tant que personne qui essayait de définir les mots, quel était votre sentiment au fur et à mesure que les autres vous forçaient à définir et à redéfinir constamment vos mots? Y a-t-il certains mots que vous «savez» tout simplement?

B. Le groupe lui-même est-il devenu impatient ou hostile envers la personne qui devait définir les termes? Qu'est-ce qui a rendu les gens émotifs? Est-ce que l'on s'attend à ce que les autres définissent les mots et qu'ils leur accordent toujours les mêmes significations que nous?

C. Comment savez-vous que les autres ont les mêmes définitions que vous si vous ne prenez pas le temps de poser des questions? Est-il vraiment plus poli d'écouter et de faire semblant de comprendre que de demander des précisions? Vous arrive-t-il souvent de donner l'impression d'être d'accord sur la définition d'un mot alors que vous ne l'êtes pas?

EXERCICE 5-2

GARDER UNE LANGUE PURE (Discussion)

Plusieurs connaissent les efforts que font les communautés de langue française pour conserver une langue pure. Plusieurs sont aussi au courant des combats menés par l'Académie française en France ou par l'Office de la langue française au Québec pour bannir le «franglais». Régulièrement, ces institutions et organismes publient des listes de mots étrangers, la plupart du temps des mots anglais, qu'il faudrait bannir des publications officielles, et suggèrent alors les bons mots français à utiliser. En France, un groupe d'intérêts privés du nom de «Agulf», l'Association générale des utilisateurs de la langue française, a même engagé des poursuites contre certaines entreprises utilisant des mots anglais en publicité. Ainsi, l'Agulf a réussi à faire payer une amende de 500 $ à la société de transport Trans World Airlines parce qu'elle distribuait des cartes d'embarquement en anglais à l'aéroport Charles-de-Gaulle; la même association a poursuivi en justice l'entreprise Évian pour avoir fait la publicité d'un de ses produits comme «le *fast drink* des Alpes» et elle a aussi

© McGraw-Hill, Éditeurs

accusé un manufacturier de meubles d'utiliser une expression défendue lorsqu'elle parlait de «showroom» plutôt que de «salle d'exposition». Au Québec, des pressions très fortes sont faites auprès des manufacturiers, publicitaires ou commerçants utilisant des termes anglais dans leur affichage ou leur rapport avec le public et en principe, on exige un certificat de francisation pour qu'ils puissent opérer. Il y va même parfois de poursuites judiciaires par rapport à l'affichage ou au service à la clientèle unilingue anglais.

Discussion

A. Pourquoi un pays ou une nation doit-elle chercher à préserver sa langue dans sa forme historique? Une langue demeure-t-elle statique ou doit-elle changer au fur et à mesure que les idées nouvelles émergent et que des produits nouveaux arrivent sur le marché?

B. Le français a-t-il une forme pure ou est-il la combinaison de plusieurs langues? Quelles sont les langues qui ont eu et qui ont encore une forte influence sur le français?

C. Si vous étiez responsable d'une agence de publicité en France ou au Québec, quelles mesures prendriez-vous pour vous assurer que les messages publicitaires de votre agence sont conçus dans un français approprié.?

EXERCICE 5.3
LA LANGUE, MATIÈRE À LÉGISLATION (Discussion)

Depuis plus de 150 ans que le gouvernement belge discute du problème des langues dans son pays, et qu'il tente d'établir quelle langue devra être parlée dans quelle partie du pays. La Belgique, fondée en 1830, se demande toujours si les gens devront parler le français, le flamand ou certains dialectes allemands. Certains villages de l'Est du pays, où les habitants eux-mêmes parlent un mélange de français, de flamand et de wallon, sont ainsi ballottés sur le plan légal. D'autre part, à Bruxelles, la capitale, le français et le flamand sont officiellement parlés. Au Québec, la situation a été très controversée par rapport à la langue de l'éducation; on a longtemps débattu les droits de chacun de recevoir une éducation dans la langue de son choix. La loi n'est pas encore toujours claire à cet égard. Le Canada, pays officiellement bilingue, ne réussit pas à offrir ses services bilingues à tous ceux qui le requièrent dans tous les coins du pays. En fait, les décisions politiques et les lois concernant les langues ne font pas l'unanimité et sont sujettes à de très fortes controverses.

Discussion

A. Comment réagiriez-vous si le Gouvernement vous imposait d'arrêter de parler votre langue pour en parler une autre? Cela s'est-il produit dans les écoles de réserves indiennes en Amérique? Avec les enfants chicano du Sud-Ouest américain? Avec les enfants créoles des départements français de la Martinique et de la Guadeloupe? Avec les Inuit du Nord du Québec?

B. Quels sont les arguments que l'on utilise pour imposer une langue dans une certaine partie d'un pays? Peut-il y avoir des langues «officielles» au Canada? Est-il possible pour un pays ou une région d'un pays d'avoir une seule langue écrite et plusieurs langues parlées?

C. Pourquoi les gens sont-ils si émotivement pris par leur langue? La langue représente-t-elle une culture? Une façon de voir le monde? Une force qui unit les gens entre eux?

EXERCICE 5-4
QUI VOUS A COMPRIS? (En mouvement)

Rappelez-vous une expérience relationnelle significative de votre passé, c'est-à-dire une situation où une personne a su mieux vous comprendre que d'autres. Il n'est pas nécessaire que ce soit une personne qui ait été près de vous pendant une longue période de temps ou qui a encore aujourd'hui beaucoup d'impact sur vous. Il est seulement nécessaire que ce soit une personne qui, pendant un certain moment, vous a bien compris et mieux que les autres. Essayez de déterminer ce qui, de vous-même, de l'autre personne, de la situation ou de la combinaison des trois a rendu cette compréhension possible.

Mettez sur papier quelques notes à ce sujet pour être prêt à en discuter avec les autres. Cette discussion sera informelle et chacun pourra y partager son expérience.

Discussion

A. Quel langage cette personne utilisait-elle pour rendre la compréhension meilleure?

B. Que saviez-vous l'un de l'autre qui a pu favoriser directement cette meilleure compréhension? Aviez-vous vécu un événement ou quelque chose de spécial avec cette personne?

C. Partagez vos réactions avec les autres quant aux situations et personnes avec lesquelles chacun s'est senti compris. Pouvez-vous identifier certains facteurs constants: âge, sexe, type de relation, facteurs externes?

D. Quelle est l'implication de ces facteurs dans votre communication avec les autres? Pouvez-vous émettre une théorie à partir de ce que chacun a partagé? Cela vous donne-t-il des idées pour améliorer votre communication avec les autres? Lesquelles?

SUGGESTION DE TÂCHE 5-1
LES MOTS ET COMMENT ILS NOUS AFFECTENT

Si on écrivait un mot au tableau, croyez-vous que vous réagiriez à ce mot? Les mots sont-ils neutres? Peuvent-ils nous communiquer et faire surgir des émotions? Répondre aux questions suivantes en inscrivant, dans les espaces appropriés, les mots qui correspondent le mieux aux descriptions données.

Quel est le plus beau mot que vous connaissez? _____

Quel est le mot qui communique le plus de douceur et de gentillesse? _____

Quel est le mot le plus laid, le plus affreux?_____

Quel est le mot le plus terrifiant? _____

Quel est le mot le plus acerbe, le plus méchant? _____

Quel est le mot qui exprime le plus un sentiment de solitude? _____

Quel est le mot qui suscite chez vous le plus de colère et d'agressivité? _____

Quel est le mot qui communique pour vous le plus de bonheur? _____

SUGGESTION DE TÂCHE 5-2
DÉFINITION

1. Les scientifiques utilisent le concept de définition opérationnelle dans leur travail. Quelle est la différence entre une définition opérationnelle et une définition du dictionnaire?

2. Dressez une liste de mots pour lesquels vous essayez de trouver à la fois des définitions opérationnelles et des définitions du dictionnaire. Comment les définitions diffèrent-elles? Quels sont les genres de mots qui suscitent le plus de définitions différentes?

3. Essayez de donner une définition opérationnelle d'un mot insensé et essayez ensuite d'utiliser ce mot dans des phrases de formes et d'intentions variées.

4. En groupe, exercez-vous à donner oralement différentes définitions de mots aux autres. Est-il plus facile pour vous de faire cela verbalement que de façon écrite?

SUGGESTION DE TÂCHE 5-3
MINILANGAGE

Dans plusieurs groupes sociaux, il existe un langage standard miniature qui est différent du langage utilisé couramment par la majorité. On retrouve dans ces minilangages des signifi-cations spéciales attachées à certains mots, des mots nouveaux ou des mots inventés en fonction de circonstances, d'événements ou d'objets. Dans votre milieu d'étude, collège ou université, il y a probablement plusieurs de ces petites phrases toutes faites, mots ou expressions à signification particulière et propre à certains groupes. Voyez si vous pouvez identifier ces mots et expressions et les définir. Est-ce qu'il y en a que vous ne comprenez pas? Qu'est-ce qui peut causer cela? Est-ce qu'il y a des mots ou expressions que vous utilisez avec vos amis et que peut-être les autres ne comprennent pas? Comment cela affecte-t-il votre communication avec vos amis et avec les autres?

Décrivez comment vous avez connu ce langage et quel effet cela a eu sur vous la première fois. Finalement, peut-être pouvez-vous aussi spéculer un peu sur votre façon d'être en relation (directe ou indirecte) avec ces gens qui utilisent un tel minilangage.

CHAPITRE 5

FEUILLE D'APPRÉCIATION PERSONNELLE

1. Pouvez-vous penser à des choses pour lesquelles il n'existe pas de mot? Donnez un exemple d'une chose pour laquelle il n'y a pas de mot?

2. Les mots signifient des choses différentes pour des gens différents. Donnez l'exemple d'un mot qui, à votre avis, a une signification très différente pour quelqu'un d'autre.

3. Pensez-vous parler un dialecte? Avez-vous l'impression que votre langue est standard ou non standard? Quand et avec qui utilisez-vous l'un ou l'autre?

Votre nom _____

CHAPITRE
6

Vivre avec notre langage

FEUILLE DE FEED-BACK (Chapitre 6)

1. Évaluez la productivité de la session de cette semaine pour vous.

   1   2   3   4   5   6   7   8   9   10
   Non productive   Très productive

2. Qu'avez-vous appris cette semaine et à travers ce chapitre qui pourra vous être utile dans vos communications avec les autres?

3. Avez-vous appris quelque chose sur les abus de langage que peuvent commettre les gens même à leur insu?

4. Comment réagissez-vous lorsque les gens utilisent un langage pollué autour de vous ou en s'adressant directement à vous?

EXERCICE 6-1

CONJUGAISONS IRRÉGULIÈRES D'ADJECTIFS (Projet de groupe)

Lors d'une émission de radio britannique, Bertrand Russell parla un jour de la conjugaison suivante:

Je défends mes idées;

Tu t'obstines souvent;

Il est plus têtu qu'un âne.

À partir de ce modèle, on lança un concours et on demanda aux gens de faire parvenir d'autres conjugaisons du même genre. Voici quelques-unes des meilleures conjugaisons qu'on obtint:

- J'ai certains talents de leader. Tu es souvent porté à diriger les autres. Il veut mener tout le monde par le bout du nez;

- Je suis plutôt réservé. Tu es parfois distant avec les gens. Il est tellement sauvage;

- J'étais d'accord avec la suggestion du patron. Tu as rejoint les idées du patron. Évidemment, il a encore plié devant le patron;

- Je suis préoccupé. Tu es anxieux. Il est bourré de complexes;

- Je suis de nature sociable. Tu aimes être entouré. Il n'est pas satisfait tant qu'il n'a pas attiré toute l'attention sur lui;

- Je me suis probablement trompé. Tu t'es contredit sur ce point. Il nous a menti en pleine face;

- Je suis un fin causeur. Tu monopolises la conversation. Quel raseur!

- Je me sens seul à faire la tâche. Tu ne veux pas coopérer. Personne ne s'est proposé pour faire...

- Je n'ai plus le goût. Tu me fatigues. Il sabote tout ce que nous faisons;

- Je me sens intimidé. Tu es snob. Il ne me sourit jamais.

Dans votre groupe maintenant, complétez les énoncés suivants selon le modèle précédent et partagez-les avec les autres.

Je suis petit et trapu...

J'aime la fantaisie...

J'ai une morale ouverte...

J'aime la musique...

Je crois en l'honnêteté...

Je suis assez conventionnel...

Je ne crois pas à l'épargne...

J'ai besoin de beaucoup de sommeil...

Discussion

A. Qu'est-ce que cet exercice révèle de votre façon de parler de vous-même comparativement à votre façon de parler des autres? Aimez-vous que vos attitudes et comportements soient toujours considérés positivement alors que peut-être vous mettez en doute les mêmes attitudes et comportements chez les autres?

B. Lorsque vous parlez directement à une personne, vous est-il alors plus facile d'être «positif» que si vous parlez d'une personne absente? Nos conversations et discussions en face à face n'ont-elles pas tendance à être moins critiques et évaluatives que celles faites lorsque les gens ne sont pas présents?

C. Lorsque vous dites «elle est» pour décrire une personne, est-ce que cela renvoie à des comportements ou des attitudes statiques et à des qualités invariables? Ce verbe «être» ne limite-t-il pas nos descriptions des autres? Comment aveugle-t-il nos relations avec les autres?

D. Est-ce qu'une conjugaison de verbes qui décrit les actions et comportements de quelqu'un n'est pas plus descriptive et exacte des gens qui nous entourent?

E. Est-ce que la dynamique de nos comportements interpersonnels ne peut pas être modifiée par une conjugaison plus régulière des verbes?

EXERCICE 6-2
LE TEST D'INFÉRENCES * (Jeu)
Directives

Ce test vise à vérifier votre habileté à penser avec précision et attention. Étant donné que vous n'avez probablement jamais fait un test de ce genre auparavant, vous obtiendrez un résultat plus bas si vous ne lisez pas très attentivement les directives.

1. Vous lirez une brève histoire. Prenez pour acquis que l'information donnée dans cette histoire est absolument précise et vraie. Lisez-la attentivement. Vous pourrez revenir à l'histoire quand vous le voudrez.

2. Vous lirez ensuite certains énoncés concernant l'histoire en question. Répondez-leur en suivant l'ordre numérique. Il est défendu de retourner en arrière pour compléter ou changer vos réponses. Cela modifierait indûment votre résultat.

3. Après avoir lu chaque énoncé, déterminez si cet énoncé est:

V: Sur la base de l'information présentée dans l'histoire, l'énoncé est certainement vrai.

F: Sur la base de l'information présentée dans l'histoire, l'énoncé est certainement faux.

?: L'énoncé peut être vrai ou faux car, à partir de l'information présentée, on ne peut être certain. Si la moindre partie de l'énoncé est douteuse, indiquez «?».

Indiquez votre réponse en encerclant V, F ou ? à la fin de l'énoncé.

---

* Reproduit avec la permission de W. Haney, *Communication and Organizational Behavior*, Homewood, Ill., Richard Irwin, 1967, p. 185-186.

Test d'essai - L'histoire

La seule automobile stationnée en face du 619, rue des Érables est une automobile noire. Les mots «Jacques M. Courville, M.D.» sont inscrits en petites lettres dorées sur la portière avant gauche de cette automobile.

Énoncés

1. La couleur de l'automobile stationnée en face du 619, rue des Érables est noire. V F ?

2. Il n'y a aucune inscription sur la portière avant gauche de l'automobile en face du 619, rue des Érables. V F ?

3. Il y a quelqu'un de malade au 619, rue des Érables. V F ?

4. L'automobile noire stationnée en face du 619, rue des Érables appartient à Jacques M. Courville. V F ?

RAPPEL: Vous répondez seulement sur la base de l'information présentée dans l'histoire. Évitez de répondre en fonction de ce que vous pensez qui peut s'être produit. Répondez à chaque énoncé l'un à la suite de l'autre (par ordre numérique) sans revenir en arrière ni changer une de vos réponses.

L'histoire

Un homme d'affaires venait à peine d'éteindre les lumières du magasin lorsqu'un autre homme apparut et demanda de l'argent. Le propriétaire ouvrit la caisse enregistreuse. Le tiroir-caisse fut vidé, et l'homme partit en courant. On avisa promptement un policier.

Énoncés

1. Un homme est apparu après que le propriétaire ait éteint les lumières de son magasin. V F ?

2. Le voleur était un homme. V F ?

3. L'homme qui est apparu n'a pas demandé d'argent. V F ?

4. L'homme qui a ouvert la caisse enregistreuse était le propriétaire. V F ?

5. Le propriétaire du magasin rafla le contenu de la caisse enregistreuse et partit en courant. V F ?

6. Quelqu'un a ouvert la caisse enregistreuse. V F ?

7. Après que l'homme qui demandait de l'argent ait raflé le contenu de la caisse enregistreuse, il partit en courant. V F ?

8. Quoique la caisse enregistreuse ait contenu de l'argent, l'histoire ne dit pas combien. V F ?

9. Le voleur a demandé l'argent du propriétaire. V F ?

10. Le voleur a ouvert la caisse enregistreuse. V F ?

11. Après que les lumières du magasin furent éteintes, un homme est apparu. V F ?

12. Le voleur n'a pas apporté l'argent avec lui. V F ?

13. Le voleur ne demanda pas l'argent du propriétaire. V F ?

14. Le propriétaire a ouvert la caisse enregistreuse. V F ?

15. L'âge du propriétaire du magasin n'a pas été révélé dans l'histoire. V F ?

16. Ayant pris le contenu de la caisse enregistreuse avec lui, l'homme sortit en courant du magasin. V F ?

17. Cette histoire porte sur une série d'événements dans lesquels trois personnes seulement sont impliquées: le propriétaire du magasin, un homme qui a demandé de l'argent et un policier. V F ?

18. Les événements suivants sont inclus dans l'histoire: quelqu'un a demandé de l'argent, une caisse enregistreuse a été ouverte, son contenu a été ramassé et un homme s'est enfui du magasin. V F ?

Discussion

A. Prenez conscience de vos stéréotypes, postulats et inférences tels qu'ils se manifestent dans vos réponses à ce test. N'ayez pas peur de les reconnaître ouvertement dans le groupe afin de les discuter et de les comparer avec les autres.

B. Êtes-vous porté dans cette discussion à argumenter pour absolument convaincre les autres que c'est votre interprétation des faits qui est la meilleure ou la seule valable?

C. Avez-vous l'impression que toute cette histoire est une sorte d'attrape compliquée, mais qu'en réalité les choses ne se passent jamais ainsi dans la vie de tous les jours? Au contraire croyez-vous que les événements peuvent être racontés et perçus aussi difficilement? Comparez le texte de cette histoire avec l'exemple du bureau de poste dans la partie théorique.

EXERCICE 6-3

NOMMEZ ET UTILISEZ (Projet de groupe)

Un livre est fait pour être lu. Il peut cependant servir à autre chose. Faites une liste de tous les usages (autres que la lecture) que vous croyez possibles.

Lorsque vous êtes au bout de votre imagination personnelle, échangez et comparez votre liste avec d'autres membres du groupe. Dressez ensemble une liste des 25 meilleurs usages d'un livre autres que la lecture.

Discussion

A. Est-ce que le nom donné à un objet restreint notre pensée quant à cet objet?

B. Est-ce qu'un livre a une qualité fondamentale et unique à lui-même et est-ce que cette qualité réduit ainsi notre pensée à propos des usages qu'on peut en faire? Peut-on adapter un livre à un usage déjà rempli par un autre objet de notre environnement?

C. Essayez le même exercice avec le mot «brique» et voyez si vous ne trouvez pas des usages communs à une brique et un livre.

D. Est-ce plus facile de trouver des idées en groupe ou individuellement? Discutez et situez-vous.

EXERCICE 6-4
QUEL EST SON NOM? (Jeu)

Essayez de démêler l'affaire suivante:

Un homme rencontre un jour dans la rue un ami qu'il n'a pas vu et dont il n'a pas entendu parler depuis dix ans. Après un bref échange, l'homme dit: «Est-ce ta petite fille?», et l'ami réplique: «Oui, je me suis marié il y a six ans».

L'homme demande alors à l'enfant: «Quel est ton nom?», et la petite fille répond: «C'est le même que celui de ma mère».

«Oh, dit l'homme, alors tu dois t'appeler Micheline».

Si l'homme ne savait pas qui son ami avait épousée, comment pouvait-il savoir le nom de l'enfant?

Discussion

A. Il y a plusieurs devinettes comme celle qui précède. Elles sont la plupart du temps simplement fondées sur un postulat ou une inférence qui nous amène sur une fausse piste dans notre tentative de les résoudre. Vous avez sans doute trouvé le postulat de la présente devinette. Trouvez une ou deux autres devinettes du même genre et discutez des subtilités sémantiques et des inférences qu'elles suggèrent.

B. Réussissez-vous à résoudre plus facilement ce genre de devinettes lorsque vous pouvez en parler avec d'autres personnes ou lorsque vous êtes seul? Pourquoi?

C. Les devinettes ne sont-elles que des jeux d'enfants ou peuvent-elles vous aider à comprendre ce que sont les inférences et nous aider à développer davantage notre sens de la logique?

SUGGESTIONS DE TÂCHE 6-1
UTILISATION CRÉATIVE D'UN OBJET

Après avoir fait l'exercice 6-4, écrivez un bref texte où vous racontez comment quelqu'un que vous connaissez (ou vous-même) a adapté un objet à un tout autre usage que celui auquel cet objet était destiné. Par exemple, quelqu'un, avec un certain type de casseroles, s'est fabriqué une belle lampe ou de beaux pots à fleurs. Retracez si possible le processus par lequel on arrive ainsi à l'utilisation créative d'un objet. À quel moment, après combien de temps, après combien d'essais et dans quel contexte est-il le plus facile d'être créatif et imaginatif?

SUGGESTION DE TÂCHE 6-2
COUPURES DE JOURNAUX

Pour cette tâche vous devez comparer les faits, énoncés, jugements et inférences retrouvés dans le compte rendu d'un événement d'actualité d'un journal à ceux contenus dans l'éditorial du même journal.

Étape 1   Découpez un article qui relate un événement d'actualité (environ 500 mots). Soulignez en rouge toutes les informations factuelles (les énoncés qui pourraient être vérifiés par observations). Soulignez en bleu toutes les inférences (les énoncés effectués d'après ce qui est inconnu). Soulignez en vert tous les énoncés qui, à votre avis, traduisent un jugement ou une évaluation (des expressions des valeurs).

Étape 2   Découpez un éditorial (environ 500 mots) et soulignez en rouge les énoncés d'informations factuelles, en bleu les énoncés d'inférences et en vert les énoncés de jugements ou d'évaluation.

Étape 3   Expliquez par écrit ce que vous découvrez en comparant le *nombre* de faits, d'inférences et de jugements. Quelles conclusions pouvez-vous tirer de cette comparaison?

Étape 4   Lisez ces deux textes à haute voix devant vos collègues; pour l'article d'actualité, essayez de garder votre ton de voix et vos inflexions (voir paralangage) le plus neutre possible; pour l'éditorial, au contraire, mettez-y le plus d'émotion et d'expressions non verbales possible.

SUGGESTION DE TÂCHE 6-3
FAITS ET POINTS DE VUE

Tôt ce matin, deux accidents ont causé de graves blessures à une jeune personne et un homme, ainsi qu'à trois adolescents.

1. Écrivez un compte rendu de ces accidents en inventant les noms, les lieux et les autres circonstances des accidents.
2. Écrivez un article de journal en faveur d'une campagne contre la délinquance juvénile. N'utilisez que des énoncés de faits (comme dans les comptes rendus précédents) pour laisser vos lecteurs faire leurs propres jugements et leurs propres inférences. Les faits doivent être les mêmes que dans les premiers comptes rendus.
3. Écrivez un article de journal très critique concernant l'administration municipale de votre ville. Ici encore, n'utilisez que des faits se rapportant à un des deux accidents déjà décrits; ne changez que le «ton» de votre texte.

4. Dans une situation de jeu de rôles, jouez devant votre groupe, le rôle d'une personne qui a été témoin d'un de ces accidents. Cette fois-ci, inventez les détails de l'accident au fur et à mesure que vous jouez ce rôle. Rendez votre «jeu» et vos énoncés plus dramatiques et communiquez aux autres ce que vous avez vu «réellement» tout en ajoutant beaucoup de détails supplémentaires. Comment est-il possible de faire cette description tout en respectant fondamentalement les faits?

SUGGESTION DE TÂCHE 6-4
RECOMMANDATIONS

1. Comment écririez-vous une lettre de recommandation pour un de vos voisins que vous n'appréciez pas tellement et qui vient de se voir offrir un emploi à l'étranger? Écrivez cette lettre en n'utilisant que des faits qui peuvent aider ce voisin à obtenir cet emploi. Analysez ensuite votre lettre en vous arrêtant sur ce que vous avez choisi de ne pas prétendre. Essayez de prévoir également l'impression de votre voisin qu'aura la personne en recevant la lettre de recommandation.

2. Imaginez maintenant que la demande d'une recommandation pour ce même voisin vous est faite directement par téléphone. Que répondez-vous à cet interlocuteur, par rapport au caractère et à l'intégrité de votre voisin? Écrivez ce dialogue téléphonique comme vous le concevez: les questions de l'employeur éventuel au sujet de votre voisin et vos réponses à cette personne.

3. Un club auquel vous appartenez veut trouver une quinzaine de membres additionnels. Écrivez une lettre à un ami pour lui présenter les avantages d'appartenir à ce club. Lorsque vous avez terminé votre lettre, analysez par écrit quelles sont les inférences que votre ami pourrait faire suite à ce que vous lui écrivez.

CHAPITRE 6
FEUILLE D'APPRÉCIATION PERSONNELLE

1. Décrivez brièvement un incident récent qui vous est arrivé ou qui est arrivé à quelqu'un d'autre et dans lequel des inférences ou des jugements ont été présentés comme des faits.

2. Dans l'actualité ou a les gissements politiques des personnes de votre gouvernement, pouvez-vous trouver un exemple de langage pollué selon les trois niveaux suivants.

a) Confusion:

b) Ambiguïté:

c) Mensonge:

3. Avez-vous l'impression que les gens autour de vous ainsi que vos amis sont conscients des dangers potentiels de confusion venant du langage pollué? Au contraire, acceptent-ils ce qu'ils entendent comme étant des vérités? Donnez des exemples d'énoncés pollués qui peuvent amener beaucoup de confusion pour vous-même et les autres.

Votre nom _____

Communiquer sans parole:
le non-verbal et silences

FEUILLE DE FEED-BACK

EXERCICES

SUGGESTIONS DE TÂCHES

FEUILLE D'APPRÉCIATION PERSONNELLE

FEUILLE DE FEED-BACK (Chapitre 7)

Cette feuille est différente des précédentes. Lisez bien les directives avant de la remplir.

Directives Vous avez ci-dessous deux séries d'énoncés. Vous devez ordonner ces énoncés en vous rapportant à votre dernière rencontre de groupe (1 à 10: 1 énonce quelque chose de *très près* de ce qu'a été pour vous la dernière rencontre et 10 quelque chose de *très éloigné* de ce qu'a été pour vous la dernière rencontre.)

Dans le groupe:

_____ Le climat était chaleureux et amical.

_____ Il y avait beaucoup d'agressivité.

_____ Les gens n'étaient ni impliqués ni intéressés.

_____ Chacun essayait de dominer et de contrôler.

_____ Nous aurions eu besoin d'aide.

_____ La majeure partie des discussions n'était pas pertinente.

_____ Nous étions uniquement centrés sur la tâche.

_____ Tous les membres du groupe étaient polis et gentils.

_____ Il y avait beaucoup de frustration non exprimée.

_____ Nous avons travaillé sur notre processus de groupe.

Mon comportement:

_____ Je me sentais chaleureux et amical envers quelques personnes.

_____ Je n'ai pas tellement participé.

_____ Je me suis concentré sur la tâche.

_____ J'ai essayé de faire participer tout le monde.

_____ J'ai pris le leadership.

_____ J'étais poli et gentil envers tout le monde.

_____ Mes suggestions et mes remarques étaient souvent hors de propos.

_____ Je suivais et je faisais comme les autres.

_____ J'étais irrité et mécontent.

_____ J'étais fâché et agressif.

EXERCICE 7-1

PARALANGAGE: LES SIGNIFICATIONS DANS LE CONTEXTE
(En mouvement)

Étudiez la liste de phrases suivantes en essayant d'imaginer comment elles peuvent être dites différemment pour signifier des intentions ou des sentiments différents. Formez des dyades que vous changerez après chaque phrase: cela vous permettra de travailler en face à face avec différentes personnes. Une personne A, dans chaque dyade, dit la phrase clé à la personne B. et cette dernière doit deviner et comprendre ce que la personne A lui communique réellement. Par exemple, la première phrase dite par la personne A pourrait être: «Il y a des fleurs sur la table», mais le sentiment ou l'intention qu'elle y met varie pour exprimer de la surprise, de la colère, de l'admiration, de la curiosité, de l'amour, etc. La personne B doit donc bien deviner ce que la personne A communique et par la suite vérifier auprès d'elle ses intentions.

Vous travaillerez donc de deux manières: comme personne A, vous direz de petites phrases avec différentes émotions et intentions (jeu, autorité, farce, demande, etc.) et, comme personne B, vous devinerez ce que l'autre a voulu dire. Échangez les rôles. Il s'agit, ne l'oubliez pas, de démontrer comment le ton de voix, les gestes et autres éléments du paralangage servent à indiquer nos sentiments ou intentions.

Nous vous suggérons les phrases suivantes, mais vous pouvez en trouver d'autres:

«Sors d'ici.»
«Reviens.»
«Es-tu occupé?
«Ça sert à quoi?»
«Lis-le moi.»

Discussion

A. Utilisez-vous un ton de voix différent avec les gens selon le statut qu'ils occupent par rapport à vous? Utilisez-vous un ton de voix différent selon que vous vouliez: commander, séduire, convaincre, demander, etc.?

B. Non seulement notre ton de voix révèle-t-il l'intention de la communication, mais aussi il révèle souvent le niveau de relation entre deux personnes. Est-ce difficile d'identifier les rôles pris par la personne A? Où avez-vous appris ces manières de parler? Si vous avez des habitudes de langage, des tics, est-ce qu'ils imitent les manières de parler de vos parents?

C. Lorsqu'une phrase est difficile à saisir, est-ce parce que la personne s'exprime mal ou parce que la relation et le contexte sont ambigus?

EXERCICE 7-2

PREMIÈRE RENCONTRE (Jeu de rôles)

Jouez les rôles de deux personnes qui se rencontrent pour la première fois. Jouez cette situation devant les autres membres de votre groupe, une dyade à la fois, pour qu'ils puissent observer le verbal et le non-verbal. Comme acteurs, portez une attention particulière à vos comportements non verbaux afin d'en discuter avec les autres après coup.

Nous vous suggérons les situations suivantes: 1) deux étudiants se rencontrent pour la première fois après avoir appris qu'ils partagent la même chambre (ou qu'ils sont voisins de chambre) à la résidence du collège; 2) un gars et une fille font connaissance dans un voyage organisé en autobus pour aller faire du ski; 3) deux personnes engage une conversation dans la salle d'attente d'un cabinet de médecin; 4) une personne doit rencontrer un vendeur pour acheter une automobile.

Discussion

A. Quelle quantité d'information a été échangée non verbalement comparativement à l'échange verbal? Quelle information était disponible à chacun par rapport à l'autre? Les acteurs semblaient-ils porter attentions aux indices non verbaux?

B. Lorsqu'une rencontre est terminée, est-ce que chaque personne a spontanément quelque chose à dire de l'autre ou est-ce que plusieurs minutes sont nécessaires pour tirer des conclusions? Jusqu'à quel point les premières impressions sont-elles valables? Sont-elles plus valables si on tient compte à la fois du verbal et du non-verbal ou l'un l'emporte-t-il sur l'autre?

C. En général, vous fiez-vous davantage à l'information verbale ou à l'information non verbale que vous recevez des autres personnes? Quel canal vous semble le plus fiable? Est-ce toujours vrai ou est-ce que l'opposé peut aussi être vrai?

EXERCICE 7-3
POIGNÉES DE MAIN (Jeu)

Chaque personne serre la main d'une autre personne en essayant de démontrer les attitudes suivantes:

1. Une poignée de main ferme et confiante;
2. Une poignée de main molle et sans conviction;
3. Une poignée de main automatique et inconsciente;
4. Une poignée de main très active et énergique;
5. Une poignée de main délicate et sensible;
6. Une poignée de main écrasante.

Discussion

A. Avez-vous eu des difficultés à donner certaines de ces poignées de main? Pouvez-vous vous rappeler certaines personnes avec lesquelles vous avez déjà échangé différentes poignées de main?

B. Quels autres comportements étiez-vous portés à associer à ces différents types de poignées de main? Aviez-vous tendance à adopter un rôle quelconque en exprimant un type de poignée de main - un rôle qui vous semble lié à ce genre de poignée de main? Dans une poignée de main, voyez-vous autre chose que deux mains qui se touchent ou est-ce qu'habituellement il y a des postures, des mouvements ou des expressions faciales qui accompagnent et renforcent spontanément ce geste?

C. Dans notre culture, quelle est l'utilité d'une poignée de main? Jusqu'où peut aller la signification d'un tel geste? Comment avez-vous fait l'apprentissage des significations liées à ce geste? Dans quelles circonstances et situations l'utilisez-vous?

EXERCICE 7-4
À quelle distance s'asseoir? (Jeu)

En utilisant des chaises devant le groupe, deux personnes ou plus se placent en fonction d'une situation et d'une relation suggérée. Sous l'observation du groupe, les «acteurs» ajustent la disposition des chaises pour correspondre aux cas suivants. (Vous pouvez développer vos propres situations).

1. Quatre chaises sont disponibles; deux personnes qui ne se connaissent pas doivent s'asseoir dans la salle d'attente d'un dentiste.

2. Deux bons amis arrivent également dans la même salle d'attente.

3. Quelques instants plus tard, une mère et son enfant de 10 ans, un peu inquiet et nerveux, arrivent dans la même salle d'attente.

4. Il y a six tabourets au comptoir d'un restaurant. Quatre personnes entrent et prennent place au comptoir. Deux étrangers, un homme et une femme entrent en premier. Deux personnes qui de toute évidence sont amis entrent ensuite et veulent luncher ensemble.

5. Un patron convoque une secrétaire pour se plaindre du piètre travail de celle-ci. Arrangez les chaises en fonction d'un bureau pour montrer où chacun s'assoira.

6. Un patron fait venir un employé de son service d'expédition de marchandises à son bureau pour lui dire que les dernières livraisons ont été vraiment bien faites et que des clients ont même téléphoné pour manifester leur satisfaction. Arrangez les chaises en fonction d'un bureau pour montrer où chacun s'assoira.

7. Vous avez demandé une rencontre avec votre patron pour lui demander un transfert de département. Quand vous entrez dans le bureau du patron, celui-ci vous dit de vous asseoir où vous voulez. Trois chaises sont disponibles. Repérez-les par rapport à la distance et la direction et ensuite choisissez-en une.

Discussion

A. Lorsque les acteurs disposent les chaises et prennent place, le reste du groupe peut être consulté de façon à trouver un consensus sur la disposition des chaises et des personnes. L'auditoire peut donc commenter et manifester son accord ou son désaccord face aux arrangements et aux places des acteurs.

B. Le statut des gens a de l'effet sur la place qu'ils prennent et occupent. Est-ce qu'une place confère un statut ou est-ce que les gens ayant un statut peuvent mener un groupe peu importe la place qu'ils occupent. Comme disait un général à qui on demandait s'il voulait s'asseoir au bout de la table d'un banquet, «Qu'importe où je m'assois, je suis toujours à la tête du banquet.»

C. Dans les endroits publics, comment vous sentez-vous par rapport à l'endroit où vous êtes assis? Dans quelle mesure est-ce pour vous un facteur culturel et une question de goût personnel? Pouvez-vous décrire et parler d'une expérience dans une autre culture?

D. Où avez-vous appris vos distances par rapport aux autres? Comment réussissez-vous à comprendre les autres par rapport à ce qu'ils expriment par leur distance? Est-ce que vous vous attendez à certaines distances dans certaines occasions, et est-ce que vous-même prévoyez certains arrangements dans certaines situations.

À QUELLE DISTANCE SE TENIR? (Jeu de rôles)

Cet exercice peut être fait et joué en dyade, où chacun communique à l'autre ce qu'il ressent dans chaque situation proposée. L'exercice peut également être fait et joué par une dyade devant le groupe de façon que tous puissent commenter et intervenir par rapport aux distances à établir et à tenir dans les situations proposées.

Travail en dyade

Au signal, les membres de chaque dyade se placent à une distance où chacun est d'accord et à l'aise par rapport à la situation proposée. On notera les parties de l'exercice ou les situations où le deux ont de la difficulté à se mettre d'accord ou à être confortable.

Simulez les situations suivantes ou d'autres du même genre.

1. Vous voulez dire un secret à l'autre personne. Jusqu'où vous rapprochez-vous?

2. Vous voulez que l'autre personne vérifie une liste pour vous; aucune parole n'est nécessaire.

3. Vous voulez demander à une autre personne de vous aider à choisir une cravate ou un foulard.

4. Le but du prochain exercice est de vous imaginer comment cela est d'être un petit enfant dans un monde d'adulte. Chaque dyade consiste en un «adulte» et un «enfant». L'adulte se met debout sur une chaise ou s'élève d'une autre manière à environ 50 cm au-dessus de l'enfant. Une fois dans cette position, l'enfant demande à l'adulte une permission telle que, aller chez un ami, aller au cinéma ou acheter une barre de chocolat. L'enfant essaie d'être ferme et d'obtenir poliment ce qu'il veut.

Démonstration devant la classe

Deux personnes sont choisies pour jouer et trouver les distances appropriées dans les situations suivantes ou toute autre.

Les situations peuvent servir d'amorce:

1. Un garçon et une fille parlent de leurs travaux scolaires.
2. Un garçon et une fille sont en train de décider où ils iront manger.
3. Un garçon et une fille se disent un secret.
4. Deux femmes sont en train de parler d'affaires.
5. Deux femmes sont en train de parler de sports.
6. Deux hommes sont en train de conspirer pour faire du tort à un autre.

7. Deux femmes, respectivement médecin et patiente, sont en train de parler.

8. Un homme qui est le patient, est en train de parler à sa médecin.

Si les observateurs du groupe ne sont pas d'accord, ils doivent demander aux acteurs ce qu'ils en pensent. La clarification de la relation ainsi que des données additionnelles concernant le contenu de ce qui est échangé peuvent modifier la distance.

Discussion

A. Demandez aux personnes des dyades comment elles se sentaient quand l'autre envahissait leur espace. Certaines situations étaient-elles difficiles à comprendre?

B. Comment l'«enfant» s'est-il senti lorsqu'il a dû parler à l'«adulte»?

C. Lorsque les dyades ne sont pas en accord sur la distance par rapport à une situation, demandez pourquoi il y a des différences. Est-ce que les membres de la dyade viennent d'une culture différente? Est-ce qu'il y a une différence prévisible entre les hommes et les femmes? Est-ce que le contenu fait la grosse différence? (En d'autres termes, ce que les gens disent établit-il les différences de distance?)

SUGGESTION DE TÂCHE 7-1
AJUSTEZ VOTRE APPAREIL DE TÉLÉVISION

A. Regardez une émission de télévision sans qu'il y ait de volume. Réussissez-vous à suivre ce qui se passe? Si vous regardez une comédie, comment faites-vous pour comprendre les blagues? Celles-ci sont-elles plus verbales que non verbales? Quel est le pourcentage de compréhension de cette émission, 40 %, 90 %? Écrivez un petit texte pour parler de vos réactions à cette expérience.

B. Essayez l'expérience inverse. Avec un volume normal, fermez les yeux ou tournez le dos à votre téléviseur. Mis à part le contenu de l'émission que vous réussissez à comprendre grâce à votre écoute, est-ce qu'il y a des éléments de paralangage et de non-verbal qui vous auraient aidé à mieux interpréter l'action (ou tout au moins à avoir davantage de plaisir à écouter cette émission)? Quel pourcentage de cette émission croyez-vous avoir réellement saisi? Écrivez encore ici vos réactions et réflexions par rapport à cette expérience.

C. Dans un dernier texte, parlez et montrez comment nos systèmes de vision et d'écoute se renforcent mutuellement. Est-ce qu'il y a des situations où ils ne le font pas, c'est-à-dire où ils demeurent complètement indépendants l'un de l'autre? Trouvez des exemples.

SUGGESTION DE TÂCHE 7-2
ENREGISTREZ VOS SILENCES

Pendant une journée complète gardez un petit calepin sur vous et enregistrez les moments où vous êtes silencieux. Indiquez si possible ces moments dans une des catégories suivantes:

1. Silences dus à l'absence de personne à qui parler;

2. Silences dus à un moment d'indécision – vous ne savez pas quoi dire;

3. Silences intentionnels – vous choisissez de vous taire et de vous retirer en vous-même;

4. Silences qui traduisent une émotion – vous êtes triste, irrité, etc.;

5. Silences de concentration – vous travaillez à une tâche intellectuelle, vous réfléchissez à un problème précis;

6. Autres catégories de silences.

À la fin de cette journée, prenez du temps pour écrire vos réactions face à ces silences. Combien de temps avez-vous passé en silences de toutes sortes pendant cette journée? Quelles étaient les personnes autour de vous? Comment les silences vous ont-ils marqué; étaient-ils difficiles ou agréables?

SUGGESTION DE TÂCHE 7-3
VOTRE ESPACE PERSONNEL

Comment les espaces et l'arrangement des endroits où nous habitons et ceux où nous travaillons affectent-ils nos relations familiales et interpersonnelles. Utilisez des exemples personnelles pour répondre à cette question. Voyez si vous pouvez effectuer des changements dans ces espaces et ces arrangements qui pourraient améliorer vos relations?

SUGGESTION DE TÂCHE 7-4
OBSERVATION D'UN GROUPE

Choisissez un groupe quelconque de votre campus et demandez-lui la permission d'assister à une de ses réunions pour l'observer. Précisez-lui que vous voulez observer sa communication non verbale. Notez alors la place et la distance des gens entre eux, leurs postures, leurs mouvements, leurs expressions faciales, la direction de leurs contacts visuels, etc. Faites un rapport de ces observations.

SUGGESTION DE TÂCHE 7-5
INTERVIEW

Essayez de rencontrer un architecte ou un spécialiste en décoration intérieure pour l'interroger sur sa façon de tenir compte (sa conceptualisation et sa concrétisation) de la communication humaine dans la réalisation de ses plans.

SUGGESTION DE TÂCHE 7-6
VOTRE PROPRE COMPORTEMENT NON VERBAL

Faites un inventaire des comportements et des moyens non verbaux que vous utilisez personnellement. Êtes-vous pleinement conscient de ces comportements et de ces moyens? Comment les autres pourraient-ils vous aider à identifier davantage d'éléments de cette partie de votre personnalité et de votre communication? Comment pouvez-vous enrichir votre langage non verbal?

CHAPITRE 7
FEUILLE D'APPRÉCIATION PERSONNELLE

1. En gardant une distance suffisante pour ne pas entendre ce que disent les gens entre eux, observez un groupe assis dans un restaurant, une salle d'attente, etc. Décrivez les comportements que vous observez au niveau non verbal. À partir de ces observations, spéculez sur la conversation que vous croyez qu'ils entretiennent. S'entendent-ils bien? Quelle est leur humeur?

2. Dans vos observations du comportement non verbal des autres, avez-vous tendance à porter davantage attention: a) aux regards et aux signes de tête; b) aux postures et aux mouvements du corps; c) au ton de voix? Ou, au contraire, êtes-vous habituellement porté à tenir compte de l'ensemble de la personne et du contexte? Tout cela est-il facile ou difficile pour vous?

3. Qu'avez-vous appris dans ce chapitre au sujet des silences et de la communication non verbale qui peut vous être utile immédiatement dans votre communication? Soyez précis.

Votre nom _____

FEUILLE DE FEED-BACK (Chapitre 8)

1. Évaluez la productivité de la session de cette semaine pour vous.

    1   2   3   4   5   6   7   8   9   10
    Non productive   Très productive

2. Évaluez comment à votre avis les autres perçoivent la session de cette semaine.

    1   2   3   4   5   6   7   8   9   10
    Non productive   Très productive
    Commentaires:

3. Avez-vous dû assumer un rôle que vous n'aimiez pas dans les activités de votre groupe de cette semaine? Si les gens vous ont quelque peu forcé à adopter certaines «identités», quelles réactions avez-vous eues?

4. Avez-vous eu du plaisir à travailler dans votre groupe? Comment et pourquoi?

5. Avez-vous d'autres commentaires, critiques, questions ou suggestions?

EXERCICE 8-1
QUELLE PHASE TRAVERSENT-ILS? (Jeu de rôles)

Après avoir lu attentivement la section de la partie théorique sur les cinq phases des interrelations, observez quelques couples (le vôtre y compris) et notez les comportements particuliers qui se manifestent pour chacune des phases. Puis mettez-vous en équipe avec un autre membre de votre groupe et élaborez de courtes mises en scène pour illustrer chacune des cinq phases des interrelations. Ensuite vous les jouez devant l'ensemble du groupe qui doit identifier la phase que vous illustrez et reconnaître les comportements qui sont particuliers à chacune des phases. Finalement, en groupe vous discutez de cette expérience.

Discussion

1. Avez-vous eu de la difficulté à élaborer et à jouer la mise en scène? Pourquoi?
2. Avez-vous eu de la difficulté à reconnaître les phases? Pourquoi?
3. Avez-vous déjà personnellement traversé ces phases dans vos relations amoureuses ou amicales? Échangez avec les autres sur ce vécu et comparez-le aux énoncés du volume.

EXERCICE 8-2
LES CARACTÉRISTIQUES DES HOMMES ET DES FEMMES
(Projet de groupe)

Cet exercice est fondé sur de nombreuses recherches qui scrutent les attitudes qu'adopte la société nord-américaine face aux hommes et aux femmes et face à leurs rôles. Certes, cet exercice ne peut être aussi fouillé qu'une recherche, mais si vous faites un effort pour demeurer ouvert et sensible aux énoncés et aux sentiments des autres, vous pourrez prendre conscience des stéréotypes sexuels présents entre les gens.

Divisez la classe en deux groupes: les hommes d'un côté et les femmes de l'autre. Chaque groupe (travaillant indépendamment de l'autre) dresse une liste des principales caractéristiques des hommes dans notre société et une liste des principales caractéristiques des femmes dans notre société. Lorsque les deux groupes ont terminé leurs listes, on transcrit ces quatre listes au tableau ou sur de grandes feuilles de façon que chaque membre de la classe puisse lire toutes les caractéristiques trouvées.

Le groupe des femmes ou le groupe des hommes, s'il juge qu'il a été plus ou moins bien caractérisé par les membres du groupe de l'autre sexe, peut demander qu'on ajoute à sa liste trois caractéristiques et/ou qu'on en enlève trois. Par exemple, les femmes peuvent insister pour que les caractéristiques X, Y, Z soient enlevées de la liste féminine dressée par les hommes et que trois autres caractéristiques y soient incluses. En somme il s'agit, en discutant, d'obtenir des listes qui forment une image «satisfaisante» pour tous les membres de la classe.

Après la discussion et la comparaison des listes, on discute des implications des rôles sexuels dans la communication.

Discussion

A. En comparant les listes, demandez aux hommes s'ils considèrent que leurs caractéristiques sont meilleures que celles des femmes. Demandez aux femmes si elles perçoivent davantage et plus facilement les caractéristiques des hommes que les leurs. Demandez des comparaisons précises entre les listes pour bien vérifier si les caractéristiques sont vraies ou non.

B. Sélectionnez dans chacune des quatre listes les points qui, en regard des valeurs sociales, sont positifs et ceux qui vous apparaissent négatifs. Certains points peuvent être plutôt neutres, c'est-à-dire qu'ils ne prennent une valeur positive ou négative qu'en fonction du contexte et ne peuvent être déterminés de façon abstraite. Les points positifs sont-ils davantage liés aux hommes qu'aux femmes ou inversement? Quelles sont les implications de ces caractéristiques sur le concept de soi et le rôle sexuel que chacun doit assumer?

C. Quels genres de points ou de caractéristiques les hommes ont-ils demandé d'enlever? Lesquels ont-ils demandé d'ajouter? Et pour les femmes? Retrouvez-vous un certain dénominateur commun entre les demandes et les objections des deux groupes? Comment les personnes se sont-elles senties dans l'échange et la comparaison avec l'autre groupe? Quelles ont été les raisons invoquées pour demander d'ajouter ou d'enlever certaines caractéristiques?

D. Demandez à chaque groupe de sélectionner à partir des quatre listes cinq des caractéristiques les plus importantes de leur groupe. Les femmes choisiront les cinq points et caractéristiques qu'elles admirent et préfèrent pour elles-mêmes, et les hommes feront de même pour leurs propres caractéristiques. Ces choix se font pour les femmes entre elles et les hommes entre eux, à moins que vous ayez amplement de temps pour que l'ensemble de la classe détermine les cinq caractéristiques de chaque groupe sexuel. Après que chaque groupe aura effectué ses choix, discutez des difficultés rencontrées pour se mettre d'accord, même entre personnes du même sexe. Enfin, croyez-vous que les gens de l'autre sexe seraient d'accord sur ces points?

EXERCICE 8-3

QUELLES PROFESSIONS ADMIREZ-VOUS? (Projet de groupe)

Regardez attentivement la liste des professions qui suit; elle vous permettra de faire le présent exercice.

_____ Écrivain

_____ Journaliste

_____ Policier

_____ Banquier

_____ Juge à la Cour suprême

_____ Avocat

_____ Entrepreneur de pompes funèbres

_____ Premier ministre

_____ Sociologue

_____ Scientifique

_____ Instituteur (niveau primaire)

_____ Dentiste

_____ Psychologue

_____ Professeur de collège

_____ Physicien

_____ (À votre choix)

Cet exercice est une adaptation des données de recherche du National Opinion Research Center, telles que citées par R. Bendix et S.M. Lipset dans *Class, Status and Power* (New York, The Free Press, 1966). Quoique les préférences et le prestige liés à chaque profession aient pu changer depuis le temps où la recherche a été menée, le principe est ici plus important que les données réelles.

Nous avons donc dans la liste du présent exercice une quinzaine d'occupations avec en plus un espace pour y ajouter le nom d'un autre métier, carrière ou profession de votre choix si vous le désirez. Placez en ordre d'importance ces 15 ou 16 occupations d'après le prestige qu'on leur accorde selon vous dans notre société. Placez un 1 face à l'occupation qui selon vous, dans l'opinion des gens, détient le plus de prestige, et ainsi de suite. (Il peut vous être plus facile d'identifier ensuite la 16e, puis de remonter à la 2e, d'aller à la 15e, et à la 3e, et de finir par le milieu.

Après avoir fait ce travail individuellement, vous le refaites en petits groupes en essayant d'arriver à un consensus. Essayez de discuter chaque occupation le plus possible, plutôt que de vous mettre d'accord en votant l'ordre des occupations.

Finalement, comparez vos réponses à celles d'autres petits groupes et discutez.

Discussion

A. Est-ce que tous les petits groupes sont d'accord? Si non, est-ce qu'il y a une raison ou une logique qui peut expliquer les désaccords? Comment s'est fait le consensus s'il y en a eu un et par quel moyen?

B. Avez-vous eu de la difficulté à faire inclure votre choix personnel s'il ne figurait pas déjà dans la liste? Si ce choix personnel a été évalué comme étant moins prestigieux par les autres, comment vous sentez-vous par rapport à cette évaluation?

C. Le prestige est-il une valeur pour la majorité des gens? Est-il une valeur importante pour vous? Est-ce qu'il y a d'autres valeurs plus importantes et plus significatives pour vous dans le choix d'une profession? Comment se sent une personne qui choisit une occupation peu prestigieuse socialement? Comment les parents en général (et les vôtres peut-être) réagissent-ils face au choix de la profession future de leurs enfants? Comment les enfants parlent-ils de l'occupation de leurs parents?

D. Utilisez-vous des périphrases pour parler de certaines occupations? Par exemple, parlez-vous d'«entrepreneur de pompes funèbres» plutôt que de «croque-mort», de «conseiller en orientation» plutôt que d'«orienteur», de «préposé au nettoyage municipal» plutôt que d'«éboueur»? Si nous portons attention au titre d'un emploi, n'est-ce pas parce que nous nous identifions à une tâche et à un rôle plus particuliers?

E. Regardez les offres d'emploi dans un journal pour examiner comment, à partir du titre de l'emploi, ce poste est décrit.

EXERCICE 8-4.

QUAND FAIRE CONFIANCE? (Jeu de rôles)

Vous savez jusqu'à quel point nous avons tous tendance à juger quelqu'un d'après son apparence physique et comme il est facile de le faire. Mais quels autres facteurs utilisons-nous pour décider de faire confiance ou non à quelqu'un?

Dans votre groupe, élaborez une scène de communication où la question de la confiance est centrale. Cette situation peut être personnelle ou générale, assez banale ou très significative. Le meilleur matériel pour ce jeu de rôle provient sans doute de votre propre expérience de telles situations, même si, bien sûr, vous pouvez aussi retrouver dans l'actualité une foule de situations où la confiance interpersonnelle est au centre du problème.

Pour ce jeu de rôles comme dans la vie réelle, soulignons-le, vous pouvez exprimer la confiance par l'expression de sentiments, mais aussi par d'autres moyens: un prêt ou un échange de matériel, l'assignation d'une tâche, etc.

Votre jeu de rôles peut faire appel aux mots, aux regards, aux gestes pour exprimer la confiance. Mari et femme, enfant et parent, professeur et étudiant sont toutes des relations où le développement de la confiance est important. Essayez de planifier un jeu de rôles fondé sur ce thème à partir d'une situation qui vous rejoint et que vous avez le goût d'explorer en groupe.

À la fin de ce jeu de rôles, demandez aux observateurs de partager leurs impressions, d'évaluer l'enjeu de la confiance et leur degré de satisfaction face à la tournure des événements.

Discussion

A. En plus de ce que vous venez de discuter, quelles autres idées avez-vous? Est-ce que, selon vous, la quantité de confiance investie entre deux personnes est toujours proportionnelle à l'importance de ce qu'elles échangent?

B. Par rapport au jeu de rôles que vous avez effectué, comment le verbal et le non-verbal ont-ils contribué à l'établissement de la confiance? Qu'avez-vous utilisé comme autre moyen de créer et de communiquer la confiance? Ces moyens vous sont-ils accessibles et familiers dans la vie quotidienne?

© McGraw-Hill, Éditeurs

C. Est-ce qu'il y a des gens dans le groupe qui ne sont pas d'accord avec le déroulement et la fin du jeu de rôles? Qu'apprenez-vous sur la confiance grâce à cette mise en scène?

EXERCICE 8-5
GAGNEZ AUTANT QUE VOUS LE POUVEZ * (Jeu)

Chaque groupe se divise en quatre paires. Chaque paire choisit deux «partenaires-collaborateurs»; les personnes supplémentaires seront observateurs. Les quatre paires seront disposées comme sur le schéma suivant. Ainsi, le dialogue entre les paires sera possible tout en laissant la possibilité de discussions confidentielles entre les partenaires d'une même paire.

Variante: Pour une classe plus nombreuse, un groupe de 12 à15 personnes se divise en quatre triades.

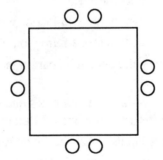

Directives

Phase 1.   Chaque paire prend connaissance des règles et du déroulement du jeu; les deux partenaires de chaque paire étudient cette feuille pendant cinq minutes afin de bien comprendre les règles.

Phase 2.   Le groupe procède à 10 tours de vote. À chaque tour, les paires disposent d'une minute pour faire leur choix (règles et déroulement sont indiqués dans les paragraphes qui suivent). Durée: 30 minutes maximum.

Règles de jeu

1. Le titre de l'exercice est: «Gagnez autant que vous le pouvez». Gardez ce but en mémoire tout au long de l'exercice.

2. Vous pouvez discuter avec votre partenaire (mais pas avec les autres paires, sauf dans le cas où cela vous est autorisé explicitement).

---

* Adapté de William Gellerman dans J. William Pfeiffer et John E. Jones, *A Handbook of Structured Experiences for Human Relations Training*, vol. III, La Jolla, Calif., Universities Associates, 1974.

3. Entre partenaires et pour une paire, il ne peut y avoir qu'un seul choix par tour.

4. Vous ne pouvez communiquer, sous aucune forme, votre choix à d'autres paires avant que cela soit demandé explicitement.

5. Vous devez suivre les instructions appropriées pour chaque tour, telles qu'elles sont décrites ultérieurement.

6. Les gains ou pertes pour chacun des tours sont les suivants:

   Si le choix global des quatre paires est...

...4X	chaque X perd 1 $
...3X + 1Y	chaque X gagne 1 $ et Y perd 3 $
...2X + 2Y	chaque X gagne 2 $ et chaque Y perd 2 $
...1X + 3Y	X gagne 3 $ et chaque Y perd 1 $..
...4Y	chaque Y gagne 1 $

7. Les tours 1, 2, 3, 4, 6, 7, 9 se déroulent de la façon suivante:

   a) Discussion entre partenaires du choix à faire (soit X ou Y) pendant une minute:

   b) Après une minute, chaque paire choisit un carton marqué X ou Y et lève la main pour montrer que le choix est fait;

   c) Dès que chaque paire a levé la main, donc dès que tout le monde est prêt, les paires lèvent les cartons où est inscrit leur choix, et l'on compte le nombre de X et de Y;

   d) Chaque paire inscrit les résultats sur sa feuille de réponse;

   e) Dès que tout le monde a terminé ses inscriptions, le tour suivant commence; le tout doit se faire rapidement et sans enfreindre les règles.

8. Les tours 5, 8, 10 sont des tours spéciaux. En effet, les gains ou les pertes sont alors multipliés par un facteur qui est 3, 5 ou 10 (voir feuille de réponse). Avant de commencer le tour, les paires ont le droit de discuter entre elles pendant trois minutes. Après ces trois minutes, le déroulement est exactement le même que pour les autres tours.

9. L'ensemble des dix tours doit se terminer en moins de 30 minutes. A la fin du dixième tour, le groupe passe au calcul des gains et pertes et à la discussion.

NOTE: Il n'est pas permis de changer le déroulement ou les règles durant l'exercice.

GAGNEZ AUTANT QUE VOUS LE POUVEZ
Feuille de réponse

Tour n°	Temps de discussion	Discussion entre...	Facteur gain/perte	Votre choix	Choix du groupe ...X ...Y		GAIN $	PERTE $	DIFFÉRENCE $
1	1 min	... partenaires	1						
2	1 min	... partenaires	1						
3	1 min	... partenaires	1						
4	1 min	... partenaires	1						
5	3 + 1 min	... groupe + partenaires	3						
6	1 min	... partenaires	1						
7	1 min	... partenaires	1						
8	3 + 1 min	... groupe + partenaires	5						
9	1 min	... partenaires	1						
10	3 + 1 min	... groupe + partenaires	10						

GAINS OU PERTES

Discussion

A. Vu dans la perspective d'un exercice portant sur les conflits, comment avez-vous négocié vos choix?

B. «Gagnez autant que vous le pouvez» s'adressait-il à vous en tant que paires ou cela pouvait-il s'adresser à vous comme groupe?

C. Est-ce que les rondes de discussion en groupe de huit ont permis d'améliorer votre stratégie et d'obtenir de meilleurs résultats ou l'inverse?

D. Vu dans la perspective d'un exercice de confiance, que s'est-il passé entre vous sur le plan de l'intégrité et de l'honnêteté?

E. Quels étaient les gains maximaux pour le groupe? Si vous avez beaucoup perdu comme groupe, pouvez-vous identifier la cause? Quels ont été vos efforts de négociation?

F. Est-ce qu'une plus grande communication aurait pu améliorer votre résultat de groupe?

SUGGESTION DE TÂCHE 8-1
LES RELATIONS INTERPERSONNELLES

Tout le monde parle de relations humaines et interpersonnelles. Les jeunes sont accusés de s'engager prématurément dans des relations amoureuses, mais font leur expérience quand même. Les personnes âgées ont besoin de relations avec les autres, mais sont souvent isolées. En fait, dans notre société, chacun est à la recherche de relations interpersonnelles significatives. Mais qu'est-ce qu'une «relation»? Quel est le rôle de la communication dans l'établissement et le maintien d'une relation? Comment évitons-nous les ruptures de communication qui détruisent nos relations? Suivons-nous certaines règles de communication dans nos relations? Lesquelles?

En gardant à l'esprit vos réponses aux questions précédentes, voyez maintenant quelles sont les différences dans les relations que vous entretenez avec les personnes suivantes.

1. Un(e) ami(e) de l'autre sexe;

2. Un(e) ami(e) du même sexe;

3. Un professeur féminin;

4. Un professeur masculin;

5. Un directeur pédagogique;

6. Vos anciens amis d'école primaire;

7. Vos parents;

8. Votre vieille tante;

9. Votre oncle alcoolique;

10. Votre employeur.

Pourquoi ces différences? À partir de vos réflexions sur ce que sont ces relations, croyez-vous qu'il existe une dimension centrale ou un dénominateur commun à toutes ces relations? Expliquez.

SUGGESTION DE TÂCHE 8-2
L'ÉVALUATION DU PROFESSEUR

1. Qu'est-ce que vous aimeriez que votre professeur sache à votre sujet pour mieux vous évaluez? Dressez-en une liste la plus exhaustive possible.

2. Relisez ce que vous venez d'écrire et essayez de distinguer dans la liste les éléments que vous avez mentionné parce que vous pensez que c'est ce que veut lire le professeur, ou parce que vous croyez que c'est bien vu, et ceux qui représentent une expression réelle et honnête de ce que vous croyez être important à signaler à votre professeur pour une évaluation plus équitable.

L'exercice peut se poursuivre en classe. Alors placez-vous avec un ou deux étudiants et comparez vos listes. Ensuite faites une synthèse des idées de votre groupe et choisissez les caractéristiques que vous considérez les plus importantes à faire connaître à un professeur.

Discutez de ces caractéristiques et tentez de voir comment elles pourront affecter l'évaluation de votre professeur. Votre professeur pourra vous fournir une liste des éléments qui peuvent lui être utiles pour des évaluations plus précises et justes. Vous pourrez aussi comparer ces listes.

SUGGESTION DE TÂCHE 8-3
LES GROUPES DE RÉFÉRENCE

Les groupes de référence nous aident à déterminer si nous jouons nos rôles de façon adéquate ou non. Pouvez-vous confirmer cette idée par des exemples tirés de votre expérience?

Faites une liste des groupes que vous identifiez comme ayant de l'influence sur vous. Dans un deuxième temps, mettez ces groupes par ordre selon l'importance que vous leur accordez. Enfin, par rapport au groupe le plus important pour vous, écrivez 1) pourquoi il l'est et 2) quelle quantité d'énergie vous mettez à entretenir des relations avec les gens de ce groupe.

Comme exercice de groupe, il peut être sûrement intéressant de comparer vos listes de groupes de référence et de discuter de ceux qui occupent le premier rang.

© McGraw-Hill, Éditeurs

CHAPITRE 8

FEUILLE D'APPRÉCIATION PERSONNELLE

1. Identifiez une relation où vous considérez que l'autre personne joue passablement le même rôle que vous. Décrivez comment vous agissez l'un envers l'autre et comment est votre communication.

2. Identifiez une relation où vous considérez que l'autre joue un rôle différent du vôtre dans cette relation. Décrivez comment vous agissez l'un envers l'autre et comment vous communiquez.

3. Donnez un exemple de «double message» que vous avez vécu ou pu observer dernièrement.

Votre nom _____

Les transactions sous tension

FEUILLE DE FEED-BACK

EXERCICES

SUGGESTIONS DE TÂCHES

FEUILLE D'APPRÉCIATION PERSONNELLE

FEUILLE DE FEED-BACK (Chapitre 9)

1. Évaluez la productivité de la session de cette semaine pour vous.

   1   2   3   4   5   6   7   8   9   10
   Non productive   Très productive

2. Évaluez comment à votre avis les autres perçoivent la session de cette semaine.

   1   2   3   4   5   6   7   8   9   10
   Non productive   Très productive
   Commentaires:

3. Énumérez les membres de votre groupe avec lesquels il vous est facile de communiquer. Pouvez-vous dire pourquoi?

4. Énumérez les membres de votre groupe avec lesquels vous trouvez difficile de communiquer. Pourquoi?

5. À ce jour, vous sentez-vous à l'aise dans ce groupe?

EXERCICE 9-1
LA RÉGIE DU LOGEMENT (Discussion)

Le Problème

Vous siégez à la commission d'enquête de la Régie du logement qui détermine si oui ou non un certain cas de racisme doit être mis entre les mains de la justice. La commission emploie son propre enquêteur.

L'article de loi qui concerne le cas présent se lit comme suit: «Doit être considérée comme une pratique discriminatoire illégale (...) pour toute personne qui (...) refuse de vendre, déménager, attribuer, louer, sous-louer, financer, ou encore dénier le droit ou faire obstacle à l'obtention d'un logement commercial à toute personne pour des raisons de race, couleur, religion, ancêtre ou de nationalité pour tout propriétaire, occupant, ou utilisateur éventuel d'un tel logement commercial.»

Stéphane Grégoire et Jean Martin ont saisi votre commission d'un cas de pratique discriminatoire illégale à leur égard. Ils déclarent qu'ils sont étudiants à l'université. Ils sont noirs. Ils ont conclu par téléphone, suite à la parution d'une annonce dans le journal, de louer un appartement appartenant à M. Genois. L'appartement en question fait partie d'un immeuble de quatre logements. Ils ont posté un chèque pour le premier mois de location d'un appartement situé au deuxième étage. Le chèque a été encaissé par M. Genois. Ce dernier leur a alors écrit une lettre leur disant qu'ils pouvaient louer l'appartement pour une année complète s'ils le désiraient. M. Genois ne savaient pas que ces hommes étaient noirs.

Les hommes ont déclaré qu'ils sont arrivés à l'université la veille de l'inscription au trimestre d'automne. Ils ont appelé M. Genois, et il leur a remis les clés de l'appartement. M. Genois semblait «surpris» de voir que ces hommes étaient noirs. Il leur a donné les clés, toutefois, en leur disant à ce moment qu'il espérait qu'ils trouveraient l'appartement confortable et qu'ils «décideraient de rester».

Une semaine plus tard, les hommes reçurent par la poste un avis enregistré leur signifiant que M. Genois entreprenait des procédures d'expulsion, et qu'ils avaient deux semaines pour quitter l'appartement. Ils ont téléphoné à M. Genois pour lui demander pourquoi ils étaient expulsés. M. Genois a répondu: «Mon avocat m'a recommandé de ne pas discuter du cas.»

Informations additionnelles

La commission d'enquête a révélé les faits suivants:

1. M. Genois et son avocat, lors d'une rencontre avec la commission, ont prétendu qu'aucune discrimination n'était à l'origine de la demande d'expulsion des deux hommes;

2. M. Genois a montré à la commission une note de l'un des locataires de l'immeuble qui se plaignait que les hommes avaient organisé une «réception sauvage la nuit même de leur arrivée à l'appartement, avec des gens qui marchaient lourdement dans l'escalier jusqu'à trois heures du matin et il y avait du bruit qui ressemblait à une orgie violente ou quelque chose du genre».

En discutant avec les deux hommes, la commission a découvert:

1. qu'ils prétendent ne pas avoir eu une réception «sauvage» ou bruyante. Ils déclarent que cette nuit-là ils ont demandé à deux de leurs amis de venir et ils ont regardé la télévision et joué aux cartes jusqu'à 12 h 30;

2. qu'ils prétendent qu'en déménageant, ils ont entendu le locataire qui s'est plaint dire à un autre occupant: «Je vais faire quelque-chose à propos de ceux-là.»;

3. le locataire plaignant a refusé de parler à la commission, déclarant qu'il ne voulait pas être dérangé par une foule de questions «idiotes»;

4. la seule autre occupante de l'immeuble à être présente cette nuit-là a déclaré qu'elle a entendu les hommes «rire» tard dans la soirée mais qu'elle ne considérait pas cela comme «du bruit excessif.»;

5. M. Genois a déclaré que le locataire plaignant était un vieil homme retraité qui louait depuis 14 ans.

Que doit faire la commission? Une façon très efficace d'analyser ce cas serait de diviser la classe en petits groupes et de leur demander d'en arriver à un consensus sur ce que devrait faire la commission.

Discussion

A. En analysant les différentes actions possibles de la part de la commission, il serait utile d'appliquer les principes de la partie théorique. Premièrement, essayez d'analyser les types de conflits impliqués ici: personnel, les besoins, etc. L'identification de la nature du conflit vous sera utile pour déterminer les actions que la commission doit entreprendre.

B. Le conflit entre les participants doit être géré soit sous la directive de la commission, soit par tout autre moyen. Jusqu'à quel point est-il possible pour la commission d'imposer aux participants la gestion de leur propre conflit?

1. Est-ce que la commission devrait inciter les participants à éviter le conflit?

2. Est-ce que la commission devrait tenter de désamorcer le conflit par ses propres actions?

3. Si la commission décide d'affronter le conflit, cela devrait-il se faire sur la base des situations gagnant-perdant, perdant-perdant ou gagnant-gagnant?

4. Est-il trop idéaliste de croire que les participants (en incluant tous ceux qui ne sont pas directement impliqués, mais qui ont ajouté au conflit) vont bien intégrer leur conflit plutôt que de se soumettre au pouvoir ou au compromis?

C. Si on offrait à la classe de se diviser en petits groupes et que chacun ait à prendre une décision sur ce qu'il faut faire, est-ce que tous les groupes en arriveraient aux mêmes réponses? Sommes-nous en présence «d'une seule et bonne réponse»? De quoi dépendent les différentes réponses?

EXERCICE 9-2

ALLOCATION DES RESSOURCES (Jeu de Rôles)

Pour démontrer comment la rareté de biens et de ressources peut être source de conflit, essayez de monter en jeux de rôles les situations suggérées plus loin. Par biens et ressources, nous voulons dire des choses qui peuvent être concrètes comme des dollars, mais ce peut être aussi une chose subjective comme de l'amour, de l'attention. Il peut être intéressant de faire ces jeux de rôles en deux actes: le premier met en scène les éléments du conflit et le deuxième présente une solution ou une amorce de solution au conflit.

1. Votre colocataire vous emprunte très souvent vos écouteurs de baladeur et il a même commencé depuis quelque temps à le prendre sans vous demander la permission. Aujourd'hui, vous voulez vous en servir et vous constatez qu'il n'est pas là. Vous attendez votre colocataire et vous vous préparez à lui parler quand il entrera.

2. Frère et soeur, vous voulez utiliser l'automobile familiale la même soirée. Devez-vous régler le problème en faisant appel à vos parents ou autrement?

3. Vous voulez vous acheter une moto. Votre père veut que vous épargniez votre argent pour payer vos études et autres frais.

4. Quatre membres de votre groupe de travail sont en lice pour une promotion à un échelon et un niveau de salaire supérieurs, mais une seule personne peut obtenir cette promotion cette année. Les autres membres du groupe ont à prendre la décision quant à la personne qui sera promue.

Conseil: La résolution du conflit dans ces situations peut impliquer de l'évitement, de la négation ou de l'affrontement. Essayez de jouer ces différentes attitudes pour voir ce qu'elles provoquent. Identifiez bien le genre de conflit sur lequel vous travaillez et élaborez la meilleure méthode pour négocier ces conflits.

Discussion

A. En utilisant les habiletés recommandées dans le chapitre, avez-vous eu tendance à être arrêté à l'étape de l'identification de la nature du conflit? Comment réagissez-vous à cette étape de passivité et de blâme?

B. Les étapes recommandées ont une certaine logique dans leur présentation et leur séquence. Avez-vous eu de la difficulté à suivre la séquence? Était-il difficile de demeurer centré sur la négociation du conflit?

C. Voyez-vous plus clairement, maintenant, pourquoi nous tenons à l'idée de négociation des conflits et pourquoi il est préférable d'abandonner l'évitement des conflits?

D. Réussissez-vous à identifier le genre de conflit auquel vous avez affaire (conflit personnel, conflit interpersonnel, conflit organisationnel)? Pourquoi est-il utile d'identifier le type de conflit? N'est-il pas important de prendre conscience que tous les conflits n'ont pas la même origine, ne sont pas semblables et, dès lors, ne peuvent être traités de la même manière?

EXERCICE 9-3
PRENDRE DES RISQUES (Discussion)

En petits groupes, dressez une liste de situations où communiquer implique un risque. (Exemples: appuyer ouvertement un candidat politique, parler de vos croyances religieuses, demander une permission, exprimer une crainte ou un sentiment pénible.)

Lorsque vous avez terminé votre liste, voyez pour chaque situation quel est le risque le plus sérieux, c'est-à-dire la pire chose qui puisse arriver dans cette situation. En d'autres termes, lorsque vous parlez de prendre des risques, de quels risques parlez-vous exactement? Si se révéler aux autres comporte certains risques, quelles en sont les pires conséquences?

Discutez de la relation entre l'ouverture de soi et le risque.

Discussion

A. Si l'ouverture de soi implique de prendre des risques, quels sont ces risques? Est-ce que pour vous l'ouverture de soi vaut les risques encourus? Pouvez-vous être blessé émotivement?

B. Est-ce qu'il vous a été facile de dresser une liste de situations impliquant un risque? Vous retrouvez-vous parfois dans ces situations? Souvent? Que faites-vous, alors?

C. Si vous avez tendance à toujours éviter les situations d'ouverture interpersonnelle, comment nourissez-vous et entretenez-vous vos relations avec les autres? Votre comportement est-il très différent de celui des gens qui recherchent les situations d'ouverture et de contact interpersonnels?

D. Identifiez des situations où tout le monde était impliqué et ouvert. Ces situations étaient-elles très spéciales? En quoi différaient-elles des situations ordinaires?

EXERCICE 9-4
DÉCRIRE LES STYLES (Jeu de rôles)

Ceci est un exercice de jeu de rôles pour au moins deux personnes à la fois; choisissez un partenaire avec lequel vous pourrez écrire un «scénario» crédible pour rendre compte des styles décrits dans le texte.

Situation: Vous et votre ami discutez de la possibilité de prendre des vacances ensemble. Vous semblez très intéressé par la villégiature tandis que votre ami est plus attiré par les événements historiques et ne désirerait rien de plus que d'aller visiter des musées, de voir des champs de bataille et de visiter les bibliothèques qui rassemblent des volumes à contenu historique. Jouez la conversation que vous auriez avec votre ami s'il adoptait chacun des styles suivants:

– Critique ou agressif;

– Apaisant ou non-affirmatif;

– Calculateur ou intellectuel;

– Indirect ou manipulateur;

– Pondéré ou affirmatif.

EXERCICE 9-5

LE STYLE AFFIRMATIF (Jeu de rôles, discussion)

Voici un exercice pour examiner comment quatre styles de communication peuvent en fait être remplacés par un meilleur. Dans le texte théorique, ces quatre styles et catégories de réponses étaient: 1) critique, 2) apaisant et non affirmatif, 3) calculateur et intellectuel, 4) manipulateur. Un cinquième, que nous préconisons et qui semble plus efficace, est le style pondéré ou affirmatif.

En petits groupes, identifiez des cas de communication et des situations où les gens répondent habituellement de façon défensive. Faites ensuite un jeu de rôles en deux actes. Au premier, montrez comment la plupart des gens répondent agressivement, intellectuellement, etc. Au deuxième, essayez de démontrer comment le style affirmatif pourrait être plus approprié à cette situation.

Si vous n'avez pas le temps de jouer cette pièce en deux actes, discutez tout au moins les réponses possibles et appropriées à ces différentes situations.

Discussion

A. Quand vous avez l'occasion de réagir différemment à différentes situations, avez-vous quand même tendance à réagir de la façon qui vous est habituelle? En d'autres termes, avez-vous des types de réponses et de communication qui sont difficiles à changer? Sont-ils toujours appropriés? Est-ce que vous êtes connu et reconnu par votre manière habituelle de répondre? Les gens sont-ils en quelque sorte habitués à vous voir agir et réagir d'une certaine manière? Est-ce que cela affecte en retour votre manière de répondre ou de réagir?

B. Dans le cas ou les situations sur lesquels vous avez travaillé, est-ce qu'il y avait des styles de réponse ou de communication plus efficaces que d'autres? Pourquoi?

C. Est-il facile d'élaborer des façons plus affirmatives afin de faire face à certaines situations? Ce type de réponse prend-il plus de temps, demande-t-il plus de réflexion?

EXERCICE 9-6

ENCOURAGER LES AUTRES À DIRE LA VÉRITÉ (Jeu de rôles, discussion)

Demander à quelqu'un de dire la vérité implique d'une certaine manière que nous ne croyons pas ce que cette personne dit ou que nous tenons à obtenir la vérité. Cette situation contient aussi une part de risque pour la personne qui doit dire la vérité.

Par exemple, l'enfant à qui nous demandons qui a cassé la vitre est dans une position risquée par rapport à nous si c'est bien lui qui l'a cassée. S'il y a une erreur dans un livre de comptabilité, la question: «Avez-vous vérifié ces livres attentivement?» est probablement plus qu'une simple demande d'information; la réponse à cette question par une phrase affirmative est ainsi un risque pour la personne qui a vérifié ces livres.

Dans votre groupe, essayez de trouver ce genre de question posée avec l'intention d'avoir une réponse vraie. Faites des jeux de rôles ou discutez des conséquences des différentes réponses possibles à ces questions. Vous est-il possible d'identifier des situations

© McGraw-Hill, Éditeurs

«sandwichs» ou des questions «sandwichs», c'est-à-dire où l'on mêle différentes informations et différents niveaux de questions et de réponses? Les réponses à ces situations et questions prennent souvent la forme: «Oui, mais...»

Discussion

A. Établissez-vous un contrat avec les autres lorsque vous leur demandez de dire la vérité, même à leur risque? Quelle immunité peut leur être assurée? Dans les tribunaux, on négocie parfois certains témoignages en échange d'une sentence adoucie. Que pensez-vous de tels arrangements?

B. Avez-vous déjà été dans une situation où l'«honneur» était la seule façon acceptable et approuvée de traiter les relations? Quelle était votre appréciation de ce système?

C. Dans les jeux de rôles, étiez-vous conscient des messages non verbaux faisant partie de la communication verbale? Portez-vous davantage attention aux détails dans les situations de risque et de confiance? Êtes-vous alors plus à l'écoute qu'en situation ordinaire d'échange d'informations?

SUGGESTION DE TÂCHE 9-1
COMMENT SE COMPORTER

Trouvez quelques passages dans un manuel d'étiquette ou dans un livre sur les bonnes manières qui vous diront comment vous comporter dans une certaine situation. Est-ce que ce conseil s'applique dans toutes les situations? Si votre manuel n'est pas trop récent, peut-être bien que le conseil n'est plus très bon. Copiez et remettez:

1. un bref passage donnant un conseil sur la façon de se comporter que vous croyez utile pour aider le lecteur à réduire une ambiguïté ou un conflit de rôle;

2. un bref passage qui donne un conseil qui vous mettrait mal à l'aise plutôt que de vous aider à réduire une ambiguïté de rôle.

SUGGGESTION DE TÂCHE 9-2
LES CONFLITS D'UNE SEMAINE

A. Pendant une semaine, prenez note de tous les conflits que vous rencontrez, qu'ils vous semblent banals ou qu'ils soient importants. À la fin de la semaine, classez chaque conflit dans une des catégories suivantes: «Personnel», «Interpersonnel» ou «Organisationnel». Identifiez ensuite la catégorie où vous retrouvez davantage de conflits et essayez d'expliquer brièvement pourquoi.

B. À partir de la même liste des conflits de la semaine, cette fois-ci classez chacun d'eux en fonction des catégories suivantes: 1) conflit dont je me suis occupé et que j'ai réglé, 2) conflit dont je m'occupe et qui trouvera sans doute une solution ou une issue bientôt, (3) conflit à long terme et probablement insoluble. Comment réagissez-vous face à chacune de ces catégories? Laquelle de ces catégories et lesquels de ces conflits occupent le plus de temps dans vos journées?

C. Placez maintenant chaque conflit dans une des catégories suivantes: 1) conflit que vous avez évité et que vous essaierez d'éviter, 2) conflit en cours mais que vous essayez de désamorcer, de nier ou de minimiser, 3) conflit auquel vous avez fait face ou auquel vous essaierez de faire face.

D. Finalement, essayez de voir quels sont les conflits qui auraient pu être abordés et traités avec la méthode et les habiletés décrites dans la partie théorique.

SUGGESTION DE TÂCHE 9-3
QUERELLE D'AMOUREUX

Vous venez juste d'avoir une sérieuse querelle avec votre ami(e). Comme résultat, vous annulez un projet de fin de semaine que vous deviez faire ensemble. La querelle portait sur le contrôle que vos parents exercent sur vous deux et votre relation; vous vous êtes échangé de petites «griffes» verbales quant à la présence et au rôle de vos parents dans vos affaires.

Vous êtes maintenant face à certaines personnes qui vous questionnent et à qui vous tentez d'expliquer pourquoi vous ne mettez pas à exécution votre projet cette fin de semaine-ci. Comment expliquez-vous la situation à:

1. votre meilleur(e) ami(e);

2. son (sa) meilleur(e) ami(e);

3. vos parents;

4. un partenaire de classe;

5. votre vieille tante.

Pouvez-vous donner quelques généralités au sujet des niveaux d'ouverture que vous utiliserez dans vos explications à ces différentes personnes? Avec quelle personne allez-vous utiliser le langage le plus abstrait? Le langage le moins abstrait? Pourquoi?

Écrivez vos exemples de dialogues avec les personnes mentionnées auparavant en résumant les différences que vous mettrez dans vos conversations avec ces gens différents.

SUGGESTION DE TÂCHE 9-4
QUELS STYLES RECONNAISSEZ-VOUS AUTOUR DE VOUS?

Durant une semaine, observez les façons normales d'interagir des gens autour de vous. Identifiez deux exemples ou plus (sans nommer les personnes en cause) de chacun des cinq styles apparaissant dans le texte. Notez les situations dans lesquelles les styles ont été employés, la conséquence de l'utilisation de ce style; dites de plus si les styles étaient appropriés ou non aux situations. (*Souvenez-vous:* Tous les styles peuvent être appropriés sous certaines conditions; tous sont utiles dans notre communication pour atteindre certains buts.) Prenez des notes et soyez prêts à les discuter en classe ou écrivez un court texte dans lequel vous décrirez les exemples notés et votre évaluation de l'efficacité de chacun des styles utilisés.

CHAPITRE 9

FEUILLE D'APPRÉCIATION PERSONNELLE

1. Racontez brièvement ici un récent conflit où vous êtes sorti gagnant, perdant ou un autre conflit où vous et l'autre personne êtes sortis égaux. Qu'est-ce qui a contribué à amener ce résultat? Aviez-vous un certain contrôle sur ce résultat? Auriez-vous pu utiliser quelque-unes des idées et habiletés décrites dans ce chapitre?

2. Racontez un cas où, à partir de ressources limitées à partager, on a dû vraiment négocier un conflit. Décrivez les parties en cause, leurs méthodes et les résultats obtenus.

Votre nom _____

Les outils interpersonnels: mettre la communication en marche

FEUILLE D'APPRÉCIATION PERSONNELLE

© McGraw-Hill, Éditeurs

FEUILLE DE FEED-BACK (Chapitre 10)

Cette feuille de feed-back vous offre la possibilité d'évaluer le cours dans son ensemble.

1. Évaluez la productivité de la session de cette semaine pour vous.

      1   2   3   4   5   6   7   8   9   10

   Non productive   Très productive

2. Quels aspects du cours vous ont semblé les plus valables pour vous? Pourquoi?

3. Quels aspects du cours vous ont semblé les moins valables pour vous? Pourquoi?

4. Vous sentiez-vous libre de participer dans la classe? Pourquoi ou pourquoi pas?

5. Avez-vous senti que la classe était intéressante et vivante?

EXERCICE 10-1
ÉCOUTER (Jeu de rôles)

Dans votre groupe, préparez des situations de jeux de rôles où des personnes sont désignées pour écouter les personnes suivantes: 1) une personne âgée, 2) un enfant de 5 ans, 3) une personne très attirante de l'autre sexe et 4) une personne très importante.

Jouez ces scènes de rencontre devant les membres de votre groupe. Utilisez n'importe quel contenu ou sujet de discussion. Le contenu lui-même est ici moins important que l'interaction.

Discussion

A. Avez-vous remarqué des différences d'écoute selon les différentes personnes à écouter? Avez-vous remarqué certaines similitudes?

B. Quelle généralisation pouvez-vous faire sur la manière dont les dyades ont accompli les rôles?

C. Dans la mesure où vous avez plutôt observé les différents jeux de rôles dans votre groupe, comment vous êtes-vous senti par rapport aux personnes qui avaient le rôle d'écoute? Pouvez-vous vous «mettre dans la peau» alternativement des deux personnes dans ce genre de situation (soit dans la peau de la personne qui parle, soit dans la peau de la personne qui écoute)?

D. Quelles ont été les techniques employées par les personnes à l'écoute qui faisaient sentir à l'autre qu'elles écoutaient attentivement et activement? Selon vous, ces techniques étaient-elles perceptibles pour la personne qui parlait? Cette personne ajustait-elle son discours en fonction des signes d'écoute qu'elle recevait?

E. Dans les jeux de rôles, a-t-on mis l'accent à la fois sur le verbal et le non-verbal? Lequel de ces deux canaux de communication transmettait le mieux l'information à l'autre? Retrouve-t-on des comportements assez universels au niveau de l'écoute? Lesquels?

EXERCICE 10-2
COMPORTEMENTS D'ÉCOUTE (Discussion; Activité de Groupe)

L'exercice qui consiste à répéter et reformuler ce qu'une autre personne, communique devant nous est probablement celui qui est le plus couramment utilisé pour développer le sens de l'écoute. C'est un exercice de base pour tous ceux qui veulent aider les autres autour d'eux. Cependant, c'est un exercice qui peut être frustrant dans ses débuts. Effectivement, il n'est pas facile de répéter et de reformuler ce qu'une autre personne nous dit. Or, lorsque cette personne a parlé longtemps, il devient encore plus difficile de synthétiser ce qu'elle a dit. Dans une discussion de groupe, nous ne sommes pas habitués à redire et reformuler ce que l'intervenant précédent vient de dire, nous voulons plutôt apporter vivement notre contribution. Cet exercice modifiera un peu les règles habituelles, mais réussira sans doute à faire ressortir des éléments intéressants.

Directives aux membres de votre groupe

Votre tâche consiste à discuter n'importe lequel des sujets énoncés plus loin. Vous devez cependant suivre et respecter les règles suivantes:

1. Chaque membre du groupe, avant de prendre la parole, doit d'abord *résumer dans ses propres mots* et sans avoir pris notes ce que le membre précédent (qui vient de parler immédiatement avant lui) a dit, et ce à la satisfaction de ce dernier;

2. Si le résumé semble incorrect ou incomplet à quiconque dans le groupe, un arbitre nommé au préalable par le groupe interviendra pour clarifier la situation.

3. Lorsque quelqu'un résume vos propos, ne soyez pas trop facilement satisfait seulement pour le principe de faire avancer la discussion; tenez bien à ce que vos idées, votre intention et vos sentiments soient correctement reformulés.

Directives aux arbitres

1. Lisez les instructions et décidez du sujet qui sera discuté.

2. Votre travail consiste à faire en sorte que chaque personne participant à la discussion respecte les règles. Personne ne peut parler sans avoir au préalable résumé ce que la personne précédente a communiqué.

3. Si vous croyez que la reformulation est incorrecte ou incomplète, vous interrompez l'échange pour démêler la situation.

Sujets de discussion

A. Les programmes sportifs sont très importants dans votre milieu d'étude.

B. L'expérience sexuelle est nécessaire avant le mariage.

C. Les évaluations traditionnelles devraient-elles être éliminées de l'enseignement? Pourquoi? Quelles sont les solutions de rechange?

D. Votre tâche de groupe est de mettre en ordre d'importance les énoncés suivants concernant le fonctionnement efficace d'un groupe. Vous indiquez «1» devant l'énoncé qui vous apparaît le plus important pour l'efficacité d'un groupe, «2» devant le second en importance, et ainsi de suite jusqu'à l'événement descriptif le plus éloigné ou le moins important pour le fonctionnement efficace d'un groupe. Vous devez travailler à cette tâche en groupe. Vous pouvez vous organiser comme vous le voulez pour faire ce travail pourvu que le groupe au complet le fasse et qu'évidemment vous n'oubliiez pas de respecter les règles du jeu.

_____ Il y a une saine compétition entre les membres.

_____ Chaque membre s'en tient au sujet et à l'objet de la rencontre.

_____ Le groupe évite les situations de conflit.

_____ Chaque membre donne et reçoit des feed-backs.

_____ Le leader propose un plan de travail à chaque rencontre du groupe.

_____ L'agressivité est exprimée ouvertement.

_____ Des sous-groupes informels s'établissent spontanément.

_____ Les membres se sentent libres d'exprimer leurs sentiments négatifs.

_____ Les buts du groupe sont connus de tous et formulés explicitement.

_____ L'information est librement partagée entre les membres.

_____ Les sentiments des membres sont respectés tout au long du déroulement de la tâche.

Discussion

A. Jusqu'à quel point vous a-t-il été facile de vous plier aux règles et de reformuler avant de faire vos propres interventions?

B. Avez-vous retrouvé une tendance chez les membres du groupe à raccourcir et à être plus précis dans leurs interventions au fur et à mesure que le sujet était discuté.

C. Quels autres changements dans cette situation avez-vous remarqués, comparativement aux discussions habituelles? Écoutons-nous vraiment dans les situations normales?

D. Est-ce que vous faites des apprentissages particuliers pour vous-même à partir de cet exercice? Pensez-vous que d'autres gens à l'extérieur de votre groupe auraient avantage à faire un tel exercice et modifier leur écoute en conséquence?

EXERCICE 10-3
À L'ÉCOUTE DES SENTIMENTS (Jeu de rôles)

Écouter et être écouté, c'est rechercher en quelque sorte une confirmation de soi-même et de l'autre. Faites un jeu de rôles (dialogue et action) avec les situations suivantes telles que vous les percevez spontanément. En même temps que vous jouez ces situations, essayez aussi d'être sensible à la façon dont l'attitude d'écoute (la vôtre ou celle d'un autre si vous n'êtes pas directement impliqué dans le jeu) influence le jeu. Évidemment, lorsque nous parlons d'écoute, nous parlons ici d'une attitude où ce ne sont pas que les mots qui sont perçus et qui importent, mais aussi les sentiments sous-jacents.

Situation: Trois personnes discutent d'un film. Choisissez un film que tous les membres du groupe ont vu. Une personne parle abondamment du film (des personnages, de l'histoire, de la mise en scène, etc.), alors qu'une autre écoute attentivement et activement. La troisième personne ne porte attention ni aux faits ni à l'information mais est attentive aux erreurs de langage, aux mauvaises prononciations, à la forme du discours et n'intervient que pour souligner ce genre d'erreurs et faire dévier la conversation. À la fin de ce jeu de rôles, vous demandez aux autres membres de dire comment ils réagissent face à cette troisième personne et ce qu'il aurait fallu faire pour rendre la communication plus efficace.

Situation: Une famille est à table – deux parents, trois enfants. Les enfants sont d'âge scolaire, et les classes sont commencées. Le plus jeune veut raconter quelque chose qui lui est arrivé durant la journée. Personne ne porte vraiment attention à cet enfant, et chacun l'interrompt pour demander de la nourriture, conter une histoire drôle, etc. En fait, le plus jeune n'obtient aucun renforcement ni incitation à raconter ce qui lui est arrivé.

Situation: Un groupe de travail s'affaire à préparer une présentation devant les autres membres de la classe sur un sujet quelconque. Un des membres de ce groupe de travail apporte ses suggestions et ses idées, mais celles-ci ne sont pas écoutées par les autres membres de son équipe de travail. Quelques minutes plus tard, un autre membre amène les mêmes suggestions ou les mêmes idées, et elles sont alors retenues par le groupe. Après ce jeu de rôles, essayez de voir comment le fait d'écouter ou non un participant peut influencer et affecter sa participation et son adhésion à l'équipe. Évaluez aussi comment l'écoute peut aider quelqu'un individuellement ou comment elle peut l'exclure d'un groupe.

Discussion

A. Utilisez les situations précédentes pour démontrer de quelle façon l'écoute affecte les comportements des autres.

B. Les gens pensent souvent que la seule façon de vraiment se faire connaître des autres est de parler. Après ces exercices, voyez-vous mieux comment vous pouvez avoir un effet sur les autres à partir de la façon dont vous écoutez et leur portez attention? Vous rendez-vous compte jusqu'où peut s'exercer cette influence.

EXERCICE 10-4
OÙ VA L'ARGENT? (Discussion; jeu de rôles)

Vous êtes mandaté par un comité pour allouer des fonds à diverses organisations de votre communauté. La somme totale, provenant de donateurs de la communauté, que vous devez partager monte à 10 000 $. Il n'y a qu'une petite partie de l'argent qui est déjà allouée à une fondation particulière: M. Miller a versé la somme de 500 $ au fonds général avec l'engagement clair que tout serait donné à la Société du cancer; un autre donateur, anonyme, a donné la somme de 200 $ à la condition que le tout soit donné à la Protection des enfants abusés. Les autres fonds ne sont pas assignés. Votre comité et vous n'avez que cette réunion pour décider de l'allocation de la somme totale. Les services offerts par les différents organismes, ainsi que les montants qu'ils demandent sont énumérés dans les paragraphes suivants. Prenez note qu'ils demandent plusieurs milliers de dollars de plus que ce dont vous disposez.

Protection des enfants abusés
Cet organisme participe à la détection, la prévention et à l'éducation des parents qui abusent de leurs enfants et prodigue des soins médicaux aux enfants abusés. Demande: 6 000 $.

Société du cancer

Ce centre travaille à la détection du cancer en collaboration avec des centres de traitement du cancer, mais il ne fait pas de traitement lui-même. Demande: 3 500 $.

Les Scouts

Toutes les sections actives de la communauté urbaine et de la ville elle-même. Demande: 2 500 $.

Les Guides

Tout comme chez les Scouts, toutes les zones de la ville semblent desservies par cette organisation. Demande: 1 500 $.

La Société symphonique

Les campagnes de financement n'ont pas été suffisantes pour pouvoir garder les meilleurs musiciens dans l'orchestre. Demande: 2 000 $.

Le Centre des drogues

Cette agence est un centre de consultation et de référence pour les drogués et un centre d'éducation pour les citoyens de tous les âges et pour les écoles. Demande: 2 000 $.

Télé-crise

Il s'agit d'un système téléphonique pour guider et conseiller les personnes dans le besoin ou qui ont des problèmes émotifs. Il sert à la prévention du suicide et agit comme centre de référence pour les services psychologiques. Demande: 1 500 $.

Aide aux personnes agées

Cet organisme est un centre d'information pour les citoyens du troisième âge, distribuant de l'information concernant les droits légaux et les pensions. Le centre voudrait étendre ses services au domaine récréationnel. Demande: 3 500 $

1. Premièrement, établissez individuellement les montants que vous accorderiez à chacun des organismes. Soyez prêt à défendre vos allocations.

2. En petit groupe, tentez d'obtenir un consensus sur les montants à allouer aux organismes. Lorsque vous en êtes arrivés à une conclusion générale, toute la classe devrait se rassembler pour faire part de ses décisions.

3. Un jeu de rôles peut s'amorcer sur les allocations. Un comité de quatre à six membres peut être formé pour recevoir les arguments des différents organismes. Deux personnes peuvent représenter chacun des organismes et aller plaider leur cause devant le comité. Toute la classe peut ainsi prendre connaissance des différents arguments apportés de part et d'autre.

4. Par la suite, demandez à la classe de voter encore une fois pour les allocations. déterminez si les opinions de certains membres ont changé suite au plaidoyer des représentants des différents organismes.

Discussion

A. Était-ce facile pour vous de faire les allocations aux différents organismes? Aviez-vous des organismes préférés? Est-ce que votre conscience sociale a dicté vos choix? Pourriez-vous défendre vos choix?

B. Durant la discussion, était-il facile pour vous de vous en tenir à vos propres choix? Est-il arrivé que vous connaissiez si peu certains organismes qu'il vous importait peu de savoir combien ils recevraient? Auriez-vous moins discuté si vous n'aviez pas écrit vos choix préalablement?

C. Est-ce que tous les groupes en sont venus aux mêmes décisions? Pourquoi y aurait-il des différences? Qu'est-ce que cela nous apprend sur les groupes qui ont la responsabilité d'allouer des ressources très limitées?

D. Après avoir participé à ce jeu de rôles, est-ce que certaines opinions ont changées? Etiez-vous d'accord avec ces changements? Comment les changements se sont-ils produits? Suite à de bons arguments? À cause de l'impact de la majorité? Logiquement? Sentimentalement?

EXERCICE 10-5

ÉCRIRE UNE DESCRIPTION DE TÂCHE (Projet de groupe)

Cet exercice se fait bien en petits groupes de cinq à sept personnes. Chaque groupe doit avoir une grande feuille sur laquelle il écrira une description de tâche qu'il présentera aux autres. (Les descriptions peuvent aussi être écrites au tableau pour toute la classe).

Identifiez dans les groupes (il y en a sûrement) les personnes qui portent un titre quelconque (garçon de table, vendeuse, moniteur de natation, secrétaire, etc.) pour lequel on peut faire une description de tâche. Ensemble, faites les descriptions de ces emplois en incluant les points qui distinguent le contenu de cette tâche d'autres activités, c'est-à-dire ce que la tâche n'est pas. Présentez vos descriptions (une à la fois) aux autres.

Discussion

A. Dans la description, est-ce qu'on fait une mention adéquate des aptitudes nécessaires pour que seuls les gens qualifiés postulent l'emploi en question. Au contraire, la description est-elle vague au point où toute personne qui se sentirait compétente postulerait pour cet emploi?

B. La description est une carte verbale d'un territoire réel (l'emploi lui-même) et, comme dans la plupart des cartes ou représentations d'un territoire, on y perd sans doute des détails. Quel genre de détails ont été à votre avis mis de côté, oubliés ou non mentionnés et qui pourraient être importants dans la sélection d'une personne pour occuper cette fonction? Autrement dit, lors de l'entrevue, quels autres éléments surveilleriez-vous et chercheriez-vous à trouver chez le candidat?

C. Dans votre description, retrouvez-vous davantage de qualités personnelles et sociales que d'aptitudes précises et concrètes? Pouvez-vous préciser ces qualités personnelles et sociales?

D. Est-ce qu'il y a des éléments dans la description de tâche qui pourraient donner à certains candidats le sentiment d'être rejetés? Est-ce qu'il y a des éléments exagérés ou trop mis en évidence? Quelle perception d'elles-mêmes doivent avoir les personnes qui postulent cet emploi?

EXERCICE 10-6
LE CAS DE ROBERT LACHANCE (Discussion)

Robert Lachance est en première année d'université et il doit suivre un cours obligatoire très difficile. Il a absolument besoin d'obtenir un B pour demeurer dans le programme mais, qu'importe son effort et son temps d'étude, il n'obtient jusqu'à présent, aux évaluations hebdomadaires, que des C et des D. Or une grande partie de l'évaluation globale est déjà entamée et ainsi dangereusement hypothéquée. Même après la normalisation des notes par le professeur, Robert ne réussit pas à être dans la moyenne!

Après quatre de ces évaluations hebdomadaires partielles, Robert se plaint et parle de sa situation avec un compagnon de classe. Ce dernier juge alors Robert et décide de le mettre au courant de ce qui se passe dans le cours... En fait, le professeur ne corrige pas lui-même ces mini-évaluations et il a embauché un étudiant diplômé pour le faire. Cet étudiant a trouvé un moyen original de payer ses études; avant chaque mini-évaluation, il organise, à partir de ce qu'il sait déjà des tests, une petite «séance de renseignements» pour ceux et qui veulent bien lui donner 5 $ ou 10 $, selon que l'on veuille quelques «tuyaux» ou les réponses au complet. Jusqu'à maintenant il a ainsi servi régulièrement de «consultant» à 15 personnes de la classe. L'ami conseille donc à Robert de joindre le groupe des initiés, et son problème sera alors réglé!

Robert a un peu d'argent, mais il n'est pas prêt à investir immédiatement dans l'affaire. En plus, il a clairement l'impression que tout cela n'est pas tout à fait dans les règles. Le professeur ne devrait-il pas être mis au courant, pense-t-il? Mais si les autres étaient mis à la porte et apprenaient que c'est lui le délateur! Mais encore, où est la justice pour lui et les autres dans cette situation?

Décidément c'est un beau casse-tête, et toutes ces questions viennent à l'esprit de Robert. Il doit décider quoi faire assez rapidement sinon ce sera trop tard.

Si vous étiez Robert, que feriez-vous? Pourquoi? Essayez d'obtenir un consensus dans votre groupe et faites part de votre décision aux autres sous-groupes.

Discussion

A. Si plus d'un sous-groupe a réussi à arriver à un consensus face à ce problème, est-ce que les avis et solutions sont les mêmes? Quelles sont les implications de ces divergences?

B. Est-ce qu'il y avait un conflit de rôles en plus de la question éthique? Qu'est-ce que Robert voulait être? Comment se voyait-il? À quel rôle a-t-il donné priorité?

C. Dans votre analyse du cas, vous vous êtes sans doute mis à la place de Robert, dans sa peau comme on dit. Vous avez alors sans doute fait certaines hypothèses et pensé à la façon dont vous agiriez dans sa situation. Étiez-vous aussi conscient du rôle que vous avez joué en tant que membre de votre groupe dans la discussion de ce cas? Est-ce que les autres personnes

© McGraw-Hill, Éditeurs

de votre groupe ont eu une influence sur votre manière de réagir face à ce cas? Quelles sont les implications qu'il y a à appartenir à différents groupes qui peuvent nous influencer de différentes manières sur le même sujet?

EXERCICE 10-7
L'INVASION DU NEW JERSEY (Discussion)

Le soir de l'Halloween 1938, le «Mercury Theater of the Air» dirigé par Orson Welles présenta à la radio une dramatique tirée de «La Guerre des Mondes» de H.G. Wells. L'émission racontait une histoire fictive d'envahisseurs venus de la planète Mars et ayant atterri au New Jersey. Une grande panique s'ensuivit. Les gens de la côte est des États-Unis barricadèrent leurs maisons et demandèrent l'aide de la police et de la Garde nationale, même si les stations de radio avaient annoncé que l'émission était une fiction.

En 1971 une station de radio de Buffalo, New York, décida de mettre en ondes la même émission le soir de l'Halloween. Puisqu'on s'attendait à ce que quelques auditeurs croient qu'il s'agissait d'une véritable invasion, la station annonça plusieurs fois durant la semaine précédente qu'il s'agirait de la retransmission d'une émission de fiction. La journée même de l'émission, on prévint les auditeurs à toutes les 10 minutes avant la présentation. Bien que les annonces accentuaient le fait qu'il s'agissait bien d'une fiction, l'émission s'avéra être trop réaliste puisqu'on utilisa les voix des annonceurs habituels de la station. Les auditeurs réagirent.

La police de Buffalo reçut plus de 100 appels téléphoniques; les médias de Boston, Washington, New York, Rochester et Providence reçurent tous des appels. Il en fut de même pour la police de l'état et les shérifs de comté. Un individu s'est élancé sur une auto-patrouille en criant qu'il y avait une invasion, on dut le calmer. A peu près la moitié des appels à la police provenaient de gens en colère au sujet de l'émission et l'autre moitié de gens qui avaient peur. La panique qui avait résulté de la première émission présentée 33 ans plus tôt ne se reproduisit pas à Buffalo, mais les auditeurs devinrent très nerveux et hors d'eux-mêmes.

Discussion

A. Quelles sont les responsabilités des médias de radiodiffusion envers leurs auditeurs? Devraient-ils identifier leurs émissions comme étant des fictions, des nouvelles en direct, des éditoriaux? Est-ce que des annonces fréquentes sur la nature de l'émission rejoignent tous les auditeurs potentiels? Qu'est-ce que cela implique au niveau de l'écoute? À propos de la radiodiffusion?

B. Si votre station de radio favorite retransmettait la description d'une invasion provenant d'une autre planète, comment réagiriez-vous? Comment feriez-vous pour savoir si la nouvelle est authentique?

C. Supposez que vous ayez cru à cette invasion et que vous ayez appelé la police ou couru chez votre voisin pour demander de l'aide. Comment auriez-vous réagi vis-à-vis des auteurs de cette supercherie? Qu'auriez-vous fait? Jouez le rôle de citoyens anxieux et irrités qui téléphonent au directeur de la station de radio après avoir été trompés par ce canulard.

SUGGESTION DE TÂCHE 10-1
L'UN OU L'AUTRE-TOUT OU RIEN

Rappelez-vous ce que nous avons dit de l'attitude «globalisante» dans la partie théorique et trouvez des exemples d'énoncés «polarisés» qui en découlent souvent à la radio, à la télévision ou ailleurs. Faites-en une liste. Collectionnez les slogans tels que: «Mon pays - à la vie ou à la mort», «Montréal – La fierté a une ville», «Vous êtes avec moi ou contre moi», etc. Ne vous gênez pas pour inclure des slogans personnels ou familiers. Derrière chaque slogan il est fort possible d'identifier des gens qui sont d'un côté ou de l'autre. Identifiez donc ces groupes de gens et voyez comment et pourquoi ils se radicalisent autant.

Enfin, il vous est possible d'amener ces slogans dans votre groupe et de les discuter. Peut-être trouverez-vous là aussi des gens qui se situent d'un côté ou de l'autre et vous pourrez ainsi travailler à régler les conflits!

SUGGESTION DE TÂCHE 10-2
MANIPULATION DU CONSOMMATEUR

1. Avez-vous déjà été berné par quelqu'un dans une affaire financière ou déçu par une publicité malhonnête? Rappelez-vous un de ces incidents et parlez-en avec les autres.

ou

2. Trouvez une autre personne dans votre groupe qui a connu une expérience semblable et parlez-en à la classe entière. Essayez de voir comment vous auriez pu prévenir cet incident.

ou

3. En dyade ou en triade, discutez de l'acte le plus décevant ou le plus malhonnête que vous ayez connu. (Faites référence ici à la façon dont un message publicitaire ou personnel a pu vous induire en erreur.) Pourquoi la personne a-t-elle parlé ainsi selon vous? Comment avez-vous été affecté par ces incidents?

SUGGESTION DE TÂCHE 10-3
JUGER LES AUTRES

Si on vous demande de dire seulement des choses aidantes à propos de quelqu'un, on s'attend à ce que vous fassiez des remarques positives et que vous évitiez les évaluations, les jugements et les critiques. Souvent les commentaires aidants ont un autre côté. Il y a cette histoire à propos d'un jeune de 10 ans qui à l'école de danse a refusé toute l'année de danser avec une fille trop grasse. Il ne l'aimait pas. Il avait peur de l'insulter s'il se mettait à lui parler. Il reçut alors des directives du professeur qui lui demanda de trouver quelque chose de gentil à lui dire: «Tu peux toujours trouver quelque chose de gentil à dire à propos de quelqu'un, peu importe jusqu'à quel point tu la détestes.» Ainsi, avec cette pensée en tête, le garçon demanda à la fille de danser et se démena pendant plusieurs minutes de silence et de pas maladroits sur le plancher de danse. Finalement la danse se termina. Le jeune garçon devait dire quelque chose de gentil à la fille (on le lui avait ordonné), donc il bafouilla: «Pour une grosse fille, tu ne sues vraiment pas beaucoup!»

Décrivez une situation dans laquelle des jugements évaluatifs ont pu nuire à des gens et comment des énoncés plus descriptifs auraient été plus appropriés.

SUGGESTION DE TÂCHE 10-4
UN REGARD SUR L'ÉCOUTE

1. Y a-t-il des occasions lors desquelles vous portez plus attention à la qualité de votre écoute? Vous est-il arrivé récemment quelque chose qui vous a fait prendre conscience de vos habitudes d'écoute ou de celles des autres?

2. Écrivez les noms de personnes avec qui vous entrez souvent en contact. À côté de chaque nom écrivez le genre d'écoute qu'ils ont habituellement: appropriée, efficace, sensible ou tout autre qualificatif. Sont-elles toutes semblables? Qu'ont-elles en commun ou de différent? Comment votre conversation s'en trouve-t-elle affectée?

3. En vous basant sur vos estimations des habiletés et des comportements habituels d'écoute de vos amis, remplissez les espaces suivants:

Mes deux meilleurs écouteurs   **Leurs bonnes habitudes**

1. _____   _____

                                         _____

                                         _____

2. _____   _____

Mes deux pires écouteurs   **Leurs mauvaises habitudes**

1. _____   _____

                                         _____

                                         _____

2. _____   _____

FEUILLE DE FEED-BACK

EXERCICES

SUGGESTIONS DE TÂCHES

FEUILLE D'APPRÉCIATION PERSONNELLE

EXERCICE 11-1

D'ACCORD OU PAS D'ACCORD-ÉNONCÉS SUR LES GROUPES (Discussion)

Cet exercice peut être une activité fort intéressante à faire et observer. En indiquant une réponse d'accord ou pas d'accord, réponse qui constitue votre choix personnel, vous indiquez une préférence et vous vous impliquez face aux autres. Lorsque plusieurs facteurs sont impliqués pour faire un choix, comme c'est le cas dans la liste d'énoncés qui suit, il est difficile de prétendre avoir un point de vue parfaitement objectif. Ainsi nos sentiments personnels ne peuvent que teinter nos prises de position. En fait, nous devenons habituellement tellement impliqués par certaines de nos opinions que nous souffrons difficilement de les voir remises en question. Dans cet exercice, soyez attentif à la façon dont vous devenez personnellement impliqué lorsqu'il s'agit de discuter différents aspects de la vie de groupe.

1. Individuellement d'abord, dans la colonne de gauche, dites si vous êtes d'accord ou pas avec l'énoncé.
2. Discutez chacun des énoncés avec les autres membres de votre groupe jusqu'à ce que vous obteniez un consensus, pour lequel vous indiquez alors votre réponse dans la colonne de droite.

Nous vous rappelons qu'un consensus signifie que tous les membres d'un groupe décident ensemble d'une réponse commune. Certes un consensus total pour tous les énoncés sera difficile à atteindre. Néanmoins, assurez-vous que tous les membres sont au moins partiellement d'accord avec la réponse du groupe. Voici quelques suggestions pour atteindre un consensus:

A. Évitez d'argumenter pour vos propres jugements individuels. Essayez d'aborder la tâche sur une base rationnelle;

B. Évitez de changer d'opinion seulement pour faire plaisir aux autres et éviter les conflits. N'appuyez que les idées avec lesquelles vous êtes au moins partiellement d'accord;

C. Évitez les techniques de «réduction», telles que les votes majoritaires ou les échanges de politesse;

D. Essayez de voir les divergences d'opinion comme des aspects positifs de la discussion plutôt que comme des obstacles.

© McGraw-Hill, Éditeurs

Individuel (A) (D)			Consensus du groupe (A) (D)
___ ___	**1.**	La première préoccupation d'un groupe devrait être d'établir un climat où tous se sentent libres d'exprimer leurs sentiments.	___ ___
___ ___	**2.**	Dans un groupe où il y a un leader fort, chaque individu peut se sentir davantage en sécurité que dans un groupe sans leader.	___ ___
___ ___	**3.**	Il y a souvent des occasions dans un groupe de travail où une personne doit faire ce qui lui semble correct, indépendamment de ce que le groupe a décidé de faire.	___ ___
___ ___	**4.**	Il est parfois nécessaire d'utiliser une méthode autocratique pour parvenir à des objectifs démocratiques.	___ ___
___ ___	**5.**	Dans un groupe, il survient généralement un moment où on doit abandonner la méthode démocratique pour résoudre des problèmes pratiques.	___ ___
___ ___	**6.**	À long terme, il est plus important d'utiliser des méthodes démocratiques que de parvenir à des résultats donnés par d'autres moyens.	___ ___
___ ___	**7.**	Il est parfois nécessaire d'orienter les gens dans une direction que nous croyons appropriée, même si ceux-ci s'y objectent.	___ ___
___ ___	**8.**	Il est parfois nécessaire d'ignorer les sentiments de certaines personnes pour parvenir à une décision de groupe.	___ ___
___ ___	**9.**	Un leader qui fait ce qu'il peut ne devrait pas être blâmé ou critiqué ouvertement.	___ ___
___ ___	**10.**	La plus grande partie des tâches faites en comité et en petits groupes peut être mieux accomplie par une seule personne responsable.	___ ___
___ ___	**11.**	La démocratie n'a aucune place dans les organisations militaires, en particulier pendant une bataille.	___ ___
___ ___	**12.**	Pour la majorité des gens il n'est pas possible d'améliorer leurs habiletés de communication et de participation à un groupe.	___ ___
___ ___	**13.**	On perd beaucoup de temps à considérer l'opinion de tout le monde avant de prendre une décision.	___ ___
___ ___	**14.**	Dans un groupe qui veut vraiment accomplir quelque chose, le leader doit exercer un contrôle à la fois amical et très ferme.	___ ___
___ ___	**15.**	Quelqu'un qui n'aime pas la façon dont se déroule une rencontre de groupe ou une réunion de comité devrait le souligner ouvertement et tenter de modifier la situation.	___ ___
___ ___	**16.**	Lorsque deux personnes membres d'un même groupe ne s'entendent pas, la meilleure chose à faire pour les autres est d'ignorer cette difficulté et de continuer le travail en cours.	___ ___
___ ___	**17.**	Le meilleur climat de travail dans un groupe est celui où les idées et les sentiments demeurent non exprimés.	___ ___

Discussion

A. Dans cet exercice, croyez-vous avoir argumenté davantage du fait que vous avez répondu d'abord individuellement? Vous arrive-t-il d'avoir un «agenda caché» ou un point de vue personnel bien arrêté en entreprenant une discussion? Dans ce cas-ci?

B. Quel système avez-vous utilisé pour arriver à des consensus? Comment êtes-vous parvenu à adopter des idées sans passer par la solution plus facile de voter?

C. Par rapport à des idées et des principes dans lesquels vous êtes très impliqué, réussissez-vous à écouter les autres? Quels sont les enjeux et problèmes où il est très difficile d'arriver à un consensus? Le groupe est-il toujours le meilleur moyen de trouver des réponses à certains problèmes? Pourquoi?

EXERCICE 11-2

D'ACCORD, PAS D'ACCORD - ÉNONCÉS SUR LE LEADERSHIP ET LE PROCESSUS DE GROUPE (Discussion)

Voici une autre liste d'énoncés qui, cette fois-ci, portent plus précisément sur les qualités du leadership. Ici encore, vous pourrez observer différentes réponses et différentes attitudes face au leadership et à la nature humaine en général. Comme observateur ou participant, vous pourrez aussi observer l'interaction du groupe et faire des apprentissages intéressants quant au fonctionnement d'un groupe.

1. Quelle est votre opinion sur les énoncés de cette liste? Indiquez si vous êtes d'accord ou en désaccord dans la colonne de gauche.

2. En petits groupes, essayez de parvenir à un consensus pour chaque énoncé. Lorsque vous avez atteint ce consensus, indiquez la réponse dans la colonne de droite.

Individuel (A) (D)		Consensus du groupe (A) (D)
__ __	**1.** La première tâche d'un leader est de changer les autres.	__ __
__ __	**2.** Le leader le plus efficace est celui qui réussit à maintenir un climat émotif agréable en tout temps.	__ __
__ __	**3.** Appliquer des règles et une discipline du droit de parole aux membres est la tâche du leader.	__ __
__ __	**4.** Le leadership est un ensemble de fonctions à distribuer dans le groupe.	__ __
__ __	**5.** Il y a très peu de progrès possible tant que chaque membre ne partage pas une partie de la responsabilité du leadership.	__ __
__ __	**6.** La plupart des tâches d'un comité de travail sont mieux accomplies avec une personne qui a la volonté de les accomplir.	__ __

Individuel (A) (D)			Consensus du groupe (A) (D)	
—— ——	7.	Quand le leadership est efficace, les membres d'un groupe éprouvent peu de sentiments de dépendance envers le leader.	——	——
—— ——	8.	À moins d'être l'objet de pressions de la part d'un leader, un groupe sera peu efficace.	——	——
—— ——	9.	Dans une discussion, que le leader connaisse bien le sujet est plus important que ses aptitudes à diriger une discussion.	——	——
—— ——	10.	Un leader autoritaire est préférable à un leader qui laisse aller le groupe sans aucun contrôle.	——	——
—— ——	11.	Il est impossible d'être absolument impartial dans une discussion.	——	——
	12.	La plupart des discussions de groupe progresseront si on leur accorde suffisamment de temps.		
—— ——	13.	Pour diriger une discussion efficacement, un leader ne devrait jamais adopter un point de vue opposé à celui du groupe.	——	——
—— ——	14.	Faire des résumés et des synthèses est la principale tâche d'un leader dans une discussion.	——	——

Discussion

A. Avez-vous de la difficulté à changer certaines de vos réponses personnelles? Auriez-vous été davantage ouvert à la discussion si vous n'aviez pas préalablement répondu de façon individuelle?

B. Selon votre expérience, comment les gens se comportent-ils face au leadership? Le comportement des gens est-il en accord avec ce qu'ils disent dans cet exercice?

C. Où et comment avez-vous acquis vos idées concernant les leaders et le leadership? Pouvez-vous identifier certaines idées nuisibles quant à l'exercice du leadership dans les groupes?

D. Dans cet exercice, vos efforts pour arriver à un consensus pour chaque énoncé n'ont peut-être pas été constants et soutenus. Avez-vous court-circuité le processus par des votes, en exerçant des pressions sur certains membres...? Quel est le vrai résultat de ces procédés, selon vous?

EXERCICE 11-3

FONCTIONS D'OBSERVATIONS: FAÇONS D'OBSERVER L'INTERACTION D'UN GROUPE (Projet de groupe)

Pour réaliser le présent exercice, vous pouvez partir du matériel d'un des exercices de discussion des laboratoires de ce manuel. Il s'agit ici de vous exercer à observer ce qui se passe dans une interaction de groupe et d'envisager différents points de vue et différentes manières d'organiser votre matériel d'observation.

Vous trouverez dans ce qui suit des directives concernant différents systèmes d'observation. Vous pouvez choisir un de ces systèmes et l'utiliser pour enregistrer une séance de travail ou un exercice de discussion quelconque. Essayez de choisir le système qui vous semble le plus utile pour la situation en question, pour le niveau d'interaction et le genre d'observations qui vous semblent pertinentes à faire et à enregistrer.

Pour cet exercice vous êtes seul, mais, à la fin de l'exercice ou de la séance, il vous faut prévoir que les autres voudront sans doute connaître vos observations. Il est possible aussi de rédiger un rapport d'observations. Dans un cas comme dans l'autre (rapport verbal ou écrit) vous pouvez utiliser soit une de ces méthodes ou un de ces systèmes de catégories, soit un mélange de différents systèmes et catégories. Toutefois, observer consiste habituellement, nous tenons à le souligner, à enregistrer et à rester le plus près possible des faits et non à interpréter, inférer ou évaluer.

Observations-A

Vérifiez les aspects suivants de la communication.

1. *L'atmosphère du groupe:* Dans les échanges, retrouve-t-on de la coopération, de la bonne humeur entre les membres? Notez les indices concrets de ces comportements.

2. *Conflits:* Pouvez-vous remarquer certains conflits (ouverts ou cachés)? Les dissensions sont-elles fréquentes et nombreuses? Notez ce qui déclenche les conflits et comment les gens réagissent.

3. *Coupures et ruptures de communication:* Remarquez-vous des moments où les membres ne se comprennent pas entre eux? Remarquez-vous des moments où, quand certaines personnes amènent leurs idées ou leurs opinions, celles-ci ne sont ni acceptées, ni écoutées? Qu'est-ce qui empêche les gens de bien se comprendre? Notez les points précis de ces coupures et ruptures.

4. *Réduction de barrières (facilitation):* Certaines personnes contribuent-elles à réduire les barrières (naturelles ou artificielles) à la communication dans le groupe? Utilisent-elles de bonnes techniques pour aider à réduire ces barrières? Quels sont les effets de ces comportements de facilitation sur la communication du groupe?

5. *Feed-back:* Les membres du groupe font-ils usage d'un bon système de feed-back? Comment donnent-ils et reçoivent-ils les feed-backs? Notez les feed-backs le plus fidèlement possible.

Observations-B

Une manière d'examiner un groupe est de porter attention au *contenu* sur lequel et avec lequel le groupe travaille, c'est-à-dire les sujets discutés et les tâches accomplies par les membres. Un autre niveau d'observation consiste à observer comment le groupe fonctionne avec ce contenu, c'est-à-dire ce qui se passe pour les membres au fur et à mesure qu'ils abordent différents contenus. Dans ce dernier cas on parlera d'observer le *processus*.

La plupart des problèmes de communication dans les groupes ne sont pas des problèmes issus du contenu mais de la manière dont les gens traitent le contenu, soit le processus de leur fonctionnement. Voici donc, sous forme de questions, quelques lignes directrices qui devraient vous aider à mieux suivre et saisir de tels processus. Nous avons concentré ces questions sous cinq aspects: 1) climat, 2) contrôle, 3) harmonisation, 4) agressivité et 5) apathie.

1. Est-ce que certaines personnes du groupe ont essayé de favoriser un climat amical et une atmosphère détendue? Quels ont été les comportements de ces personnes?

   – Raconter des histoires drôles;
   – Répondre aux commentaires des autres;
   – Encourager et renforcer les autres et leurs idées;
   – Accepter et être en accord avec les idées émises;
   – Autre - spécifiez.

2. Est-ce que certaines personnes ont contribué à ouvrir et élargir le réseau de communication en sollicitant la participation de certains autres? Si oui, quels ont été concrètement les comportements et les interventions de ces personnes?

   – Demander directement l'opinion d'une personne silencieuse sur le sujet discuté;
   – Exprimer au groupe que la participation pourrait être meilleure. Faire un appel à tous;
   – Aider un membre à s'exprimer en demandant aux autres de faire silence et d'écouter;
   – Autre - spécifiez.

3. Est-ce que certaines personnes ont essayé de réduire les désaccords et de négocier les conflits, s'il y en a eu? Quels ont été les gestes et comportements de ces personnes?

   – Proposer une médiation entre deux partis opposés;
   – Réduire la tension excessive par des mots d'humour et des taquineries amicales;
   – Suggérer un point de vue «objectif» au problème;
   – Autre - spécifiez.

4. Avez-vous remarqué de l'agressivité ou de l'hostilité dans le groupe? Si oui, comment cela s'est-il manifesté?

   – Des critiques sur le sujet et la tâche ou sur les méthodes et les arrangements pris par le groupe ont été exprimées à plusieurs reprises;
   – Des critiques s'adressant à certains membres ont été verbalisées;
   – Des critiques touchant les idées et les opinions de certains membres ont souvent été émises.
   – Certains membres du groupe ont été délibérément ignorés, agacés ou provoqués;
   – Autre - spécifiez.

5. Avez-vous remarqué une certaine apathie dans le groupe? Comment cela s'est-il manifesté?

– Peu de gens ont parlé;
– La plupart des gens avaient l'air de s'ennuyer;
– Certaines personnes étaient souvent complètement en dehors du sujet de discussion ou de la tâche à accomplir;
– Les idées et suggestions émises n'étaient reprises par personne et ne recevaient que silence;
– Il y avait de nombreux silence embarrassants;
– Autre - spécifiez.

Observations-C

Les observations que nous vous proposons de faire ici sont peut-être un peu plus élaborées que les précédentes et nécessitent une certaine «évaluation». À une phase avancée du fonctionnement de groupe, il peut être intéressant de cerner les membres de votre groupe, y compris vous-même, en rapport avec les fonctions et les rôles de groupe suivants. Essayez de voir pour chaque membre quel est le rôle qu'il joue le plus souvent et les fonctions qu'il remplit le plus souvent à l'intérieur du groupe. (Ces observations sont dans la lignée du système de Bales décrit dans la partie théorique.)

Rôles ou fonctions	Nom des membres
Rôles axés sur la tâche du groupe	
Amorce contribue	
Recherche l'information	
Donne l'information	
Coordonne	
Évalue	
Résume	
Rôles axés sur le fonctionnement du groupe	
Encourage	
Harmonise	
Contrôle	
Normalise	
Participe	
Rôles axés sur soi	
Bloque	
Demande de l'attention	
Domine	
Évite	

Observations-D

1. Est-ce qu'il y a des comportements qui semblent davantage axés sur la satisfaction des besoins de certains membres plutôt que sur l'accomplissement de la tâche?

   a) Qui agit dans ce sens et comment? Soyez précis.

   b) Quel est l'effet de ces comportements sur le groupe?

2. Est-ce qu'il y a des comportements qui semblent portés à aider le groupe à mieux fonctionner et les membres à mieux interagir entre eux?

   a) Qui agit dans ce sens et comment? Soyez précis.

   b) Quel est l'effet de ces comportements sur le groupe?

3. Est-ce qu'il y a des comportements axés sur l'accomplissement de la tâche du groupe?

   a) Qui agit dans ce sens et comment? Soyez précis.

   b) Quel est l'effet de ces comportements sur le groupe?

EXERCICE 11-4

LA NASA (Projet de groupe)

Voici un exercice de prise de décision en groupe. Comme groupe, vous devrez faire consensus sur la valeur relative de différents points. Cela signifie que vous devez tous être d'accord sur l'importance à donner à chaque point, mais qu'en définitive vous ne parviendrez pas à être complètement d'accord. Vous devrez tout de même être *partiellement* d'accord avec le rang à accorder à chaque point. Ainsi, comme chaque fois que nous parlons de faire consensus, nous vous rappelons les suggestions suivantes:

1. Évitez d'argumenter à partir de vos jugements individuels. Essayez de réaliser la tâche le plus rationnellement et le plus logiquement possible;

2. Ne changez pas d'idée uniquement pour faire plaisir aux autres, pour atteindre plus rapidement un consensus ou pour éviter tout conflit. N'appuyez que les idées et les décisions avec lesquelles vous êtes au moins partiellement d'accord;

3. N'évitez pas les conflits en utilisant le vote ou le marchandage. «Je suis d'accord avec toi sur ce point si tu es d'accord avec moi sur l'autre»;

4. Essayez d'envisager les divergences d'opinions comme des enrichissements à la discussion plutôt que comme des blocages à la prise de décision.

Directives

Vous êtes tous membres d'une équipe d'astronautes dont la mission était d'effectuer un rendez-vous avec le vaisseau mère sur la surface éclairée de la Lune. À cause de difficultés mécaniques, votre capsule spatiale a été forcée d'atterrir à quelque 200 km du point de rendez-vous. Lors de l'atterrissage, la plupart de l'équipement de la capsule a été endommagé. Puisque la survie de votre équipe exige que vous rejoigniez le vaisseau mère, les meilleurs articles doivent être choisis pour réussir le voyage de 200 km. On a énuméré 15 articles restés intacts après l'atterrissage. Votre tâche est de les placer par ordre d'importance avec comme objectif la réussite du voyage. Placez le chiffre 1 à côté de l'article le plus important, le chiffre 2 à côté du second en importance et ainsi de suite jusqu'à 15, le moins important. Vous avez 15 minutes pour effectuer cette phase de l'exercice.

_____ boîte d'allumettes

_____ concentré de nourriture

_____ 15 mètres de corde de nylon

_____ soie de parachute

_____ unité portative de chauffage

_____ deux pistolets de calibre 45

_____ une boîte de lait déshydraté

_____ deux bombonnes d'oxygène de 45 kilos

© McGraw-Hill, Éditeurs

_____ carte stellaire (des constellations de la lune)

_____ radeau de sauvetage

_____ compas magnétique

_____ 25 litres d'eau

_____ torches de signalisation

_____ trousse de premiers soins comprenant des seringues hypodermiques

_____ radio FM à énergie solaire

DIRECTIVES POUR COMPILER LES RÉSULTATS DE L'EXERCICE

Le secrétaire du groupe assumera la responsabilité de la compilation des résultats. Les individus devront:

1. compter la différence nette entre leurs réponses et les bonnes réponses. Par exemple, si la réponse est 9 et que la bonne réponse soit 12, la différence nette est 3. 3 devient le résultat pour cet article particulier;

2. faire le total de ces compilations pour un résultat individuel;

3. faire le total de tous les résultats individuels et diviser par le nombre de participants pour arriver à un résultat moyen individuel;

4. compter la différence nette entre les réponses du groupe et les bonnes réponses;

5. additionner les résultats pour avoir un résultat de groupe;

6. comparer le résultat moyen individuel avec le résultat du groupe.

Erreurs:

0-20	excellent
20-30	bon
30-40	moyen
40-50	passable
au-dessus de 50	pauvre

Discussion

A. A-t-il été facile ou difficile de suivre nos suggestions quant à la manière de travailler pour atteindre un consensus? Pouviez-vous éviter d'argumenter à partir de vos réponses personnelles et plutôt vous ouvrir aux idées des autres? Étiez-vous frustré d'avoir à changer certaines de vos réponses?

B. Quels moyens le groupe a-t-il utilisés pour en arriver à un consensus sur chaque article?

C. En compilant les résultats, est-ce que les réponses individuelles semblaient plus pertinentes et exactes que les réponses de groupe, comparativement à l'opinion des experts de la NASA? Que pouvez-vous conclure par rapport aux décisions de groupe? Prennent-elles plus de temps? Sont-elles plus exactes? Est-ce qu'il y a des occasions où le temps et l'exactitude s'équivalent et où le processus de décision de groupe est peu important? Comment décide-t-on d'utiliser ou non une telle méthode?

EXERCICE 11-5
LES JETONS (Projet de groupe)

Cet exercice de groupe permet d'évaluer l'influence réelle et l'influence souhaitée des membres d'un groupe. Les gens qui participent se connaissent bien et doivent être assis pour former un cercle de telle sorte que tous les participants puissent bien se voir. Chaque participant reçoit un nombre égal de jetons (environ 8 jetons par personne pour un groupe de 12 personnes).

A. Influence réelle

À tour de rôle chaque participant donne un jeton à une personne du groupe qui lui semble posséder une influence réelle et actuelle sur l'ensemble du groupe. La personne dépose devant elle les jetons reçus pour que tous puissent voir combien elle en a. Le but est d'en arriver à une distribution correspondant à l'influence réelle qu'exerce chacune des personnes par rapport aux autres. Par conséquent, il faut éviter de donner un jeton à quelqu'un pour lui faire plaisir ou parce que personnellement on ne lui en n'a pas encore donné un seul. Il faut demeurer objectif. Un membre qui n'a pas d'influence ne doit pas recevoir de jeton. La personne la plus influente devrait se retrouver avec le plus grand nombre de jetons. L'exercice se termine lorsque tous les jetons ont été attribués. Pour un bon fonctionnement, l'équipe devrait respecter les règles suivantes:

1. L'exercice se fait dans le silence complet. Personne à ce stade ne peut émettre de commentaires sur l'attribution des jetons.

2. Chaque membre ne peut donner qu'un seul jeton à la fois à une autre personne de l'équipe.

3. Il faut procéder à tour de rôle et donner à chacun le temps de réfléchir à son choix.

4. Il est possible de s'attribuer personnellement un jeton.

Discussion

Chaque membre devrait être amené à énoncer les raisons qui l'ont motivé à attribuer ses jetons à telle ou telle personne. Qui a reçu le plus de jetons et pourquoi? Existait-il durant le jeu une tendance à niveler les chances pour chacun? Des jetons sont-ils donnés aux gens pour leur faire plaisir? Les personnes influentes étaient-elles conscientes d'exercer cette influence dans le groupe? Certaines personnes sont-elles déçues du nombre de jetons reçus? Quels sont les facteurs qui semblent déterminer l'influence qu'exerce une personne dans un groupe? Les personnes influentes dans ce groupe le sont-elles aussi dans d'autres situations ou avec d'autres personnes?

B. Influence souhaitée

La procédure est la même, mais cette fois il s'agit d'arriver à une distribution des jetons qui permette de suggérer l'influence que le groupe souhaiterait subir de la part des différents membres. Encore une fois il faut éviter d'en arriver à un nivelage à moins que ce ne soit la véritable intention du groupe. Il ne faut pas donner un jeton à une personne parce qu'elle n'en a pas eu au tour précédent. On donne un jeton à une personne seulement si on désire réellement subir son influence.

Discussion

Est-ce que certaines personnes ont reçu plus de jetons à ce deuxième tour? Pourquoi certains membres souhaitent-ils subir leur influence? Qu'est-ce que l'on attend des personnes qui ont des jetons?

EXERCICE 11-6
LE JOUET UNIVERSEL (Jeu de rôles)

Pour les fins de cet exercice, la classe entière doit prétendre qu'elle constitue la société «Le jouet universel», une organisation fondée il y a 75 ans et qui fabrique et vend des articles de loisirs. Au cours de son histoire, elle a toujours réalisé un profit sauf au cours des années 1932-34. À ses débuts, elle produisait des jeux de croquet; au cours des dernières années elle s'est diversifiée dans des produits connexes y compris des piscines hors terre. Son produit qui se vend le mieux actuellement est une soucoupe volante de type professionnel de 108 grammes.

Le tout dernier état des résultats de l'entreprise «Le jouet universel» indique une perte d'opérations de plus de 500 000 $ sur un volume de ventes se chiffrant à 26 millions de dollars. Au cours des 12 derniers mois, le fonds de roulement a diminué, mais pas de façon marquée. Le compte courant est d'environ un million de dollars; le montant de la paye hebdomadaire est de 150 000 $. Les actionnaires et les membres du conseil d'administration ainsi que la direction et les employés sont très préoccupés par cette perte. La plupart des membres de l'organisation croient qu'une action décisive à court terme doit être prise.

Le directeur général et son adjoint, qui est aussi directeur des finances, en plus d'aider le directeur général sur toute question touchant l'ensemble de l'entreprise, ont reçu de la part du conseil d'administration toute la latitude nécessaire pour remédier à la situation, et fixer de nouvelles politiques si nécessaire.

Le directeur général, le directeur général adjoint et cinq autres cadres, un par service: Recherche, Fabrication, Personnel, Ventes, Marketing, constituent la haute direction de l'entreprise «Le jouet universel».

Vous trouverez dans les paragraphes suivants un bref aperçu de la situation de chacun des cinq services de l'entreprise «Le jouet universel.» Chaque service devra faire preuve de créativité et d'imagination dans les hypothèses qu'il avancera sur lui et sur les autres services de la société. Il n'y a qu'une seule contrainte: toutes les hypothèses devront être cohérentes avec les données de base que contient la description sommaire de chaque service.

Le service de marketing

1. Groupe de recherches en marchés très élaboré qui est parvenu à distancer la compétition en développant de nouveaux marchés. C'est un service qui fait preuve d'esprit d'équipe.

2. Les compétiteurs s'emparent des ventes de Le jouet universel en offrant une marchandise moins chère pour des produits initialement mis en marché par «Le jouet universel».

3. Ce service est également responsable de la publicité, mais son équipe n'est pas parvenue à s'entendre sur les meilleurs moyens de publicité.

Le service des ventes

1. Ce service compte 50 représentants presque également répartis en deux groupes; des vendeurs qui ont déjà vendu d'autres articles (électroménager, vêtements, etc.) et des personnes qui étaient des éducateurs en loisir avant d'être embauchés chez «Le jouet universel».

2. Les ventes aux grands magasins ont diminué à mesure que les anciens éducateurs ont été embauchés.

3. Les ventes aux écoles et aux institutions ont augmenté à mesure que les anciens éducateurs se sont joints à l'entreprise.

Le service de fabrication

1. Au cours de la dernière année, la production s'est accrue de 20 % par rapport à l'année précédente.

2. Pour cette même période, cependant, les coûts de main-d'oeuvre ont augmenté de 24 %; ces coûts supplémentaires sont surtout imputables à une augmentation des heures supplémentaires ainsi qu'aux pertes de temps lors de bris mécaniques.

3. Le taux de rejet de produits finis a augmenté de 14 % chez les détaillants et de 19 % chez les représentants de l'entreprise «Le jouet universel».

Le service du personnel

1. À la suite des efforts de cette direction, «Le jouet universel» s'est acquis la réputation d'être un excellent endroit où travailler.

2. Étant donné la percée effectuée par les compétiteurs et une légère augmentation dans le roulement des effectifs, le service doit consacrer plus d'efforts au recrutement de personnes d'excellente qualité.

3. Le service a instauré de nouveaux programmes de formation des cadres: il est cependant encore trop tôt pour en évaluer les résultats.

Le service de recherche

1. Durant les deux dernières années, ce service a mis au point plus de brevets que toute autre entreprise du secteur «loisir».

2. Seulement 3 des 56 brevets sont parvenus au stade de la production.

3. De ces trois, seulement un a été mis en vente, et les résultats de ces ventes pour le moment ne sont ni concluants ni très intéressants.

La note de service suivante a été remise à tous les chefs de service:

À: Tous les directeurs de service

DE: MM. B. Lebrun, directeur général, C. Lenoir, directeur général adjoint

SUJET: Situation financière

Vous êtes au courant que les profits de l'entreprise ont baissé considérablement au cours de la dernière année. Cette situation nous préoccupe beaucoup. M. Lenoir et moi-même voudrions tous vous rencontrer et discuter du problème. Il serait utile qu'avant cette réunion, chacun de vous veuille bien:

1. rencontrer les dirigeants dans chacun de vos services et préparer un bilan sur les forces et faiblesses que vous constatez dans vos services respectifs, par exemple, les postes où l'on pourrait couper les frais inutiles, les sources d'inefficacité, les ressources non utilisées, etc.;

2. songez à l'entreprise dans sa totalité et à ce qui pourrait être fait pour améliorer sa situation.

Nous devrons, au sortir de cette réunion, avoir décidé de mesures concrètes qui constitueront notre programme d'action.

Directives

1. À l'arrivée en classe, le groupe devra:

a) élire un directeur général qui lui, nommera le directeur général adjoint;

b) se constituer en cinq services;

c) chaque service se choisit un directeur parmi ses membres.

2. À ce stade-ci, les divers groupent se préparent à la réunion de la haute direction. (Cette préparation dure environ 20 minutes)

Directives au D.G. et au D.G.A.

Suite à votre note de service, vos directeurs de service vont bientôt arriver pour discuter d'un plan pour améliorer la situation financière de l'entreprise. Vous devez tous deux utiliser votre temps jusqu'à ce qu'ils arrivent pour planifier cette réunion. Au milieu de la réunion, il y aura une pause de 10 minutes au cours de laquelle les directeurs de service consulteront leurs collaborateurs. La réunion ne doit durer qu'une heure.

Directives aux directeurs de service et à leurs collaborateurs

Dans 20 minutes, tous les directeurs de service rencontreront le D.G. et le D.G.A. pour arrêter un plan en vu d'améliorer la situation financière de l'entreprise. Pour faciliter l'observation et pour sauver du temps, les collaborateurs pourront observer la réunion (sans aucune intervention). Ceci éliminera le besoin, pour chaque chef de service, de faire part à ses collaborateurs de ce qui s'est passé. Il y aura une pause de 10 minutes au milieu de la réunion. Après cette pause, les directeurs de service devront retourner à la réunion qui continuera jusqu'à l'heure prévue pour la fin. Par la suite, la classe entière discutera de l'exercice.

Discussion

Après la clôture de la réunion de la haute direction, les observateurs devraient donner leurs impressions sur ce qui a aidé ou nui à l'efficacité du processus de décision.

1. Les personnes ont-elles écouté les points de vue des autres? Sur quoi repose votre impression?

2. Comment les conflits ont-ils été traités au cours de la réunion?

3. Jusqu'où le groupe a-t-il considéré son propre processus (par exemple, qui était impliqué, qui participait...) durant la réunion?

4. En quoi les styles du D.G. et du D.G.A. ont-ils influencé le cours de la réunion?

5. Le groupe a-t-il pris du temps pour établir une structure pour la réunion ou bien a-t-il tenté immédiatement de résoudre le problème ou bien a-t-il établi un ordre du jour?

6. Que peut-on faire pour diminuer les effets destructeurs de la compétition entre groupes (ventes contre marketing, par exemple) à l'intérieur d'une organisation?

SUGGESTION DE TÂCHE 11-1
CHOISIR

À partir d'un petit groupe de 6 à 12 personnes dont vous êtes membre (ou que vos pouvez observer facilement): faites une liste de ce que vous considérez comme les six principales caractéristiques de ce groupe. Selon les perceptions et les observations que vous faites jusqu'à maintenant dans ce groupe, décrivez et schématisez le réseau des relations interpersonnelles sur le plan du rapprochement et de l'évitement entre les membres. Maintenant, en utilisant les questions qui suivent, vous allez encore essayer de déterminer la même chose.

　　a) Quels sont les trois membres du groupe avec lesquels vous aimeriez le plus travailler?

　　b) Quels sont les trois membres du groupe que vous aimeriez le plus inviter à une fête?

　　c) Quels sont les trois membres du groupe avec lesquels vous aimeriez le moins travailler?

d) Quels sont les trois membres du groupe que vous aimeriez le moins inviter à une fête?

Est-ce qu'il y a des différences lorsque vous comparez a) et b)? Comment expliquez-vous ces différences?

SUGGESTION DE TÂCHE 11-2
LEADERSHIP

Croyez-vous qu'on ait besoin d'un leader autoritaire dans un groupe? (Oui ou non; pourquoi?) Pensez-vous qu'un tel leadership a des effets sur le moral d'un groupe? Quel genre d'effets? Rappelez-vous une situation où un leader disait aux autres quoi faire et décrivez comment les gens ont participé, comment les gens se sentaient par rapport au leader et face à la tâche à accomplir? Est-ce que tout le monde a besoin du même style de leadership pour travailler? Certaines personnes sont-elles plus efficaces avec un leader démocrate qu'avec un leader autoritaire et vice-versa? Est-ce qu'il y a des situations où un leadership autoritaire est plus efficace? moins efficace?

Répondez à ces questions en fonction d'un groupe que vous connaissez bien et dont vous êtes membre.

SUGGESTION DE TÂCHE 11-3
COMPÉTITION

1. On affirme souvent que la compétition stimule les individus et les groupes à fournir un meilleur rendement. Selon votre expérience, par exemple par rapport au système d'évaluation scolaire, est-ce que cela est vrai?

2. Dans quelles conditions les gens peuvent-ils rivaliser le plus et dans quelles conditions peut-on retrouver davantage de coopération entre les gens? Donnez des exemples.

3. Exprimez vos idées sur la manière dont les styles de leadership influencent la compétition ou la coopération. Tirez des exemples de votre expérience personnelle.

SUGGESTION DE TÂCHE 11-4
CONFORMISME

Pouvez-vous identifier les situations où vous avez tendance à vous conformer à la masse et celles où vous avez plutôt tendance à résister au conformisme? Quelles sont les différences entre ces situations?

Faites une liste des personnes dont vous respectez beaucoup les idées et les valeurs. Vous conformeriez-vous toujours à leurs décisions si elles vous le demandaient?

Essayez d'analyser vos propres comportements conformistes. Utilisez les noms et les titres des personnes qui pourraient vous diriger, celles qui ne pourraient pas vous diriger et les circonstances ou les situations dans lesquelles vous décideriez de suivre ou de ne pas suivre ces personnes.

CHAPITRE 11
FEUILLE D'APPRÉCIATION PERSONNELLE

1. Est-ce que ce chapitre et ces exercices ont modifié vos idées sur le fonctionnement des groupes? Si c'est le cas, dans quel sens et comment? Soyez précis.

2. Est-ce que ce chapitre et ces exercices ont modifié vos idées quant au leadership? Si oui, dans quel sens et comment? Soyez précis.

3. Est-ce que les observations suggérées dans la partie des laboratoires vous ont aidé à mieux percevoir ce qui peut se passer dans un groupe? Si oui, comment? Soyez précis.

Votre nom _____

BIBLIOGRAPHIE

Avant-propos

REARDON, K. *Where Minds Meet*, Belmont, Calif., Wadworth, 1987.

Chapitre 1

LIVRES

BARNLUND, D.C. *Interpersonal Communication: Survey and Studies*, Boston, Houghton Miffin Company, 1968.

BETTINGHAUS, E. *Persuasive Communication*, New York, Holt, Rinehart and Winston, Inc, 1980.

DANCE, F.E.X. (Ed.). *Human Communication Theory*, New York, Harper & Row, Publishers, Inc, 1982.

FABUN, D. *Communication: The transfer of Meaning*, Beverly Hills, Calif., Glencoe Press, 1968.

FAST, J. *Body Language*, New York, Pocket Books, Inc., 1981.
—— *Le Langage du corps*, Paris, Stock, 1970..

GALVIN, K.M., et B. J. BROMMEL. *Family Communication*, 2ᵉ éd., Glenview, Ill, Scott, Foresman and Company, 1986.

HALL, E.T. *The Hidden Dimension*, Garden City, N.Y., Doubleday & Company, Inc., 1966.
—— *La dimension cachée*, Paris, Seuil, 1971.

HOVLAND, C.I.,I. JANIS et H.H. KELLEY. *Communication and Persuasion*, Westport, Conn., Greenwood Press, 1982.

JOHNSON, W. *Your Most Enchanted Listener*, New York, Harper & Brothers, 1956.

KATZ, E. et P.F. LAZARSFELD. *Personal Influence*, New York, Free Press, 1960.

MCLUHAN, M. *The Medium Is the Message*, New York, Bantam Books, 1967.
—— *Understanding Media; the extensions of man*. Routledge, 1964.
—— *Pour comprendre les médias; les prolongements technologiques de l'homme*, Montréal, Éditions HMH, 1968.

SCHUTZ, W. *The Interpersonal Underworld*, Palo Alto, Calif., Science and Behavior Books, Inc, 1966.

WATZLAWICK. P., J. BEAVIN et D. JACKSON. *Pragmatics of Human Communication*, New York, W.W. Norton & Company, Inc, 1967.
—— *Une logique de la communication*, Paris, Seuil, 1972.

ARTICLES

ADRIAN, E. H. «The Human Receiving System», in *Grenada Lectures of the British Association for the Advancement of Science, The Languages of Science*, New York, Basic Books, Inc., 1963.

BARNLUND, D.C. «A transactional Model of Communication», J. AKIN, A GOLDBERG, G MYERS et J. STEWART (Eds.), in *Language Behavior*, Mouton Press, The Hague, 1971.

CRONEN, V.E., W.B. PEARCE et L. HARRIS. «The Coordinated Management of Meaning: A Theory of Communication», in F.E. X. DANCE (Ed.) *Human Communication Theory*, New York, Harper & Row, Publishers, Inc., 1982.

HART R.P., R. E. CARLSON et W. F. EADIE. «Attitude toward Communication and Assessment of Rhetorical Sensitivity», *Communication Monographs*, vol. 47, n° 1, mars 1980.

KATRIEL, T. et G PHILIPSEN. «What We need Is Communication: Communication as a Cultural Category in Some American Speech», *Communication Monographs*, vol. 48, n° 4, décembre 1981.

LASSWELL, H. D. «The Structure and Function of Communication in Society», in W. Schramm (Ed.), *Mass Communication*, Urbana, University of Illinois Press, 1960.

LITTLEJOHN, S.W. «An Overview of Contributions to Human Communication Theory from Other Disciplines», in F.E. X. Dance (Ed.) *Human Communication Theory*, New York, Harper & Row, Publishers, Inc., 1982.

MCCALLISTER, L. «Predicted Employee Compliance to Downward Communication Styles»,*Journal of Business Communication*, vol. 20, n° 1, Hiver 1983.

MILLER, G.R. et M.J. SUNNAFRANK. «All Is for One but One is Not for All: A Conceptual Perspective of Interpersonal Communication», in F.E.X. DANCE (Ed.), *Human Communication Theory*, New York, Harper & Row, Publishers, Inc., 1982.

ROGERS, E.M. et S.H. CHAFFEE. «Communication as an Academic Discipline: A Dialogue», *Journal of Communication*, vol. 33, n° 3, été 1983.

SCHRAMM, W. «The Unique Perspective of Communication: A Retrospective View», *Journal of Communication*, vol. 33, n° 3, été 1983.

SILLARS, A. et M.D. SCOTT. «Interpersonal Perception between Intimates», *Human Communication Research*, vol. 10, n° 1, automne 1983.

TING-TOOMEY, S. An Analysis of Verba! Communication Pattems in High and Low Marital Adjustement Groups,«*Human Communication Research*», vol 9, n° 4, été 1983.

WOOD, B.S. et R. GARDNER. «How Children Get Their Way: Directives in Communication», *Communication Education*, vol. 29, juillet 1980.

Chapitre 2

LIVRES

BARNETT, L. *The Universe and D. Einstein*, New York, Time, Inc., 1962.

BERELSON, B. et G.A. STEINER. *Human Behavior: An Inventory of Scientific Findings*, New York, Harcourt, Brace & World, Inc., 1964.

BLAKE, R.R. et G. V. RAMSEY (Eds.). *Perception -An Approach to Personality*, New York, The Ronald Press Company, 1951.

DELORME, A. *Psychologie de la perception*, Montréal, Études Vivantes, 1982.

JOHNSON, W. *People in Quandaries*, San Francisco, International Society for General Semantics, 1980.

ROGERS, E. M. et L.D. KINCAID. *Communication Networks*, New York, The Free Press, 1981.

SANDBURG, C. *The People*, Yes, New York, Harcourt Brace Jovanovich, Inc., 1964.

VERNON, M.D.. The *Psychology of Perception*, Baltimore, Penguin Books, 1962.

ARTICLES

ACKER, S. R. et R. K. TIEMENS. «Children»s Perceptions of Changes in Size of Televised Images», *Human Communication Research*, vol 7, n° 4, été 1981.

HERON, W. «Cognitive and Physiological Effects of Perceptual Isolation», in P. Solomon et al. (Eds.), *Sensory Deprivation*, a symposium at the Harvard Medical School, Cambridge, Mass., Harvard University Press, 1961.

KUBZANSKY, P.H. et P. H. LEIDERMAN. «*Sensory* Deprivation: An Overview, in P. Solomon et al. (Eds.), *Sensory* Deprivation, a symposium at the Harvard Medical School, Cambridge, Mass., Harvard University Press, 1961.

MILLER, G. The Current Status of Theory and Research in Interpersonal Communication», *Human Communication Research,* vol 4, n° 2, 1978.

MILLER, G.R. et M.J. SUNNAFRANK. «All Is for One out One Is Not for All: A conceptual Perspective of Inerpersonal Communication», in F.E. X. Dance (Ed.), *Human Communication Theory*, New York, Harper & Row, Publishers, Inc., 1982.

Chapitre 3

LIVRES

BERLO, D.K. *The process of Communication*, Holt, Rinehart and Winston, Inc, New York, 1960.

BERNE, E. *Games People Play*, Grove Press, New York, 1964.
—— *Transactional Analysis in Psychotherapy*, New York, Grove Press, 1961.
—— *Des jeux et des hommes; psychologie des relations humaines*, Stock, Paris,1981.
—— *Analyse transactionnelle et psychothérapie*, Paris, Payot,1981.

BLANCHARD, K. et S. JOHNSON. *The One Minute Manager*, New York, William Morrow & Company, Inc.,1982.

COOLEY, C.H. *Human Nature and the Social Order*, New Brunswick, N.J., Transaction Books, 1983.

FITTS, W.H. *The Self Concept and Self Actualization*, Nashville, Tenn., Counselor Recordings and Tests, 1971.

HARRIS, T. *I'm OK - You're Ok*, New York, Harper & Row, Publishers, Inc., 1969.

—— *D'accord avec soi et les autres*, Paris, éditions de l'ÉPI, 1973.

LUFT, J. *Of Human Interaction*, Palo Alto, Calif., National Press Books, 1969.

MEAD, G. H. Mind. *Self and Society*, Chicago, University of Chicago Press, 1967.

POWELL, J. *Why Am I Afraid to Tell You Who I Am?* Chicago, Argus Communications, 1969.

ROLOFF, M.E. et G.R. MILLER (Eds.). *Persuasion: New Directions in Theory and Research*, Beverley Hills, Calif., Sage Publications, 1980.

ROSENTHAL, R. et L. JACOBSON. *Pygmalion in the Classroom*, New York, Irvington Publishers, 1983.

SIMON, S.B. VULTURE. *A Modern Allegory on the Art of Putting Oneself Down*, Niles, Ill, Argus Communications, 1977.

SMITH, D.R. et K. WILLIAMSON. *Interpersonal Communication*, Dubuque, Iowa, Wm. C. Brown Company, 1977.

SULLIVAN, H. S. *The Interpersonal Theory of Psychiatry*, New York, W. W. Norton & Company, Inc., 1968.

ZURCHER, L. A. *The Mutable Self Concept for Social Change*, Beverly Hills, Calif., Sage Publications, 1977.

ARTICLES

BERG. J. H. et R. L. ARCHER. «The Disclosure-Liking Relationship», *Human Communication Research*, vol. 10, n° 2, hiver 1983.

PENFIELD, W. «Memory Mechanisms», *AMA Archives in Neurology and Psychiatry*, 1952, with commentary by L.S. Kubie et al.

ROSENFELD, L.B. «Self Disclosure Avoidance: Why Am I Afraid to Tell You Who I Am», *Communication Monographs*, 46, mars 1979.

ROSENTHAL, R. «The Pygmalion Effect Lives», *Psychology Today*, vol 7, 1973.

RUNGE, T. E. et R.L. ARCHER. «Reactions to the Disclosure of Public and Private Self-Information», Social Psychology Quarterly, vol. 44, n° 3, 1981.

SEIBURG. E. «Dysfunctional Communication and Interpersonal Responsiveness in Small Groups», unpublished Ph. D. dissertation, University of Denver, 1969.

SIGMAN, S.J. «On Communication Rules from a Social Perspective», *Human Communication Research*, vol.7., n° 1, automne 1980.

Chapitre 4

LIVRES

FESTINGER, L. *A Theory of Cognitive Dissonance,* Evanston, Ill, Row, Peterson & Company, 1957.

HEIDER, F. *The Psychology of Interpersonal Relations,* New York, John Wiley & Sons, Inc., 1982.

LECKY. P. *Self-consistency: A theory of Personality,* New York, The Shoe String Press, 1982.

MACCOBY, E.E., T. H. NEWCOMB et E.L. HAMTLEY (Eds.). *Readings in Social Psychology,* New York, Holt, Rinehart and Winston, Inc, 1958.

MASLOW, A. *Motivation and Personality,* New York, Harper & Brothers, 1970.

ROKEACH, M. *Beliefs, Attitudes, and Values,* San Francisco, Calif., Jossey-bass, 1968.
—— *The Open and Closed Mind,* New York, Basic Books, Inc., 1960.

SCHUTZ, W. *The Interpersonal Underworld,* Palo Alto, Calif., Science and Beavior Books, 1966.

SHERIF. C.W. *Attitude and Attitude Change,* Westport, Conn., Greenwood Press, 1982.

SHERIF, M. et C. SHERIF. *Social Psychology,* New York, Harper & Row, Publishers, Inc., 1969.

THELEN, H.A. *Dynamics of Groups at Work,* Chicago, University of Chicago Press, 1963.

ARTICLES

BETTELHEIM, B. *«Why Does a Man Becone a Hater?» Life,* 7 février, 1964.

MILLS, J., E. ARONSON et H. ROBINSON. «Selectivity in Exposure to Information», *Journal of Abnormal and Social Psychology,* vol 59, 1959.

NEWCOMB, T.H. «An approach to the Study of Communicative Acts», *Psychological Review,* vol 60, 1953.
—— «Attitude Development: The Bennington Study», E.E. MACCOBY, T.H. NEWCOMB, et E.L. HARTLEY (Eds.), *Readings in Social Psychology,* New York, Holt, Rinehart and Winston, Inc., 1958.

OSGOOD, C. et P.H. TANNENGBAUM. «The Principle of Congruity in the Prediction of Attitude Change», *Psychological Review,* vol. 62, 1955.

VIDMAR, N. et M. ROKEACH. «Archie Bunker's Bigotry: A Study in Selective Perception and Exposure», *Journal of Communication,* vol 24, n° 1, hiver 1974.

Chapitre 5

LIVRES

FROMM, E. *Beyond the Chains of Illusion,* New York, Pocket Books, Inc., 1962.

HAYAKAWA, S. I. . *Language in Thought and Action,* New York, Harcourt, Brace, 1949.

HENDRICKSON, R. *American Talk: The Works and Ways of American Dialects*, New York, Viking Press, 1987.

KLUCKLOHN, C. *Mirror for Man*, New York, Fawcett Publications, 1963.

KORZYBSKI, A. *Science and Sanity*, 4ᵉ éd., Lakeville, Conn., The International Non-Aristotelian Library Publishing Company, 1958.

McCRUM, R., W. CRAN et R. MACNEIL. *The story of English*, New York, Elisabeth Sifton Books, Viking Penguin, Inc., 1986.

POSTMAN, N. et C. WEINGARTNER. *Teaching as a Subversive Activity*, New York, Delacorte Press, 1969.

SAFIRE, W. *The New Language of Politics*, New York, Random House, 1968.

SALOMON, L. *Semantics and Common Sense*, New York, Holt, Rinehart and Wilston, Inc., 1966.

SAPIR, E. *Culture, Language and Personality*, New York, University of California Press, 1964.

WHORF, B. *Language, Thought, and Reality*, New York, John Wiley & Sons, inc., 1956.

ARTICLES

D'ANGLEJAN, A. «French in Quebec», *Journal of Communication*, vol. 29. nᵒ 2, printemps 1979

GARNER, T. «Cooperative Communication Strategies», *Journal of Black Studies*, vol. 14, nᵒ 2, décembre 1983.
—— «Playing the Dozens: Folklore as Strategies for Living», *Quarterly Journal of Speech*, vol. 69, février 1983.

GEISSNER, H. «On Rhetoricity and Literarity», *Communication Education*, vol. 32, juillet 1983.

HARRIS, Z. *Language*, vol. 27, 1951.

HOCKETT, C. D. «The Origin of Speech», *Scientific American*, Vol. 203, nᵒ 3, 1960.

LANGER, W.L. «The Black Death» *Scientific American*, vol. 210, nᵒ 2, 1964.

MACKEY, W. F. «Language Policy and Language Planning», *Journal of Communication*, vol. 29, no 2, printemps 1979.

POUSADA, A. «Bilingual Education in the U.S.», *Journal of Communication*, vol. 29, nᵒ 2, printemps 1979.

WEISMAN, S. R.«When Language Barrier Becomes a Barricade», *New York Times*, 14 janvier 1987.

WELLS, W. D., F. J. GOI et S. A. SEADER. «A Change in Product Image», *Journal of Applied Psychology*, vol. 42, 1958.

WOOD, R. E. «Language Choice in Transnational Radio Broadcasting», *Journal of Communication*, vol. 29, nᵒ 2, printemps 1979.

Chapitre 6

LIVRES

BERLO, D. K. *The Process of Communication*, New York, Holt, Rinehart and Winston, Inc., 1960.

DEWEY, J. *How We Think*, Washington, D.C., Heath & Co., 1933.

HANEY, W. *Communication and Organizational Behavior*, Homewood, Ill., Richard D. Irwin, Inc., 1967.

JOHNSON, W. et Dorothy MOELLER. *Living with Change: The emantics of Coping*, New York, Harper & Row, Publishers, Inc., 1972.

OGDEN, C. K. et I. A. RICHARDS. *The Meaning of Meaning*, New York, Harcourt, Brace & World, Inc., 1959.

POSTMAN, N., C. WEINGARTNER et T. MORAN (Eds.). *Language in America*, Pegasus, New York, 1969.

SAFIRE, W. *The New Language of Politics*, New York, Random House, Inc., 1968.

TENNER, E. *Tech Speak: An Advanced Post-vernacular Discouse Modulation Protocol*, New York, Crown Publishers, 1986.

ARTICLES

BARNES, H. A. «The Language of Bureaucracy», N. POSTMAN, C. WEINGARTNER, T. MORAN (eds.), *Language in America*, New York, Pegasus, 1969.

BAVELAS, J. B. «Situations That Lead to Disqualification», *Human Communication Research*, vol. 9, n° 2, hiver 1983.

BAVELAS, J. B. et B. J. SMITH. «A Method of Scaling Verbal Disqualification», *Human Communication Research*, vol. 8, n° 3, printemps 1982.

BOWERS, J. W. «Does a Duck Have Antlers? Some, Pragmatics of Transparent Questions», *Communication Monographs*, vol. 49, n° 1, mars 1982.

CRONEN, V. E., W. B. PEARCE et L. HARRIS. «The Coordinated Management of Meaning. A Theory of Communication», F. E. X. DANCE (Ed.) *Human Communication Theory*, New York, Harper & Row, Publishers, Inc., 1982.

EISENBERG, E. «Ambiguity as Strategy in Organizational Communication», *Communication Monographs*, vol. 51, septembre 1984.

GEISSNER, H. «On Rhetoricity and Literarity», *Communication Education*, vol. 32, juillet 1983.

HECHINGER, F. M. «In the End Was th Euphemism», *Saturday Review World*, Sept. 3, 1974.

HOCKING, J. E. et D. LEATHERS. «Nonverbal Indicators of Deception: A New Theoretical Perspective», *Communication Monographs*, vol. 47, n° 2, juin 1980.

KORYBSKI, A. «The Role of Language on Perceptual Process», R. R. Blake, G. V. Ramsey (Eds.), *Perception-An Approach to Personality*, New York, The Ronald Press Company, 1951.

PUTNAM, L. L. et R. L. SORENSON. «Equivocal Messages in Organization», *Human Communication Research*, vol. 8, n° 2, hiver 1982.

REDDING, W. C. «Rocking Boats, Blowing Whistles, and Teaching Speech Communicatin», *Communication Education*, vol. 34, n° 3, juillet 1985.

Chapitre 7

LIVRES

BROWN, C. T. et C. VAN RIPER. *Speech and Man*, Englewood Cliffs, N. J., Prentice-Hall, Inc., 1966.

FAST, J. *Body Language*, New York, Pocket Books, Inc., 1981

HALL, E. T. *The Hidden Dimension*, Garden City N. Y., Doubleday & Company, Inc., 1966.
—— *La dimension cachée*, Paris, Seuil, 1971.
—— *The Silent Language*, Garden City, N. Y., Doubleday &I Company, Inc., 1973.
—— *Le langage silencieux*, Paris, éditions HMH, 1973.

LEATHERS, D. G. *Nonverbal Communication Systems*, Boston, Allyn and Bacon, 1976.

MOLLOY, J. T. *Dress for Success*, New York, Warner Books, 1976.
—— *The Woman's Dress for Success Book*, New York, Warner Books, 1978.

MONTAGU, A. Touching. *The Human Significance of the Skin*, New York, Harper & Row, Publishers, Inc., 1978.
—— *La peau et le toucher*, Paris, Seuil, 1979.

MORRIS, D. *Manwatching*, New York, Harry N. Abrams, Inc., 1979.

SHEFLEN, A. E. *Body Language and Social Order: Communication as Behavioral Control*, Englewood Cliffs, N. J., Prentice-Hall, Inc., 1972.

SOMMER, R. *Personal Space*, Englewood Cliffs, N. J., Prentice-Hall, Inc., 1969.

ARTICLES

ANDERSON, J. F. et J. G. WITHROW. «The Impact of Lecturer Nonverbal Exptessiveness on Imporving Mediated Instruction», *Communication Education*, vol. 30, n° 4, October 1981.

BAUCHNER, J. E., E. A. KAPLAN et G. R. MILLER. «Detecting Deception: The Relationship of Available Information to Judgmental Accuracy in Initial Encouters», *Human Communication Research*, vol. 6, n° 3, printemps 1980.

BUCK, R. «A Test of Nonverbal Receiving Ability: Preliminary Studies», *Human Communication Research*, vol. 2, n° 2, hiver 1976.

BURGOON, J. K. et L. AHO. «Field Experiments on the Effects of Violations of Conversational Distance», *Communication Monographs*, vol. 49, n° 2, juin 1982.

BURGOON, J. K. et S. B. JONES. «Toward a Theory of Personal Space Expectations and Their Violations», *Human Communication Research*, vol. 2, n° 2, hiver 1976.

CAPPELLA, J. N. et S. PLANALP. «Talk and Silence Sequences in Informal Conversation», *Human Communication Research*, vol. 7, n° 3, printemps 1981.

FRIEDMAN, H. S., T. I. MERTZ et M. R. DIMATTEO. «Perceived Bias in the Facial Expressions of Television News Broadcasters», *Journal of Communicaiton*, vol. 30, n° 4, automne 1980.

GIBBINS, K. «Communication Aspects of Women's Clothes and Their Relation to Fashionability», *British Journal of Social and Clinical Psychology*, vol. 8, 1969.

HOCKING, J. E., LEATHERS. «Nonverbal Indicators of Deception: A New Theoretical Perspecive», *Communication Monographs*, vol. 47, n° 2, juin 1980.

ISENHART, M. W. «An Investigation of the Relationship of Sex and Sex Role to the Ability to Decode Nonverbal cues», *Human Communication Research*, vol. 6, n° 4, été 1980.

KEISER, G. J. et I. ALTMAN. «Relationship of Nonverbal Behavior to the Social Penetration Process», *Human Communication Research*, vol. 2, n° 2, hiver 1976.

KOEVUMAKI, J. H. «Body Language Taught Here», *Journal of Communication*, vol, 25, n° 1, hiver 1975.

LEWIS, P. V. et Z. PAGE. «Educatinal Implications of Nonverbal Communication», *ETC.*, vol. 31, n° 4, 1974.

McLAUGLIN, M. L. et M. J. Cody. «Awkward Silences: Behavioral Antecedents and the Consequences of the Conversational Lapse», *Human Communication Research*, vol. 8, n° 4, été 1982.

O'HAIR, H. D., M. J. CODY et M. L. McLAUGHLIN. «Prepared Lies, Spontaneous Lies, Machiavellianism, and Nonverbal Communication», *Human Communicaiton Research*, vol. 7, n° 4, été 1981.

STILES, W. B. «Verbal Response Modes and Dimensions of Interpersonal Roles», *Journal of Personality and Social Psychology*, vol. 36, 1978.

Chapitre 8

LIVRES

BALES, R. *Interaction Process Analysis*, Cambridge, Mass., Addison Wesley Press Inc., 1950.

FINCH, F. E., H. R. JONES et J. LITTERER. *Managing for Organizational Effectiveness*, New York, McGraw-Hill Book Company, Inc., 1975.

GOLDBERG, A. A., et C. E. LARSON. *Group Communication*, Englewood Cliffs, N. J., Prentice-Hall, Inc., 1975.

HEIDER, F. *The Psychology of Interpersonal Relations*, New York, John Wiley & Sons, Inc., 1958.

JOHNSON, B. M. *Communication, the Process of Organizing*, Boston, American Press, 1981.

KELLEY, H. H. *Personal Relationships: Their Structures and Processes*, Hillsdale, N. J., Lawrence Erlbaum Associates, Inc.,1979.

KELLEY, H. H. et J. W. THIBAUT. *Interpersonal Relations: A theory of Interdependence*, New York, John Wiley & Sons, Inc., 1978.

KNAPP, M. L. *Interpersonal Communication and Human Relationships*, Newton, Mass., Allyn and Bacon, 1984.

KRECH, D., R. S. CRUTCHFIELD et E. L. BALACHY. *Individual in Society*, New York, McGraw-Hill Book Company, Inc., 1962.

ROSSITER, C. M. et W. B. PEARCE. *Communicating Personally*, Indianapolis, Ind., The Bobbs-Merrill Company, 1975.

SHUTZ, W. *The Interpersonal Underworld, Science and Behavior Books*, Palo Alto Calif., 1966.

VILLARD, K. L. et L. J. WHIPPLE. *Beginnings in Relational Communication*, New York, John Wiley & Sons, Inc., 1976.

WATZLAWICK, P., J. BEAVIN et D. JACKSON. *Pragmatics of Human Communication*, New York, W. W. Norton & Company, Inc., 1967.
—— *Une logique de la communication*, Paris, Seuil, 1972.

WILMOT, W. W. Dyadic Communication. *A Transactional Perspective*, Reading, Mass., Addison-Wesley, 1979.

ARTICLES

BATES, B. et L. S. SELF. «The Rhetoric of Career Success Books for Women», *Journal of Communication*, vol. 33, n° 2, printemps 1983.

BATESON, G. et D. D. JACKSON. «Some Varieties of Pathogenic Organization», *Discorders of Communication*, vol, 42, 1964.

BAVELAS, J. B. et B. J. SMITH. «A Method of Scaling Verbal Disqualification», *Human Communication Research*, vol. 8, n° 3, printemps 1982.

BRADAC, J. J., C. H. TARDY et L. A. HOSMAN. «Disclosure Styles and a Hint at Their Genesis», *Human Communication Research*, vol. 6, n° 3, printemps 1980.

BRADLEY, P. H. «The Folk-Linguistics of Women's Speech: An Empirical Examination», vol. 48, n° 4, mars 1981.

BROWN, B. W. «Family Intimacy in Magazine Advertising, 1920-1977», , vol. 32, n° 3, été 1982.

BUERKEL-ROTHFUSS, N. L., B. S. GREENBERG, C. K. AKIN et K. NEUENDORF. «Learning about the Family from Television», *Journal of Communication*, vol. 32, n° 3, été 1982.

DUBOIS, B. L. et I. CROUCH, (Eds.). «The Sociology of the Languages of American Women», in Bates Hoffer (Ed.), *Papers in Southwest English*, San Antonio, Tex., (PISE IV) by Trinity University, 1976.

FIEDLER, F. «The Trouble with Leadership Training», *Psychology Today*, février 1973.

FISHER, B. A. «Differential Effects of Sexual Compositions and Interactional Context on Interaction Patterns In Dyads», *Human Communication Research*, vol. 9, n° 3, printemps 1983.

GOLDGERG, A. A., L. CRISP, E. SIEBURG et M. TOLELA. «Subordinate Ethos and Leadership Attitudes», *Quarterly Journal of Speech*, vol, 53, n° 4 décembre 1967.

GREENBERG, B. S. et C. K. ATKIN. «The Portrayal of Driving on Television», *Journal of Communication*, vol. 33, n° 2, printemps 1983.

MONTGOMERY, B. M. et R. W. NORTON. «Sex Differences and Similarities in Communicator Style», *Communication Monographs*, vol. 48, n° 2, juin 1981.

MOORE, R. L. et G. P. MOSCHIS. «The Role of Family Communication in Consumer Learning», *Journal of Communication*, vol. 31, n° 4, automne 1981.

NOFSINGER, R. F., Jr. «On Answering Questions Indirectly: Some Rules in the Grammar of Doing Conversation», *Human Communication Research*, vol. 2, n° 2, hiver 1976.

RAWLINGS, W. K. «Openness as Problematic in Ongoing Friendships: Two Conversational Dilemmas», *Communication Monographs*, vol. 50, n° 1, mars 1983.

SANDERS, J. S. et W. L. ROBINSON. « Talking and Not Talking about Sex: Male and Female Vocabularies», *Journal of Communication*, vol. 29, n° 2, printemps 1979.

SIGMAN, S. J. «On Communication Rules from a Social Perspective», *Human Communication Research*, vol. 7, n° 1, automne 1980.

SKELLY, G. U. et W. J. LUNDSTROM. «Male Sex Roles in Magazine Advertising, 1959-1979», *Journal of Communication vol.* 31, n° 4, automne1981.

SUNNAFRANK, M. «Predicted Outcome Value during Initial Interactions», *Communication Research*, vol. 13, n° 1, automne 1986.

Chapitre 9

LIVRES

BENNIS, W. et al. *Interpersonal Dynamics: Essays and Readings in Human Interaction*, rev. ed., Homewood, Ill., The Dorday Press, 1979.

BLAKE, R., H. SHEPARD et J. S. MOUTON. *Managing Intergroup Conflict in Industry*, Houston, Tex., Gulf Publishing Company, 1964.

BLANCHARD, K., et S. JOHNSON. The One Minute Manager, New York, William Morrow & Company, Inc.,1982.

DEWEY, J. *How We Think*, Washington, D.C., Heath & Company, 1933.

DOLE, E. et L. URWICK. *Staff in Organization*, New York, McGraw-Hill Book Company, Inc., 1960.

FILLEY, A. C., R. J. HOUSE et S. KERR. *Managerial Process and Organizational Behavior*, 2ᵉ éd., Glenview, Ill., Scott, Foresman and Company, 1976.

FISHER, R. et W. URY. *Getting to Yes*, New York, Penguin Books, 1983.

FOLGER, J. P. et M. S. POOLE. *Working through Conflict: A Communication Perspective*, Scott, Glenview, Ill, Foresman and Company, 1984.

FROST, J. H. et W. L. WILMOT. *Interpersonal Conflict*, Dubuque, Iowa, Wm. C. Brown, 1978.

GIBSON, J. L., J. M. IVANCEVITCH et J. H. DONNELEY. *Organizations: Behavior, Structure, Processes*, Dallas, Business Publications, Inc., 1982.

GIFFIN, K. et B. R. PATTON. *Fundamentals of Interpersonal Communication*, New York, Harper & Row, Publishers, Inc., 1976.

HEIDER, F. *The Psychology of Interpersonal Relations*, New York, John Wiley & Sons, Inc., 1985.

JANDT, G. *Win-Win Negotiating: Turning Conflict into Agreement*, New York, John Wiley & Sons, inc,1985

JANDT, F. E. *Conflict Resolution through Communication*, New York, Harper & Row, Publishers, Inc., 1973

JANIS, I. *Victims of Groupthink*, Boston, Houghton Mifflin, 1972.

KELLY, J. Organizational Behavior, 3ᵉ éd., Homewood, Ill., Richard D. Irwin, Inc., 1980.

LASER, R. J. *Build a Better You*, San Mateo, Calif., Showcase Publishing Company, 1980.

LECKY, P. *Self-Consistency: A Theory of Personality*, New York, The Shoe String Press, 1961.

MYERS, M. T. et G. E. MYERS. *Managing by Communication*, New York, McGraw-Hill Book Company, Inc., 1981.

NIERENBERG, G. I. (Senior Ed.). «The Art of Negotiating Newsletter», New York, Negotiation Institute, Inc., 1983.

ROSS, L. *Reporting*, New York, Dodd Mead & Company, 1981.

SATIR, V. *Peoplemaking*, Center City, Minn., Hazelden Foundatio, 1976.

—— *Pour retrouver l'harmonie familiale*, Montréal, éditions France-Amérique, 1980.

WEAVER, C. H. et W. L. STRASBAUGH. *Fundamentals of Speech Communication*, New York, McGraw-Hill Book Company, Inc., 1964.

ARTICLES

BERG, J. H. et R. L. ARCHER. «The Disclosure-Liking Relationship», *Human Communication Research*, vol. 10, nº 2, hiver 1983.

DONAHUE, W. A. «Development of a Model of Rule Use in Negotiation Interaction», *Communication Monographs*, vol. 48, juin 1981.

—— «An Empirical Framework for Examining Negotiation Processes and Outcomes», *Communication Monographs*, vol. 45, août 1978.

FARSON, R. E. «Praise Reappraised», *Harvard Business Review*, Septembre-Octobre 1963.

GIBB, J. «Defensive Communication», *Journal of Communication*, vol. 11, septembre 1961.

JABLIN, F. M. «Superior's Upward Influence, Satisfaction, and Openness in Superior-Subordinate Communication: A Reexamination of the "Pelz Effect"» *Human Communication Research*, vol. 6, n° 3, printemps 1980.

JANIS, I. «Groupthink», *Psychology Today*, vol. 5, n° 6, novembre, 1971.

PUTNAM, L. L. et T. S. JONES. «Reciprocity in Negotiations: An Analysis of Bargaining Interaction», *Communicatin Monographs*, vol. 49, septembre 1982.

ROSENFELD, L. B. «Self Disclosure Avoidance; Wyy Am I Afraid to Tell You Who I am», *Communication Monographs*, 46, mars 1979.

RUNGE, T. E. et R. L. ARCHER. «Reactions to the Disclosure of Public and Private Self-Information», *Social Psychology Quarterly*, vol. 44, n° 4, décembre 1981.

WEIDER-HATFIELD, D. «A Unit in Conflict Managemen Skills», *Communication Education*, vol. 30, n° 3, 1981.

Chapitre 10

LIVRES

CATHCART, R. et L. SAMOVAR (Eds.). *Small Group Communication*, Dubuque, Iowa, Wm. C. Brown, 1979.

CLEVENGER, T. et J. MATTHEWS. *The Speech Communicatio Process*, Scott, Foresman and Company, Glenview, Ill., 1971.

JOHNSON, W. *People in Quandaries*, San Francisco, International Society for General Semantics, 1980.

JOHNSON, W., with Dorothy Moeller. *Living with Change*; The Semantics of Coping, New York, Harper & Row, Publishers, Inc., 1972.

KORZYBSKI, A. *Science and Sanity*, 4ᵉ éd., Lakeville, Conn., The International Non-Aristotelian Library Publishing Company, 1958

LIPPMANN, W. *Public Opinion*, Glencoe, Ill., The Free Press, 1965.

NICHOLS, R. G. et L. STEVENS. *Are You Listening?* New York, McGraw-Hill Book Company, Inc., 1957.

SCHRAMM, W. (Ed.). *Mass Communication*, Urbana, University of Illinois Press, 1960.

SONDEL, B. *Power Steering with Words*, Chicago, Follett, 1964.

WEINER, N. *The Human Use of Human Beings*, New York, Avon Books, 1967.

ARTICLES

BACKLUND, P. M., K. L. BROWN, J. GURRY et F. JANDT. «Recommendations for Assessing Speaking and Listening Skills», *Communication Monographs*, vol. 31, n° 1, janvier 1982.

BOOK, C. et K. W. SIMMONS. «Dimensions and Perceived Helpfulness of Student Speech Criticism.» *Communication Education*, vol. 29, n° 2, mai 1980.

BOWERS, J. W. «Does a Duck Have Antlers? Some Pragmatics of "Transparent Questions"» *Communication Monographs*, vol. 49, n° 1, mars 1982.

HANSER, L. M. et P. M. MUCHINSKY. «Performance Feedback Information and Organizational Communication», *Human Communication Research*, vol. 7, n° 1, automne 1980.

JABLIN, F. M. «Superior's Upward Influence, Satisfaction, and Openness in Superior-Subordinate Communication: A Reexamination of the "Pelz Effect"», *Human Communication Research*, vol. 6, n° 3, printemps 1980.

KALLAN, R. A. « Style and the New Journalism: A Rhetorical Analysis of Tom Wolfe», *Communication Monographs*, vol. 46, n° 1, mars 1979.

KATZ, D. «Psychological Barriers to Communication», in W. Schramm (Ed.), *Mass communication*, Urbana, University of Illinois Press,1960.

KELLY, C. M. «Empathic Listening», in R. Cathcart et L. Samovar (Eds.), *Small Group Communication*, Dubuque, Iowa, Wm. C. Brown, 1979.

KRAMAR, J. J. et T. R. Lewis. «Comparison of Visual and Non-visual Listening», *Journal of Communication*, vol. 1, n° 2, printemps 1951.

MICKIEWICZ, E. «Feedback, Surveys, and Soviet Communication Theory», *Journal of Communication*, vol. 33, n° 2, printemps 1983.

MYERS, G. E., M. T. MYERS, A. GOLDBERG et C. E. WELCH. «Effects of Feedback on Interpersonal Sensitivity in Laboratory Training Groups», *Journal of Applied Behavioral Science*, vol. 5, n° 2, 1969.

NICHOLS, R. et L. STEVENS. «Listening to People», *Harvard Business Review*, vol. 35, n° 5, 1957.

NORTON, R. W. et L. S. PETTEGREW. «Attentiveness as a Style of Communication», *Communication Monographs*, vol. 46, n° 1, mars 1979.

O'REILLY, C. A. et J. C. ANDERSON. «Trust and Communication of Performance Appraisal Information: The Effect of Feedback on Performance and Job Satisfaction», *Human Communication Research*, vol. 6, n° 4, été 1980.

PELZ, D. «Influence: A Key to Effective Leadership in the First Line Supervisor», *Personnel*, vol. 29, n° 2, 1952.

RANKIN, P. T. «Measurement of the Ability to Understand the Spoken Language», unpublished Ph.D. dissertation, The University of Michigan, 1926.

ROGERS, C. «Communication: Its Blocking and Facilitating», *Northwestern University Information*, vol. 20, 1952.

RUBIN, R. B. «Assessing Speaking and Listening Competence at the College Level», *Communication Education*, vol. 31, n° 1, January 1982.

VAN KIJK, T. A. «Discourse Analysis: Its Development and Application to the Structure of News», *Journal of Communication*, vol. 33, n° 2, printemps 1983.

Chapitre 11

LIVRES

BALES, R. *Interaction Process Analysis*, Cambridge, Mass., Addison Wesley Press Inc., 1950.

BARNLUND, D. C. et F. HAIMAN, *Dynamics of Discussion*, Boston, Houghton-Mifflin, 1960.

BASS, B. M. *Leadership, Psychology and Organizational Behavior*, New York, Harper & Row, 1960.

BERGERON, J. L. *et al. Les Aspects humains de l'organisation,* Chicoutimi, Gaëtan Morin Éditeur, 1979.

CARTWRIGHT, D. et N. A. ZANDER. *Groups Dynamics: Research and Theory*, New York, Harper & Row, 1968.

COLLINS, B. E. et H. A. GUETZKOW. *A Social Psychology of Group Process for Decision-Making*, New York, John Wiley & Sons, 1964.

DEWEY, J. *How we Think*, Washington, D.C., Heath & Co.,1910.

FISHER, B. A. *Small Group Decision Making,* New York, McGraw-Hill, 1974.

GOLDBERG, A. A. et C.E. LARSON, *Group Communication*, Englewood Cliffs, N.J., Prentice-Hall, 1975.

GOLEMBIEWSKI, R. T. *The Small Group*, Chicago, The University of Chicago Press, 1962.

GOULDNER, A. *Studies in Leadership*, New York, Harper & Brothers, 1950.

GORDON, T. *Group-Centered Leadership*, Boston, Houghton Mifflin, 1955.

GUETZKOW, H. *Groups, Leadership and Men: Research in Human Relations*, Russel & Russel, 1963.

HARE, P. *Handbook of Small Group Research*, New York, The Free Press, 1962.

HOMANS, G. C. *The Human Group*, New York, Harcourt, Brace and Company, 1950.

HOMANS, G. C. *Social Behavior: Its Elementary Forms*, New York, Harcourt, Brace & World, 1961.

JOHNSON, D. W. *Les relations humaines dans le monde du travail*, Montréal, Éditions du Renouveau Pédagogique, 1988.

KELLEY, H. H. et J. W. THIBAUT. *The Social Psychology of Group*, New York, McGraw-Hill, 1969.

KRECH, D., R. CRUTCHFIELD et E. BALACHEY. *Individual in Society*, New York, McGraw-Hill, 1962.

LASSEY, W. R. *Leadership and Social Change*, Iowa City, University Associates Press, 1971.

McGRATH, J. et I. ALTMAN. *Small Group Research*, New York, Holt, Rinehart and Winston, 1966.

MASLOW, A. H. *Motivation and Personality*, New York, Harper & Row, 1954.

MEAD, M. *Moeurs et Sexualité en Océanie*, Paris, Plon, 1971.

MILLS, T. *The Sociology of Small Groups*, Englewood Cliffs, N. J., Prentice-Hall, Inc., 1967.

MUCCHIELLI, R. *Communication et réseaux de communication*, Paris, Éditions E. S. F., 1973.

MYERS, M. T. et G. E. MYERS. *Managing by Communication: an Organizational Approach*, New York, McGraw-Hill Book Company, Inc., 1982.

OLMSTED, M. S. *The Small Group*, New York, Random House, 1959.

PETRULLO, L. et B. M. BASS. *Leadership and Interpersonal Behavior*, New York, Holt, Rinehart and Winston, 1961.

SAINT-ARNAUD, Y. *Les Petits Groupes: participation et communication*, Montréal, les Presses de l'Université de Montréal, 1978.

SHEPHARD, C. R. *Small Group*, San Francisco, Chandler, 1964.

SIMMEL, G. Conflict: *The Web of Group Affiliations*, Chicago, The Free Press of Glencoe, 1955.

TANNENBAUM, R., I. R. WESCHLER et F. MASSARIK. *Leadership and Organization: A Behavior Science Approach*, New York, McGraw-Hill, 1961.

VERNON, G. H. *Human Interaction*, New York, The Ronald Press Company, 1965.

WERTHER, W. B., K. DAVIS et H. LEE-GOSSELIN. *La gestion des ressources humaines*, Montréal, McGraw-Hill, Éditeurs, 1985.

WHITE, W. H., Jr. *The Organization Man*, New York, Simon and Schuster, 1956.

ARTICLES

ASCH, S. «Effects of Group Pressures upon the Modification and Distortion of Judgments» in H. GUETZKOW, *Group, Leadership and Men*, Pittsburgh, Carnegie Press, Carnegie Institute of Technology, 1951.

BALES, R. F. «The Equilibrium Problem in Small Groups», *in* T. PARSONS, R.F. BALES et E.A. SHILS (Eds.), *Working Papers in the Theory of Action*, Glencoe, Ill., The Free Press, 1953.

FIEDLER. F. «A Contingency Model of Leadership Effectiveness» in L. BERKOWITZ, *Advances in Experimental Social Psychology*, vol. 1, New York, Academic Press, 1964.

FIEDLER. F. «The Trouble with Leadership Training», *Psychology Today*, février 1973.

GIBB, C. «Leadership» in G. LINDZEY, *Handbook of Social Psychology*, Reading, Mass., Addison-Wesley, 1954.

GOLDBERG, AA., L. CRISP, E. SIEBURG et M. TOLELA. «Subordinate Ethos and Leadership Attitudes», *Quarterly Journal of Speech*, vol. 53, nº 4, décembre 1967: p. 354-360

KOMAROVSKY, M. «Cultural Contradictions and Sex Roles», *The American Journal of Sociology*, 1946, vol. 52, nº 3, pp. 184-189.

MYERS, M. T., G. E. MYERS *et al*, «Effecys of Feedback on Interpersonal Sensitivity in Laboratory Training Groups», *Journal of Applied Behavioral Science*, vol. 5, nº 2, printemps 1969.

MYERS, M. T. et A. A. GOLDBERG. «Group Credibility and Opinion Change», *Journal of Communication*, vol. 20, nº 2, 1970.

SHERIF, M. «A Study of Some Social Factors in Perception», *Archives of Psychology*, New York, vol. 60.

SHUTZ, W. «What Makes Groups Productive?», *Human Relations*, vol. 8, 1955: p. 429-465.

SLATER, P. E. «Role Differenciation in Small Groups», *American Sociological Review*, vol. 20, 1955: p. 300-310.

STOGDILL, R. «Personal Factors Associated with Leadership: A Survey of the Literature», *Journal of Psychology*, vol. 25, 1948: p. 35-71.

MANUEL DE LABORATOIRE

GELLERMAN, W. «Win as Much as You Can», in J. W. Pfeiffer et J. E. Jones (Eds.), *A Handbook for Structured Experiences for Human Relations Training*, vol. 3 (Rev.) La Jolla, Calif., University Associates, 1974.

HANEY, W. *Communication and Organizational Behavior*, Rev.Ed., Homewood, Ill., Richard D. Irwin, Inc., 1967.

MURRAY, E. et al. *Speech: Science-Art*, The Bobbs-Merrill Company, Inc., Indianapolis, 1969.

REBSTOCK, E. «General Semantics Training through Case Analysis», *ETC.*, vol, 20, nº 3, 1963.

INDEX DES SUJETS

INDEX DES AUTEURS

Achevé Imprimerie
d'imprimer Gagné Ltée
au Canada Louiseville